이불 시작
Lee Bul
Beginning
李㫤 始作

이불 시작
Lee Bul
Beginning
李昢 始作

《이불―시작》 전시 전경, 서울시립미술관, 2021
Installation view of *Lee Bul: Beginning*,
Seoul Museum of Art, 2021

시작부터 지금까지 작가의 일관된 관심은 조각에 있었습니다. 이 방은
앞서 소개된 주요 퍼포먼스들의 연계 자료들과 함께 조각가 이불의
퍼포먼스가 소프트 조각 개념으로 나아가는 과정을 목격할 수 있는
작품으로 재구성 되었습니다.

1991년 〈장엄한 광채〉가 세상에 처음 소개된 시기부터 1994년
이후의 폐선 모뉴먼트 연작과 1997-1998년의 〈플렉서스〉까지 주요
제로인 '몸'이 '몸의 이미지'로 나아가면서 이불은 여성 정체성에 관한
새로운 기호와 형상을 제시합니다. 대학교 시절 인체를 파편화하고
이어 붙여 새로운 형상을 실험하던 시기를 지나, '소프트 조각을
병이 한 이후부터 이불의 퍼포먼스는 더욱 다채로워집니다. 전시성
3에서는, 전시성 2에서 소개한 퍼포먼스 외 다른 퍼포먼스 기록
사진은 물론이고, 이와 연관된 드로잉, 오브제, 조각 등 작품과 자료
함께 제시하여 다른 각도에서 퍼포먼스를 감상할 수 있게 합니다.

그리고 이 시기 동안 참여했던 여러 전시들 중에서, 금호갤러
개관 25주년 전시 〈이런 미술 — 설거지〉(1994), 한국미술가 용모
있었던 〈여성, 그 다름과 힘〉(1994), 토론토 A스페이스의 〈용서,
못한〉(1994), 그리고 뉴욕 현대미술관에서 〈프로젝트〉(1997) 등에
출품했던 작품, 모형, 전시 설치를 위한 드로잉 들을 통해 이불 적
초기 활동을 집약적으로 살펴볼 수 있습니다.

From the beginning until the present, the artist's main an
consistent interest lay in sculptures. In this room, along v
materials related to the key performances introduced earl
works that showcase how sculptor Lee Bul's performance
progress toward the concept of soft sculpture are reconst   ed.

From the first introduction of *Majestic Splendor* in 1991   he
monument series after 1994 and *Plexus* in 1997 and 1998, I   ul
suggests a new identity of women as the "body" being he   re
medium of the artwork, which expanded toward an "imag   ed
the body". Since her college years when the artist experin
with representation of the female body by refiguring and
recomposition of body parts, her performances become n
diverse after new forms of life into "soft sculptures". In th
gallery, Lee Bul's performance documentations are preser
varied perspectives through video and photographic recon
well as related studies, objects and drawings.

In addition, among the various exhibitions the artist
participated in during this period, the artworks, drawings
preparation sketches for *This Kind of Art - Dish Washing*
at the 25th anniversary exhibition of Kumho Museum of /
Seoul (1994), *Women, The Difference and the Power* at Hankuk
Museum in Yongin (1994), *Unforgiven* at A Space in Toronto
and *Projects* at Museum of Modern Art, New York (1997)
give us a comprehensive view of the artist's early practice.

시작부터 지금까지 작가의 일관된 관심은 조각에 있었습니다. 이 방은
앞서 소개된 주요 퍼포먼스들의 실제 자료들과 함께 조각가 이불의
퍼포먼스가 소프트 조각 개념으로 나아가는 과정을 목격할 수 있는
작품으로 재구성 되었습니다.

1991년 〈장엄한 광채〉가 세상에 처음 소개된 시기부터 1994년
이후의 몽선 모뉴먼트 연작과 1997 · 1998년 〈플렉시스〉까지 주요
재료인 '몸'이 '몸의 이미지'로 나아가면서 이불은 여성 정체성에 관한
새로운 기호와 형상을 제시합니다. 대학교 시절 인체를 리피규어
이어 붙여 새로운 형상을 실험[...]
[...] 이불부터 이불의 퍼포
3에서는, 전시설 2에서 소개된 [...]
사진은 물론이고, 이와 연관된 [...] 모�형, 조각 등 작품과 자료
함께 제시하여 다른 각도에서 비교 [...]을 감상할 수 있게 합니다.

그리고 이 시기 동안 장여했던 [...]이 전시 중에서, 능동갤러리
개관 25주년 전시 〈어린 미술 [...] 거지〉(1994), 한국미술관 분만에서
있었던 〈여성, 그 다름과 힘〉(19 [...], 토론토 A스페이스의 〈분서반지
못한〉(1994), 그리고 뉴욕 현대[...]반에서 〈프로젝트〉(1997) 등 전시
출품했던 작품, 모형, 전시 설치 [...]관한 드로잉 등을 통해 이불 작가의
초기 활동을 집약적으로 살펴볼 [...]있습니다.

From the beginning until the present, the artist's main and
consistent interest lay in sculptures. In this room, along with
materials related to the key performances introduced earlier,
works that showcase how sculptor Lee Bul's performances
progress toward the concept of soft sculpture are reconstructed.
From the first introduction of *Majestic Splendor* in 1991 to the
monument series after 1994 and *Plexus* in 1997 and 1998, Lee Bul
suggests a new identity of women as the "body" being her core
medium of the artwork, which expanded toward an "image of
the body". Since her college years when the artist experimented
with representation of the female body by refiguring and
recomposition of body parts, her performances become more
diverse after new forms of lead into "soft sculptures". In this
gallery, Lee Bul's performance documentations are presented in
varied perspectives through video and photographic records as
well as related studies, objects and drawings.
In addition, among the various exhibitions the artist
participated in during this period, the artworks, documents,
preparation sketches for *This* at the 25th anniversary exhibition,
Seoul (1994), *Women, The Difference and Power*, Korean Art
Museum in Yongin (1994), *Unforgiven* at A Space in Toronto,
and *Projects* at Museum of Modern Art, New York (1997)
give us a comprehensive view of the artist's early practice.

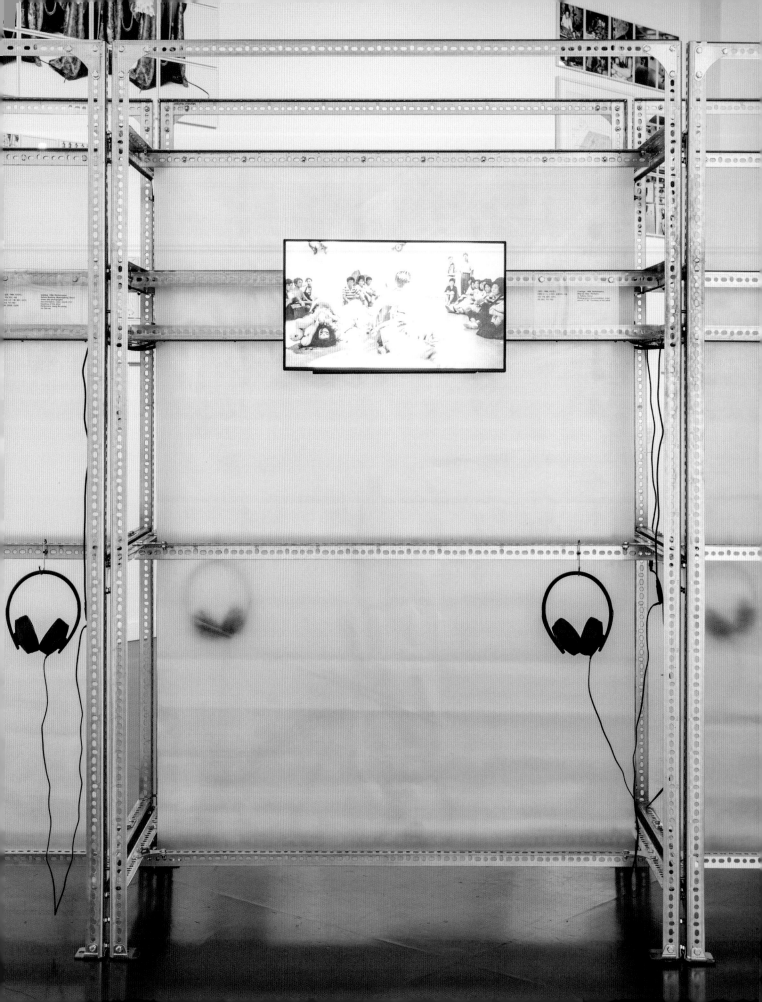

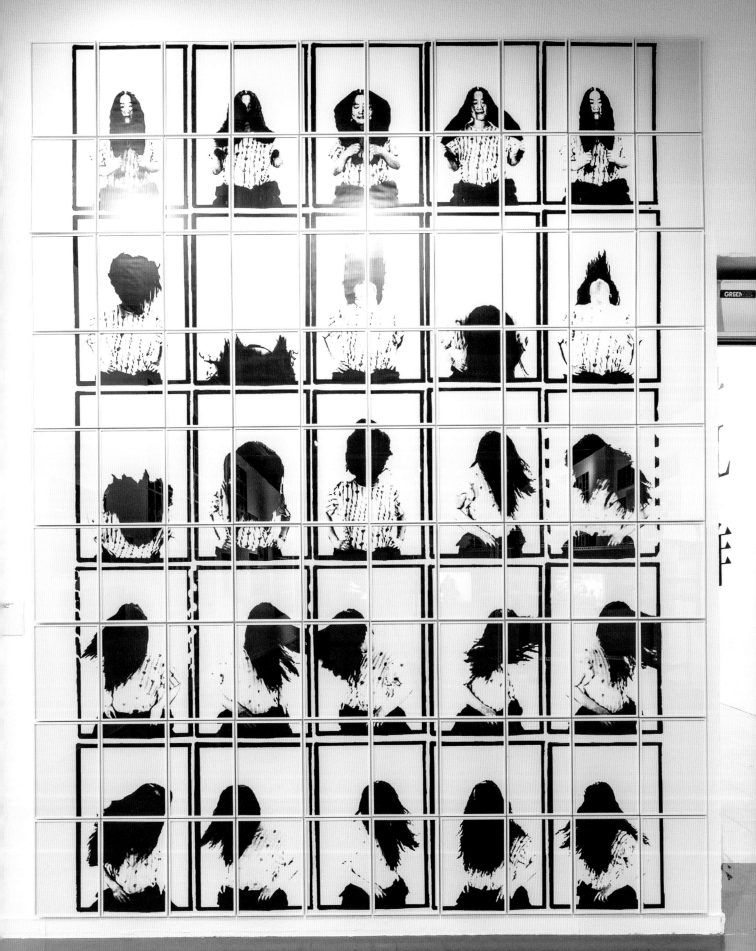

목차
Contents

감사의 말

백지숙

『이불—시작』은 서울시립미술관에서 열린 같은 제목의 전시를 앞두고 기획한 출판물입니다. 전시는 아시아 순회전을 계획했으나 코로나 팬데믹으로 연기 끝에 2021년 3월 서울시립미술관 서소문본관에서 개막했습니다. 2018년 런던 헤이워드 갤러리에서 열린 거의 전작을 보여주는 대규모 회고전 이후 착상된 이 전시는, 이불 작업의 발원 혹은 원천을 집중 탐색한다는 점에서 일종의 프리퀄인 셈입니다. 모든 시원이 갖고 있는 탄생의 비밀과 신비를 기대하며 그간 놓쳐왔을지도 모를 단락과 결여를 복구함으로써, 현재까지는 물론 앞으로 이어질 서사도 보다 풍부해질 것을 예고하는 전시라고 할 수 있겠죠. 작가 이불이 작업을 시작한 80년 말에서 10여년에 이르는 시기를 생생하게 재구성하기 위해, 우선 미술관의 사전연구팀은 문헌과 관련 아카이브 조사를 필두로 기존 이불 작업 연구자와 큐레이터는 물론이고 다양한 관점의 평론가, 작가를 초청하여 강의와 토론을 진행했습니다. 지식과 정보를 기꺼이 공유해주신 김형미 국립현대미술관 학예연구사, 신정훈 서울대학교 교수, 우정아 포항공과대학 교수, 배명지 국립현대미술관 학예연구사, 장지한 평론가, 황세준 작가님에게 감사드립니다.

코로나19에 직접 타격을 받았던 전시 못지않게 출판물이 세상에 나오기까지도 적지 않은 어려움이 있었습니다. 30년여년 메모와 사진, 드로잉과 동영상 자료 등을 다시 추리고 찾아낸 후 체계적으로 분류하고 복원할 뿐 아니라 일부는 보존처리와 재제작도 병행해야 했는데, 아시다시피 이 과정에 필수적인 디지털화야말로 꼼꼼한 수작업과 절대적인 시간투여 없이는 불가능한 일이었습니다. 또한 관여했던 여러분에게 자료를 요청하고 조각난 기억을 짜맞추어 정보의 지도를 정돈하는 작업은 흥미진진한 만큼이나 지난해 보였습니다. 도움을 주신 안상수 디자이너, 금누리 작가, 박영숙 작가, 이형주 작가, 김홍희 전 서울시립미술관장님 그리고 홍콩의 Art Asia Archive에 감사드립니다. 무엇보다 아카이브를 구축하는 내내 스튜디오

이불 MARICI LAB SPACE의 이미림, 최지현, 황지희 세 분의 헌신적이고도 전문가적 참여가 결정적인 원동력이 되었음을 익히 알고 있습니다. 이 자리를 빌어 다시 한 번 감사드립니다.

전시와 출판의 관계항을, 권진 학예연구사가 서문에 적은 유전자 구조체 비유를 차용해서 도해할 수 있을 겁니다. 같은 시기를 다루지만 서로 다른 미디어인 만큼 교차지점이 있고 또 병렬하는 부분도 있으며 각기 멀어졌다 가까워지는 여러 섹션들이 포함되어 있습니다. 그러나 저는 이번 출판물이 전시와 단단히 결합된 이중나선 구조 보다는 떨어져 나와 언제든 새롭게 다른 나선을 만들어 낼 수 있는, 이를테면 바이러스 구조체에 가깝다고 여겨집니다. 이질적인 텍스트의 컨텐츠 및 텍스추어에 따라 목차를 수 차례 조정할 때 커미션 글이 큰 가닥을 만들어냈습니다. 한편, 박소현, 성기완, 장지한 세 필자의 글은 서로 상이할 뿐 아니라 어쩌면 충돌하기도 하는 시각으로 이불의 시작을 들여다보고 있으며 그런 만큼 후속적으로 각기 다른 맥락에서 또 다른 문화의 '변형' 구조를 생성하리라 기대합니다. 여러 모로 도전적인 글 작업에 기꺼이 참여해주신 필자들께 감사드립니다.

이불 작가와 저는 같은 해 같은 나라에서 태어났고 '격동의 80년대' 대학시절을 보낸 지역도 동선이 겹칩니다. 이런 우연 때문에라도 한국 현대사의 주요 사건이 성장기 신체에 남긴 기억이 나이테처럼 저장된다면 유사한 패턴을 발견할 수 있을지 모릅니다. 또 미술계에서 활동을 시작한 90년대에는 같은 일터에서 잠시 일을 한 적도 있고 같은 전시의 다른 파트에 기획자와 작가로 참여한 적도 있습니다만, 정작 해당 시기에 작가 이불의 작품을 제대로 살펴보지는 못했던 것 같습니다. 제임스 리 선생님의 개별 작품에 대한 설명문은 저뿐만 아니라 당시 '사건'이 벌어졌던 장소에서 작업을 직접 대면하지 못했던 독자들에게 촘촘한 가이드라인을 제공합니다. 전시와 책이 중점적으로 다루는 1997년 이후, 작가 이불의 글로벌한 광폭 행보가 어떻게

전개되는 지에 대해선 정도련 선생님의 글이 큰 방향을 잡아 줍니다. 2000년대 이후 작가 이불의 변화상을 간간이 전시로만 따라잡았던 저 같은 독자에게, 스테파니 로젠탈, 한스 울리히 오브리스트, 니콜라우스 샤프하우젠과 작가가 나눈 대화는 좀 더 속 깊은 이야기로 여운을 남깁니다. 기존 원고 수록을 허락해주신 필자들께 감사드립니다.

출판물은 서울의 미디어버스와 BB&M, 베를린의 봄디아 출판사, 스튜디오 마뉴엘 라이더와 협업을 통해 가능해졌습니다. 물리적, 시간적 차이를 넘나드는 난이도 높은 온오프라인 커뮤니케이션을 거쳐 놀라운 결과물을 도출한 디자이너 마뉴엘 라이더, 루시 듀크레이, 서희선, 그리고 임경용 대표에게 감사드립니다.

<이불—시작>을 위해서 소중한 작품을 대여해주신 개인 소장자 분들과 대구미술관, 아모레퍼시픽미술관, 아트선재센터, 리움 삼성미술관에도 감사드립니다. 에르메스 코리아, BB&M (Bartleby Bickle & Meursault), 리만 머핀, PKM 갤러리, 그리고 타데우스 로팍의 후원 없이는 밀도가 현저히 낮아졌으리라 생각합니다. 대단히 감사합니다.

『이불—시작』은 서울시립미술관의 여러 단위에서 협업하지 않았으면 세상에 나오지 못했을 것임이 분명합니다. 미술관이야말로 공조의 의지와 협력의 기술 없는 세상에 존재할 수 없는 장소라는 사실을 새삼 깨닫습니다. 그 중에서도 사전 리서치를 공동 진행했던 정재임 북서울미술관 학예연구사와 서지원, 김서현, 이주연, 김보아 코디네이터, 연구와 출판에서 든든한 지원군이자 협력자였던 수집연구과 김아영 학예연구사, 그리고 미술관 안팎을 가로지르는 복합적이고도 정교한 '커뮤니케이션 큐레이토리얼'을 실행하면서 <이불—시작>을 여기까지 이끌어온 전시과 권진 학예연구사와 최서영 코디네이터에게 깊은 감사와 축하를 보냅니다.

마지막으로 프로젝트를 진행하는 동안 발생했던 여러 번의 위기에도 흔들리지 않고 중심을 잡아가며 긴 노정을 훌륭하게 마무리 해주신 이불 작가에게 존경과 감사를 드립니다.

Foreword and Acknowledgements

Beck Jee-sook

Lee Bul: Beginning is a publication designed prior to an exhibition under the same title at Seoul Museum of Art. While originally planned to tour around Asia, the exhibition opened at the Seosomun Main Building of Seoul Museum of Art in March 2021 after postponements due to the COVID-19 pandemic. This exhibition, conceived after a large-scale retrospective exhibition at London's Hayward Gallery in 2018 presenting almost all of the artist's works, is a type of prequel in the sense that it focuses on exploring the origin or source of Lee Bul's work. Through anticipating the secrets and mysteries of birth possessed by all origins and restoring the paragraphs or deficiencies that may have been missed, the exhibition shows the richness of narratives in the present as well as the future. In order for a vivid reconstruction of the decade beginning in the late 1980s when Lee Bul began her work, the museum's preliminary research team first conducted studies on literature and related archives and organized lectures and discussions by inviting researchers of her works and curators as well as various critics and artists. I would like to express my appreciation for the knowledge and information shared by Kim Hyoungmi, curator at the National Museum of Modern and Contemporary Art, Professor Shin Chunghoon of Seoul National University, Professor Woo Jung-Ah of Pohang University of Science and Technology, Bae Myungji, curator at the National Museum of Modern and Contemporary Art, critic Jihan Jang, and artist Hwang Sejun.

The publication faced no less difficulties to make it into the world than the exhibition, which experienced a direct hit by the COVID-19. Memos, photographs, drawings, and videos from more than three decades had to be systematically classified and restored after being sorted and located, while some materials even required preservation treatment or reproduction. As you know, the digitalization required in this process would not have been possible without the meticulous work by hand and an absolute time investment. In addition, requesting materials from previously involved individuals to organize a map of information by combining fragmented memories seemed extremely challenging as it was exciting. I would like to thank designer Ahn Sang-soo, artist Gum Nuri, artist Park Youngsook, artist Lee Hyeong Joo, former director of Seoul Museum of Art Kim Hong-hee, and Asia Art Archive of Hong Kong for the help. Above all, I am well aware that the dedication and professional participation by Mirim Lee, Jihyun Choi, and Jenny Jihee Hwang of Marici Lab Space (Studio Lee Bul) became the crucial driving force throughout the process of archive construction. I would like to take this opportunity to thank you again.

The relatum between exhibition and publication can be illustrated by borrowing the analogy to genetic structure that curator Jin Kwon wrote in the foreword. While they deal with the same period, they are different types of media, thus possessing points of intersection as well as parallels, and various sections that diverge and converge. However, instead of a double helix in which the publication and the exhibition are firmly intertwined, I feel that the current publication is closer to the structure of a virus, which can readily disengage and form a new helix. The writings of contributors formed a big strand when the table of contents had to be adjusted several times according to the contents and textures of the heterogeneous texts. Meanwhile, the writings by Sohyun Park, Kiwan Sung, and Jihan Jang look into the beginning of Lee Bul from perspectives that not only differ but also clash perhaps, and as such, I expect that they would subsequently generate other transformative structures of culture in different contexts. I am thankful for the contributing writers who willingly participated in the work, which was challenging in many ways.

Artist Lee Bul and I were born in the same year in the same country, and the areas we spent our college years in the "turbulent 80s" also overlap. If memories of important events in Korean modern history are stored like tree rings on a body in growth, such coincidences could mean that similar patterns may be discovered between us. Also, in the 1990s when I began working in the art world, we once worked at the same place for a while and participated in different parts of the same exhibition as a curator and an artist, but it seems that I didn't get to really look into Lee Bul's works at the time. The descriptions of individual works by James B. Lee offer thorough guidelines to readers, including myself, who were not there to witness the works in the places where the "incidents" happened at the time. Regarding how artist Lee Bul's globe-wide practice unfolds after 1997, which is the focus of both the exhibition and the book, Doryun Chong's writing sets the overall direction. To a reader such as myself who occasionally kept track of artist Lee Bul's change since the 2000s solely through exhibitions, the conversations the artist shared with Stephanie Rosenthal, Hans Ulrich Obrist, and Nicolaus Schafhausen leave a lingering impression by their deeper stories. I am grateful for the writers who gave permission to publish the manuscripts.

The publication has been made possible by the collaboration with Mediabus and BB&M of Seoul, Bom Dia Boa Tarde Boa Noite and Studio Manuel Raeder of Berlin. I want to extend my gratitude to Manuel Raeder, Seo Heesun, Lucy Ducrey, and Lim Gyeongyong for the amazing results they delivered through the highly difficult on- and off-line communications traversing physical and temporal differences.

I would like to thank the private collectors, Daegu Art Museum, Amorepacific Museum of Art, Art Sonje Center, and Leeum Samsung Museum of Art for providing the loans of valuable works for *Lee Bul: Beginning*. Without the courtesy of Hermès Korea, BB&M (Bartleby Bickle & Meursault), Lehmann Maupin, PKM Gallery, and Thaddaeus Ropac, *Lee Bul: Beginning* would have been significantly less dense. Thank you very much.

Lee Bul: Beginning would certainly not have met the world without Seoul Museum of Art's collaborations at various levels. I am reminded of the fact that an art museum cannot exist in the world without the determination for cooperation and techniques of collaboration. Among others, my deepest gratitude and congratulations go to curator Jaeim Jeong at Buk-Seoul Museum of Art, Seo Jiwon, Kim Seohyun, Lee Juyeon, and Kim Boah, who co-conducted the preliminary research; curator Ayoung Kim of the collection & research department, who was a strong supporter and collaborator in research and publication; and curator Jin Kwon and coordinator Choi Seoyoung of the exhibition department, who steered *Lee Bul: Beginning* to this point by carrying out the complex and sophisticated "communication curatorial" that ran inside and outside the museum.

Lastly, I express my respect and gratitude to artist Lee Bul, who persevered through various crises during the project and successfully completed the long journey.

서막
Prologue

퍼포먼스 사진, 1989
Performance photography, 1989

'시작始作'이라는 알레고리

권진

《이불—시작》은 세계적인 작가 이불의 초기 활동이 있었던 10여 년 동안 집중적으로 발표한 '소프트 조각'과 퍼포먼스 기록에 관한 전시 제목이다. 20대 여성작가 이불이 활동을 시작했던 1980년대 후반부터 초기 활동을 아우르는 1990년대 한국 사회는 민주화 운동의 주변부화, 소비주의와 대중문화의 범람, 국제화의 물결, 한 세기가 끝나는 두려움, 그리고 새로운 세기에 대한 희망이 상충하는 역사의 변곡점을 지나고 있었다. 이번 전시에선 이러한 시대적 맥락에서 형성된 퍼포먼스를 중심으로 조각, 드로잉은 물론 작가의 예술적 사유와 탐구의 과정이 담긴 모형, 오브제 등 그동안 알려지지 않은 이불의 초기 작품과 방대한 자료들을 소개한다. 잘 알려진 대로 이불의 작품은 신체의 안과 밖, 남성 중심의 모더니즘 유산, 한국의 근대사와 지배 이데올로기 등을 관통하며 포착된 상징을 모티프로 삼아 아름다움, 추함, 삶, 죽음, 정신, 몸, 빛 그리고 어두움 같이 충돌하는 의미들을 동시에 드러낸다. 그리고 이 충돌의 작용은 사회, 정치, 젠더, 계층, 인종 등에 관한 외적 시선을 투영하여 기존의 사고와 경계를 가로지른다. 작가 이불의 시작점을 되돌아보는 이번 전시는 과거와 현재라는 두 시점 간에 긴장관계를 불러일으킨다. 이 귀환의 서사는 현재 진행 중인 작가의 작품 세계에 대한 해석을 풍부하게 하는 것은 물론 지금의 세상을 투영하며 우리에게 여전히 유효한 몇 가지 질문을 던진다.

　이불의 초기 작품들은 크게 '여성의 신체', '문화정치적 공간', 그리고 '근대성의 바깥'이라는 세 가지 관점을 통해 살펴볼 수 있다. 이 세 가지 관점을 중심으로 챕터를 구성하는 본 출판물은 전시에서 아우르는 작품들의 사진 기록, 관련 자료, 연구 에세이, 그리고 작가 인터뷰 발췌를 엮은 모노그래프다. 이번 전시와 출판의 제목처럼 프로젝트의 시작이 되었던 것은 작가의 퍼포먼스 기록에 해당하는 수천 장의 사진과 자료였다. 이 자료들은 소실되거나 행방을 알 수 없는 각종 실험과 작품에 대한 기록은 물론이고, 그동안 비엔날레나 개인전에서 간단하게 발표했던 주요 퍼포먼스의 면면을 담고 있는 시퀀스 사진, 그리고 작가 본인조차도 잊고 있었던 참여 전시와 관련한 내용, 1980년대와 1990년대 한국의 문화예술 풍경을 배경으로 한 비공개 퍼포먼스 기록과 그 외 여러 미술적인 활동을 아우르고 있다. 작가는 이 기록을 단순한 시간 순서로 목록화 하지 않고 보다 입체적인 구성까지 나아가며 작품을 재구성하였는데, 이것은 마치 겹의 구조가 얽혀 큰 줄기의 결합과 확장을 보여주는 일종의 유전자 구조체로도 읽힌다. 이 구조체는 임의의 이름을 붙인 네 개의 종을 중심으로 파생되는 여러 활동의 흐름을 집약적으로 설명해준다. 각각의 종은 절대 개별적으로 머물지 않고, 다른 작품-소우주들과 얽히면서 새로운 군을 형성하고 또 다른 시각적 기호를 만들어낸다. 전시와 출판의 제목은 '시작'이지만, 제목에서 지시하는 바가 시간적인 차원에서 과거에만 귀속되지 않는 이유도 바로 이와 같은 작가의 유기적 생산 방식이 현재진행형이기 때문이다. 따라서 '시작'이라는 제목은 명시적이기보다 해석에 따라 은유적이면서 복수의 의미로 이해할 수 있다. 이불의 '시작'은 초기의 작품들이 생성된 과거를 지시하지만, 작가 이불의 시작을 비로소 들여다보는 우리의 현재이기도 하고, 과거에 귀속된 초기 작품에 나타나는 불연속적 특징에서 이불 작품의 연속성을 찾아내는 '시작이라는 알레고리'로도 읽을 수 있다.

　본 전시와 출판물을 알레고리적으로 읽기 위한 시도는 고대의 수사적 의미에만 머물지 않고 단순한 비유가 아닌 인식의 차원으로 거듭난다. 이불의 과거 작품에서 동원되는 재료나 양식은 파편들이고, 이들이 뒤섞이고 충돌하는 형상과 시간은 완결된 의미로 규정되지 않으며, 비결정적인 읽기의 방식을 통해 확장된 해석으로 거듭난다. 이불의 작품들은 '근대'라는 전 세대의 전위로서 '새로운 것'임에는 분명하지만, 동시에 고전과 '은밀한 유대관계' 속에서 이해될 수밖에 없다. 여성의 신체가 제시하는 여러 도상은 원관념에 대한 해석을 포괄하지만, 문화정치적 공간을 생성하는 퍼포먼스는 갈등하는 논리를 더해 끊임없는 상호작용을 통해 이루어진다. 동시에 작품의 표면이 닿고 있는 '근대성'은 그것을 전복하는 전위적 작용과 관계를 맺으며 근대에서 탈락한 '바깥'을 가시화한다. 퍼포먼스와 조각이 구축한 형상들—인체의 조각을 조합하여 만든 새로운 생명체, 여성의 신체 부분이 과장되거나, 근대 이데올로기를 상징하는 오브제가 등장하고, 우화나 신화 속 코스튬이 병치되고, 오리엔탈리즘을 둘러싼 시선을 해체했다가 다시 모으며, 기원적인 몸의 행위와 메타언어가 새로운 관계를 통해 제시하는 또 다른 여성상은 끊임없이 '다르게 말하고 있다'. 여기서 제시되는 기표들은 파편적이고, 단순한 상징이 아니고, 서로 충돌하는 논리 구조에 들어오기 때문에 복잡하고 복합적으로 인지된다. 그리고 이러한 인지의 과정에는 보이는 것 이상의 텍스트가 숨겨져 있어 충분한 정보와 시간을 바탕으로 하나씩 읽어내고 발견하는 기쁨이 있다. 동시에 작가는 "어떤 세계를 인식하는 방법을 드러내기 위해서 사용하는 나의 레퍼런스를 반드시 알아야만 대중이 이해할 수 있다고 생각하지 않고, 그것을 솔직하게 경험하는"[1] 기회를 제공한다. 작품을 통해 감상자가 각자의 방식으로 감정의 굴곡을 겪고 대면하며 느끼게 되는 과정, 즉 내면 성찰과도 같은 시간이 주어진다. 예술의 가장 오래되고 기본적인 역할에 충실하게 말이다.

이불의 초기 활동에서 '몸' 혹은 여성의 신체는 작품의 주요 소재이자 중심 주제였다. 작가는 인체를 분절하고, 뒤틀고, 이어 붙인 형태 실험은 물론이고, 주로 자신의 신체를 계속해서 변용하는 방식으로 여성과 여성의 신체에 대한 여러 상징을 투영하고, 기존의 관념을 역설하며, 새롭게 형상화한다. 시각의 언어, 그 중에서도 조형성을 기반으로 한 이불의 실험 정신은 당대의 청년 작가이자 여성 작가로서 집요하게 자신의 정체성을 질문하고 확인해가는 여정 속에서 선명하게 드러난다. 1982년 홍익대학교 조소과에 입학하면서부터 작가는 기존의 제도에서 중시했던 단단하고 단일한 재료나 표현에서 한계와 답답함을 느꼈고, 여기에서 벗어나고자 부드러운 천, 가벼운 솜과 스티로폼, 장식적인 비즈와 시퀸, 털, 흡수가 빠른 한지, 유동적인 철사와 노끈, 그리고 냄새와 시간을 주요 창작 재료로 삼아 형태적인 실험을 시작했다.

이불이 선택한 재료들은 촉감이 부드러운 것은 물론, 고정적인 덩어리를 줄이거나 깎아서 형태를 구성하는 방식의 반대, 즉 상이한 성질과 파편의 재료들을 이어 붙여 예상치 못한 하나의 형태를 구축하기에 적절한 것이었다. 그리고 이와 같은 재료 실험과 더불어 작가는 여성의 신체를 주목한다. 1980년대의 한국 사회를 돌이켜 생각해보면, 여성 신체에 대한 남성적 시선이 제도화되어 있고, 자유로운

성 표현은 검열 대상이었으며, 남성 중심적 상징체계나 신화, 그리고 여성 억압적 정신분석학 이론이 중심에 있는 세계관이 당연하게 여겨지던 시대였다. 이러한 배경 속에서 이불의 조각은 단순히 여성의 우월함을 주장하지 않고 때론 여성에 대한 부조리하고 폭력적인 시선을 자처하며, 오히려 실존적인 형체나 상황을 적나라하게 드러냄으로써 작가이자 여성인 자신이 처한 상황을 직시하는 방식을 선택한다. 그런 의미에서 1988년 첫 개인전에서 발표한 조각, 설치, 그리고 조각을 입고 벌인 퍼포먼스는 이불의 '소프트 조각'이 출발된 계기이면서 동시에 내면의 욕구와 힘을 처음으로 발산한 사건으로 여겨진다. 이불이 만들고, 입고, 소리 내며 움직이는 조각은 젠더 구분을 모호하게 만들고 장르 간의 경계를 가로지르며 기존의 조각 언어에 새로운 균열을 불러왔다. 강한 저항 의식을 내포하는 그의 예술적 발산은 이후 벌어지는 여러 퍼포먼스에서 문화 정치적인 기제들을 비판적으로 전유하는 구체적인 주제 의식으로 발전하게 된다.

이 같은 관점을 중심으로 구성된 Act 1은 첫 개인전 《점점 더— 그, 그것은》(1988)부터 《여성, 그 다름과 힘》(1994) 전시에서 소개한 작품과 퍼포먼스까지 여성의 신체에서 출발한 문제 의식이 즉흥적인 상황과 움직임을 만나 상호적인 작용을 통해 새로운 형상으로 이어지는 궤적을 담고 있다. 각 챕터 안에서 임의의 군을 형성하는 사진과 자료의 묶음은 각각 짧은 해제와 함께 시작된다. 이 해제의 구성은 제임스 리가 『아시아 아트 뉴스』(1994)와 『아트 아시아 퍼시픽』(1995) 미술 전문잡지에 부분 발표하고 1997년 완성한 「풍자, 우화, 정치」(1997)에서 출발했다. 이불의 일곱 퍼포먼스를 정확하고 신중하게 전달하는 이 글은 지금으로부터 30여 년 전 일어났던 일련의 사건에 관한 생생한 진술처럼 과거를 다시 읽기 위한 가이드 역할을 하고 있다. 그의 글이 포괄하지 않는 작품과 활동에 대한 추가 해제는 서울시립미술관 학예연구사 권진, 김아영이 작성해서 작품에 대한 최소의 정보와 해석의 실마리를 제공한다. Act 1에서는 <갈망>(1988, 1989), <낙태>(1989, 1990), <수난유감—내가 이 세상에 소풍 나온 강아지 새끼인 줄 아느냐?>(1990) 등 주요 퍼포먼스에 대한 기록 등을 담고 있다. 이번에 소개되는 방대한 분량의 기록은 작가의 퍼포먼스 기록이라는 사실을 넘어서 '사진'의 매체적 실천까지도 생각하게 한다. 과거라는 한시적인 시점과 특정 장소에서 이루어졌던 퍼포먼스를 기록한 사진과 비디오를 기억, 발굴하고, 전시장과 책이라는 특수한 공간에 적합한 형태로 해체되고 재조립되는 과정에서 우리는 '퍼포먼스'라는 매체의 불연속성을 필연적으로 떠올린다. 수 천장에 달하는 기록 사진은 전시와 출판을 통해 현재와 동기화되면서 새로운 시간에서의 상호작용을 통해 일종의 메타-퍼포먼스로 나아간다.

Act 1에 수록된 1980년대의 대표적인 여성시인 최승자의 「다시 태어나기 위하여」(1981)는 이불 작품의 제목 <수난유감>이 원용된 경로를 확인시켜주는 주요 레퍼런스다. 여성의 몸을 통과하는 실존적이고 파괴적인 시의 언어에서 주체성을 획득하는 과정이 작가 이불의 초기 모습에 닮아 있다. 한 시대를 배경으로 여성에 대한 살해와 죽음을 둘러싼 육체적이고 내면적인 고통을 숨기거나 억누르지 않고 그대로 언어화 하는 그의 애도 방식은 이미 상실한 대상을 찾기 위한 시도보다는 상실의 상태 자체를 인지하고 받아들이면서 느끼는 슬픔과 분노를 겪는 과정 자체에 있다. 이불의 초기 작품이 최승자의 시와 가지는 강한 연대성은 그가 구축한 조형 언어와 더불어 한 시대를 살아가며 겪는 개인의 고통이 사회적인 차원으로 넘어가서 새로운 맥락을 획득하는 예술의 정치화 과정으로도 이해할 수 있다. 이어서 미술사학자이자 미술정책 연구자인 박소현이 쓴 「이불 재고: 메두사의 웃음 또는 괴물-변신의 정치학」은 기존 신화와 미술사에서 박제해 온 '새로운' 여성상과 한국 근대사에서 이불의 개인사가 체득한 '타자'로서 예술가, 초기 작품에서 읽을 수 있는 여성 신체의 타자화에 맞선 도상, 그리고 당대의 문화적 요소들이 하이브리드 되어 만드는 사회적 발언이자 여성에 대한 새로운 재현에 이르는 궤적을 추적한다.

1990년부터 약 5년간 이불은 셀 수 없이 많은 전시와 행위 예술 축제에 참여하며 전시와 퍼포먼스를 병행한다. 인체의 변용을 통해 형태 실험을 지속하는 한편, 이 시기에 폭발적으로 발표했던 여러 퍼포먼스에서 이불의 예술 세계는 확장되는 동시에 구체적인 자신만의 예술 언어를 구축하게 된다. 당시 이불의 퍼포먼스에는 근대 이데올로기를 상징하는 방독면, 군화, 그리고 부채와 같은 소품이 반복해서 등장하는데, 우리는 이와 같은 오브제의 사용 방식을 이불이 주목한 '몸'의 연장에서 살펴볼 수 있다. 이 시기의 퍼포먼스에서 이불의 몸은 원피스를 입은 소녀, 하얀 소복에 긴 머리를 풀어헤친 여자, 색동 한복을 입은 황후와 같은 캐릭터를 입으면서 기존의 기호와 상징체계를 위협하는 대항적 주체로서 등장한다. 그리고 이 캐릭터들이 만드는 일련의 행위—돌연 줄넘기를 하고, 그네를 타고, 물이 담긴 얕은 수조에 들어가 '죽은 생선 (여성)'을 건져 속을 가르거나, 쓰다듬고, 괴성을 지르고, 웃음을 터트리고, 과장된 남성성이나 그로테스크한 여성성을 표현하는 듯한 몸짓 등—들은 기존의 문화 이데올로기를 환기하는 동시에 풍자하고 있다. 이불의 퍼포먼스는 일관되게 남성 중심의 미술사와 남성 중심 사회가 구축해온 권위, 위계, 경계를 흔들고, 이불만의 독특한 서사를 펼쳐 보인다. 흥미로운 지점은, 이것이 스토리텔링이기보다는 상징적 소품이나 성격이 부여된 캐릭터의 모습과 은유적이고 풍자적인 행위 간의 연결을 통해 '이미지'로 구축되고

조직된다는 점이다. 파편화된 시공간의 감각이 한 공간에서 행위라는 운동성을 통해 함축적이고 또 지속적인 상호 텍스트를 구성하고, 주변 또는 관객과 우발적으로 주고받는 작용을 거쳐 재탄생한 공간성에 비판적 사유가 개입하게 된다. 그리고 이 공간은 단순한 상징으로 귀결하지 않고, 표면적 진술을 통해 궁극적인 아름다움을 질문했던 이불만의 수사적 전략이자 새로운 미술 언어로 나아가는 계기가 된다. 이 언어는 해석과 경험의 과정을 통과하며 본질에 다가가는 리얼리즘이자, 의도/예상과 결과가 불일치하는 아이러니로 점철된 알레고리적 언어다.

Act 2는 이와 같은 아이러니의 형상화, 혹은 '비-자기-동일성'이 퍼포먼스에 더욱 집중하면서 확장하던 시기를 집약적으로 보여준다. <물고기의 노래>(1990), <아토일렛 II>(1990), <도표를 그리다 III>(1992), <옥선>(1994), 그리고 <웃음>(1994)은 이 시기의 대표적인 퍼포먼스로, 일종의 아이러니에 대한 문형을 생성한다. 이불의 유기체적 생산 방식이 본질적으로 기존의 의미가 새롭게 감각하는 지점에서 상충하면서 발생하는 아이러니와 현실 세계에 대한 풍자라는 점을 떠올린다면, 이불은 이러한 작용을 통해 '둘 다'의 논리를 지속한다는 것을 알 수 있다. 이불은 퍼포먼스마다 계속해서 변신한다. 우리가 알고 있는 의미를 투사할 수 있는 캐릭터로 분한 작가는 일련의 행위를 통해 자기화 한다. 우리는 캐릭터가 품은 의미를 알고 있지만, 동시에 캐릭터가 만드는 행위가 기존의 의미를 탈락시키면서 다르게 다가오는 모순적인 감각 '둘 다' 인지한다. 그리고 외면적인 정보를 전달하는 캐릭터가 입고 행하는 기표들이 부유하고 충돌하는 시간과 공간 안에서 또 다른 의미와 해석이 서술된다. Act 1에서 소개한 퍼포먼스와 달리 1990년 전후로 등장하는 퍼포먼스들은 전보다 더 구체적인 캐릭터 형성에 집중하며 특정 상황 안에서 문맥을 형성한다. 이 서사를 끌고 가는 가장 강력한 힘은 더욱 세분화된 안무다. 각 퍼포먼스에 등장하는 여러 페르소나가 벌이는 움직임은 화장실에서 신문을 펼쳐보는 아저씨의 엉거주춤한 자세부터 서양 미술사에서 그려온 여성 나체의 풍만함, 곡선, 전형적인 포즈를 과장하는 몸짓까지 특정 상징들을 파괴적으로 은유하고 풍자한다. 그리고 동시에 역사적 의미와 무관하고 정체를 파악할 수 없는 "존재론적 안무" 같은 움직임이 병치된다. 여성이라는 분명한 타자가 기계, 동물, 귀신, 여신, 아동 등 기존의 체계를 허물고 넘나들며 합체되고 분열하면서 만드는 새로운 움직임은 Act 1에서 종의 교환이 이루어진 결과적 형태 이전의 과정처럼 다가온다.

1990년대에 들어서면서 한국 미술은 음악, 무용, 퍼포먼스, 영화, 디자인 등 여러 인접 예술 장르들과 예술적 에너지를 교환하며

상호간 영향을 주고받았고, 가까운 일본과의 교류활동, 디지털 기술을 기반으로 이루어진 국제화의 흐름, 그리고 본격적인 자본주의와 소비문화 시대로 진입 등 새로운 문화 풍경을 목도하게 된다. 이불은 이미 대학을 졸업하기 전부터 최정화를 중심으로 결성된 소그룹 '뮤지엄' 활동에 가담하면서 기존의 미술 제도와 권위에 반발하는 여러 프로젝트에 참여했다. 이불을 포함한 뮤지엄 멤버들은 동물, 인체, 일상의 일회용 소재, 죽음과 생명, 유기물과 무기물, 시각만이 아닌 냄새와 빛 등 기존의 경계를 가로지르는 주제에 공통적으로 관심을 가졌다. 《뮤지엄》[뮤지엄 창립전](1987)을 시작으로, 《프린트 컨셉》[두 번째 뮤지엄 전시](1987), 그리고 《MUSEUM III》[세 번째 뮤지엄 전시](1987)까지 세 번의 뮤지엄 전시와 더불어, 《U. A. O. (Unidentified Art Object)》(1988), 《선데이 서울》(1990), 《바이오 인스톨레이션》(1991), 《이런 미술—설거지》(1994)과 같은 기획전에서 이들은 모더니즘 미학, 박물관의 권위, 미술사 전통에 강한 반발을 표현하고, 섹스, 쾌락, 환상, 그리고 실존에 관계되는 도발적인 주제를 다루게 된다. 뮤지엄 멤버들은 후기산업사회를 상징하는 기호, 소비문화에 호응하는 팝, 천박하고 가볍다고 여겨지는 태도, 유희적이고 일시적인 미술 성격을 적극적으로 표방하며 새로운 세대의 출현을 알린다. 이불은 뮤지엄 프로젝트를 기반으로 다수의 공동 작업에 참여하는 한편 미술가가 아닌 행위예술가, 연극인, 음악가 등 다른 장르의 예술가들을 중심으로 결성된 《한국 설치미술제》(1990), 《일렉트로닉 카페 프로젝트: 웃음》(1990), 《제2회 교감예술제》(1991), 《Impromptu Amusement》(1993), 새로운 매체의 실험을 주목한 전시 《설거지》(1991), 그리고 한국 미술의 국제화가 본격화되기 전 일본과 캐나다에서 개최된 《Tokyo–Seoul Traffic》(1990)과 《용서받지 못한》(1994)과 같은 전시에서 자신만의 감각과 관심을 탐구하는 미술 활동을 지속하였다.

초기 이불 활동의 궤적을 크게 정리해보자면, '뮤지엄'을 중심으로 한 실험적 미술활동, 미술 외 장르에 적극적인 참여를 통한 퍼포먼스 감행, 그리고 당대 민중 지식인들과의 교류와 시대적 공감에서 비롯된 리얼리즘적 시선이 각기 병행됨을 알 수 있다. 다만 이 모든 활동에서 이불은 특정 그룹이나 운동에 귀속되지 않고, 끊임없는 자기 초극의 운동성을 통해 자신만의 언어를 구체화하는 계기로 삼는다. Act 2의 도입에 제시되는 한 장의 사진은 당대의 문화 풍경 속에서 이불의 퍼포먼스가 그려낸 '문화정치적 공간'의 단면을 잘 드러낸다. 이 사진은 《예술과 행위 그리고 인간 그리고 삶 그리고 사고 그리고 소통》(1989)에 참여했던 이불의 제목 없는 퍼포먼스 도입 부분으로 추정된다. 해가 지기 전 마지막 빛이 감도는 서울의 한 거리에서 검은 수영복을 변형한

커스튬에 하얀 망사 스타킹을 신고 빨간 입술을 그린 이불이 카메라를 향해 걸어오는 장면이다. 이불의 걸음이, 그리고 그 뒤로 배에서 세 개의 팔과 같은 형상이 불쑥 튀어나오게 고안된 하얀 원피스를 입고 걸어오는 퍼포머의 몸짓이 작은 행진을 보여준다. 이들이 입고 있는 강렬하고 괴기스러운 복장과는 달리, 태도나 얼굴 표정은 특별할 것 없다는 듯 편안한 모습이다. 주변 건물에는 1980년대 후반부터 우리 문화에 들어온 락카페 네온사인이 걸려있고, 거리 위로는 당시 여름방학만 되면 동네 아이들과 청소년들이 줄을 서서 기다렸던 여름성경학교 현수막이 걸려있다. 길가 담벼락 곁에는 흙더미와 시멘트 벽돌이 쌓여 있고, 바로 너머로는 생경한 풍경을 구경하는 동네 어린이들 모습이 어렴풋이 비춰진다. 같은 퍼포먼스를 기록한 영상 자료는 인파가 붐비는 대학로 거리에서 갤러리 내부로 걸어가는 퍼포머들의 여정을 담고있다. 전시장에 있는 음악가들은 전자 악기로 즉흥 합주를, 퍼포머들은 입은 옷을 가위로 조각 내거나 머리를 풀어헤치는 등 알 수 없지만 치열한 몸짓을 행위한다. 나우갤러리가 기획한 이 행위예술제는 당시 활발하게 활동하던 국내 행위 작가들이 대거 참여하여 주목을 받았다고 기록된다. 한국 사회는 1987년 6월 민주항쟁 이후 새 헌법에 따른 대통령 직선제가 치러지면서 정치적 억압은 이완되었고 형식적으로 민주주의를 구축하였다. 시대는 순식간에 새로운 챕터로 접어들지만 당대의 작가들은 공통의 문제의식을 가지고 역사적 사건에서 희생된 존재들에 대한 추모, 장례나 제의의 형태를 빌어 시대적 애도를 표현했다. 이와 같은 맥락에서 만들어진 퍼포먼스의 마지막 부분에서 이불은 여러 행위가 동시다발로 발생하는 어지러운 장소 한 가운데 고요히 서서 최승자 시인의 「나의 時가 되고 싶지 않은 나의 時」(1981)를 낭독한다. 이불은 인간의 절규를 그대로 언어화한 시를 읽지만, 정작 시가 말하는 내용은 마이크에 장착된 하울링 효과로 인해 들리지가 않는다.

이처럼 이불의 퍼포먼스가 형성한 '문화정치적 공간'은 구체적인 사회적 죽음과 시대적 고통에 응답하는 생에 대한 질문을 던지면서 이루어지고, 관객과의 상호작용을 통해 새로운 텍스트를 형성하였다. 달리 말하면, 이불의 퍼포먼스는 이데올로기나 기존의 구조에 대립되는 선택적 행위로 인해 놀라움과 충격을 발생시키고, 기존의 기호와 상징을 앞질러 누락된 속성을 드러내게 한다. 퍼포머들의 몸은 일련의 사건과 작용속에서 새로운 의미의 차원을 탑재하여, 역사에서 잃어버린 여성 경험을 기술하는 내적 장소로 재위치 된다. 바야흐로 새로운 주체성이 형성되는 순간이다. Act 2의 막간에 해당하는 김아영의 「1988년 이전」은 작가의 대학 재학시절로 시간을 거슬러 올라가, 기존의 체제에 대한 강한 저항 의식에서 비롯한 여러 실험적 시도와 작가의 근원적

기억의 장면을 기술한다. 여기서 유년기의 기억과 경험에 관한 작가의 인터뷰 구절이 발췌되는데, 이불은 예술가라는 자의식에 앞서 체득된 세상/사회에 대한 '거리 감각'을 언급한다. 그가 말하는 '거리 감각'은 작품에서 반어적인 요소들—파국을 그리는 자각, 풍자 같은 비판, 이해가 담긴 해학, 그리고 긴장 넘치는 반성과 같은 상호 작용을 이해하게 해준다.

　　1997년 뉴욕 현대미술관에 초청된 작가는 엄숙한 모더니즘의 상징과도 같은 전시장에 <장엄한 광채>(1997)를 설치했다가 악취로 인해 작품이 철거되는 사건을 겪는다. 이불의 퍼포먼스에 소품으로도 자주 등장했던 (죽은) 생선은 잉태, 출산, 생물학적 여성의 신체 등 강력한 상징성 이전에 시간이 지나면서 부패하고 소멸하는 유기물이다. 최고의 현대미술관으로 상징되는 예술의 관습성과 제도의 위계에 정면으로 대응하며 벌어졌던 이와 같은 상황은 이불의 퍼포먼스가 지닌 우발성의 연속선에 있다. 초기 이불의 작품에서 반복적으로 등장하는 비즈와 시퀀은 일상에서 흔하게 구할 수 있는 값싼 플라스틱으로 만들어진 장식용 소재다. 작가는 차갑고 날카로운 철사로 비즈와 시퀀을 기워 곧 부패해서 소멸될 생선의 외연을 아름답고 화려하게 장식했다. 이불의 비즈 장식은 <옥션>(1994) 퍼포먼스에서 경매에 부쳤던 오브제 <The Visible Pumping Heart> 연작(1994), <Mask for a Warrior Princess>(1996), 복합적 여성 캐릭터를 구현하는 의상(1996)이나 절단된 토르소 조각인 <플렉서스>(1997–1998)에서 계속된다. 이들은 하나같이 현대 사회의 삶, 여성에 대한 시선, 오리엔탈리즘을 둘러싼 다층적 욕망의 교차와 전복성, 그리고 시장에 대한 예술의 과잉 보호를 풍자한다. 이불의 작업은 이처럼 '근대성'이라는 배경, 다른 말로 하자면 작가에게 주어진 삶과 예술의 조건인 근대 사회에서 여성, 재현과 관련된 전통적인 개념, 시각 예술을 둘러싼 지배적인 제도, 예술에서 장르 간 경계, 그리고 역사를 통해 형성된 공포, 경외, 매혹이나 혐오 등을 둘러싼 상징질서나 의미의 장치들에 적극적으로 개입하면서 시작된다. 그리고 작가는 그 '바깥'에서 여성을 바라보는 시선을 새로운 통로로 견인하고, 시각만이 아닌 여러 감각을 통한 재현을 시도하고, 재현하고자 하는 대상의 속성을 뒤집으며, 의미가 투영되는 표면을 뒤돌아 자신만의 예술 세계를 구축하기에 이른다. 이러한 이불의 표현 양식은 선언이나 메시지가 아닌 과정까지도 하나의 양태로 삼아 내적 존재를 드러내는 그만의 방식이라고 볼 수 있다.

　　이러한 Act 3의 관점은 장지한의 글 「속도보다 거대한 중력」에서 구체화되는데, 장지한은 '근대성'이라는 주제가 이불의 초기부터 현재 작품 까지를 이어주는 가장 강력한 문제의식으로서

어떻게 작동하는지를 <장엄한 광채>를 중심으로 풀어낸다. 이불은 표면의 재현 이전의 문제, 즉 우리가 '현실'이라 인지하게 하는 요소들을 생산하는 기존의 주체적 장치들과 단절을 선택하고 그 바깥을 향하는 길을 열고자 했다. 이 과정에서 이불은 기존의 관념을 복합적으로 감각하고 풍자하여 그 속성을 재현하는 여러 시도를 만든다. 1991년 시작한 <장엄한 광채>의 진화 과정, 1994년 명동 거리 한 복판에서 벌인 퍼포먼스에서 처음 등장한 모뉴먼트 조각이 <I Need You(모뉴먼트)>(1996)와 <히드라(모뉴먼트)>(1997–1999)는 이불식의 리얼리즘이 변모하는 일련의 과정을 아우른다. 이 기념비에 인쇄된 작가 초상은 지난 세월과 경험의 시간을 돌고 돌아 자기 자리로 돌아온, 그렇지만 새롭게 창조된 여성상이다. 이 여성의 이미지는 이질적이고 복합적인 의미의 조각들을 모두 모아 새롭게 교환하고 병치해서 그만의 밀도를 획득한 매우 입체적이고 도전적인 '전사'와 같다. 이불의 퍼포먼스는 도쿄 스파이럴/와코루 아트센터의 <I Need You(모뉴먼트)>(1996)가 마지막으로 기록된다.

　　<Mask for a Warrior Princess>와 <플렉서스> 같은 작품들은 퍼포먼스는 아니지만 여성의 신체를 통한 형상의 탐구와 다른 성질을 가진 의미들이 충돌하며 벌어지는 작용, 즉 애브젝트 개념의 연장선에서 탄생했다. 한편, 현재까지 이불의 주요 탐구주제인 '근대성'의 관점에서 이불의 공공미술 프로젝트 참여도 중요한 기록이다. 1993년부터 약 2년간 참여했던 이 프로젝트에서 건축적 설계가 필요한 큰 구조물을 상상하고, 모형을 만들고, 실제로 제작하는 과정까지 이어졌던 관련 기록은 근래 보여지는 그의 작품이 모더니즘 건축 유산과 유토피아에 대한 일관된 관심사를 바탕으로 건축적 규모로 작품을 확장하게 되는 근래의 모습에 관한 단초를 제공한다.

　　에필로그를 여는 정도련의 「오랜 세월과 수많은 지형들」은 2014년 국립현대미술관에서 열린 《현대차 시리즈 2014: 이불》 도록에 수록된 에세이의 재수록본이다. 정도련은 한국 미술의 세계화와 이불의 국제적 활동이 교차되는 시점으로부터 거대한 미술사의 줄기를 거슬러 올라가며 이불의 예술 활동이 만들어 온 보편적 가치를 정리해준다. 그의 글에서 언급한—패널로 참가한 토론에서 '서양사'라는 구분 없이 이 분야를 공부하며 성장했다는 이불의 답변에서도 알 수 있는 작가의 초국가적 태도와 의식은 한국 미술의 고유한 세계화라는 변화의 시기를 작동시키는 동력으로 작동했다. 1990년대 이후 '글로벌 미술'과 미술의 세계화라는 의식은 갑작스럽게 등장한 주제이기 보다는 이러한 점진적인 진행에서 비롯된 과정의 하나였고, 이불을 비롯한 작가들의 새로운 의식은 기존의 대립과 경계를 넘어서는 생각과 소통의 경로를 확보하게 된다. 이 과정에서 이불은 기존의 이분법적 사고에서 비롯되는

역동성에 집중하며 보편적 정신의 구현물로서 예술이 만들어내는 초국가적 연대 의식에 동참하였다.

이어서 수록된 《Lee Bul: Crashing》(헤이워드 갤러리, 런던, 2018) 회고전 도록에 수록된 스테파니 로젠탈과 인터뷰, 《이불》(아트선재센터, 서울, 1998) 개인전 도록에 수록된 한스 울리히 오브리스트와 인터뷰, 그리고 《이불: 나로부터, 오직 그대에게》(모리미술관, 도쿄, 2012) 회고전 도록에 수록된 니콜라우스 샤프하우젠과 인터뷰는 이 책이 기록하는 초기 활동 이후에 벌어진 이불 활동의 수행적 측면을 들여다보게 한다. 시간 별로 살펴보자면, 유년기를 중심으로 구성된 사적 기억이 역사적 사건들과 결합하면서 만들어진 이불 예술의 원초적 주제부터, 정체성에 대한 질문으로 시작했던 초기 관심사가 여성과 기술을 둘러싼 문화 위계와 권력의 헤게모니로 확장되며 태어난 사이보그 시리즈 작업, 그리고 일본 후쿠시마 재난을 전후로 '인류'라는 대전제가 작가에게 어떤 예술적 반성과 사유로 확장되는지 등을 아우르는 성찰과 고뇌까지 섬세하게 구술하고 있다. 에필로그 마지막에 수록된 음악가이자 시인인 성기완의 「어쩌면 황금기」는 1990년대의 반체제 문화 흐름을 주도했던 '청년문화'의 상징으로서 도시의 지하와 '클럽'을 주목하고, 이불의 초기 활동과 공명하는 즉흥적인 실천, 제의적 행위, 그리고 알 수 없는 소리로 채워지던 공간에 대한 사적 기억을 기록한다. 우리가 1990년대라고 일컫는—제도가 허락한 장소 바깥에서 자라나던 자생적이고 독립적으로 발생했던 공간의 속성을 이해하기 위해서는, 이 공간을 채우던 사람들이 겪었던 유년기의 경험을 상기해볼 필요가 있다. 1980년대라는 사회적 배경에서 각자가 겪은 정치적 좌절, 문화적 욕망, 자본에 대한 희망이나 그로 인한 무력감과 같은 감각들 말이다. 어쩌면 20세기 문화의 황금기였던 과거의 장소를 거꾸로 추적하는 이 글은 작가 이불을 포함한 당대의 작가들이 형성했던 정신적 공감대와 저항의 에너지가 시도했던 가치들을 떠올리게 한다.

그동안 퍼포먼스가 중심이 된 이불의 초기 작품들은 상대적으로 덜 알려지고 논의되었기에, 작가를 연구하는데 있어서 이 출판물이 중요한 역할을 할 것으로 기대된다. '시작이라는 알레고리'로서 이번 전시와 출판에서 당대의 청년작가이자 여성작가인 이불이 마주했던 현실적 비애—단일한 방식만을 암묵적으로 강요하는 교육 제도의 한계, 당대의 사회를 감쌌던 민주주의 운동의 전체주의적 성격, 개인사적 배경이 직접적으로 결부된 근대사, 여성의 신체에 관해 금기하고, 억압하고, 대상화된 현실로 치환된다. 한 작가의 과거 기록이 지금 이곳에서 여전히 유효한 지점은 제도나 역사가 진술하는 과거에 배제되거나 부정되었던 요소들을 복권 시키자는 노력으로 이해할 수

있다. 이불의 퍼포먼스는 당대의 '전위'였고, 아이러니하게도 여전히 전위적으로 다가온다. 당대의 작품들은 한결같이 여성 이미지의 재현, 이데올로기적 문화 의식, 그리고 권위주의적 근대화를 역설한다. 그가 퍼포먼스에서 활용했던 기표들은 동시대의 변화된 의미들을 빌어서 다른 차원으로 이해되기도 하지만 작품이 근본적으로 질문했던 현실의 속성은 과거와의 연속선에 있다. 따라서 여전히 전위적인 그의 퍼포먼스는 이미 완결된 사건의 귀환은 불가능하다고 말하면서 동시에 그 역사를 재방문하여 전복성을 상기하고 시간적 차이 속에서 이미 존재하는 '다른 것'들로 현재의 의미를 생산해보자는 차원으로 해석된다.

이번 전시에서 다루고 있는 이불 작가의 특정 시기 작품들은 비단 작가 개인이 살고 만들었던 역사에만 머물 수 없을 만큼 풍부하고 생생한 시대적 상상력과 표현의 산물이다. 따라서 이번 전시는 이와 같은 역사적 작품들과 자료들을 연대기 순으로 정리하고, 살펴보고, 작품들이 관통하는 당대의 장소와 시간에 대한 정보, 그리고 부재하는 해석을 제시하기 위해 마련되었다. 우리가 살고 있는 사회와 문화의 맥락은 계속해서 변화 중이며, 이 변화는 글로벌 자본주의, 모더니즘, 그리고 기술 발전의 연속선에서 새로운 법칙과 상황을 만들고 있다. 그럼에도 불구하고 전시에 소개되는 여러 작품들이 보여주고 기록하는 여러 풍경이 과거의 시간에만 머물지 않고 지금의 우리를 반추하게 해주는 것은 당대의 이불이 겪어야 했던 사회적 조건과 문제들이 현재에도 존재하기 때문일 것이다. 한 작가의 직업적 성공은 개인의 재능과 열정에만 귀속되지 않고, 그가 속한 집단의 문화적 수준, 교육과 예술 제도의 수용 가능성, 그리고 자본의 올바른 지원과 결부된다. 그리고 여성에 대한 재현 방식은 여전히 남성중심주의 응시에 머물러 있고, 여성을 인지하는 방식이나 사회적 역할은 생물학적 기능을 넘어서기 어려우며, '여성'을 둘러싼 여러 금기와 폭력에서 우리 모두는 잠재적으로 자유롭지 못하다. 청년 작가이자 여성 작가 이불이 작품에서 제시했던 독창적인 표현과 에너지를 읽고 느끼는 과정에서 우리는 저마다 마주하는 특정 세계를 다시 생각하게 된다. 지금으로부터 30여 전 작가 이불의 눈과 몸에 투영된 동시대 감각은 지금도 여전히 우리를 둘러싼 경계의 안과 밖을 가로지르며, 잠재하는 예술적 감흥과 주체적 존재 의식을 불러일으키고, 새로운 의미의 세계를 촉구하고 있다.

1   Hafizah Abdul Wahid, "Pushing the Boundaries of Korean Art: Lee Bul,"
Brilliant Ideas episode 16, YouTube video, 24:10 (New York: Bloomberg Quicktake,
2015), https://www.youtube.com/watch?v=WhyeyI3fKY8

An Allegory of Beginning

Jin Kwon

The exhibition and accompanying monograph *Lee Bul: Beginning* examine the first decade in the career of internationally acclaimed artist Lee Bul, focusing particularly on the groundbreaking performances and "soft sculptures" that she presented in this period. The early years of Lee's career, from the late 1980s through the 1990s, coincide with a critical turning point in Korean history, when the nation was transformed by the democratic movement, followed by the rapid rise and spread of consumerism, pop culture, and globalization. All of these factors fueled a perplexing mix of anxiety for the end of one century and hope for the start of another. While focusing on Lee Bul's innovative performances that emerged from this political and social context, this exhibition and publication also introduce an abundance of lesser known works and documents, ranging from sculptures and drawings to studies and objects that embody her artistic ideas and processes. In her works, Lee typically generates symbols by exploring the body (inside and outside), the androcentric legacy of modernism, and the ideologies of Korean modernization. Casting her gaze on society, politics, gender, class, and ethnicity, Lee traverses boundaries, revealing the inherent clash of meaning within various dichotomies, such as beauty and ugliness, life and death, mind and body, or light and shadow. In revisiting her birth and gestation as an artist, *Lee Bul: Beginning* generates fresh tension between perspectives anchored in the past and present, revitalizing our interpretation of her art by infusing new questions with current relevance.

Lee Bul's artworks can be largely understood and appreciated through three primary themes: the female body, contemporary culture and politics, and the marginalization brought on by modernity. Thus, this monograph is divided into chapters, or "Acts," dedicated to each of these three themes, using photos of works, related references, critical essays, and artist interviews to explore each perspective. The starting point for this project was thousands of photographs and documents of Lee Bul's performances, collected by the artist herself, including invaluable records of her own experiments and works that have been lost or destroyed. The exhibition features sequential photographs documenting nearly every facet of major performances that were only presented at biennials or solo exhibitions, as well as unofficial performances and other artistic activities from the 1980s and 90s, some of which the artist herself had all but forgotten. In each chapter, the relevant images and documents are juxtaposed with various critical annotations. Rather than merely being filed in chronological order, the records are strategically arranged into multidimensional reconstructions of the artist's activities, with an organic structure that evokes the synthesis and expansion of a genetic strand, intertwined in a network of symbiotic relationships, generating new work groups and visual symbols. Notably, the "beginning" indicated in the title does not exist solely in the past, since Lee's organic mechanism continues to evolve and procreate to this day. Subsequently, the title also invites multiple meanings and interpretations, rather than remaining static. Lee Bul's beginning could be the past, when she began producing her works, but it also includes the present, as we now look back through her oeuvre in search of continuity.

By encouraging open readings, rather than definitive conclusions, *Lee Bul: Beginning* invokes a cognitive function that transcends mere rhetoric or analogy. When Lee Bul first appeared, her works seemed to be the very definition of the avant-garde in relation to the previous modern era, yet her art can only be understood in terms of its secret inclination toward classicism. For example, her prominent use of the iconography of the female body clearly has historical overtones. Initiating an array of paradoxical notions, her performance of sociocultural space suggests new relations between the original body and a new meta-language that speaks in different ways, ultimately proposing a new type of woman. By visualizing and giving voice to those who have been ignored or abandoned by modernity, she subverts the apparent contemporaneity of her work in the spirit of the avant-garde. In both her performances and sculptures, Lee enacts new forms of life distinguished by exaggerated female body parts, symbols of modernist ideologies, attire and accoutrements borrowed from fables or myths, and myriad elements of Orientalism. Being inexorably fragmented, however, these signifiers evince a shadow logic that defies easy comprehension in favor of evolving complexity. Her works seem to resonate with hidden clues and meanings, promising the delight of discovery if deciphered with ample time and the proper information. Reiterating one of the oldest and the most fundamental values of art, Lee has declared, "I hope people experience my work honestly rather than attempt to understand it with their limited knowledge of art. I hope they can feel, experience and encounter my work as it is."[1]

From the beginning, an essential component of Lee Bul's art has been the body, and the female body in particular. In addition to formalist experiments in which she cuts, twists, and grafts representations of the body, Lee has also repeatedly transformed her own body to express symbolism related to women and visualize conventional notions of the body in new ways. Based on plasticity, Lee's experimental spirit and visual language derived directly from her obsessive questioning and confirming of her own identity as a young female artist. Upon entering the Department of Sculpture at Hongik University in 1982, she made a conscious effort to eschew solid, heavy materials and traditional sculptural practices. Instead, she worked primarily with unconventional soft materials,

such as fabric, polyester fiberfill and Styrofoam, ornamental sequins and beads, synthetic hair and feathers, Korean mulberry paper, light steel wire, and jute twine, not to mention intangible elements like odor and time.

In addition to their softness, Lee's preferred materials also required her to reverse the typical sculptural method; rather than carving or reducing a single mass, she instead grafted various fragmented materials together to construct her desired forms. Significantly, Lee used these unconventional materials to highlight the female body. In the 1980s, the institutional apparatus was deeply ingrained in Korean society, such that all ideas, images, and utterances were subject to strict censorship or systematization. This was especially true of sexual expressions, which were then firmly based on psychoanalytic theory oppressive to women, and thus dominated by the hegemony of the male gaze and androcentric symbolism and myth. Against this backdrop, Lee Bul used her sculpture not to posit the superiority of women, but to confront situations that she faced as an artist and woman, posing existential questions and appropriating the violence and absurdity of the male gaze. The original manifestation of Lee's personal power and desire came at her first solo exhibition, held in 1988, when she not only displayed sculptures and an installation, but also wore her own sculptures in a unique performance. The works that she made, wore, and shook to produce sounds shattered the conventional notions of sculpture, while also blurring lines of gender and genre. Driven by her strong sense of resistance, Lee's artistic voice and vision developed into her later performances that critically appropriated cultural and political mechanisms.

Act 1 examines how Lee Bul's early works based on the female body evolved through movement, improvisation, and interaction from her first solo exhibition *Step by Step, Th-that's* (1988) to the group show *Woman, The Difference and the Power* (1994). The critical framework for this chapter is provided by James B. Lee's 1997 text "Parody, Parable, Politics," an expanded version of articles that he published in *Asian Art News* (1994) and *Art Asia Pacific* (1995). Containing precise descriptions of seven of Lee Bul's early performances, this text serves as an invaluable guide and testimony of events that occurred more than thirty years ago. Further information about relevant works is added by SeMA curators Jin

Kwon and Ayoung Kim. Act 1 includes photos and discussions of major performances such as *Cravings* (1988, 1989), *Abortion* (1989, 1990), and *Sorry for suffering–You think I'm a puppy on a picnic?* (1990). Beyond simply documenting the performances, the featured photos suggest new possibilities for the photographic medium. In many ways, the process of excavating photos and videos of these performances—rescuing them from the transience of the past and reassembling them to be newly preserved in the present—recalls the discontinuity of the performances themselves. By being synchronized with the present, the thousands of photos become a type of meta-performance that engages with a new temporality.

Act 1 also incorporates the poem "To Be Born Again" (1981) by Seung-ja Choi, one of the leading poets of the 1980s, from which Lee Bul borrowed her title *Sorry for suffering*. Choi's existentialist and destructive verse pierces the female body, acquiring subjectivity in a way that resembles Lee's own formative practices. Choi's poetry enunciates, rather than concealing or censoring, the mourning for the physical and psychological pain brought on by the oppression and death of women in her era. Rather than seeking to recuperate what has been lost, she focuses on the process of grief and anger that accompanies one's recognition and acceptance of loss. The strong solidarity between Lee's art and Choi's poetry can be understood through the politicization of Korean art, which acquired new contexts as the personal pain of the era was transferred to the social dimension. Hence, in her essay "Reconsidering Lee Bul: The Laugh of the Medusa or the Politics of the Metamorphosis into a Monster," art historian and cultural scholar Sohyun Park shows how Lee's works, incorporating traces of personal history, resistance towards the alienation of the female body, and hybrid cultural elements, became a social cry for a new representation of women to counteract the prevalent image of the "new woman" from conventional art history and Korean modernization.

In the first half of the 1990s, Lee Bul conducted a series of sensational performances at exhibitions and festivals, continually expanding her artistic language while exploring transformations of the body. Her frequent use of props such as handheld fans, gas masks, and military boots not only invoked a Korean modernist ideology tethered to military regimes, but also extended

her consideration of the body, a principal concern from her earliest days as an artist. Combining these objects with her own body, Lee subverted the conventional ideology of various female archetypes, such as a girl in a white dress, a grieving woman with long loose hair, and a queen consort in *saekdong hanbok* (Korean traditional dress). The sense of resistance and satire was enhanced by the unusual actions of Lee's characters, who would abruptly scream, burst into laughter, skip rope, play on a swing, or even caress and cut up dead fish in shallow water. Through exaggerated gestures associated with masculinity or femininity, Lee created an idiosyncratic personal narrative that openly challenged the androcentric boundaries and authority of art history, and society as a whole. Interestingly, she bypassed the conventions of storytelling in favor of image montages that assimilated symbolic props, archetypal characters, and allegorical acts. The malleable and fragmented sense of time and space spontaneously engaged the audience with an implicit intertextuality, ultimately engendering a new spatiality where critical thinking could enter. Transcending mere symbolism, this unique rhetorical strategy allowed Lee to articulate various surfaces through a changing mix of interpretation, experience, and allegory. By using the discordant clash of intention and expectation to approach the essence of existence and beauty, Lee Bul formulated nothing less than a new type of realism.

Act 2 examines how Lee Bul visualized irony and displaced identity in performances such as *The Song of the Fish* (1990), *Artoilet II* (1990), *Diagraming III* (1992), *Auction* (1994), and *Laughing* (1994). Continuing to pursue the logic of dichotomy, Lee brought about a collision of accepted meanings and new interpretations to produce irony and satire. With each successive performance, she transformed into a new character defined by known signifiers and meanings, identifying herself with each of them through certain acts. This process provoked a contradictory sensation, as the audience simultaneously witnessed the emergence of a new character and the destruction of the meaning that the character implied. The collision and coalescence of signifiers worn and performed by these characters culminates in the birth of new meanings that diverge from the information being delivered on the surface. Compared to the works examined in Act 1, these performances feature a more precise and detailed choreography, deriving their narrative power from detailed characters functioning within contexts based on specific situations. In each performance, Lee's characters enacted distinct personas through fragmented movements or compositions, such as the crooked posture of a man reading a newspaper on the toilet or embellished versions of the voluptuous curves and postures of the female body in the Western art canon. But these familiar poses were also accompanied by movements with no apparent historical references, thus realizing Lee's own conception of "ontological choreography." Clearly alienated as the Other, Lee's female characters freely traverse and erase the borders between machines, animals, ghosts, goddesses, and children.

In the late 1980s and early 1990s, Korean contemporary art was energized by mutual exchange among adjacent fields and genres, such as music, dance, theatre, film, and design, along with the concurrent rise of digital technology, globalization, and consumer culture. While still a university student, Lee Bul joined several dynamic young artists (including Choi Jeong-hwa) to found a loose art collective ironically named MUSEUM, which actively rebelled against the prevailing system and authority of Korean art. Lee participated in the group's first three exhibitions—MUSEUM (1987), Print Concept (1987), and MUSEUM III (1987)—followed by several curated group exhibitions, including U. A. O. (Unidentified Art Object) (1988), Sunday Seoul (1990), Bio Installation (1991), and This Kind of Art–Dish Washing (1994). Declaring the advent of a new generation, the members of MUSEUM expressed their opposition to modernist aesthetics, art history, and the authority of museums through provocative works on subjects related to sex, pleasure, fantasy, and existence. In particular, the members of MUSEUM, including Lee, became known for experimental works that transgressed conventional boundaries, exploring notions of life and death by incorporating organic materials (e.g., animal and human bodies), intangible or invisible elements (e.g., light and odor), and disposable items for everyday use. The group freely appropriated symbols of late industrial society and pop culture with all its vulgarity and apathy, while embracing the playful and ephemeral character of art. In addition to the aforementioned MUSEUM projects and collaborations, Lee Bul also pursued her individual interests and expressions through other group exhibitions, such as Art-Action-Human-Life-Thinking-Mutual-Understanding (1989), Korean Installation Art Festival (1990), Tokyo–Seoul Traffic (1990), Electronic Café Project: Laugh (1990), Dish Washing (1991), Impromptu Amusement (1993), and Unforgiven (1994).

As an interlude within Act 2, Ayoung Kim's essay "Before 1988" traces Lee's aesthetic roots to her student days, when she engaged in various experimental projects aimed at disrupting the existing system. Taken from various interviews, Lee's childhood memories show that her sense of distance from the world and society predated the formation of her artistic consciousness, while also demonstrating that her adept use of irony, satire, and humor as critical tools is based on self-awareness and contemplation born from tension.

Lee Bul's career reached a turning point in 1997, when she was invited to install her work Majestic Splendor (1997) at the Museum of Modern Art (MoMA) in New York. Shocking the international art field, Lee filled the world's premier modernist institution with the stench of dead fish, causing the museum to prematurely take down her installation. Exposing the conventionalism and aesthetic hierarchy of the art establishment, the MoMA incident was in line with the contingency of Lee's performances. Many of her early performances featured actual rotting fish, a loaded symbol of conception, childbirth, and womanhood. Significantly, the rotting fish in Majestic Splendor were adorned with cheap, glittering sequins. These decorative elements were a salient motif in Lee's early sculptural works, appearing, for example, in The Visible Pumping Heart series of objects from her 1994 performance Auction; Mask for a Warrior Princess (1996); the halved torso in Plexus (1997–1998). All of these works cast a critical, satirical eye on modern life, the male gaze, Orientalist desires, and the veneration of art within the market. Drawing upon her own background as a female artist in modern society, Lee subverted traditional notions of representation, the institutionalization of visual art, the arbitrary division of artistic genres, and the mechanisms of symbolism based on fear, awe, fascination, and hate that have been shaped throughout history. Overall in this period, Lee Bul affirmed her inner existence and singular vision by prioritizing the process over a direct message, revealing the male gaze from the outside, attempting non-visual representation, and distorting the surface of projected meanings.

Act 3 is informed by Jihan Jang's essay "Gravity Greater than Velocity," in which the author argues that the polestar of Lee Bul's entire oeuvre, from her earliest works to the present day, has been modernity. Searching for what precedes surface representation, Lee exposes and demolishes the subjective apparatuses through which we perceive and produce reality, thereby opening the doors to a new space of representation. This approach, which guided Lee from her early works to *Majestic Splendor*, eventually led to the monuments that first appeared in a 1994 performance in Myeongdong (i.e., the commercial heart of downtown Seoul), before continuing in *I Need You (Monument)* (1996) and *Hydra (Monument)* (1997–1999). Depicted on these monuments was a portrait of the artist as a woman who had returned to her starting point after cycling through many past experiences. These images projected a versatile and courageous persona—a true "warrior princess"—creating her own gravity by steadily collecting and recomposing countless shards of meaning. Lee's final performance, *I Need You (Monument),* which took place in 1996 at Spiral/Wacoal Art Center in Tokyo, concluded with the artist playfully inviting the audience to deflate and bring down the inflatable structure they had collectively erected.

The artist's exploration of modernity can also be seen in her engagement with public art. From 1993 to 1995, Lee participated in various public art projects, in which she imagined, designed, and realized large structures. Records and images from these projects foreshadow more recent works in which Lee has continued to build upon her interests in modernist architecture and utopian ideas.

The epilogue of the monograph opens with "Many Centuries and Numerous Topographies" by Doryun Chong, which was originally published in the catalogue for Lee Bul's solo exhibition at the National Museum of Modern and Contemporary Art, Seoul in 2014. Here, Chong places the artist's experimental works and attitude within the wider context of the globalization that transformed Korean art in the mid-1990s, starting with the establishment of the Gwangju Biennale and the Korean Pavilion at the Venice Biennale in 1995. According to Chong, Lee Bul once stated that she grew up simply

studying art, without obsessing over the distinction between "Western" and "Eastern." This cosmopolitan attitude, shared by an imaginary community of Korean artists at the time, became the driving force behind the emergence of a "global art." In her works, Lee Bul actively engaged various elements embedded in the history of modern art, challenging the dynamics of binary structures, layers of time, and notions of "universal" imagery. Chong argues that this approach is what ultimately enabled Lee to ride the wave of globalization, advancing her career and garnering major acclaim at the international level (including an honorable mention at the Venice Biennale in 1999).

Additionally, the epilogue collects interviews that were previously published in various catalogues of Lee Bul's solo exhibitions, including her interview with Stephanie Rosenthal for *Lee Bul: Crashing* (Hayward Gallery, London, 2018), with Hans Ulrich Obrist for *Lee Bul* (Artsonje Center, Seoul, 1998), and with Nicolaus Schafhausen for *Lee Bul: From Me, Belongs to You Only* (Mori Art Museum, Tokyo, 2012). Among many other topics, this section chronologically covers the artist's childhood memories, the development of her interest in the cultural hierarchy and hegemony surrounding women and technology, and the role of the Fukushima disaster in inspiring her personal meditations on the condition of being human in our time.

Finally, musician and poet Kiwan Sung's essay "Perhaps the Golden Age" explores the music clubs and underground scene around Hongik University as a locus of youth counterculture. Mingling memories, impressions, and facts, Sung recreates the improvisational practices, rituals, indecipherable sounds, and basement room activities that characterized Lee's early practice. Infused with kinetic energy, these autonomous spaces blossomed outside the territory of the conventional system and language. The cultural and artistic spaces that flourished during the 1990s can only be understood by recapitulating the experiences of the young people who filled those spaces with sound and movement, sensations that emerged from the political disillusionment, cultural desire, and mix of hope and despair attached to capital in the 1980s. Conjuring a past that is often perceived as the golden age of twentieth-century Korean culture, Sung reminds us of the strong value of friendship and empathy among contemporary artists like Lee Bul. Interestingly, Kiwan Sung describes the transient, vanishing traces of this period as "dust," which Lee Bul herself mentioned as one of the primal memories of her youth. In an interview with Stephanie Rosenthal, Lee said, "Most of my childhood memories relate to landscape, but not just to nature. There was a bunker, an event, dust, some neighbors . . . I drew it and it looked like a map."[2] All of this imagery can be connected to the rapid industrialization of Korea in the 1960s and 1970s.

This major publication sheds new light on Lee Bul's early works and performances, which have not yet received adequate critical attention. Formulating her beginning as allegory, both the exhibition and monograph outline the challenges that Lee experienced as a young female artist who actively defied a homogenizing education system, totalitarian aspects of the contemporaneous pro-democracy movements, and the alienation and oppression of the female body. Lee's works from this period go beyond the limits of her individual life and history to represent imaginative and expressive artifacts of the times. In demonstrating the continuing pertinence of these works, *Lee Bul: Beginning* seeks to resuscitate various elements that have thus far been neglected by art institutions and history. Unprecedented at the time, Lee's remarkable performances still seem avant-garde to this day, almost thirty years later. To criticize the representation of women and the prevalent ideology and authoritarianism of modernization, Lee borrowed signifiers from the culture of the time, reframing them for a new perspective. Given that the specific conditions addressed by these works reside in the past, Lee's performances remind us of the impossibility of returning to completed events. But even so, their subversive spirit continues to generate new meaning for all those dwelling in the peripheries of today's society.

Using firsthand images and documents, *Lee Bul: Beginning* traces the early career of one of Korea's leading contemporary artists, providing new details and interpretations of many of her representative performances and works. Our culture and society remains in constant flux amid the disruptions and transformations wrought by the global movement of capital, technology, and ideology. Nevertheless, many of the conditions that Lee Bul grappled with as a young artist remain a part of our current

landscape, and the boundaries that she exposed and traversed thirty years ago still surround us today.
As such, our contemplation of the singular energy and expression of these works from the past can play a vital role in helping us rethink our present lives and conditions. The contemporary sensibility that resonated through Lee Bul's eyes and body in her early works still has the potent capacity to arouse latent artistic energy and a renewed subjective consciousness of being, demanding a new world of meaning.

1   Hafizah Abdul Wahid, "Pushing the Boundaries of Korean Art: Lee Bul," *Brilliant Ideas* (episode 16), YouTube video, 24:10 (New York: Bloomberg Quicktake, 2015), https://www.youtube.com/watch?v=WhyeyI3fKY8 (accessed on March 11, 2021).

2   Stephanie Rosenthal, "A Feeling about Freedom," in *Lee Bul*, exh. cat., ed. Stephanie Rosenthal (London: Hayward Gallery Publishing, 2018), 835.

1막
Act 1

<갈망>, 1988. 퍼포먼스. 《점점 더-그, 그것은》,
일갤러리, 서울

Cravings, 1988. Performance. *Step by Step,*
Th-that's, IL Gallery, Seoul

갈망
1988

제임스 리

퍼포먼스

《점점 더–그, 그것은》, 일갤러리, 서울 | 1988.9.

장흥, 경기도 | 1988

《'89 청년작가전》, 국립현대미술관, 과천 | 1989.3.25.

이불은 전통 조각이 가진 운동성과 유연성을 보여주고자 소프트 조각이라 명명한 하이브리드 매체의 가능성을 모색했다. 그 첫 시도로 개인전 《점점 더–그, 그것은》(1988)에서 선보인 <갈망> 퍼포먼스에 등장한 조각은 일종의 전신 수트로, 천으로 기운 솜은 착용자의 신체 구조를 과장하고 왜곡한다. 팔, 다리, 촉수, 꼬리 등의 부속물을 연상시키는 각각의 부분은 값싼 재료인 비즈로 정교하게 장식돼 아름다우면서도 익살맞고 그로테스크하다. 작가는 전시 오프닝에 소프트 조각을 입고 짧은 즉흥 무용과 같은 작업을 선보였다고 설명한다. "기존의 미술 범주 안에 이 작품을 위치시킬 수 없었던 비평가들은 이것을 퍼포먼스라 부르기로 했어요."

　　이 사건은 《'89 청년작가전》(1989)에서 있었던 퍼포먼스의 계기가 됐다. <갈망> 퍼포먼스에는 이불과 그가 제작한 소프트 조각을 착용한 세 명의 퍼포머가 등장한다. 마치 일본 전위무용 부토를 연상시키는 정교한 움직임은 다양한 욕망, 혹은 작가의 말을 빌리자면 여러 "강박"을 그린다. 퍼포머의 옷에 숨겨진 마이크는 움직임이 수반하는 고통스러운 숨결을 비롯한 모든 소리를 고립시키고 증폭시켜 움직임의 효과를 극대화한다.

　　역설적이고도 양가적인 이 작업은 기술이 개인의 삶과 문화 보편에 편재하면서 구분이 모호해진 시대에 실제, 자연적인 것, 인위적인 것 등의 정언 개념을 의문시한다. 퍼포먼스를 통해 즉흥적인 신체 움직임과 신체의, 혹은 '자연스러운' 소리의 형태로 표현하는

갈망은 기존의 미술 언어로는 전달될 수 없다. 움직임은 제2의, 모조 신체인 소프트 조각이 가진 풍만함에 의해 왜곡되고 통제된다. 전자기기로 송출하는 이질적인 소리는 그들의 존재를 과장하고 동시에 인간만이 가진 자질이나 특성을 깎아 내린다.

이 글은 1997년 미출간된 도록 『Bul Lee』에 수록되었으며, 본 출판물에는 글의 일부가 재수록 되었다. 출처: James B. Lee, "Parody, Parable, Politics," in *Bul Lee* (Seoul: Ahn Graphics, [Unpublished], 1997), 84-89.

Cravings
1988

James B. Lee

Performance

Step by Step, Th-that's, IL Gallery, Seoul | September 1988

Jangheung, Gyeonggi Province, Korea | 1988

The Korean Young Artists Biennale, National Museum
of Modern and Contemporary Art, Gwacheon, Korea |
March 25, 1989

With the aim of introducing motion and flexibility to the
conventional sculpture, Lee Bul began exploring the pos-
sibilities of a hybrid medium called soft sculpture. The
first of these, shown in her 1988 solo exhibition, *Step by
Step, Th-that's* (IL Gallery, Seoul), were a kind of full-body
suits constructed of sewn fabric padded with fiberfill
to exaggerate and distort the anatomy of the wearer.
Intricately adorned with cheap sequins and beads, each
piece featured a number of appendages resembling arms,
legs, tentacles and tails, the effects of which were at once
beautiful, comical and grotesque. Lee explains, when
she put on one of her soft sculptures and improvised a
short dance-like piece for the exhibition opening, "Critics
who couldn't place it in any of the defined art categories,
decided to call it performance."

This event served as the impetus behind her
performance at the 1989 edition of The Korean Young
Artists Biennale (National Museum of Modern and
Contemporary Art, Gwacheon). Entitled *Cravings*, the
work features three other performers who appear in her
soft sculptures. Engaging in slow, elaborate movements
that call to mind a *Butoh* dance and are meant to depict
various cravings, or "obsessions," as the artist puts it, the
performers heighten the effect by means of concealed
microphones which isolate and amplify every sound,
especially their labored breathing accompanying their
movements.

Contradictory and ambivalent, the work calls into
question the stability of categorical concepts like the
real, the natural and the artificial in an age when such
distinctions have been blurred by the omnipresence
of technology in our private lives and in our culture.
While the performance purports to be an expression of
cravings, unmediated by the conventional language of
art, in the form of spontaneous physical movements and
bodily, or "natural" sounds, the movements are distorted
and constrained by the bulkiness of the second, artificial
body—the soft sculptures—and the sounds are rendered
alienating via an electronic device which both magnifies
their presence yet diminishes their human qualities.

This text is excerpted and reprinted from "Parody, Parable, Politics" in *Bul Lee*
(Seoul: Ahn Graphics [Unpublished], 1997).

《점점 더 그, 그것은》 전시 전경, 일갤러리, 서울, 1988
Installation view of Step by Step, Th-that's,
IL Gallery, Seoul, 1988

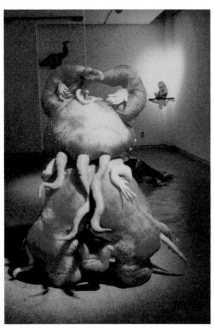

<갈망>, 1988. 퍼포먼스. 《점점 더-그, 그것은》,
일갤러리, 서울

Cravings, 1988. Performance. *Step by Step,
Th-that's*, IL Gallery, Seoul

<무제(갈망 레드)>, 1988. 천, 솜, 유화 물감, 시퀸

Original version of *Untitled (Cravings Red)*, 1988.
Fabric, fiberfill, oil paint, sequins

<무제(갈망 화이트)>, 1988. 천, 솜, 유화 물감, 시퀸

Original version of *Untitled (Cravings White)*, 1988.
Fabric, fiberfill, oil paint, sequins

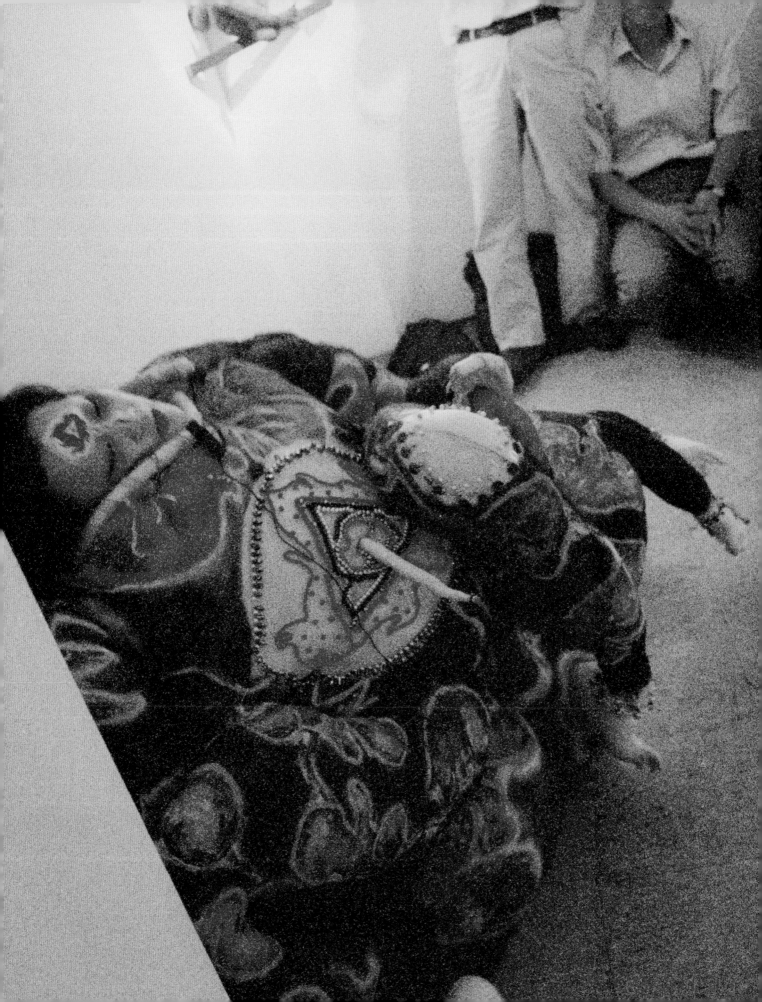

<갈망>, 1989. 퍼포먼스. 《'89 청년작가전》,
국립현대미술관, 과천

Cravings, 1989. Performance. The Korean Young
Artists Biennial, National Museum of Modern and
Contemporary Art, Gwacheon, Korea

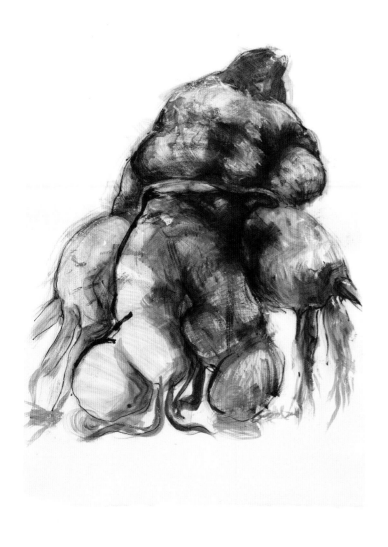

<무제(갈망 블랙)>을 위한 드로잉, 2011.
종이에 먹, 아크릴릭

Untitled drawing for *Untitled (Cravings Black)*,
2011. India ink, acrylic on paper, 120 × 80 cm
(138 × 98 × 3.5 cm framed)

<무제(갈망 블랙)>, 1988(2011년 재제작).
천, 솜, 목재 프레임, 스테인리스스틸 카라비너,
스테인리스스틸 체인, 아크릴릭

Untitled (Cravings Black), 2011 (reconstruction
of 1988 work). Fabric, fiberfill, wooden frame,
stainless-steel carabiner, stainless-steel chain,
acrylic paint, 174 × 154 × 85 cm

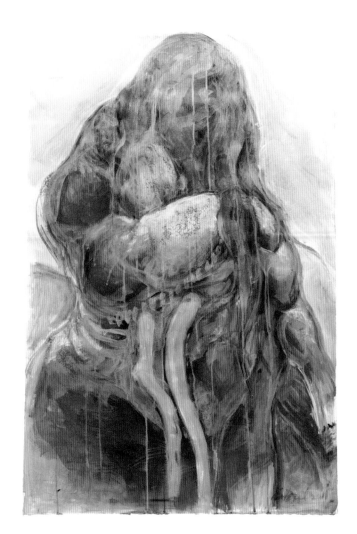

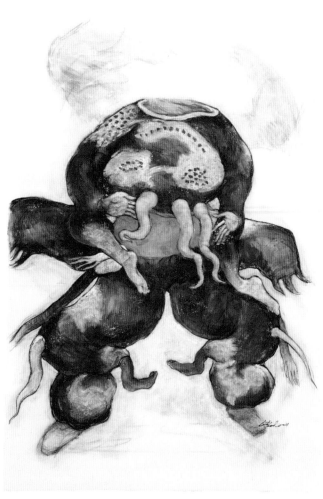

<무제(갈망 레드)>를 위한 드로잉, 2011.
종이에 먹, 아크릴릭

Untitled drawings for *Untitled (Cravings Red)*,
2011. India ink, acrylic on paper, 120 × 80 cm
(138 × 98 × 3.5 cm framed)

<무제(갈망 레드)>, 1988(2011년 재제작).
천, 솜, 목재 프레임, 스테인리스스틸 카라비너,
스테인리스스틸 체인, 아크릴릭

Untitled (Cravings Red), 2011 (reconstruction
of 1988 work). Fabric, fiberfill, wooden frame,
stainless-steel carabiner, stainless-steel chain,
acrylic paint, 180 × 158 × 130 cm

<무제(갈망 화이트)>를 위한 드로잉, 2011.
종이에 먹, 아크릴릭

Untitled drawing for *Untitled (Cravings White)*,
2011. India ink, acrylic on paper, 120 × 80 cm
(138 × 98 × 3.5 cm framed)

<무제(갈망 화이트)>, 1988(2011년 재제작).
천, 솜, 목재 프레임, 스테인리스스틸 카라비너,
스테인리스스틸 체인, 아크릴릭

Untitled (Cravings White), 2011 (reconstruction
of 1988 work). Fabric, fiberfill, wooden frame,
stainless-steel carabiner, stainless-steel chain,
acrylic paint, 244 × 156 × 95 cm

<몬스터: 핑크>를 위한 드로잉, 2011.
종이에 먹, 아크릴릭

Untitled drawing for *Monster: Pink*, 2011.
India ink, acrylic on paper, 120 × 80 cm
(138 × 98 × 3.5 cm framed)

<몬스터: 블랙>을 위한 드로잉, 2011.
종이에 먹, 아크릴릭

Untitled drawing for *Monster: Black*, 2011.
India ink, acrylic on paper, 120 × 80 cm
(138 × 98 × 3.5 cm framed)

<몬스터: 핑크>, 1998(2011년 재제작). 천, 솜,
스테인리스스틸 프레임, 아크릴릭

Monster: Pink, 2011 (reconstruction of 1998 work).
Fabric, fiberfill, stainless-steel frame, acrylic paint,
210 × 210 × 180 cm

<몬스터: 블랙>, 1998(2011년 재제작).
천, 솜, 스테인리스스틸 프레임, 시퀸, 아크릴릭,
말린 꽃, 유리비즈, 알루미늄, 크리스털, 금속체인.
《Lee Bul: Crash》 전시 전경, 그로피우스 바우,
베를린, 2018–2019

Monster: Black, 2011 (reconstruction of
1998 work). Fabric, fiberfill, stainless-steel
frame, sequins, acrylic paint, dried flower,
glass beads, aluminum, crystal, metal chain,
217 × 187 × 171 cm, Installation view of *Lee Bul:
Crash*, Gropius Bau, Berlin, 2018-2019

<사르가소>, 1998. 천, 솜, 비즈, 핀

Sargasso, 1998. Fabric, fiberfill, beads, pins,
approx. 50 × 80 × 20 cm each

参加作品
東京 キッド アイ・ウィックホール

to Mado and Vincent Tokyo

Masataka Ishii
Tohiko Oyama
Koji Ogura

15 Oct '89.

<낙태>, 1989. 퍼포먼스. 《제1회 한·일 행위예술제》,
동숭아트센터 로비 소극장, 서울

Abortion, 1989. Performance. The 1st Korea-Japan
Performance Festival, Lobby Theater, Dongsoong
Art Center, Seoul

낙태
1989

제임스 리

퍼포먼스

《제1회 한·일 행위예술제》, 동숭아트센터 로비 소극장, 서울 | 1989.10.28.

《제2회 일·한 행위예술제》, 도키와자 극장, 도쿄 | 1990.11.10.

무대엔 관객이 자리하고, 이불은 암벽 등산용 줄로 몸을 묶고 객석 천장에 거꾸로 매달린다. 그 높이감과 여타의 감각적인 장면은 극적인 효과를 불러낸다. 이를 통해 작가는 이 퍼포먼스가 일반적인 무대에서 경험하는 전통적인 연극과는 전혀 다르다는 사실을 선언한다. 퍼포먼스를 진행하며 작가가 읊는 텍스트는 부분적으로는 작가 개인의 낙태 경험에 기반한다. 이는 프레임 밖 관객들에게 극이 지니는 인위적인 맥락을 뛰어넘어 쉽게 가늠할 수 없는 진실성을 전달한다. 한편 그의 '고백'은 일련의 시구, 십자가에 못 박힌 예수의 패러디이자 ("나는 여기에 매달려 아이를 낙태한 모든 여성의 고난을 견디고, 그들을 죄책감과 고통으로부터 구원한다. …"), 대중가요 순위표의 노래들과 뒤섞여 그의 행위가 가진 '허식'을 역설하며, 결국은 이 모든 것이 관객의 시선을 고려하여 특별히 고안되었음을 드러낸다. 퍼포먼스를 통해 (이 퍼포먼스는 두 시간 가까이 진행되던 중 작가가 물리적 고통에 울부짖으며 몸부림치는 상황을 더는 견딜 수 없었던 관객들에 의해 중단되었다) 작가는 사적인 것과 공적인 것, 개인적인 것과 정치적인 것, 실제의 것과 작위적인 것이 상호 중첩되고 침투하는 모습을 그린다.

이불은 자신의 나체를 주요 매체로 사용하여 그간 미술의 재현 체계 속에서 남성의 욕망에 의해 수동적이고 이상적인 형태로만 고착되어 온 여성 신체의 문제, 그리고 그를 관통하는 젠더와 섹슈얼리티를 탐구한다. 작가가 퍼포먼스를 진행하며 끌어들이는 여성성, 즉흥성, 그리고 존재가 갖는 특수성은 스스로의 신체를 단순한 이미지 이상의 것으로 상정하고, 관객으로 하여금 사적 영역과 공적 영역 모두에서 만연해온 남성 중심의 역사를 인식하도록 만든다.

결과적으로 작가는 등산용 줄에 묶인 채 무력하고 굴욕적인 자세로 천장에 매달려 섹스 본디지를 암시한다. 남성의 성 심리적 환상이 부여한 역할을 자처함으로써 상투성과 수동성을 극복하고 문자 그대로, 그리고 은유적으로 성적 대상화된 '여성 이미지'라는 남근 중심 개념을 뒤집는다.

이 글은 1997년 미출간된 도록 『Bul Lee』에 수록되었으며, 본 출판물에는 글의 일부가 재수록 되었다. 출처: James B. Lee, "Parody, Parable, Politics," in *Bul Lee* (Seoul: Ahn Graphics, [Unpublished], 1997), 84–89.

90

Abortion
1989

James B. Lee

Performance

1st Korea and Japan Performance Festival, Lobby Theater, Dongsoong Art Center, Seoul | October 28, 1989

2nd Japan and Korea Performance Festival, Tokiwaza Theater, Tokyo | November 10, 1990

Lee Bul is strapped into a rock-climbing harness and suspended upside-down from the ceiling, over the seating area, while the audience is made to occupy the stage. The purpose is not only to increase the effect of height for the audience, but more importantly, to announce that this is not to be the usual theater experience, with the performer/actor firmly located within the conventional boundaries of the stage. The text narrated during the performance is constructed partly from her own experiences of abortion, intimating that, as with a photograph, some larger, truer story exists outside the artificial context, or frame, of theater, unavailable to the audience. On the other hand, by interspersing her "confession" with lines of poetry, parody of Christ on the cross ("I hang here to bear the burdens of all women who have aborted babies, to redeem their guilt and anguish . . ."), and songs from the pop charts, she also insists on the "showiness" of the event, that all of this is, after all, a pose specifically addressed to the gaze of the viewer. Throughout the performance—which, after nearly two hours, is brought to a halt by the intervention of audience members who can't bear to continue watching as she screams and thrashes about in real physical pain—she deliberately allows these aspects to overlap and interpenetrate, obscuring the distinction between the private and the public, the personal and the political, the real and the contrived.

By using her nude body as the primary medium, Lee sets out to explore issues of gender and sexuality at their intersection with representational systems of art that have consistently fixed the female body as a passive, idealized form embodying exclusively masculine desires. The intrusion of the femininity, the immediate, particularized presence, of the artist during the performance asserts her body as more than mere image, and posits an entire history, both private and public, that the audience is compelled to acknowledge. Consequently, she eludes fixity and passivity, the conditions of objectification, even as she maintains a pose of powerlessness, of submission, confined as she is within the harness with the inescapable allusion to sexual bondage. Stripped, bound and tethered, she assumes the role imposed by male psycho-sexual fantasies of dominance, only to invert, literally and metaphorically, the phallocentric concept of the eroticized female image.

This text is excerpted and reprinted from "Parody, Parable, Politics" in *Bul Lee* (Seoul: Ahn Graphics [Unpublished], 1997).

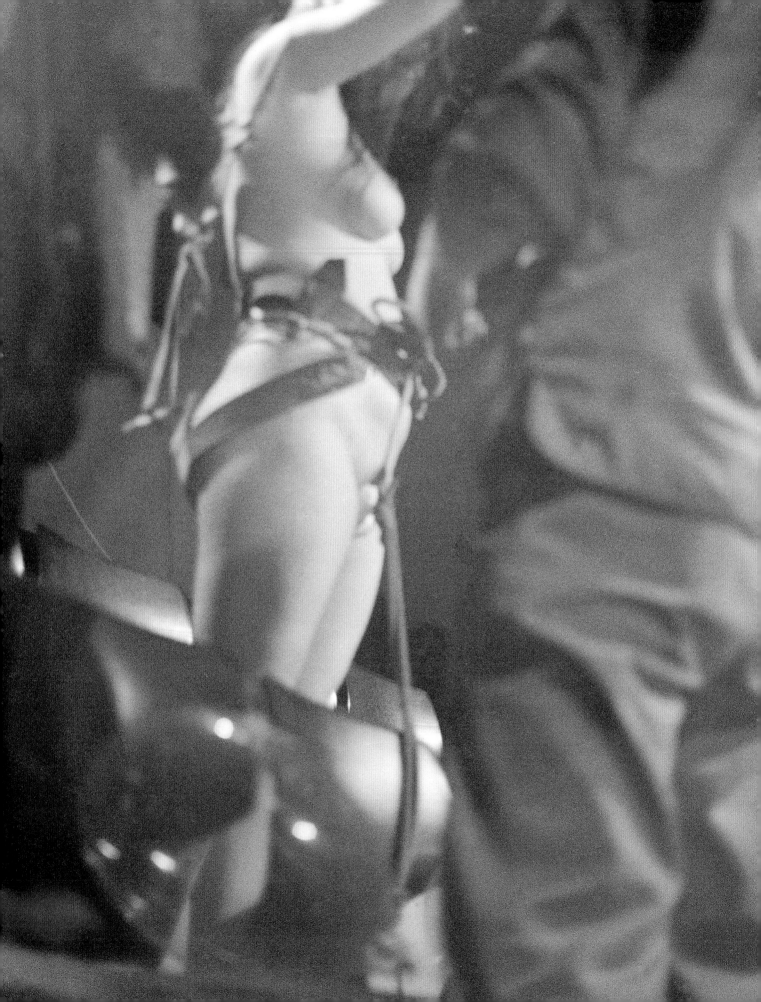

<수난유감-내가 이 세상에 소풍 나온 강아지 새끼인
줄 아느냐?> 리플릿, 1990. 종이에 사진 인쇄

*Sorry for suffering–You think I'm a puppy on a
picnic?* Leaflet, 1990. Print on paper, 21 × 29.6 cm

수난유감-내가 이 세상에 소풍 나온 강아지 새끼인 줄 아느냐? 1990

김아영

12일간의 퍼포먼스

《제2회 일·한 행위예술제》, 김포공항; 나리타공항, 도쿄 시내, 도키와자 극장, 도쿄 | 1990.11.1.–11.12.

<수난유감-내가 이 세상에 소풍 나온 강아지 새끼인 줄 아느냐?> (1990)는 도쿄에서 열린 《제2회 일·한 행위예술제》를 계기로 진행된 퍼포먼스이다. 서울 동숭아트센터에서 열린 《제1회 한·일 행위예술제》(1989)의 후속 행사로 개최된 이 행사에서 이불은 서울과 도쿄를 중심으로 12일간의 퍼포먼스를 진행한다.

자신이 손수 제작한 총 두 종류의 소프트 조각을 직접 입고 도시 이곳 저곳에서 퍼포먼스를 펼친 작가는 디자이너 안상수로부터 슬라이드를 후원 받아 그 과정을 상세하게 기록한다. 이런 이유로 <수난유감>은 이불의 초기 퍼포먼스 중 고해상도 슬라이드가 가장 많이 남아 있는 작업으로 꼽힌다. 슬라이드를 통해 퍼포먼스가 펼쳐진 장소의 특성과 사람들의 생생한 반응을 시간 순으로 확인할 수 있다. <무제(갈망)>(1988/2011), <몬스터>(1998/2011), <모뉴먼트>(1996–1999) 연작 등에서 나타나는 이불의 대표적인 시각 언어를 미술계에 각인시킨 퍼포먼스라는 점에서 그의 가장 중요한 작품 가운데 하나라는 평가를 받는다.

수백 장의 사진으로 남아있는 현장 기록과 작가의 구술, 그리고 선행 연구자들의 연구자료를 토대로 재구성한 12일간의 퍼포먼스 여정과 에피소드는 김포공항에서부터 시작된다. 1990년 11월 이불은 촉수, 팔, 다리, 내장 기관이 드러나 마치 몸의 안팎이 뒤집힌 형태처럼 보이는 소프트 조각을 입은 채 김포공항에 나타나 태연하게 도쿄 행 출국 절차를 밟는다. 사람들의 이목은 점차 그녀에게 쏠리고, 이내 공항은 술렁이기 시작한다. 공항 직원은 이불에게 다가가 기이한 행동을 멈출 것을 요청하며 이 상태로는 비행기 탑승이 불가능하다고 엄포를 놓는다. 이에 작가는 몸에 착용이 가능한 데다 천으로 제작한 소프트 조각이 의상과 다를 바 없지 않느냐며 재치 있게 응수한다. 공항이라는 장소의 경직성을 단번에 전복시켜버리는 위트로 이불은 다른 사람들보다 먼저 비행기에 탑승하여 의상을 벗고 있다가 승객들이 모두 내린 후에 그것을 입고 내리는 조건으로 출국하게 된다.

도쿄에 도착하자마자 제일 먼저 한 일은 미리 제작한 퍼포먼스 홍보 리플릿을 확인하고 도쿄 시내 지도를 펼쳐 퍼포먼스의 동선을 상세하게 계획하는 것이었다. 이불은 현지 예술계에서 활동하던 예술가들의 도움을 받아 도시 공간을 번화가, 신사, 황궁, 학교, 상업, 주거 지역으로 구획하고 장소별로 퍼포먼스를 기획한다. 김포공항과 나리타공항에서 시작된 퍼포먼스는 메이지 신궁, 하라주쿠, 미나토구, 오테마치역, 코간 절, 아사쿠사, 시부야, 도쿄대학교를 거쳐 도키와자 극장에서 마무리하는 순으로 짜인다. 작가는 자신의 몸집만 한 커다란 가방을 메고 메이지 신궁을 찾는다. 가방에 담겨 있는 것은 지난 2년간 개인전(일갤러리, 서울, 1988)과 장흥(1988), 국립현대미술관 퍼포먼스(1989)에서 선보인 바 있는 붉은색 소프트 조각이었다. 그는 길 한편에서 유유히 조각을 꺼내어 입고 일본의 최고 권위를 상징하는 곳을 천천히 배회하기 시작한다. 현지 경찰은 그의 행동을 미심쩍게 여기고 그 저의를 살피기도 했는데, 이는 천황 아키히토가 즉위한 1989년 1월 7일이 얼마 지나지 않아 민심을 민감하게 살펴야 했던 일본의 정치적 상황이 빚어낸 해프닝이었다.[1] 이후 매일 장소를 옮겨가며 이어진 퍼포먼스에서 이불은 괴기스러운 형상을 한 조각을 입은 채 공항 순환버스를 이용하거나, 사람들에게 퍼포먼스 홍보 리플릿을

나눠 주기도 했으며 능청스럽게 선글라스를 끼고 거리에 앉아 휴식을
취하기도 하고, 소프트 조각의 육중한 덩어리를 감당하지 못하고
기우뚱 넘어지는 것처럼 보이기도 한다. 길거리에서 마주친 사람들은
그의 행위를 예측하기 어려웠을 뿐 아니라 어떠한 예술적 경험도
기대하고 있지 않은 상태였기 때문에 이들의 다양한 반응은 퍼포먼스의
의미 체계 안으로 그대로 흡수되었다. 나아가 소프트 조각을 몸
위에 덧입고 행위를 하는 작가는 그 자체로 "살아 있는 조각"[2]이 된
셈이었는데, 이는 공간을 점유해온 조각의 전통을 탈피하고 풍자와
상징, 시간성과 같은 연극적인 요소를 작업에 끌어들여 예술의 경계
확장을 모색하고자 했던 초기작의 특징을 드러낸다.

한편 퍼포먼스 현장에서 배포한 리플릿과 스티커에는 작업의
의미를 다층적으로 이해할 수 있는 단서들이 발견된다. 리플릿 앞면에
한자로 쓴 '水難有感[수난유감]'은 일종의 언어 게임으로, '견디기 힘든
일을 당함'이라는 일반적 의미의 '受難[수난]' 대신 '비나 홍수 따위의
물로 인해 겪는 재해'의 의미인 '水難[수난]'이 쓰여 있다.[3] 작가는
인터뷰에서 1990년 7월 4일 경기도 원당에 위치한 스튜디오 홍수
피해 경험을 언급하면서 그곳에 있던 작품들이 모두 물에 잠겼고 두
개만 온전히 건졌다고 술회하는데, 그중 하나가 바로 <수난유감>에
등장하는 붉은 소프트 조각이다. 자신의 분신과도 같았던 작품들을
일일이 물에서 건져내고 엉엉 울다 그 현장을 사진으로 남긴 뒤, 그것을
한데 모아 놓고 모두 태워버렸다는 트라우마에 가까운 기억은 그로부터
4개월이 흐른 시점에 진행한 퍼포먼스 내내 그의 뇌리 한구석에 박혀
있었을 것으로 보인다.[4] 그렇기에 그의 행위는 인간의 힘으로 막을 수
없던 재난으로 떠나보낸 작품들과 그것에 쌓아올린 수많은 기억과
시간에 대한 유감을 표명하는 제의로 읽을 수 있다.

그렇다면 그가 유감을 표명한 대상은 단지 자연재해에만
그친다고 볼 수 있을까? 리플릿 뒷면에는 이와 관련한 또 다른 해석의
단초들이 등장한다. 다양한 포즈를 취하는 작가와 그가 내뱉는 말들은
여덟 컷의 시사만평과 같은 구조로 디자인되어 있다. "조용히 나는
묻고 싶었다"로 시작하는 컷은 "인생이 똥이냐? 말뚝뿌리 아버지
인생이 똥이냐? 네가 그렇게 그르쳐 줬더냐?"는 말로 이어지고
"낯도 모르는 낯도 모르고 싶은 개뼈다귀가 내 아버지인가? 아니다!
돌아가신 아버지도 살아계신 아버지도 하나님 아버지도 아니다. 아니다.
내 인생에 꽁무니를 붙잡고 신나게 흔들어 대는 모든 아버지들아.
내가 이 세상에 소풍 나온 강아지 새끼인 줄 아느냐?"라는 말로 끝이
난다. 이 세상의 모든 부계질서를 강하게 부정하는 최승자 시인의
「다시 태어나기 위하여」(1981)의 시구를 인용한 위 문장들은 이불이
유감을 표명하는 대상이 자전적인 경험에만 그치지 않는다는 것을

암시한다. 그의 언어게임에 있어 '水難[수난]'은 거스를 수 없는
자연 재난처럼 부조리한 부계질서로 가득 차 있는 세상 속에서
'受難[수난]'을 겪고 있는 여성을 상징하는 알레고리적 장치인 셈이다.
그리고 인간의 무력감을 절감했던 사기 서사를 기존 실서에 대항하는
여성 보편의 서사로 확장시킨다.

이와 같은 맥락에서 볼 때, 페스티벌의 마지막에 도키와자
극장에서 <낙태>(1990) 퍼포먼스를 두 번째로 발표한 것은 우연이
아니다. 서울에서의 퍼포먼스와 달리 천정에 매달린 상태로 몸을
접었다 펼 수 있도록 매듭을 묶은 이불은 자신의 퍼포먼스가 진행되는
동안 다른 예술가들의 행위가 자연스럽게 이어지도록 오픈 퍼포먼스로
구성한다. 굿하는 사람, 연극하는 사람, 벽을 타는 사람, 공중제비를
도는 사람, 하프를 연주하는 사람, 세숫대야에 물을 받고 참을 수
없을 때까지 잠수하는 사람들이 정해진 순서에 관계없이 자발적이며
동시다발적으로 행위를 진행하면서 무대의 열기는 고조된다. 이러한
에너지는 거리에서의 퍼포먼스와 같이 그의 작업의 중요한 지점으로
흡수되면서 동시에 참여자들이 그의 고통에 동참하는 서사 구조를
생성한다. 그리고 이 모든 의미 구조는 천정에 거꾸로 매달린 채 자신의
과거를 읊는 '그녀', 이불이 더 이상 이불 개인이 아님을 드러낸다.
"그녀는 구원의 원천이다."라는 홍보 스티커 문구처럼 '그녀'는 '나'를
구원해주는 또 다른 자아이자 부계 질서를 극복하고자 하는 의지의
표상으로서, 십자가에 매달려 인류를 구원한 예수처럼 자기 자신뿐
아니라 고통받는 여성을 구원하는 아이콘이 된다.

1   Yeon Shim Chung, "Sorry for Suffering: Lee Bul's Dissident Bodies," in *Lee Bul*, exh. cat., ed. Stephanie Rosenthal (London: Hayward Gallery Publishing, 2018), 35.

2   "But in some of your performances you are also wearing a kind of costume that turned you into a living sculpture." Franck Gautherot, "Lee Bul, Supernova in Karaoke Land," *Flash Art International* no. 217, March/April 2001, 81.

3   두 한자어의 국문 음역은 '수난'으로 동일하다.

4   이불, 권진, 김아영, 박소현, 성기완, 장지한과의 대화, 고양 삼송 이불 스튜디오, 2020년 8월 14일.

<수난유감–내가 이 세상에 소풍 나온 강아지 새끼인
줄 아느냐?>, 1990. 12일간의 퍼포먼스.《제2회 일한
행위예술제》, 김포공항; 나리타공항, 메이지 신궁, 하라주쿠,
오테마치역, 코간 절, 아사쿠사, 시부야, 도쿄대학교, 도키와자
극장, 도쿄

*Sorry for suffering–You think I'm a puppy on a
picnic?*, 1990. Performance, 12 days. The 2nd Japan
and Korea Performance Festival, Gimpo Airport,
Korea: Narita Airport, Meiji Shrine, Harajuku,
Otemachi Station, Koganji Temple, Asakusa, Shibuya,
University of Tokyo and Tokiwaza Theater, Tokyo

Sorry for suffering–You think I'm a puppy on a picnic? 1990

Ayoung Kim

Performance

2nd Japan and Korea Performance Festival, Gimpo Airport, Korea; Narita Airport, Japan; various public locations in Tokyo; Tokiwaza Theater, Tokyo | November 1–12, 1990

Sorry for suffering–You think I'm a puppy on a picnic? (1990) was a performance presented in Tokyo during the 2nd Japan and Korea Performance Festival. It was a sequel to the 1st Korea and Japan Performance Festival (1989) at Dongsoong Art Center, Seoul. Beginning with her departure from Gimpo Airport in Korea, Lee Bul performed in various locations in Tokyo for twelve days wearing two of her self-produced "soft sculptures."

The performance was documented in detail with color slides sponsored by graphic designer Ahn Sang-soo. As a result, *Sorry for suffering* is one of the most well documented pieces in high resolution of Lee's early performances. Through these slides, we can observe the unique characteristics of the performance sites, as well as the immediate, vivid reactions of the viewers. The performance is one of the most important works by Lee, as it formulates a singular visual language that is evinced in works such as *Untitled (Cravings)* (1988, refabricated 2011) and the later *Monster* series (1998, refabricated 2011), and *Monument* (1996–1999) series.

Episodes of the twelve-days-long journey, a reconstruction based on thousands of photographic documents and research materials, begins in Gimpo, Korea. In November 1990, Lee Bul appeared in Gimpo Airport wearing her soft sculpture—resembling a body turned inside out, with tentacles, limbs and entrails—and prepared for her departure to Tokyo. As people started noticing her, the airport began to stir. A ground staff approached to request that she stop her unusual action and warned she would not be allowed to go abroad in such a state. Her riposte was that her soft sculpture was just a wearable made of fabric, no different from any other attire. Thus circumventing regulations, she was allowed to board under the condition that she do so before the other passengers and take off her costume; and that she wear it again upon arrival, once the others had departed from the plane.

As soon as she reached Tokyo, her first actions were to check the prepared leaflets she had brought announcing the performance, and to plan out in detail the itinerary and the route, consulting a map of the inner city of Tokyo. With the help of local artists, Lee Bul conceived performative actions specific to each section, defined as high street, shrine, Imperial Palace, school, commercial area, and residential area. The performance, which had started from Gimpo and Narita Airports, was to continue via the Meiji Shrine, Harajuku, Minato City, Otemachi Station, Koganji Temple, Asakusa, Shibuya and the University of Tokyo before concluding at Tokiwaza Theater.

The artist, carrying a bag nearly the size of her own body, headed to the Meiji Shrine. The bag contained the red soft sculpture previously presented in her solo exhibition (IL Gallery, Seoul, 1988), Jangheung (1988), and in a performance at the National Museum of Modern and Contemporary Art, Gwacheon (1989). At a street corner, she calmly unpacked the sculpture and put it on, and started to wander around a part of Tokyo that was symbolic of Japan's highest authority. The local police found her act suspicious and approached to question her intentions, creating a scene against the sensitive political backdrop of Emperor Akihito's accession to the throne the previous year.[1]

Over the following days, Lee Bul switched locations and continued the performance wearing her outlandish sculpture—riding the bus, distributing leaflets to bystanders, or just casually taking a break on the street with her sunglasses on, and sometimes losing her balance due to the bulky mass of the sculpture. People encountering these actions, who could neither foresee nor expect any kind of "artistic" experience, responded in diverse ways, and their responses became integrated into the significance generated by the performance. Moreover, the artist became a "living sculpture" herself as she performed wearing the layer of soft sculpture on her body.[2] It was an attempt to expand the borders of artistic practice by escaping the traditional ways in which sculptures have occupied space, as well as by infusing theatrical elements into her work, such as satire, symbolism, and temporality—characteristics that came to define much of her formative work.

In the leaflets and stickers distributed at the performance sites, clues to the work's multilayered meaning were to be found. On the front of the leaflet, the Chinese characters 水難有感 were written, a wordplay switching the usual term 受難, which means "suffering," with 水難, meaning "natural catastrophe caused by flood or heavy rain."[3] In a recent conversation, Lee Bul recalled that the shoddy structure that served as her earliest studio, in rural Wondang, Gyeonggi Province, was damaged by a massive flood on July 4, 1990, and that she was able to save only two of her artworks: one was the red soft sculpture that appeared in *Sorry for suffering*. Weeping and retrieving her flood-damaged works, she documented the ordeal with photography and then gathered all the ruined works to burn them. This trauma must have lingered in her thoughts during the whole performance, which took place four months after the experience.[4] Therefore, her act might be read as a ritual expression of sorrow, a memorial to the works lost to natural disaster.

But was her sense of regret and sorrow limited to the natural catastrophe? On the back of the leaflet, other related clues for interpretation can be found. In an eight-panel, comics-like composition, the artist strikes various poses accompanied by statements. The first begins, "I'd like to ask quietly," followed by, "Is life shit? Is the life of my father, a stake, shit? Have you taught it so?" This is followed by, "Is a piece of dog bone whose face I don't know and I don't want to know my father? No! Neither my dead father and my father still alive nor the Heavenly Father is my father. No, no! All fathers who hold the tail of my life and shake it joyfully. You think I am a puppy on a picnic?" Quoted from "To Be Born Again" (1981) by Seung-ja Choi, a poet who vigorously denied all patriarchal orders, these statements suggest that the objects for which Lee feels regret and sorrow are not only derived from autobiographical experience. In her wordplay, flood damage can be read as an allegorical mechanism, symbolizing the suffering of women in a world ordered by patriarchy, as inexorable as natural catastrophe. The artist expands a personal narrative, in which she is confronted with her individual sense of helplessness, toward a universal narrative of women who struggle against established hierarchical structures.

In this context, it is no coincidence that Lee Bul chose to perform *Abortion* (1990) at Tokiwaza Theater to close out the festival. In contrast to the version in Seoul, the artist was secured with ropes in a way that enabled some movement, allowing her to bend and unfold her body while suspended in midair, in keeping with the more open, fluid structure of the performance, which allowed other festival participants to continue their actions while hers was ongoing. Performers were spontaneously climbing walls, doing somersaults, playing the harp, doing improvisational theater, enacting shamanistic rites, submerging their faces in basins full of water, while the excitement on the stage escalated. This energy, as in the street performances, was absorbed into the core of Lee Bul's performance and shaped a narrative structure whereby others could share in her pain simultaneously. And these interwoven meanings propose that "she," the one who narrates her past suspended upside down from the ceiling, transcends the individual. As in the phrase on the promotional sticker, "She is the source of liberation," the "she" here transmutes to another self, another "me" that seeks to dismantle the patriarchal order, to save not only oneself but others who suffer the same destiny.

1   Yeon Shim Chung, "Sorry for Suffering: Lee Bul's Dissident Bodies,"
in *Lee Bul*, exh. cat., ed. Stephanie Rosenthal (London: Hayward Gallery
Publishing, 2018), 35.

2   "But in some of your performances you are also wearing a kind of costume
that turned you into a living sculpture." Franck Gautherot, "Lee Bul, Supernova
in Karaoke Land," *Flash Art International*, no. 217 (March/April 2001): 81.

3   Both Chinese compounds read as homonyms in Korean.

4   Lee Bul, in conversation with Jin Kwon, Ayoung Kim, Sohyun Park, Kiwan
Sung and Jihan Jang, at Studio Lee Bul, Samsong-dong, Goyang, Gyeonggi
Province, 14 August 2020.

<낙태>, 1990. 퍼포먼스. 《제2회 일·한 행위예술제》, 도키와자 극장, 도쿄

Abortion, 1990. Performance. The 2nd Japan and Korea Performance Festival, Tokiwaza Theater, Tokyo

<낙태>, 1989. 퍼포먼스. 《제1회 한·일 행위예술제》,
동숭아트센터 로비 소극장, 서울

Abortion, 1989. Performance. The 1st Korea–Japan
Performance Festival, Lobby Theater, Dongsoong
Art Center, Seoul

다시 태어나기 위하여

최승자

1

어디까지갈수있을까 한없이흘러가다보면
나는밝은별이될수있을것같고
별이바라보는지구의불빛이될수있을것같지만
어떻게하면푸른콩으로눈떠다시푸른숨을쉴수있을까
어떻게해야고질적인꿈이자유로운꿈이될수있을까

2

어머니 어두운 배 속에서 꿈꾸는
먼 나라의 햇빛 투명한 비명
그러나 짓밟기 잘하는 아버지의 두 발이
들어와 내 몸에 말뚝 뿌리로 박히고
나는 감긴 철사줄 같은 잠에서 깨어나려 꿈틀거렸다
아버지의 두 발바닥은 운명처럼 견고했다
나는 내 피의 튀어 오르는 용수철로 싸웠다
잠은 잠 속에서도 싸우고 꿈의 꿈속에서도 싸웠다

손이 호미가 되고 팔뚝이 낫이 되었다

3

바람 불면 별들이 우루루 지상으로 쏠리고
왜 어떤 사람들은 집을 나와 밤길을 헤매고
왜 어떤 사람들은 아내의 가슴에 손을 얹고 잠들었는가
왜 어느 별은 하얗게 웃으며 피어나고
왜 어느 별은 외마디 비명을 지르며 추락하는가
조용히 나는 묻고 싶었다
인생이 똥이냐 말뚝 뿌리 아버지 인생이 똥이냐 네가
그렇게 가르쳐줬느냐 낯도 모르는 낯도 모르고 싶은 어
느 개뼉다귀가 내 아버지인가 아니다 돌아가신 아버지도
살아계신 아버지도 하나님 아버지도 아니다 아니다
내 인생의 꽁무니를 붙잡고 뒤에서 신나게 흔들어대는
모든 아버지들아 내가 이 세상에 소풍 나온 강아지 새끼
인 줄 아느냐

4

  자신이왜사는지도모르면서 육체는아침마다배고픈시
계얼굴을하고 꺼내줘어머니세상의어머니 안되면개복수
술이라도해줘 말의창자속같은미로를 나는걸어가고 너
를부르면푸른이끼들이 고요히떨어져내리며 너는이미떠
났다고대답했다 좁고캄캄한길을 나는 기차화통처럼달
렸다 기차보다앞서가는 기적처럼달렸다. 어떻게하면 너
를 만날수있을까 어떻게달려야 항구가있는 바다가보일
까 어디까지가야 푸른하늘베고누운 바다가 있을까

이 시는 최승자가 1981년에 발표한 첫 시집『이 時代의 사랑』에 수록되었으며, 본 출판물에 전문 재수록하였다.
출처: 최승자,「다시 태어나기 위하여」,『이 時代의 사랑』(서울: 문학과지성사, 1981), 16–18.

To Be Born Again

Seung-ja Choi

Translated by Won-Chung Kim

1

How far can I go? Flowing down endlessly,
I feel I can become a bright star
and a light of the earth that a star looks at.
How can I open my eyes again as a green bean and breathe a green breath?
How can my chronic dream become a dream of freedom?

2

A transparent scream, the sunlight of a distant land
that I dreamt of in my mother's dark womb.
My father's two feet that are good at trampling down
came into my body, pierced like stakes.
I wriggled to wake myself from the sleep that bound me like wires.
His two soles were sturdy like fate.
I have fought with the rebounding spring of my blood.
I have fought even in my sleep of sleeps and dream of dreams.

My hands became hoes and my forearms, scythes.

3

When the wind blows, stars fall on the ground in swarms.
Why do some people leave their house and wander about the night streets
and some put their hands on the breasts of their wife and fall asleep?
Why does a certain star bloom, laughing white
and others sound a shriek and fall?
I'd like to ask quietly,
Is life shit? Is the life of my father, a stake, shit? Have you taught so? Is a
piece of dog bone whose face I don't know and I don't want to know my father?
No! Neither my dead father and my father still alive nor the Heavenly Father is
my father. No, no!
All fathers who hold the tail of my life and shake it joyfully, you think I am a
puppy on a picnic?

4

Not knowing why it lives, my body puts on the face of a hungry watch every morning. Take me out, Mother, all mothers of the world! If you can't, please perform an abdominal laparotomy on me. I walk the labyrinth looking like the intestine of a horse. When I call you, green moss falls down quietly, saying you have already left. I run the dark and narrow road like the funnel of a train. Actually, I run like the whistle that goes faster than the train. What should I do to meet you? How should I run to see the sea with a port? How far should I go to meet the sea lying, putting its head on the blue sky?

This poem is a translation of "Dasi taeeonagi wihayeo" [To be born again] from Seung-ja Choi's first book of poetry, *I sidaeui sarang* [Love in this age] (Seoul: Moonji Publishing, 1981).

퍼포먼스 사진, 1989
Performance photography, 1989

이불 재고: 메두사의 웃음 또는 괴물-변신의 정치학

박소현

서론

카메라를 정면으로 바라보며 환하게 웃는 젊은 시절의 이불이 있다. 그의 퍼포먼스를 기록한 영상들 속에서도 쾌활하거나 기괴한 웃음을 발견할 수 있다. 꽤나 단순한 연상이겠으나, 엘렌 식수의 '메두사의 웃음'이 떠올랐다. 식수는 정신분석학을 여성을 억압하기 위해 만들어진 발명품 중 하나라 비판하며, 남성들이 오랫동안 여성들을 메두사의 신화라는 무시무시한 괴물 신화에 응고시켜 왔음을 지적했다. 그리고 이렇게 말한다.

> 이 공포는 그들에게 편리하지 않은가? 사실 최악의 상황이라 할 것은, 아니 실제로 최악의 상황이란 여성들이 거세되지 않았다는 것이 아닐까? 역사가 방향을 바꾸기 위해서는 남성이 세이렌의 노래에 더 이상 귀 기울이지 않는 것으로 충분하다는(왜냐하면 세이렌은 남자니까) 사실이 아닐까? 메두사를 보기 위해서는 정면으로 바라보기만 하면 된다. 게다가 그녀는 무시무시한 존재가 아니다. 그녀는 아름답다. 그리고 웃고 있다.[1]

살아있는 뱀의 머리칼을 가진 여성-괴물 메두사는 그저 눈이 마주치는 것만으로 사람을 돌로 만들어 죽인다. 그녀는 공포의 대상이다. 정신분석학의 창시자 프로이트는 메두사의 잘린 머리를 여성의 성기로 해석하고 거세 콤플렉스의 상징으로 규정했다. 메두사의 머리를 거세당한 성기(페니스가 잘린 여성 성기)로 보든, 거세하는 성기 [바기나 덴타타, vagina dentata]로 보든, 살아남을 방법은 그것을 똑바로 쳐다보지 않는 것이다. 하지만 식수는 메두사의 머리를 거세공포와 연결지어 현실을 직시하지 못하게 하는 것이야말로 남성중심적 이데올로기의 계책이라 지적한다. 여성은 거세되지 않았고, 죽음으로 유인하는 치명적인 세이렌은 남성이다. 괴물에 대한 공포는 남성중심주의의 편의상 날조된 것이다.

식수에 따르면, 남성만이 주체로서 '자기'가 될 수 있는 남성중심적 사회, 즉 '자기만의 제국'은 능동성/수동성, 문화/자연, 이성/감정 등과 같은 위계적인 이항대립체계를 근간으로 작동한다. 여성은 이 대립쌍 중 항상 열등한 쪽에 위치 지어져 부정적 의미를 부여받아 왔다. 여성들은 "좁은 방에 갇혀 빙빙 돌며 방황하고 지독하게 세뇌당해왔"고, 그 결과 자신을 경멸하고 '괴물'이라 비하하는 남성적 시선을 내면화해 왔다. 프랑스 식민지였던 알제리에서 성장한 식수에게 이 "여성 살해의 오래된 역사"는 노동자가 자본가에게, 그리고 알제리의 피식민지인이 노예/비존재로서 프랑스인에게 종속되어온 역사와 별개가 아니었다.[2]

따라서 식수는 "이제 더 이상 과거가 미래를 결정해서는 안 된다. … 내가 거부하는 것은 과거를 되풀이함으로써 그것을 강화하고, 과거를 운명처럼 바꿀 수 없는 것으로 만들고, 생물학적인 것과 문화적인 것을 혼동하는 것이다."라고 역설한다. 그러면서 그는 '우리 시대'가 남성적인 낡은 것을 깨고 여성적인 새로운 것이 나오는 시대라 진단하며, 남성들의 무의식, 그 '검은 대륙'에 억압되어 있던 여성들이 돌아오고 있음을 반복해서 선포한다.

> 이제 여성들은 먼 곳으로부터, 계속해서 돌아온다. '바깥으로부터', 마녀가 살아 있는 히스 숲으로부터, 밑으로부터, '문화'가 못 미치는 곳으로부터 돌아온다. … 그녀는 계속해서 영원으로부터 도착한다. 따라서 우리는 새로운 역사의 시작점에, 아니 여러 역사들이 서로 교차하는 생성의 진행과정이 시작되는 시기에 있다. 역사의 주체로서 여성은 언제나 여러 곳에서 동시에 발생한다. 힘을 균일하게 하고 하나로 모아 여러 모순들을 단

하나의 싸움터로 모으는 통합하고 통제하는 역사는 여성이
생각하는 바가 아니다. 여성에게 있어 개인사는 국가나 세계의
역사뿐 아니라 모든 여성의 역사와 섞인다. 전사로서 그녀는
모든 해방을 통합하는 한 부분이다.[3]

식수는 이러한 여성들의 귀환이 "한 번도 풀려난 적 없는 힘을
가진, 억압된 것 중에서도 가장 금기시되는 힘"의 회귀로서, 매우
파괴적인 폭발이며 위태로운 귀환이라고 예언했다. 메두사의 웃음은
이 여성들의 귀환을 통해 열릴 '새로운 역사'의 모습일 것이다.
남성중심적 사회가 타자들에게 전가해온 스스로의 괴물성을 직시하고,
타자들에 대한 억압과 살해를 정당화하기 위해 덧씌워온 '편리한
공포'를 걷어낸다면, 메두사는 그저 해맑게 웃고 있는 여성이다.
이불의 초기 작업들은 이 억압된 여성들의 계속된 귀환과 '새로운
역사'의 도래를 개시하는 듯하다. 그가 온 몸을 던져 펼쳐놓은 한없이
잔혹하고 폭력적인 장면들은 수많은 이들을 타자화하고 괴물로 낙인
찍으며 승승장구해온 남성중심적 근대국가의 괴물성을 직시하게 한다.
그 풍경 안에서 역사적 주체인 여성은 억압과 폭력에 의해 고통 받고
죽임을 당하거나, 섬뜩한 괴물이나 원귀의 모습으로 소환될 수밖에
없다. 이불은 남성중심적인 '자기만의 제국' 내에서 "언제나 여러 곳에서
동시에 발생"할 수밖에 없는 이 타자들의 일원이고 그들 모두이기도
하다. 이 '히드라'와 같은 복수의 타자성은 식수의 언급처럼 단일한
주체성으로 통합되는 남성적 방식이 아니라, 각각의 '개인사'라는
고유한 경험과 발화를 통해 국가와 세계의 역사, 모든 여성의 역사와
연결되는 방식으로 새롭게 구성되어야 하는 것이라 볼 수 있다.

'개인사'라는 방법론:
<u>연좌제 또는 근대국가의 폭력과 예술가 되기의 정치적 윤리</u>

어릴 적 예술가가 되겠다고 생각한 이유는 다른 직업을 갖는
것이 거의 불가능했기 때문이다. 또 예술가의 일이 개인의 입장에
있으면서 사회와 지속적으로 관계를 맺고 모든 사회계층의
사람들과 교류할 수 있는 유일한 길이라 생각해서였다.[4]

나는 한국의 정치적·사회적 격변기에 성장했다. 그리고 사회적
문제들과 그것이 어린 시절 내게 미친 정서적 영향 사이의 관계를
해결하고자 예술을 시작했다.[5]

이불이 예술가가 된 이유는 지극히 사회적이고 정치적이다.
군사독재정권 시절, 반체제운동을 한 부모의 혈연이라는 이유만으로
대한민국 헌법이 정한 기본권인 직업선택의 자유마저 박탈당하는
현실에서, 신원조회를 필수로 하지 않는 예술가라는 업은 일종의
궁여지책이자 매혹이었다. 12·12 군사반란과 5·18 민주화 운동의
유혈진압을 자행하며 정권을 잡은 전두환은 대통령 취임 직후, 이전
독재정권이 중요한 통치수단으로 삼은 연좌제의 금지를 공표하고 이를
헌법에 새겨 넣었다. 그러나 현실에서 연좌제는 폐지되지 않고,
많은 이들의 삶을 비극과 고통으로 몰아넣었다. 1964년에 태어난
이불이 오랫동안 기억하지 않으려 한 어린 시절의 삶은 이러한 정치적
탄압과 배제와 감시로 인해 평범할 수 없는, 외부자의 삶 그 자체였다.

이후, 좌익 사상을 허용하지 않던 이 나라에서 그 시기에 좌익
부모와 살면서 성장한 것이 나를 만들었다는 것을 깨달았다.
게다가 나는 아이들이 놀리는 특별한 이름을 가지고 있었고,
왼손잡이였고, 항상 마을에 새로 온 아이, 이방인이었다. 나는
익숙하지 않은 것, 낯선 것에 익숙해져야 했다. 내가 노출되었던
이런 조건들은 정치적이고 윤리적이었다. 이런 생각들이 나의
삶을 관통하고 있다. 내부인이 아니라 이방인, 외부인이 되는 것.
그것은 여전히 내게서 작동하고 있다.[6]

내 삶이 다른 사람들의 삶과 다르다는 사실을 끊임없이
떠올려야 하는 고단함, 심지어 '자유민주주의'를 표방하는 나라에서
그 사회적 차이가 개인의 의지적 선택이 아니라 이미 주어진 것이라는
모순된 현실의 불가해함. 이불에게 이런 경험은 모든 기존 관념이나
사회적 대의에 대해 의심하고 저항하는 "거리 감각"[7]이 되고, 그러한
대의를 내세우며 개인의 배제와 희생을 강요하는 사회에 대해
'경계심'을 늦추지 않는 태도로 벼려졌다.[8]
그가 40줄에 들어서 비로소 되돌아볼 수 있었던 어린 시절의
기억은 "내 관심사가 내 어린 시절, 즉 1960–1970년대 한국의 급속한
근대화와 강력하게 연결되어 있다는 것"[9] 새삼 깨닫게 하는 계기가
되었다. 이불은 자신의 삶과 예술이 한국의 근대화, 근대적인 것의
소산임을 뒤늦게나마 자신의 목소리로 말할 수 있었다. 그에게 근대화
또는 근대적인 것의 실체란, 그 안에서 승승장구하는 주류의 삶이 아닌,
끊임없이 주변화되는 외부자의 삶, 법이 있으되 그 법에 의해 바깥으로
내몰리거나 스스로의 정체성을 지워야만 생존할 수 있는, 수상한
이방인의 삶으로부터 포착되는 것이었다.

이불의 어린 시절은 반체제운동에 투신한 재일조선인 어머니의 삶에 강력히 구속되어 있었다. 이불에 따르면, 1933년 즈음에 일본 도쿄에서 태어난 어머니는 15–16세의 어린 나이에 '조국을 구하자'며 의기투합한 대학생들과 함께 한국으로 '밀입국'했다고 한다.[10] 짐작하건대, 대한민국 정부 수립(1948)을 전후한 시기였을 듯하다. 일본에서 해방을 맞은 재일조선인 다수는 조선으로 귀환하고자 했고, 1945년 8월, 일본정부는 조선인의 징용을 해제해 얼마 후 재일조선인의 귀환선이 출항하기 시작했다.[11] 하지만 얼마 지나지 않아 연합군 최고사령부와 일본정부는 재일조선인의 귀환방식을 일본정부의 경찰력을 동원한 재일조선인 등록과 이에 기반한 '계획송환'으로 전환했다. 정영환은 이를 "귀환의 송환화"라 칭했는데, 해방된 조국으로의 자발적이고 자유로운 '귀환'이 일본정부가 통제하는 '송환'으로 변경되었음을 뜻한다.[12] '밀입국' 개념이 성립하는 것은 바로 이 '계획송환'을 기점으로 한 등록 거부에 있었다. 이처럼 해방을 맞은 재일조선인들의 자유로운 귀국이 불법행위로 규정되는 아이러니 속에서, 이불의 어머니는 자발적 '무국적자'가 되어 '조국'을 찾았던 것이다.

적어도 해방 직후의 재일조선인들에게 일본과 38선이 그어진 남북한 사이의 월경은 지금과 같은 국경 개념에 의한 것이 아니었다. 당시 분단 상황은 일시적이고 쉽게 극복 가능한 것으로 인식되었다.[13] 그 누구도 38선 이남 또는 이북으로의 선택적 귀환이 체제 적대적인 국경으로 가로막혀 '이산가족'이라는 생이별로 귀결될 것이라 예상하지는 못했다. 하지만 1946년 3월부터 열린 미소공동위원회가 미소간 대립으로 결렬되고, 통일국가 수립의 가능성은 실질적으로 좌절되었다. 일본에서의 재일조선인운동은 이 시점을 기해 모스크바협정에 대한 찬반 입장으로 분열되었다. 전국조직인 재일본조선인연맹(이하, '조련')은 모스크바협정을 지지하면서 남한의 좌익세력과 연계해 신조국 건설운동을 벌였고, 재일본조선민주청년동맹(청년부)를 결성해 민주적인 새 조국 건설을 담당할 활동가 양성에 힘을 기울였다. 15–33세의 학생들을 받은 '조련중앙고등학원'과, 16–23세 여성을 교육하는 '조련양재학원'(이후 '조련여성문화학원')의 설립은 모두 활동가 양성을 위한 것이었다.[14] 이불의 어머니는 이 청년활동가의 일원으로서 분단의 고착화로 기운 조국의 운명을 바꾸고자 배를 탄 듯하다.

그러나 이불의 어머니는 세상을 뜨기까지 '침묵'을 고수했다. 세상을 믿을 수 없어서였다고 한다. 그래서 밀입국 후 십수 년간 어머니의 행적은 알 길이 없다. 이불의 기억은 어머니의 의지적 선택처럼 보이는 강제된 침묵 어딘가에 가 닿아 있다. 어머니가 반체제운동에 투신해 은신과 도피 생활을 이어가다, 경상북도 영주에서 가정을 이룬 데에서 이불의 삶은 시작된다. 하지만 그 이후에도 감시와 도피의 삶은 이어졌다. 이불이 초등학교 5학년이었을 즈음(1976), 신변의 위협을 감지한 어머니는 하던 일을 모두 정리하고 피신했으나, 결국 구속되어 6개월 동안 구속 상태에서 재판을 받았고 그동안 고문을 당하기도 했다. 이 시기에 이불은 학교를 중단하고 동생들하고만 집에 남겨졌다. 어머니가 집에 돌아온 후에도 그의 가족은 계속 감시를 받으며 서울 외곽 도시를 전전하는 불안정하고도 가난한 삶을 이어갔다. 이불이 예술가가 된 이유로 언급한 연좌제는 그가 성장하는 동안, 그리고 장성한 후에도 어머니의 인생을 함께 살 수밖에 없게끔 강제한 한국적 근대화를 함축한다.

글로벌 냉전체제의 최전선이 된 분단국가에서, '반공'은 근대화와 깊숙이 유착되어 있었고, 국가의 정통성과 체제의 우월성을 선전하는 이데올로기였다. 해방 직후 미군정은 한반도를 '이데올로기의 전쟁터'로 규정하고 반소·반공 이데올로기를 강화했다.[15] 5·16 군사정변(1961) 당시 군사혁명위원회의 '혁명공약' 제1조는 "반공을 국시의 제1의로 삼고 지금까지 형식적이고 구호에만 그친 반공체제를 재정비·강화한다"는 것이었고, 이는 직접적으로 공산주의 체제나 북한 체제를 옹호하지 않더라도 '찬양', '고무', '동조'의 조항을 통해 포괄적 처벌을 가능케 한 「반공법」, 「정치활동정화법」 등의 제정, 「국가보안법」 개정으로 이어졌다. 이는 적대감의 공유를 통해 국민단결을 도모하고 독재체제를 옹호하는 이데올로기로 반공주의를 절대화하는 과정이기도 했다. 그럼으로써 반공의식의 유무는 적과 동지, 외부자와 내부자를 구분하는 잣대가 되었고,[16] 첨예한 정치적 갈등 속에서 수많은 희생을 초래한 "이데올로기는 괴물과도 같은 존재"로 인식되었다. 월북자의 가족들이 '빨갱이의 후손'이라며 사회활동에서 배제되고, '잠재적 간첩'으로 간주되어 항상 감시의 대상이 되었듯이, '이데올로기라는 괴물'은 연좌제를 통해 더욱 강력한 공포를 각인시켰다.[17] 한국사회에서 이 괴물을 실체화한 것은 무엇보다도 국가폭력이었고, 연좌제는 국가폭력이 미치는 범위가 무한정 확장될 수 있음을 의미했다. 한국사회의 근대화에 관한 지배적 서사와 그것을 추동해온 권력은 국민과 비국민을 끊임없이 조회하고 분절하는 "신원의 정치"[18]를 통해, 무수한 개인들을 '이방인'으로 주변화하거나 '적'으로 날조해서 학살하고 침묵시킴으로써 성공과 기적의 신화를 마름질해 왔던 것이다.

특정한 개인들에게 사회적 죽음을 선고함으로써 통합을 성취하려는 근대국가의 기획이나, 역사의 집단적 주체를 규정하는 '민족', '계급'과 같은 개념은, 그 틀에 의해 배제되거나 규정될 수 없는 역사의 잔여물, 타자들, 국외자들을 필요로 하게 된다.[19] 이불은 '사회와 나', '사회 속의 나'를 평생의 숙제이자 질문으로 삼으면서도 '개인의 입장'을 강조해 왔는데, 그의 '개인사' 속에서 '나'는 역사의 잔여물, 타자들, 국외자들이었다. 그러한 개인은 근대화나 근대적인 것의 신화가 개인들의 삶과 근본적으로 어긋나 있음을 효과적으로 개시하는 방법론적 거점이 된다. 그리고 "한 개인과 집단 사이의 비동일성은 오늘날 열광과 희망의 원천인 보편적, 도덕적 감정에 호소할 가능성을 지닌, 드러나지 않는 연대를 허용"[20]한다는 벅모스의 말처럼, 그것은 타자를 환대하는 윤리적이고 정치적인 방법론이다.

'악의 꽃'의 저항적 도상학:
'외설' 검열/성고문이라는 국가통치술과 여성 신체의 타자화에 맞서

현재 확인되는 이불의 초기 작품목록에서 가장 이른 시기에 제작된 것은 <아침의 실내>(1980), <고질적인 꿈>(1984)과 같은 판화 두 점이고, 1985년까지는 회화와 같은 평면작품만이 10여 점 정도 전해진다.《홍익대학교 조소과 야외조각전》(1986)을 통해 처음으로 작품을 전시하는 1986년에 들어서야 비로소 여러 재료를 활용한 입체적 오브제나 조각이 등장한다. 이 해에 제작된 <악의 꽃>(1986) 외에 제목도 없이 만들어진 여러 오브제들은 크게 인체와 꽃의 형상으로 나뉜다. 인체상은 소품들로, 합성수지와 구리가루를 혼합해 형태를 만들고 염산으로 부식시킨 인체 또는 이 인체를 둘러싼 공간까지 제작한 작품군들이 주종을 이루었다. 자코메티의 인간 조각을 연상시키는 이 오브제들은 대부분 당대의 인간실존에 천착한 형상조각들과 조형적으로 공명하면서도,[21] 고통에 뒤틀리는 팔다리와 절규하는 얼굴 표정, 또는 두 팔이 절단된 무표정한 모습의 '여성 신체'를 형상화했다는 점에서 차별화된다. 그리고 그가 보편적 인간의 실존을 남성 신체로 형상화하는 관행을 따르지 않고 뒤틀리거나 절단된 여성 신체에 천착한 것은, 정부의 검열에 의해 탈정치화되고 무해한 휴머니즘으로 길들여진 한국식 실존주의[22]와 그 자장 내에서 생산된 형상조각과 단절하고, 실존의 문제를 재정치화하는 것으로 이어졌다.

그것은 당시 탐독하던 최승자의 시를 통해 보다 격렬하고 공격적인 형태로 표출되었다. <수 세기 동안 내방은 닫혀 있었다>(1987)의 제목은 최승자의 시「죽음은 이미 달콤하지 않다」[23]에서 한 구절을 따온 것이었고,《제2회 일·한 행위예술제》(1990)에 참여해 서울과 도쿄에서 12일간 벌인 퍼포먼스 <수난유감―내가 이 세상에 소풍 나온 강아지 새끼인 줄 아느냐?>(1990)의 부제 역시 최승자의「다시 태어나기 위하여」(1981) 일부를 직접 원용한 것이었다. 이처럼 시구 자체를 직접 빌려온 작품들 외에도, 이불의 초기작들은 상당 부분 1980년대의 여성시, 그 중에서도

대중적 인기를 구가한 최승자의 시적 이미지 및 사상과 교감하고 있었다.[24] 최승자는 시인 등단(1979) 전에 페이턴의『울어라 사랑하는 조국이여』(1978)를 번역하며 남아프리카공화국의 인종차별정책과 흑백갈등을 상세히 소개했다. 박연희는 최승자가 제3세계 민중의 수탈과 폭력의 역사를 고발하는 데에서 출발해 한국의 현실정치를 비판하고, 남성/여성이라는 권력적 성별체계의 문제성을 자기파괴적 여성성으로 표상하며 지배/종속의 이분법적 관계에 저항한 것을 아울러서 '제3세계적 자기인식'의 표출이라 평했다.[25] 이때 '제3세계적 자기인식'이란 역사적 주체로서의 인식에 다름 아니었다. 한마디로 그는 "가부장적 질서를 맹렬히 공격하는 여성 주체의 자학적 문법"[26]을 통해 삶의 비극을 배태하는 현실의 위악성을 질문하고, 세계를 바꾸어야 한다는 당위를 촉구하는 저항시인으로서 주목받고 있었다.[27]

이불이 1986년에 처음 제작한 꽃병에 꽂힌 붉은 꽃 오브제는 <알콜중독자의 정서>(1987)의 일부로 발표되었다. 이는 최승자의 시「그리하여 어느 날, 사랑이여」(1984)[28]를 떠올린다. 낭만적 사랑과 이별을 노래하는 이 시에서 사랑은 죽음이거나 나의 팔다리가 무참히 꺾이고 분질러져 꽃병에 꽂히는 일이고, 그러한 사태를 스스로 기다리는 자학적 욕망으로 보인다. 하지만 시의 화자가 "가거라 사랑인지 사람인지"라고 이별을 고하는 대목은 "네 꽃병에 꽂아다오"라 청하는 자기파괴적 사랑에 대한 결별선언이다. 마찬가지로 이불의 꽃은 꽃병에 꽂힌 상태로 머물지 않는다. 이후 꽃병 속 꽃은 꽃병을 벗어나 독립된 대형 조각 <악의 꽃>들로,《뮤지엄》창립전의 설치작품(1987)으로 탈바꿈한다. 이처럼 이불은 동일한 소재나 모티프를 집요하게 반복·변형하면서 일의적 해석을 거부하고 조형언어의 전복적 수행성을 활성화시켰고, 그 출발점은 바로 꽃의 도상학이었다.

이불의 꽃병을 나온 꽃들, <악의 꽃> 두 점은 꽃병에 담길 수 없을 만큼 거대한 크기로 보는 이를 압도하며, 더 이상 팔다리가 꺾인 채 꽃병에 억류된 마조히즘적 표상이 되길 거부한다. 거대한 크기와 번쩍거리는 표면의 꽃들은 여성성에 대한 사회적 편견과 부정적 인식을 그 표면으로부터 튕겨내고 가부장제 사회의 상징체계를 위협하는 전복적 수행성을 장착하게 된다. 이 꽃들 중 하나는 바람과 하중을 통해 움직이는 무동력 키네틱 작품으로 방울과 꽃잎이 움직이면서 스스로 소리를 냈다. 또 다른 하나는 물감과 향수를 섞어 칠함으로써 벌이 모여들 만큼 향기를 풍겼고, 이불을 상징하는 재료인 시퀸이 처음 사용된 작품이기도 했다. 전통적인 조각의 재료들 대신 철과 합성수지로 형태를 만들고, 스프레이 페인트로 회화적 마감을 하고, 방울, 시퀸, 향수와 같이 일상적이고 '여성적'이고 '수공예적'인 재료, 심지어 후각과 청각을 자극하는 재료를 사용하면서, 이불은 오랫동안 남성 중심의

미술계가 구축해온 시각중심주의와 장르간 경계와 위계를 위반하는 것으로 예술가로서의 공식적 이력을 시작했던 것이다.

그는 이듬해 《뮤지엄》 창립전에 그동안 발표한 꽃들—꽃병의 꽃, 그 꽃의 모습을 한 실제의 시든 장미, 흩어진 꽃잎, <악의 꽃> 등—을 모으고 변주하는 설치작을 출품했다. 독버섯처럼 현란한 꽃은 페미니즘 미술의 '성기도상학'을 연상시키고, 거대한 꽃 위에 자리한 투명한 수조와 그 수조 속을 헤엄치는 물고기는 임신과 낙태에 관한 주제의식의 표현이었다. 윤진섭은 이 전시 전체를 "도발적이고 뜨거운 형상으로 인간의 삶과 죽음, 섹스, 헐벗음, 환상, 전쟁 등을 주제로 이미지의 회복을 기도"하면서, "심화된 인간"을 '형상성'으로 표현했다고 평했다.[29] 다분히 실존주의적인 '표현의 복권'을 주장한 셈이나, 이불의 작업은 당대의 검열에 의해 왜소해진 실존주의적 표현의 복권을 넘어, 오히려 그 검열의 정치 자체를 문제화하는 저항적 표현을 탐색하고 있었다.

반공 이데올로기를 앞세운 연좌제로 자기검열을 일상화·내면화하도록 한 1970–1980년대 군사독재정권은 모든 예술 장르들과 대중매체에 대한 검열을 촘촘하게 법제화하고, 이를 집행하기 위해 예술가들에 대한 초법적 폭력과 구속도 마다하지 않았다.[30] 1980년대에는 이러한 국가검열이 더욱 강력한 형태로 각 예술 장르와 문화 전반을 탄압한 까닭에, 1987년에 정점에 달하는 민주화 운동 속에서 검열제도의 폐지는 문화 영역에서 제도적 민주화를 실현하는 핵심 쟁점이 되었다. 주목할 점은 이 1980년대 후반에 정치적 사상검열은 완화된 반면, 외설검열은 한층 강화되었다는 사실이다. 정부는 국가검열의 필요성과 정당성을 '외설'의 범람에서 찾았고, '외설' 검열을 빌미로 예술에 대한 정치적 검열을 이어갔다.[31]

대학 입학 후 미술작업보다 연극반 활동에 열심이었던 이불이[32] 작품 제목에 사용한 '악의 꽃'은 보들레르(1821–1867) 시집의 제목이기도 했으나, 당시 한국적 상황에서 흥행가도를 달린 외설영화를 지칭하는 은어이기도 했다.[33] 또한 사법적 처벌로 이어진 '마광수 사태'의 마광수 교수는 이불이 활동한 연극반 지도교수였다. 그는 "성의 자유, 또는 성에 대한 표현의 자유는 한 나라의 민주화와 분배정의의 실현, 사회복지, 다양한 문화적 가치발달과 비례하는 관계"에 있다고 진단하며 "외설은 없다"고 역설하는 입장에 있었다.[34] 그러나 국가의 '외설' 검열은 예술가나 작품에 대해서는 법적 처벌을 가했으나, 법정 바깥에서는 대중적 관심과 상업적 흥행을 부추기는 계기가 되었고, 성 상품화와 여성의 벗은 몸을 대상화하는 "남성적 응시의 극장"은 매체를 가로지르며 경쟁적으로 확산되었다. 1980–1990년대에 외설검열에 대한 논의는 정작 무대 위에 전시되고 타자화되는 여성의 몸과 젠더 편향성에 대해서는 거의 침묵하고, 그저 '벗기는 연극'에 대한 '남성 관객의

악취미'를 윤리적으로 탓하는 데에 머물러 있었다. 게다가 이와 같은 여성 몸의 상품화는 '포스트모더니즘 연극'이라는 새로운 구호 아래 정당화의 구실을 찾으며 1990년대에 절정을 구가하기까지 했다.[35]

이불의 꽃의 도상학은 이러한 맥락 속에서 보다 명징하게 해석될 수 있다. '외설'이라는 실체가 모호한 개념으로 예술의 외부 또는 타자를 창출해냄으로써 체제의 '건전성'을 통제하고자 한 국가의 통치술은, 궁극적으로 벌거벗은 여성 신체를 과잉 성애화하는 남성적 시선의 제도화, 그리고 그러한 시선의 대상으로 타자화된 여성 신체의 폭력적 탄압 위에서 작동하고 있었다. 이는 그가 연극활동을 통해 그의 주제로 삼게 된 '아이러니' 또는 '부조리'의 미학을 규정하는 현실적 조건이자, 부조리 그 자체였다. 특히 1980년대 들어 여성단체들이 지속적으로 제기한 여성노동자에 대한 성폭력 문제는 '부천서 성고문 사건'(1986)을 통해 그 실체를 적나라하게 드러냈고, 여성에 대한 성폭력이 국가통치술의 핵심임을 주지시켰다. 여성의 성을 고문도구로 악용하는 것은 경찰 '고문수사'의 통상적 방법으로서, 군사독재정권의 폭력성 및 야만성을 드러내고 성폭력이 개인적 문제가 아닌 사회구조적 문제임을 인식하게 했다. 이불은 위협적 존재감을 발휘하는 거대하고 현란한 꽃들을 통해 여성 신체에 대한 남성적 시선의 탈성애화와 무력화를 도모했다. 그 앞에서 왜소해지는 관람객의 신체는 예술작품을 자의적으로 '예술/외설'로 분할하며 통제하는 국가통치술을 비판적으로 소환하는 이불 식의 '악의 꽃'에 압도당할 수밖에 없다. 이불은 성의 상품화와 여성 신체의 타자화 위에서 번성한 당대의 '악의 꽃'을 자신만의 방식으로 전용함으로써 정신분석학적 상상이 만들어낸 가상의 거세공포를 실체화하고 그 공포의 감각을 극대화했던 것이다. 동시에 '여성적인' 재료와 수공예적인 방법을 채택함으로써 그 상상 속의 공포가 당시 차별받고 억압받는 여성들의 존재와 그들의 이름 없는 노동을 '괴물'로 가공해낸 결과임을 직시하게 했다.

이후 이불이 꽃의 도상학과 함께 펼쳐 보인 여성 신체들의 변주는 이 여성 신체의 타자화, 즉 식수가 말한 '여성 살해의 역사'를 폭로하고, 이를 동시대의 역사적 사건들과 접속시키면서 국가에 의해 살해당해 비존재/비국민화한 무고한 죽음들을 불러내는 것으로 나아갔다.

고질적인 꿈과 '괴물-전사'로의 변신:
여성 살해에의 강박과 서브컬쳐 하이브리드의 정치적 예술

《뮤지엄》 창립전이 개최된 해에 이불은 절단된 여성 신체를 형상화한 <수 세기 동안 내방은 닫혀 있었다>를 제작했다. 강태희는 이를 "탯줄에 달린 불완전한 태아"로 해석하고 이후 "발육 부진이나

기형의 태아 또는 괴물스러운 몸들이 초기 작업의 주종을 이루었"고 논했다.[36] 그러나 형태상 이 작품은 꽃의 도상학의 또 다른 변형태로 볼 수 있다. 정확히는 그 거대하고 현란한 꽃의 도상학과 절단된 신체기관을 접합시킨 것으로서, 이종교배적 '포스트휴먼'을 연상시킬 수도 있으나 여성 신체에 대한 복합적 컨텍스트와 해석을 위한 도상학적 차원의 합성물이라 할 수 있다. 그렇다면 이는 태아라기보다는 타자화된 여성 신체의 형상화로서, 가부장제적 근대국가에서 온전하고 '정상적인' 신체가 될 수 없는 여성의 실존이거나, 그러한 국가권력에 의해 잔인하게 살해된 여성의 사체이다.

같은 해 열린 《MUSEUM III》[세 번째 뮤지엄 전시](1987) 브로슈어 지면을 통해 이불은 꽃의 도상학을 다시 한 번 변주한다. 그는 머리도 팔다리도 절단된 여성의 몸통 안에 자궁과 태아를 그려 넣었는데, 이 태아의 몸은 여성 몸통 위에 꽂힌 꽃과 연결되어 있다. 나란히 실린 또 다른 드로잉은 이와 유사한 임산부의 몸통이되 남성 성기가 그려져 있고, 뱃속에는 태아와 자궁 대신 물고기들이 유영하는 수조가 그려져 있으며, 그 뱃속과 연결된 꽃에는 '악의 꽃'이라 적혀 있다. 당시 이불은 이 꽃의 도상학에 사로잡혀 있었고, 그것을 절단된 여성 신체 및 남성 신체와 접합시켰다. 이 작품들과 연관지어 본다면, <수 세기 동안 내방은 닫혀 있었다>의 절단된 신체는 임신한 여성이기도 하고 '악의 꽃'을 피워내는 남성이기도 하다. 분명한 것은 이 머리 잘린 시체들, 신체기관으로만 남은 죽음은 신원을 확인할 수 없다는 점이다.

이불이 작품 제목을 차용한 최승자의 시 「죽음은 이미 달콤하지 않다」(1984)에는 '살해자'로서의 '나'가 등장하고, "이 세계를 나는 죽였다. 그리고/ 마지막으로 두 손을 씻고서/ 나는 돌아섰다"라는 시구가 이어진다. 이불의 살해당한 여성의 신체는 이렇게 내가 살해하고 등을 돌린 세계와 중첩된다. 그런 의미에서 이 작품은 '여성 살해'를 자행하는 국가에 대한 주체적 거부와 되갚음으로서의 '세계 살해'일 수도 있다. 동시에 최승자의 또 다른 시 「여성에 관하여」(1984)를 떠올리면,[37] 임신한 배는 "탄생의 껍질과 죽음의 잔해가 탄피처럼 가득 쌓여 있는" 무덤이다. 그 무덤을 나오지 못한 생명체들은 그저 '탄생의 껍질'이고 '죽음의 잔해'일 뿐이다. 그렇다면 절단되어 죽은 신원미상의 신체는 출산불능 또는 창작불능이라는 상태에 폭력적으로 억류된 비존재/비국민을 형상화하려는 집요한 노력을 보여주는 것일 수 있다.

이후 이불은 <수 세기 동안 내방은 닫혀 있었다>에서 꽃의 도상학과 접합시킨 신체를 계속해서 변용해 나아갔다. 한편으로 그것은 살해된 여성 신체만을 독립시켜 형상화하는 방식으로(1), 다른 한편으로는 꽃을 표현한 기법들과 재료들을 절단된 여성 신체에 덧씌우면서 양자를 더욱 일체화하는 방식(2)으로 전개되었다. (1)에

해당하는 것이 《Print Concept》[두 번째 뮤지엄 전시](1987)에서 발표한, 석고틀 위에 붉은 물감으로 음각된 여성의 전신 이미지로, 피투성이의 여성 살해 현장을 연상케 한다. (2)의 경우로는, 《MUSEUM III》전의 천정에 거꾸로 부착된 거대하고 화려한 유방들(벽면과 바닥으로 확장되는 유방들), 《U. A. O. (Unidentified Art Object)》(1988)에 출품된 두 작품, 무수한 유방들을 몸통 삼아 푸른 색조의 팔다리만 붙어있는 거꾸로 매달린 여성 신체, 그리고 공중에 매달린 원형 합판의 양면을 사용해 한 면에는 팔꿈치와 무릎 아래가 잘린 여성의 신체를 조합해 붙이고, 그 이면에는 잘린 팔과 다리를 매달리는 듯한 자세로 부착시킨 작품을 꼽을 수 있다.

(2)에 해당하는 작품들은 꽃들을 제작할 때 사용한 스티로폼, 솜, 천, 종이, 유화 물감, 시퀸 등의 재료들과 기법으로 인체를 형상화했다. 그로 인한 화려한 외관에 비해 절단된 신체기관 또는 그 기관들의 조합은 살해된 여성 이미지 또는 공권력에 의한 가혹한 고문 장면을 암시한다. '부천서 성고문 사건'(1986)에 이어 1987년에는 한 대학생이 경찰에 불법 체포되어 전기고문, 물고문 등을 받다가 죽음에 이른 '박종철 고문치사 및 은폐조작사건'이 발생했다. 그리고 몇 년 후 <물고기의 노래>(1990)에서 이불이 수조 속에 담그고 배를 가르거나 어루만지는 죽은 물고기들은 우연인 듯 필연인 듯 6월 민주화 항쟁의 직접적 계기가 된 이 폭력적 사건의 기억을 불러낸다. 이러한 죽음의 표상에 여성의 다산성/풍요를 상징하는 신화적 기표들(복수의 유방과 꽃)을 병합한 점은 일제의 프로파간다 예술에 반대해온 이불의 입장을 잘 보여준다. 그는 역사적 현재와 신화를 넘나들며 상반된 의미의 기표들을 결합하거나 충돌시킴으로써, 남성중심적 상징체계를 교란하고 그 상징체계가 은폐해온 제도화된 폭력과 피로 얼룩진 타자화의 실상을 문제화하는 전략을 구사했던 것이다.

이 시기에 이불은 <고질적인 꿈>(1988)이라는 설치 작품을 발표했다. 이불과 베개로 잠자리를 형상화한 이 작품은 베개 양쪽에서 튀어나온 괴물 때문에 섬뜩하다. 이 괴물은 탈(가면)과 같은 머리에 시퀸 등으로 장식된 십여 개의 팔들로 이루어져 있다. '고질적인 꿈'이라는 제목은 최승자의 시 「다시 태어나기 위하여」에 나오는 구절인데, 이 시는 <수난유감—내가 이 세상에 소풍 나온 강아지 새끼인 줄 아느냐?>(1990)에서도 원용되었다. 이 시에서 최승자는 "어떻게 해야 고질적인 꿈이 자유로운 꿈이 될 수 있을까"라 말하며, 꿈과 고투하는 '나'를 그렸다.

… 어머니 어두운 배 속에서 꿈꾸는/ 먼 나라의 햇빛 투명한 비명/ 그러나 짓밟기 잘 하는 아버지의 두 발이/ 들어와 내 몸에

말뚝 뿌리로 박히고/ 나는 감긴 철사줄 같은 잠에서 깨어나려 꿈틀거렸다/ 아버지의 두 발바닥은 운명처럼 견고했다/ 나는 내 피의 튀어 오르는 용수철로 싸웠다/ 잠은 잠 속에서도 싸우고 꿈의 꿈 속에서도 싸웠다/ 손이 호미가 되고 팔뚝이 낫이 되었다 …[38]

이 시적 이미지와 서사를 통해 <고질적인 꿈>을 바라보면, 잠자리는 어머니의 뱃속이고 '나'는 이불이 그린 뱃속의 태아와 대응한다. 최승자는 이 시의 마지막 연에서 "꺼내줘 어머니 세상의 어머니 안되면 개복수술이라도 해줘"라 적고 있다. 시의 화자가 싸우는 대상은 "내 몸에 말뚝 뿌리로 박히"는 아버지인데, 아버지와의 처절한 싸움에서 '나'의 "손이 호미가 되고 팔뚝이 낫이 되었다"고 말한다. 즉, 베개에서 튀어나온 괴물은 '아버지'와 사투를 벌이는 자신이고, 누군가 빠져나갔음을 암시하는 이불의 모양새는 한 여성이 혈투 끝에 베개에서 솟아난 괴물로 화했음을 말해주는 장치이다.

이 브로슈어에 실린 또 다른 드로잉은 꿈속에서 싸우다 괴물로 변태하는 여성의 모습을 형상화한 듯하다. 벽으로 막힌 공간에 공포로 입을 벌린 여성이 서 있다. 그녀의 얼굴은 금이 가고, 다리는 위아래로 두 쌍이나 더 솟아나왔다. 여성의 신체기관들에서 뿜어져 나온 촉수들은 "내 피의 튀어오르는 용수철"인 양, 돌출한 내장인 양 공포의 극심함을 표현한다. 하지만 몸통 한가운데에서 출현한 또 하나의 얼굴은 맞은편에 있을 공포의 대상을 정면으로 노려보고 있다. 이것은 더이상 두려움에 질린 얼굴이 아니다. 이 얼굴 덕분에 촉수들은 메두사의 살아 꿈틀거리는 뱀처럼 보이기도 한다. 이 드로잉과 같은 페이지에 이불은 자신의 사진 대신 자화상을 실었다. 자화상 속 이불은 몸통에서 출현한 얼굴에 촉수들만 연결한 모습으로 보이지만, 자세히 보면 이 촉수들은 베개에서 튀어나온 팔의 형상이고, 얼굴도 그 괴물의 얼굴처럼 장식적인데 세 쌍의 눈으로 표현한 것은 이불의 얼굴이 사람에서 뱀으로 변화하는 과정이다. 이불은 자신을 공포와 고통으로 몰아넣는 '고질적인 꿈'을 '자유로운 꿈'으로 변화시키기 위해, 최승자가 '아버지'로 명명한 대상과 싸우는 '괴물-전사'로 스스로를 변신시켰던 것이다.

흥미로운 점은 공포에 질린 얼굴이나 자화상 속 얼굴 모두에 인도 여성들이 미간에 찍는 '빈디'가 선명하고, 이 작품들을 담은 브로슈어의 페이지에는 산스크리트어로 적힌 문구들과 불교나 힌두교를 연상케 하는 장문의 글이 게재된 것이다. 이 글에 반복해 등장하는 '아디붓다'는 천지가 창조된 초기에 스스로 태어나 우주를 창조한, 우주의 근원이 되는 부처다. 힌두교에서 붓다는 비슈누의 아홉 번째 화신인데, 비슈누는 인도 신화에 등장하는 힌두교의 3대 신 중 하나로, 세계의 질서이자 정의인 다르마를 방어하며 인류를 보호하는

존재이다. 힌두신들 중에서 가장 자비롭고 선한 신으로 알려져 있는 비슈누는 주로 검푸른 피부에 화려한 옷차림을 한 청년 이미지로 현현하며, 팔이 네 개, 또는 여섯 개나 여덟 개로 묘사된다. 이와 같은 비슈누/붓다의 신화적 도상학은 이불이 꽃의 도상학으로부터 '고질적인 꿈'을 거쳐 '괴물-전사'로 변신하는 과정에서 복합적으로 참조, 전용되었다고 볼 수 있다.

또한 비슈누가 우주의 혼돈 속에서 거대한 뱀 아난타 위에 잠들어 있었을 때, 그의 배꼽에서 연꽃이 피어오르더니 창조의 신 브라흐마와 파괴의 신 시바가 태어났다고 한다. 이는 비슈누의 양성성 내지 성적 변이를 시사하는데, 이불은 임신한 남성과 여성의 신체를 통해 이를 적극 활성화했다. 이렇게 이불이 남성과 여성, 그리고 동물 사이의 경계를 가로지르는 변신의 과정을 자화상으로 형상화했다면, 이 자화상은 힌두교 신화 속 최고의 여신인 두르가의 아바타라고도 할 수 있다. 두르가는 여성의 무자비하고 공격적인 측면을 부각시킨 여신으로, 자신의 몸에서 9백만의 원군과 1천개의 팔을 만들어내 무수한 악마들을 혼자서 물리치는 '괴물-전사' 그 자체였다.[39]

이불은 현실에 대한 직접적인 묘사나 발언 대신 시적 이미지나 신화적 이미지를 종횡하며 새롭고 낯선 미술언어들을 창출해냈다. 이는 프로파간다 예술에 대한 의식적 거리두기에서 출발한 것이되, 식수가 주창한 '여성적 글쓰기'의 실천으로 도약하는 것이었다.

여성이 언제나 남성의 담론 '안에서' 기능해 왔고, 그 담론에서 하나의 기표는 항상 대립되는 기표의 고유한 에너지를 없애고 다양한 소리들을 약화시키거나 억눌러 왔다. 이제 그녀가 이 '내부'에서 빠져나와, 그것을 폭발시키고 방향을 바꿔서 그것을 손에 쥘 때이다. … 남성적 도구, 개념, 자리를 가로채자는 것이 아니다. … (여성은) 공간의 질서를 뒤죽박죽으로 만들고, 방향을 혼란시키고, … 사물의 가치를 전도시키고, 그 모두를 깨뜨리고, 구조를 비워버리고, 관례를 전복시킨다. 제도의 틀을 깨고 법을 폭파하고 웃음으로써 '진실'을 분쇄할 것이다.[40]

물론 인도 신화에 대한 관심이 이불에 국한되지는 않았다. 1960년대부터 인도는 문화 엘리트들의 여행지였고,[41] 1970년대에는 서양의 록 음악이나 일본의 대중문화가 유입되면서 인도 분위기의 카페가 성행했다. 또한 정부의 검열 및 탄압에도 불구하고 '빽판'이라 불린 불법복제 해외음반들이 유통되면서 당대의 저항적 언더그라운드 록 음악이 자유를 갈망한 청년문화로 대중화되었다.[42] 황세준에 따르면, 1980년대 민주화운동의 역동 속에서 록 음악과 인도풍 문화가

공존하는 '하드록 카페'가 신촌을 중심으로 성행했고, 이는 이불과 동세대 예술가들이 애용한 교류의 장이기도 했다.[43] 이불은 최승자의 시, 인도문화, 록 음악 등 청년들의 서브컬처를 온 몸으로 흡수하며, 가부장적 국가권력이 만들어낸 폭력적 이분법의 상징체계를 문제화하고 교란시키는 대안적 기표들을 창출해 내는 일에 몰두했던 것이다. 이불이 창조해낸 '괴물-전사'는 당대의 서브컬처를 원천으로 한 하이브리드였고, 이러한 서브컬처는 억압적인 국가체제와 사회적 상황에 대한 성찰, 저항, 탈주, 대안적 상상이 거하는 장이었다. 이불의 '괴물-전사'는 정치적 역동이 고조된 시대의 한가운데서 태동한 또 다른 형태의 정치적 예술이었고, 그 원천이 된 청년들의 서브컬처는 제도화된 주류 미술계와 미술교육 시스템과 억압적인 국가권력 사이의 공모를 내파하는 반란의 정동 자체였던 것이다.

근대화 프로젝트와 성형의 정치학:
낙태와 부채춤, 그리고 히드라의 역습

이불의 첫 개인전 《점점 더–그, 그것은》(1988)은 이전에 발표한 작품들, 현재 <무제(갈망 레드)>(1988/2011), <무제(갈망 블랙)>(1988/2011), <무제(갈망 화이트)>(1988/2011)로 알려진 작품들, 그리고 이 조각을 입고 행한 퍼포먼스로 구성되었다. 이 시기부터 이불에게 조각-설치와 퍼포먼스의 구획은 의미가 없다. 그가 시도한 '괴물-전사'로의 변신은 이 탈장르적 <갈망>(1988)을 통해 한 걸음 더 나아갔다. 이불을 포함한 네 명의 행위자가 펼친 퍼포먼스는 그동안 그가 탐구하고 축적해온 도상학의 합성물이라 할 작품을 입고 전개되었다. 이는 이불에게 익숙한 또 다른 서브컬처인 일본 애니메이션 <기동전사 건담>(1979–1980)의 '모빌 수트' 로봇을 연상시킨다.[44] 현재와 같은 인공지능 로봇이 아니라 인간이 들어가 조종하는 로봇상은 누가 조종하느냐에 따라 선이 될 수도, 악이 될 수도 있다는 세계관을 담고 있다.[45] 이러한 세계관은 '여성 신체'를 통해 행해지는 퍼포먼스 자체가 정치적 성격을 지닐 수밖에 없다는 아래와 같은 이불의 인식과 만나 퍼포먼스의 수행성을 활성화시키는 계기가 되었다.

> 이 퍼포먼스를 시작했을 때 내가 분명한 행동주의적 입장을 가지고 있었다고 확언할 수는 없다. … 내가 공공장소에서 퍼포먼스를 벌이는 여성이라는 사실이 퍼포먼스에 정치적 의미를 부여했던 것이다. 그리고 내가 육체, 나의 육체(물론 어쩌다 보니 여성인 육체)를 다루고 있다는 점은 퍼포먼스를 많은 사람에게 논쟁적이고, 심지어는 적대적인 것으로 인식하게 했다.[46]

즉 이불이 의식하고 있던 것처럼 남성이 아닌 여성이 '괴물' 코스튬을 걸치고 퍼포먼스를 벌이는 일은 그 자체로 정치적 실천이 되었다. 그것은 단지 주어진 타자성을 연기하는 것을 넘어서, 또한 '괴물' 형상을 여성의 생래적 속성으로 자연화하는 남성중심적 상징체계의 문법을 넘어서, 그러한 상징체계를 거부하는 '괴물-전사' 되기의 실천으로의 비약이었다.

이후 <갈망>은 장흥에서의 1인 퍼포먼스(1988), 《'89 청년작가전》(1989), <수난유감–내가 이 세상에 소풍 나온 강아지 새끼인 줄 아느냐?>로 이어졌다. 이불은 퍼포먼스적 요소를 극대화하는 과정에서 특정 그룹을 결성하는 대신, 다양한 장르의 예술가들과 느슨하고 즉흥적인 공동작업 방식을 취하고, 무대나 미술관 같은 '예술'의 제도공간을 벗어난 야외 퍼포먼스 또는 환경예술을 수행했다. 윤진섭에 따르면, 1970년대 말 기성화단에 도전하는 청년작가들의 소그룹 운동 및 민중미술이 태동하면서, 1980년대 초부터 《야투현장미술제》(공주), 《금강현대미술제》(공주), 《대전'78세대전》(대전), 《1982-현장에서의 논리적 비전전》(대구), 《86행위설치미술제》(아르꼬스모미술관, 서울), 《9일장》(바탕골미술관, 서울) 등 여러 도시에서 행위미술가들이 기획한 대규모 '설치미술제'나 '행위미술제'가 열렸다. 한국행위예술가협회 결성(1988)과 함께 초대 회장을 맡은 윤진섭은 1980년대 행위예술의 특징을 "장르의 크로스오버와 퓨전 현상" 및 "제의성"에서 찾았고, 1988년부터 퍼포먼스를 시작한 이불은 이러한 당대 '행위미술'의 특징을 오롯이 체현한 젊은 예술가였다. 또한 협회 결성을 계기로 1980년대 후반에는 행위미술을 통한 한일 교류가 증가했고, 이불은 이런 행위미술의 한일교류에 적극 참여했다.[47] 모더니즘 계열이나 민중미술 계열의 미술이 식민지배와 분단의 역사를 배경으로 '한국적' 미술이라는 정체성에 사로잡힌 남성연대의 성격을 공유한다면,[48] 장르와 국경을 넘나들며 "그런 게 예술이냐"는 항의에 맞닥뜨린 행위미술은,[49] 이불과 같은 젊은 여성 예술가가 기존 미술계의 구속 없이 미술계와 사회 전반의 억압적 관행을 질문에 부치는 기회의 장이었다.

1989년 이후 일련의 퍼포먼스는 임신과 낙태를 본격적으로 다룬 것으로, 윤진섭이 1980년대 행위미술의 특징으로 꼽은 '제의성'이 두드러진다. 이 퍼포먼스들은 벌거벗은 신체와 제의를 통해 당대의 현실정치와 미술제도를 비판한 한국의 '제4집단', 일본의 '제로지겐' 등의 퍼포먼스와 맥을 같이 하지만,[50] '여성의 알'이자 '사적인 문제'로 간주된 임신과 낙태를 정치적/반예술적 퍼포먼스로 접근했다는 점에서 특별하다.

나우갤러리에서 행한 퍼포먼스(1989)는 이불을 포함한 세 명의 여성이 각각 임신한 듯 불룩한 배와 촉수들이 달린 흰 원피스에 흰 방독면, 치마에 손과 꼬리가 달린 무용복에 검은 방독면, 화려한 장식이 달린 체조복 차림(이불)으로 행한 것이다. 퍼포먼스 내내 신디사이저와 전자기타를 이용해 종교의식 같은 사운드가 흐르고, 여기에 마이크를 잡고 낭독하는 이불의 목소리가 섞여 무아지경을 연출하다가, 관중들이 일어나 퍼포머들의 방독면을 벗겨주고 함께 춤추는 것으로 끝난다. <낙태>(1989) 또한 세 명의 여성 퍼포머, 즉 전라의 이불, 나우갤러리 퍼포먼스에 출현한 흰 원피스 차림의 여성, 그리고 조선시대 왕비 복장(홍원삼)과 머리장식을 하고 낙태 후의 배출물(태아 조직, 태반, 양수 등) 앞에서 우는 여성으로 진행되었다. 공중에 거꾸로 매달린 이불은 고통스러운 표정으로 "나는 여기에 매달려 아이를 낙태한 모든 여성들의 고난을 견디고, 그들을 죄책감과 고통으로부터 구원한다"고 읊조렸다.[51] 이불은 희생제의를 집전하는 사제 또는 희생양이 되어 벌거벗은 여성 신체를 성애화하여 '외설'로 규정하는 남성적 시선을 무력화했다. 결국 보다 못한 관중들이 그녀를 풀어 내리는 것으로 끝날 만큼, 이 퍼포먼스를 지배한 감각은 그가 두 시간 가까이 줄에 매달려 이끌어낸 극한의 육체적 고통이었기 때문이다. <물고기의 노래>(1990)에서도 흰 원피스 차림의 여성이 줄넘기를 하고, 홍원삼을 입은 여성은 손에 칼을 들고 머리를 산발한 채 맨발로 그네를 타고 있다. 여기에서 이불은 소복을 입고 머리를 풀어헤친 모습으로 등장했다. 칠흑같은 어둠 속에서 이불은 텅 빈 턱이 낮은 수조로 다가가 시장에서 파는 생선(죽은 물고기) 세 마리를 수조 안에 넣고 한 마리씩 배를 맨손으로 천천히 가른 다음, 품에 안고 쓰다듬고 얼굴에 부비기도 한다. 그러다가 생선들을 안고 오열하기도 하고 웃기도 한다.

이 퍼포먼스들은 여성의 임신과 낙태를 개인적·사적인 차원에서 공적·역사적인 차원으로 이동시킨다. 항상 등장하는 흰 원피스의 여성은 어린 시절의 이불로서 자신의 삶에 영향을 미친 정치적·사회적 사건들을 이해하려는 관찰자로 보인다. 그의 불룩한 배는 임신과 출산의 가능성을 뜻하지만 튀어나온 손과 촉수들은 '고질적인 꿈'의 고투를 시사한다. 황후 차림의 여성은 높은 지위에도 불구하고 유산/낙태를 경험하고 고통스러워하며, <물고기의 노래>에서는 광인이 되어 버렸다. <낙태>에서 벌거벗은 이불이 행한 거꾸로 매달린 십자가형은 베드로의 순교 모습이기도 한데, 그가 역십자형을 차용한 이유는 '위대하지 않은 자'라는 베드로의 자기인식에 있었을 것이다.[52] 낙태한 여성은 남성중심적 상징체계 내에서 위대함과 거리가 먼 존재다. 심지어 가족계획과 출산율 통제를 통해 문명화된 선진국, 즉 정상국가가 되고자 한 한국에서 낙태한 여성들의 구원은 관심 밖의 일이었다. 낙태를 경험한

여성으로서 이불은 그들의 고통을 대신하고 구원하는 사제의 역할을 자처한다. <물고기의 노래>에서 그는 고문사건들, 즉 국가폭력에 희생된 희생자들과 그 어머니들의 영혼을 달래는 무당과도 같다.

이불은 이미 '악의 꽃'의 도상학과 여성 살해의 이미지부터 임신/낙태를 다루어 왔고, 이것은 '사적인 문제'가 아니었다.[53] 임신·출산을 중심으로 여성 신체에 가해진 인구학적/기술적 통제는 한국의 근대화라는 국가 프로젝트의 핵심에 있었다. 한국에서 1961년에 시작된 가족계획사업과 그 이전부터 뿌리 깊은 남아선호사상은 임신/출산/낙태를 규정하는 물질적 조건이자 사회적 관계망의 핵심이었다. 또한 한국의 가족계획사업은 냉전체제 하 '자유세계' 선진국들의 불안의 산물이었다. 미국을 위시한 선진국들은 제3세계 국가들의 과잉인구와 빈곤이 공산화로 이어질 수 있다고 보고 '재생산의 서구화' 프로젝트를 추진했던 것이다. 이는 개발도상국들에 대한 경제원조와 산아제한을 맞바꾸는 형식으로 추진되었고, 한국은 전 세계에서 가장 성공한 것으로 평가되는 산아제한정책을 발판 삼아 경제원조를 유치해 경제성장을 일구어왔다. 정부 각 부처와 지방정부, 행정조직을 총동원해 20여 년간 국책사업으로 추진된 가족계획사업의 핵심은 피임술의 보급이었다. 남성에 대한 정관절제술로 본격 시작된 피임술의 보급은 얼마 후 여성 신체에 적용하는 자궁내장치(리페스루프) 시술, 먹는 피임약, 여성불임술(미니랩, 복강경) 등으로 그 주력이 교체되었다. 결국 여성의 신체를 첨단 낙태 테크놀로지를 통해 성형하는 장기간의 국가사업은 전근대/근대, 후진국/선진국, 농촌/도시, 인습/과학, 짐승의 삶/인간의 삶 등과 같은 유비들을 동원한 문명화 프로젝트로 각인되고 일상화되었다.[54] 그 와중에도 가족계획사업에서 전근대적 인습으로 경원시한 남아선호사상은 강력해서, 1990년대까지도 태아의 성별감별을 통한 여아낙태가 급증하고 있었다.[55]

이불은 근대화 프로젝트의 핵심인 여성 신체에 대한 몸의 정치학, 또는 '여성의 국민화'가 '임신과 출산'이 아니라 '임신과 낙태'라는 연속체 위에서 작동하고 있음을 끊임없이 문제화했다. 2차대전 후 독립과 분단을 겪은 한국에서 정상국가가 되기 위한 근대화 프로젝트의 핵심은 '출산'이 아닌 '낙태'였다. 이는 제3세계라는 타자의 인구증가에 대한 '자유세계' 국가들의 공포와 욕망을 바탕으로 가공할만한 추진력을 획득했다. 그 안에서 한국 여성의 신체는 계몽과 통치의 대상이자 첨단 피임/낙태 테크놀로지의 세계적인 실험장이 되었다.

한편, 이 국제적인 근대화 프로젝트의 남성동맹 속에서 한국의 독재정권은 남성동맹 내 위계와 타자로서의 정체성을 내면화하고, 스스로를 전통·여성·타자로서 표상했다.[56] <아토일렛 II>(1990)에서 흰색 한복을 입은 임신한 여성은 또한 1950년부터 국가권력에 의해

한국을 대표하는 춤으로 해외무대에 적극적으로 올려진 부채춤을 추는 여성이기도 하다. 부채춤은 멕시코올림픽(1968)을 계기로 군무로 재구성되었고, 집단대형을 통해 창출되는 꽃모양은 무궁화의 만개를 표현하는 민족주의의 표상이 되었다. 그러니 부채춤이 한국 전통춤의 대명사가 된 것은 미국의 '문화냉전'의 산물, 즉 "타자에 대한 관용과 포용이라는 민주주의의 가치를 전경화하여 비공산 아시아의 문화를 신비화하고 욕망했던 냉전 오리엔탈리즘"의 소산이었다.[57] 이불은 낙태와 부채춤을 절묘하게 연결지어, 냉전체제의 글로벌한 근대화 프로젝트가 어떻게 여성의 신체를 통제하고 재구성하면서 작동했는지, 또한 타자화된 아시아 국가가 어떻게 '냉전 오리엔탈리즘'의 성차별 정치학을 적극 활용해 '자유세계'에 편입되고자 했는지를 직시하게 한다.

이불은 이 낙태와 부채춤을 관통하는 국가권력의 몸의 정치학을 '성형' 개념으로 아울렀다. 1970년대 이후, 서구적 외모를 기준으로 한 성형수술 붐은 국가의 근대화 프로젝트가 어떻게 일상의 욕망으로 침윤되었는지를 잘 말해준다. 이불에게는, 미용 목적의 성형수술이든 낙태든 의료 테크놀로지를 통해 여성의 신체를 인공적으로 변형하는 근대화 프로젝트였다는 점에서 동질적인 것이었다. <Technicolor Life Part 1>(1994)에서 볼 수 있듯이, 그는 물리적 차원의 성형수술 개념을 상징적 차원에까지 확장시켰다. 남성중심적인 정치역학 속에서 창출된 여성 정체성들은 그러한 '상징적 성형'의 산물이었다. 동시에 그는 상징적 차원의 성형이 신체의 절단을 수반하는 물질적인 것임을 강조했다. 같은 시기, 이불은 성형수술에서 사용되는 실리콘을 재료로 절단된 신체 형상들을 만들어냈고, 이 신체 형상들은 사이보그의 파편화된 신체로까지 나아간다. 그는 미용성형이나 낙태나 부채춤과 같은 물리적/상징적 차원의 성형이 이상적이고 근대화된 신체/민족을 욕망하는 것이었으나, 결국 그 욕망의 실체란 <알리바이>(1994)에서처럼 파편화된 실리콘 보형물이거나, <장엄한 광채>(1991–현재)의, 시간 속에서 악취를 풍기며 부패해가는 죽은 물고기임을 적나라하게 드러낸다.

동시에 이불은 그가 초기부터 사용해온 시퀸, 비즈 등의 장식적인 재료들을 족두리, 떨잠 등의 전통적인 여성 장신구들로 확장시켜 갔다. 이는 1989년 이후 이불이 여러 의상들을 통해 가부장제적 사회에서 타자화된 여성 정체성들을 소환해내는 과정과 함께였으며, 그 퍼포먼스들 속에서 낙태의 고통을 표출하던 황후와 부채춤을 추는 여성이 직접적 계기였다 할 것이다. 주목할 점은 이 일련의 장식적 재료들이 잘린 여성의 신체기관이나 머리카락과 유기적으로 결합하면서 '괴물-전사'의 또 다른 형상으로 진화해 간 것이다. 촉수처럼 보이는 장신구들은 신체를 날카롭게 파고드는

통각을 환기시키더니, <Mask for a Warrior Princess>(1996)과 <I Need You(모뉴먼트)>(1996), <장엄한 광채>의 설치물, <히드라(모뉴먼트)>(1997–1999) 등에 이르면 강력한 '괴물-전사'의 갑옷으로 현현한다. 여기에 이르기까지 이불은 한동안 타자화된 정체성들을 본질화·자연화하는 근거였던 생물학적 신체, 즉 벌거벗은 여성의 몸을 무기 삼아 억압적 남성 판타지에 도전하는 퍼포먼스들을 전개했다. <아토일렛>(1990)의 퍼포먼스 사진이나 <껍질을 벗겨라, 쌍!>(1991), <도표를 그리다 III>(1992),《여성, 그 다름과 힘》의 설치와 퍼포먼스(1994) 등은 그 자체로 정치적인 것이 될 수밖에 없는 여성의 벌거벗은 신체를 통해 '괴물-전사' 되기의 수행성을 극대화했다. 그리고 나체 퍼포먼스들과 장식적 재료들의 진화가 만나면서 냉전체제 아래 근대화 프로젝트를 문제화하고 그에 맞서는 대항적 여성 주체인 '히드라'를 새롭게 창출해냈던 것이다.

후기

이불은 다작의 작가다. 그는 계속해서 왕성하게 작품을 생산하고 세계 각지에서 전시하고 있다. 작업의 내용이나 방법들도 쉽게 규정하기 어려울 만큼 다양하고 변화무쌍해 보인다. 그럼에도 불구하고, 변하지 않는 것, 그가 예술가로서 세상에 대해, 우리 사회에 대해 거듭 되묻고 말하고자 하는 것이 무엇인지 경청하고 들여다보는 것이 이 글의 소박한 목표였다. 고백컨대, 이 목표는 이불의 작업들을 살피고 그와 대화하는 과정에서 명확해진 것이기도 하다. 약 10년간의 초기 작업들은 주제, 재료, 방법 등에서 상호간에 밀도 높은 내적 연관을 가지며 전개되어 왔고, 이러한 점은 이후의 작업들에까지 연장되는 것이라 할 수 있다.

여기에는 사회 속에서 '예술가'의 존재방식에 대한 그의 입장과 사유가 관통하고 있다. 그가 이미 뉴욕 현대미술관의 2인전(1997)에서부터 밝힌 '개인사'와 그로부터 체화된 윤리적·정치적 입장은 근대화의 역사적 시간들 속에서 배제되거나 주변화되고, 상처받거나 잊힌 타자들, '민족'이나 '국민'과 같은 근대화의 집합적 주체로도 온전히 호명되지 못한 개인들, 그리고 그러한 역사를 구성해온 정치와 권력의 문제들이 교차하는 첨예한 긴장 위에서 만들어진 것이라 할 수 있다. 물론 그의 '예술가'로서의 입장과 그에 이르는 사유는 한국사회라는 구체적 장소와 그 안에 살고 있는 여성/외부인으로서의 '나'라는 물리적 조건에서 출발한 것이었다. 그리고 이러한 구체성과 물질성의 사유야 말로 '예술가'로서의 이불을 만들어 온 힘이라 생각된다.

1998년, 두 번째 개인전 당시, 이불은 자신의 사이보그가 초기 작업들과 '관심의 연장'에 있음을 밝혔다. 살아있는 유기체로부터

테크놀로지로의 전환이 두드러짐에도, 이불은 변함없이 '남성적 시각'과
'여성의 재현'과 '권력/이데올로기'의 문제를 질문에 부치고 있었다.
동시에 '남성적 특권'으로서의 시각중심주의 및 그것을 제도화한
미술관에 대해서도 비판적 태도를 취했다. 그런 점에서 남성중심주의와
시각중심주의를 이 제도비판적인 실천들과 함께 격렬하게 문제화해
온 이불의 초기 작업들이 다시 한 번 미술관에 소환될 때, "관객들은
무장되지 않은 채, 예술적 경험에 대한 어떤 가정도 가지지 않은 채"
그의 예술과 마주할 수 있을지 주목해 볼 일이다.[58] 어쩌면 이는
미술관의 시험대라고도 할 것이다.

1   엘렌 식수, 「메두사의 웃음」(1976), 윤인숙 옮김, 『모더니즘 이후 미술의 화두 3 페미니즘과 미술』, 윤난지 엮음 (서울: 눈빛, 2009), 198–199.

2   같은 글; 정을미, 「Hélène Cixous의 "여성적 글쓰기"(l'Ecriture feminine)」, 『한국프랑스학논집』 29 (한국프랑스학회, 2000.2.): 241–261; 박혜영, 「메두사의 신화와 여성: 누가 메두사를 두려워하는가?」, 『한국프랑스학논집』 61 (한국프랑스학회, 2008.2.): 283–298.

3   엘렌 식수, 「메두사의 웃음」, 188, 195.

4   まみ かたおか, 「Interview with Lee Bul: 個人からスタートしない芸術や社会などありえるのでしょうか」, 『美術手帖』, No. 965, 2020년 4월, 184.

5   Eimear Martin (comp.), "Women and Art in South Korea, 1960–2000," in Lee Bul, exh. cat. (London: Hayward Gallery Publishing, 2018), n.p.

6   Stephanie Rosenthal, "A Feeling about Freedom," in Lee Bul, exh. cat. (London: Hayward Gallery Publishing, 2018), 82.

7   같은 글. 82.

8   まみ かたおか, 「Interview with Lee Bul: 個人からスタートしない芸術や社会などありえるのでしょうか」, 190–191.

9   Stephanie Rosenthal, "A Feeling about Freedom," 83.

10   이불, 박소현과의 전화 인터뷰, 2020년 9월 15일.

11   일제의 경제정책과 연동하는 조선인 도일정책 및 전시동원체제 하 강제연행의 역사를 거치며 일본 내 조선인 수는 해방 시점에 200만 명을 육박했다. 1946년 3월에는 이미 130만 명이 조선으로 돌아가고, 그 중 스스로 배를 마련해 귀국한 이들도 50만 명 이상으로 추정된다. 정영환, 『해방공간의 재일조선인사: '독립'으로 가는 험난한 길』, 임경화 옮김 (서울: 푸른역사, 2019), 144–146.

12   해방 직후 귀국대책, 실업대책, 민족단결 강화, 동포의 생명과 재산 보호, 통일정부 수립 원조 등을 목표로 다수의 재일조선인단체들이 자발적으로 조직되었다. 1945년 10월에는 이 단체들을 망라하는 전국조직인 재일본조선인연맹(이하, '조련')이 결성됐다. 조련은 신조선 건설, 세계평화의 항구유지, 재류동포의 생활안정, 귀국동포의 편의와 질서 도모 등을 강령으로 채택하고, 재일조선인운동의 중심기관이 되어 정치, 경제, 문화의 모든 면에서 주도적 활동을 벌이며 자주적인 귀환사업을 적극 추진했다. 이러한 자주적 '귀환'사업을 배제하고 '계획송환'이 이루어지게 된 배경에는 연합군 총사령부가 귀환 시 가져갈 재산을 천 엔 이하로 소액으로 제한하고 귀환자의 일본 재입국을 금지해 귀환자 수가 급감하고, 조선이 귀환인구의 증가로 극심한 주택난·식량난에 처함으로써 일본으로 되돌아오는 이들이 증가하는 사정이 있었다. 김인덕, 「해방 후 조련과 재일조선인의 귀환정책」, 『한국독립운동사연구』 20 (독립기념관 한국독립운동사연구소, 2003.8.): 27–54; 정영환, 『해방공간의 재일조선인사: '독립'으로 가는 험난한 길』, 146–158.

13   김귀옥, 『월남민의 생활경험과 정체성: 밑으로부터의 월남민 연구』 (서울: 서울대학교출판부, 1999), 62–67, 김미란, 「1960년대 소설과 민족/국가의 경계를 사유하는 법」, 『한국학논집』 51 (계명대학교 한국학연구원, 2013.6.): 179–215에서 재인용.

14   정영환, 『해방공간의 재일조선인사: '독립'으로 가는 험난한 길』, 220–245.

15   정영태, 「특집: 분단체제와 극우반공이데올로기의 정치경제학-일제 말 미군정기 반공이데올로기의 형성」, 『역사비평』 (역사비평사, 1992.2.): 130.

16   우재승, 박동찬, "반공", 한국민족문화대백과사전, 2015년 개정, https://encykorea.aks.ac.kr/Contents/SearchNavi?keyword=%EB%B0%98%EA%B3%B5&ridx=0&tot=59 (2020년 11월 11일 검색); 김혜진, 「특집 분단체제와 극우반공이데올로기의 정치경제학-박정희 정권기 반공이데올로기의 정치경제적 기능」, 『역사비평』 (역사비평사, 1992.2.): 151–162.

17   김종군, 「분단체제 속 사회주의 활동 집안의 가족사와 트라우마」, 『통일인문학』 60 (건국대학교인문학연구원, 2014.12.): 135–166.

18   임유경, 「'신원'의 정치-권력의 통치 기술과 예술가의 자기 기술」, 『상허학보』 43 (상허학회, 2015): 77–123; 박소현, 「블랙리스트 이후의 문화정책: 탈사실화의 문화전쟁을 경계하며」, 『문화과학』 96 (문화과학사, 2018.12.): 246–264.

19   수전 벅모스, 『헤겔, 아이티, 보편사』, 김성호 옮김 (서울: 문학동네, 2009), 154.

20   같은 글, 184.

21   1978년 《동아미술제》가 "새로운 형상성"이라는 주제로 출범하면서, 1980년대에는 기존의 추상이나 구상과 차별화되는 '형상미술' 개념이 활발하게 논의되기 시작했다. 류다운은 5·18 민주화운동(1980)을 비롯해 군부독재에 저항하는 민주화운동과, 급격한 경제성장 및 산업화에 따른 인간소외 문제들이 불거지는 속에서, '시대적 증인'이라는 예술가의 사회적 책임을 의식하고 인간실존의 문제를 다루는 '형상미술'이 대두했고, 이로부터 "작가의 주체적 시각으로 시대의식을 표현하는" 형상조각이 파생되었다고 진단했다. 류다운, 「1980년대 한국 형상조각 연구-인간 조각을 중심으로」, 『미술사학보』 51 (미술사학연구회, 2018.12.): 267–273; 당대 형상조각에서 시대의식은 인간(인체) 탐구로 구체화되었다. 현대사회의 부조리와 암울한 인간실존, 인간소외를 통한 사회비판 등의 주제가, 왜곡·절단·손상된 신체, 익명화되고 집단화된 인간군상, 설치조각이라 할 만한 공간연출을 통해 표현되었다.

22   보다 상세한 논의는 윤정임, 「사르트르 한국 수용사 연구-사르트르의 비평을 중심으로」, 『프랑스문화예술연구』 36 (프랑스문화예술학회, 2011.5.): 163–196; 박지영, 「번역된 냉전, 그리고 혁명: 사르트르, 마르크시즘, 실존과 혁명」, 『서강인문논총』 31 (서강대학교 인문과학연구소, 2011.8.): 89–135; 오혜진, 「카뮈, 마르크스, 이어령: 1960년대 에세이즘을 통해 본 교양의 문화정치」, 『한국학논집』 51 (계명대학교 한국학연구원, 2013.6.): 137–178을 참조할 것.

23   이 시의 전문은 다음과 같다. "닫혔다 열리고/ 열렸다 다시 닫히려 하지 않는/ (닫히면서, 결코 닫히면서)/ 흐르는 관(棺)들./ 보이지 않는 곳에서 살찐 박쥐는 탈지(脫脂)된 흰쥐들을 감시하고/ 죽음은 이미 달콤하지 않다./ 그것은 무미한 버튼과도 같은 것,/ 세계의 셔터를 내 눈앞에서 내리는./ 수세기 동안 내 방(房)은 닫혀 있었고/ 외로운 옥좌 위엔 살해자의 흰 장갑./ 이 세계를 나는 죽였다. 그리고/ 마지막으로 두 손을 씻고서/ 나는 돌아섰다./ 지루한 업무를 비로소 끝낸 인턴처럼./ 그리고 안드레이 오 안드레이/ 너는 거기 앉아 있었다./ 바다 건너 네 사후(死後)의 방(房) 안에,/ 죽은 미래를 깔고서, 고요히." 최승자, 「죽음은 이미 달콤하지 않다」, 『즐거운 일기』 (서울: 문학과지성사, 1984), 14.

24   1980년대 한국 여성시는 "지금까지 소외되고 망각된 여성의 문맥을 발견"하게 하고, 이전과는 다른 "'단절'이라고 부를 만한 큰 전환을 생성"한 것으로 평가되었다. 그것은 여성을 생물학적인 성에 국한시키지 않고 '역사적 존재'로 보게 한 단절이었다. 이승하 외, 『한국현대시문학사』 (서울: 소명출판, 2005), 370–371. 여성을 '역사적 존재'로서 바라보게 되는 전환에는, 김정현이 지적한 바와 같이, 5·18민주화운동(1980)과 계엄령, 5공화국의 극심한 언론탄압과 검열 같은 시대상황 속에서 사회적 관계가 개인의 힘을 압도하고 침묵을 강요하던 1980년대에, 여성평우회(1983)와 한국여성단체연합(1987)의 출범, 여성동인지의 창간, 대학의 여성학 과목 신설과 이론의 유입, 여성노동자 문학의 출현 등이 배경으로 작용했다 할 것이다. 김정현, 「1980년대 한국 여성시의 정동과 윤리: 통치를 거부하는 정치로서의 시성(詩性) 연구」, 『동악어문학』 79 (동악어문학회, 2019.10.): 106–110.

25   박연희, 「김지하 붐과 김현, 문지, 최승자: 1980년대 제3세계문학의 표상과 그 전유」, 『동악어문학』 76 (동악어문학회, 2018.10.): 173–188.

26   같은 글, 180.

27   정과리, 「방법적 비극, 그리고-최승자의 시 세계」, 『즐거운 일기』 (서울: 문학과지성사, 1984), 116.

28   "… 가거라, 사랑인지 사람인지/ 사랑한다는 것은 너를 위해 죽는/ 사랑한다는 것은 너를 위해/ 살아, 기다리는 것이다./ 다만 무참히 꺾여지기 위하여./ 그리하여 어느 날 사랑이여/ 내 몸을 분질러다오./ 내 팔과 다리를 꺾어/ 네/ 꽃/ 병/ 에/ 꽃/ 아/ 다/ 오" 최승자, 「그리하여 어느 날, 사랑이여」, 『즐거운 일기』 (서울: 문학과지성사, 1984), 32–33.

29   윤진섭, 「당돌한 표현력의 결집: 또 다른 여행을 위하여」, 뮤지엄, 『뮤지엄』 (서울: 뮤지엄, 1987).

30   이러한 '검열공화국'의 성립은 '치안방해와 풍속괴란'을 명분으로 한 일제강점기의 검열정책과 해방 후 미군정 하에서의 문화통제를 계승한 것이다. 1970년대, 박정희 정권은 지배체제를 강화하기 위해 안보와 반공 이데올로기를 기반으로 한 정치담론 및 사상통제를 전개했고, 이에 반하는 예술을 '불온한' 것으로 취급했다. 국민의식 개조와 사회정화를 주창한 박정희 정권은 '풍속의 정화'와 '퇴폐풍조의 일소'를 위해 대대적 단속을 실시했고, '음란물'(국가가 외설적이라 규정한 대상)에 대한 처벌도 법제화했다. 예술작품 속 성적 표현, 일부일처제의 가족질서나 성적 금기를 위반했다고 간주된 경우는 이러한 검열과정에서 일제 '외설' 즉 '예술로 승화되지 못한' 것으로 규정되었다. '밝고 명랑한 사회', '건전한 사회 건설'을 표방하면서 한국사회의 부조리와 문제적 현실을 드러내는 어둡고 음습한 표현도 허용되지 않았다. 정현경, 「1970년대 연극 검열 양상 연구」 (박사학위논문, 충남대학교, 2015), 127–159.

31 탈냉전/탈이데올로기의 시대로 접어드는 것으로 말해지는 1980년대 말에, 연극 <매춘> 사태(1988)와 마광수 사태(1989)로 커다란 사회적 파장을 일으킨 '외설' 검열은 1990년대까지도 지속되었다. <매춘>의 경우, 당시 검열기구인 공연윤리위원회가 반미적 내용을 문제 삼은 것이었음에도 모든 언론이 외설시비로 일제 왜곡 보도했고, 언론은 영화 <매춘>도 포르노영화로 규정해 예술계의 자율적 정화 부재를 질타하며 검열을 정당화했다. 이는 '외설' 검열이 작동하는 방식의 전형성을 단적으로 말해주는 사례였다. 이봉범, 「1980년대 검열과 제도적 민주화」, 『구보학보』 20 (구보학회, 2018): 153–210; 양근애, 「외설 연극, 표현의 자유와 젠더 편향성-<매춘>(1988), <미란다>(1994) 사태와 연극계의 변동」, 『구보학보』 20 (구보학회, 2018): 537–566; 박인배, 「요즘문화-외설 시비인가 검열의 지속인가」, 『갈라진 시대의 기쁜소식』 266 (우리신학연구소, 1996.12.): 8–9; 이진아, 「한국연극 무대 위에 재현된 섹슈얼리티–1988년 대본사전검열 폐지를 전후한 시기를 중심으로」, 『한국연극학』 39 (한국연극학회, 2009): 81–117.

32 이불은 "미술대학에 진학하면 작가들과 교류할 수 있으리라 생각했지만 크게 실망했고 미술에 흥미를 잃고 연극에 눈을 돌렸다. 유명한 작가들을 소개해 준 것은 연극이었다. 그러면서 조금 다르게 생각해 봤는데, 유명 작가와 사상가들의 내적 갈등 속에서 어떻게 거대한 아이러니를 찾을 수 있는지 보게 되었다. 그런 관점에서 연극에 더욱 빠져들었다." Stephanie Rosenthal, "A Feeling about Freedom," 85.

33 양근애, 「외설 연극, 표현의 자유와 젠더 편향성-<매춘>(1988), <미란다>(1994) 사태와 연극계의 변동」, 550.

34 마광수, 「외설은 없다」, 『철학과 현실』 (철학문화연구소, 1994.12.): 46–56.

35 양근애, 「외설 연극, 표현의 자유와 젠더 편향성-<매춘>(1988), <미란다>(1994) 사태와 연극계의 변동」, 556–561.

36 강태희, 「How Do You Wear Your Body? 이불의 몸 짓기」, 『미술 속의 여성: 한국과 일본의 근·현대 미술』, 이화여자대학교박물관 엮음 (서울: 이화여자대학교출판문화원, 2003), 224.

37 "여자들은 저마다의 몸 속에 하나씩의 무덤을 갖고 있다./ 죽음과 탄생이 땀 흘리는 곳,/ … 모래바람 부는 여자들의 내부엔/ 새들이 최초의 알을 까고 나온 탄생의 껍질과/ 죽음의 잔해가 탄피처럼 가득 쌓여 있다./ 모든 것들이 태어나고 또 죽기 위해선/ 그 폐허의 사원과 굳어진 죽은 바다를 거쳐야만 한다." 최승자, 「여성에 관하여」, 『즐거운 일기』 (서울: 문학과지성사, 1984), 49.

38 최승자, 「다시 태어나기 위하여」, 『이 時代의 사랑』 (서울: 문학과지성사, 1981), 16–18.

39 두르가는 세계정복을 노린 마신 아수라가 천계를 차지했을 때 신들이 하늘을 향해 뿜은 분노의 불꽃 속에서 금색으로 빛나는 10개의 팔을 갖고 태어난 존재다. 따라서 두르가의 내면은 분노로 차있고, 신들에게 받은 강력한 무기들로 아수라족을 학살하는 등 수많은 전장에서 악마들을 공포로 몰아넣었다 한다. "두르가", 네이버 지식백과, https://terms.naver.com/entry.nhn?docId=1668785&cid=41874&categoryId=41874 (2020년 11월 11일 검색), 다카하라 나루미, 『여신』, 이만옥 옮김 (서울: 도서출판 들녘, 2002)에서 재인용.

40 엘렌 식수, 「메두사의 웃음」, 201–202.

41 임정연, 「인도 여행기의 지리적 상상력과 로컬 재현의 계보」, 『국제어문』 74 (국제어문학회, 2017): 163–186.

42 같은 글; 조은정, 박소현과의 전화 인터뷰, 2020년 10월 8일. 조은정에 따르면, 한국의 억압적 상황에서 인도 문화는 특별한 의미를 갖고 있었다. 1980년대의 인도 붐 속에서 시인 타고르가 설립한 예술학교 산티니케탄으로 유학을 떠난 이들도 있었다. 영화 <인도로 가는 길>(1984)의 개봉으로 인도에 대한 오리엔탈리즘적 매혹과 공포가 대중화되고, 해외여행 자유화로 1990년대에는 인도여행 붐이 일었다.

43 황세준은 이불이 이러한 카페에 벽화를 그리기도 했고, 이불의 촉수들이 인도의 만다라 도상을 연상시킨다고도 언급했다. 황세준, 「학예역량강화워크숍. 작가와 전시연구VI: 당대의 시선으로 1990년대 보기」, 『국제교류TFT 사전 리서치 보고서』 (서울: 서울시립미술관, 2020).

44 <기동전사 건담>에 관해서는 강태희, 「How Do You Wear Your Body? 이불의 몸 짓기」, 234–235에서 언급되었다.

45 우노 츠네히로, 『젊은 독자를 위한 서브컬처 강의록』, 김현아, 주재명 옮김 (서울: 워크라이프, 2018).

46 Eimear Martin (comp.), "Women and Art in South Korea, 1960–2000," n.p.

47 윤진섭에 따르면, 한국행위예술가협회는 "행위예술의 질적 향상과 저변확대, 행위예술의 국제교류, 행위예술에 관한 출판 및 세미나 개최, 행위예술 평론가 육성"을 모토로 출범했고, 한일 행위예술 페스티벌 개최를 비롯해 정기적인 퍼포먼스 발표회를 개최했다고 한다. 《1987·서울·요코하마 현대미술전》(아르꼬스모미술관, 1987) 이후, 《제1회 한 일 행위예술제》(동숭아트센터 소극장, 1989), 《예술과 행위, 그리고 인간, 그리고 삶, 그리고 사고, 그리고 소통》(나우갤러리, 1989) 등이 개최되었다. 윤진섭, 「1980년대 한국 행위미술의 태동과 전개」, 『한국의 행위미술 1967~2007』 (서울: 국립현대미술관, 2007), 98–109.

48 윤난지, 『한국 현대미술의 정체』 (서울: 한길사, 2018), 참조; 김홍주, 「한국현대미술사에서 1980년대 '여성미술'의 위치」, 『한국근현대미술사학』 26 (한국근현대미술사학회, 2013.6.): 134.

49 윤진섭, 「1980년대 한국 행위미술의 태동과 전개」, 109. 윤진섭은 《'89 청년작가전》에 안치인, 윤진섭, 이두한, 이불이 행위미술가로 초대되어, "엄숙한 국립현대미술관의 중앙 전시장을 온통 난장판으로 만들어버렸"다고 전한다. 그에 따르면, "이두한은 곤로에 꽁치를 굽거나 알몸을 석고로 뜬 뒤 국부에 경광등을 대고 돌아다니는 소동을 부렸는가 하면, 윤진섭은 중앙전시장의 정면에 난 대형 유리창을 향해 180개의 계란을 투척, 행위드로잉을 했다. 이불은 짐승을 연상시키는 기괴한 봉제 의상을 입고 전시장을 누비고 다녔고, 안치인은 요란한 음악에 맞춰 수백 장의 카드를 뿌렸다. 당시 이 장면이 '문화가 산책'이란 텔레비전 프로를 통해 소개가 되었는데, 우연히 이 장면을 목격한 한 장관이 이경성 당시 국립현대미술관장에게 전화를 걸어 "그런 게 예술이냐"며 항의를 했다는 후일담이 있다"고 한다.

50 박소현, 「Anti-Museology 혹은 문화혁명의 계보학: '현대미술사'의 창출과 제도화의 문제」, 『현대미술연구』 25 (현대미술사학회, 2009): 59–94; 조수진, 「<제4집단> 사건의 전말: '한국적' 해프닝의 도전과 좌절」, 『미술사학보』 40 (미술사학연구회, 2013.6.): 141–172.

51 James B. Lee, "Parody, Parable, Politics," in Bul Lee (Seoul: Ahn Graphics (Unpublished), 1997), 84.

52 베드로는 자신이 예수처럼 위대한 존재가 아니라며 십자가형 대신 역십자형을 자처했다.

53 김은실의 지적대로, "여성은 단지 자연의 순리에 따라 임신을 하고 출산하는 것이 아니다. 여성은 그들을 둘러싼 물질적 조건(피임기술, 그것의 접근 가능성, 의료자원의 배분과 재정적 능력, 여성의 사회적 참여, 경제 상태 등)과 사회적 관계망(배우자나 성적 파트너, 기존 자녀의 수와 성별, 친족, 이웃, 가족 성원, 피임기술 정보제공자 및 의료상담자, 고용자, 교회, 국가 등)이 부여하는 재생산 과정의 한계 내에서 임신을 하고 출산을 한다." 김은실, 『여성의 몸, 몸의 문화정치학』 (서울: 또하나의문화, 2001), 299.

54 조은주, 『가족과 통치-인구는 어떻게 정치의 문제가 되었나』 (파주: 창비, 2018), 47–57, 77–91, 139–171.

55 이에 한 기자는 "최근 눈부시게 발달하고 있는 선별임신기술, 곧 아들딸을 처음부터 가려 낳게 만드는 기술은, 여자 아이를 이 세상에 아예 존재할 수 없게 만드는 원천적 살해의 가능성을 높여 주고 있다. … 한 가지 분명한 것은, 한국 사회에서 살아가는 이상 누구라도 당분간 '여아살해의 공모자'가 될 가능성에서 자유롭지 못하다는 사실이다. 생물학적 살인을 저지르지 않았다 해도 여성에게 불리한 법과 제도를 방치함으로써 '본의 아니게' 사회적 살인을 가할 수밖에 없는 요소가 한국 사회 곳곳에 너무 많이 깔려 있기 때문이다."라고 질타했다. 김은남, 「뱃속 여아살해… 광란의 유혈극」, 『시사저널』 1998년 11월 12일.

56 남성동맹 내 위계와 정체성의 여성화에 관해서는 수전 브라운밀러, 『우리의 의지에 반하여-남성, 여성, 그리고 강간의 역사』, 박소영 옮김 (파주: 오월의봄, 2018)을 참조.

57 김려실, 「댄스, 부채춤, USIS 영화: 문화냉전과 1950년대 USIS의 문화공보」, 『현대문학의 연구』 49 (한국문학연구학회, 2013), 341–375.

58 한스 울리히 오브리스트, 「사이보그 & 실리콘 – 이불과 그녀의 작품세계」, 『Lee Bul』 (서울: 아트선재센터, 1998). 페이지 없음.

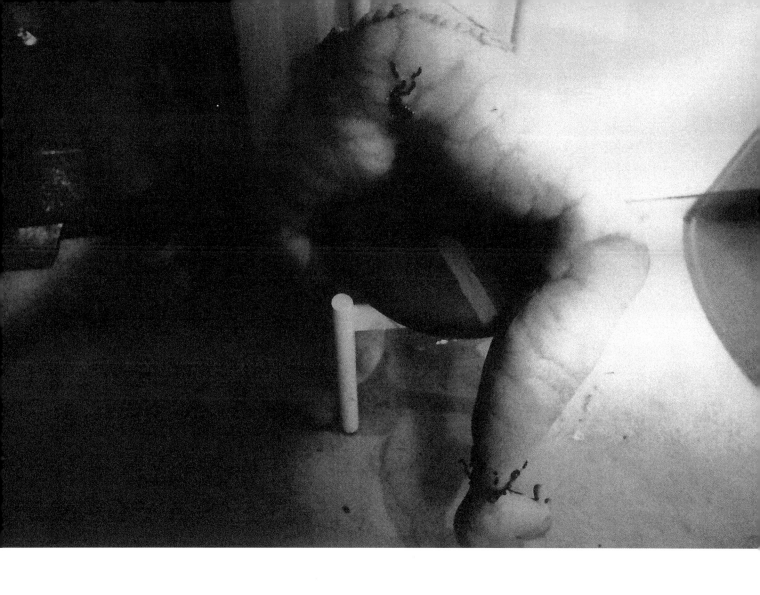

제목 없음, 1988. 천, 솜, 비즈
Untitled, 1988. Fabric, fiberfill, beads

Reconsidering Lee Bul: The Laugh of the Medusa or the Politics of the Metamorphosis into a Monster

Sohyun Park

Introduction

A young Lee Bul looks straight into the camera smiling brightly. In the videos that document her performance, there are other images of joyful or strange laughter. While it may be a fairly simple association, I am reminded of Hélène Cixous' "Laugh of the Medusa." Criticizing psychoanalysis as an invention made to oppress women, Cixous pointed out that men have long constrained women within the horrifying monster myth of the Medusa. She wrote:

> But isn't this fear convenient for them? Wouldn't the worst be, isn't the worst, in truth, that women aren't castrated, that they have only to stop listening to the Sirens (for the Sirens were men) for history to change its meaning? You only have to look at the Medusa straight on to see her. And she's not deadly. She's beautiful and she's laughing.[1]

With live snakes for hair, the female monster Medusa kills people, turning them into stone merely by making eye contact. She is an object of fear. Freud, the founder of psychoanalysis, interpreted Medusa's severed head as women's sex and a symbol of the castration complex. Whether one sees the Medusa's head as a castrated sex (a woman's genitals with the penis cut off) or as a castrating sex (a vagina dentata), the way to survive is not to look directly at it. However, Cixous points out that connecting Medusa's head with the fear of castration so that one is unable to face reality is a strategy of phallocentric ideology. Women are not castrated, and the deadly Sirens, who lure people to their death, are men. The fear of monsters is fabricated for the convenience of phallocentrism.

According to Cixous, a phallocentric society in which only men can become a self as the subject, that is, "an empire of one's own," operates on a system of hierarchical dichotomies such as active/passive, culture/nature, reason/emotion, etc. Women have always been placed on the inferior side of these oppositions and have been invested with negative meaning. Women "have wandered around in circles, confined to the narrow room in which they've been given a deadly brainwashing," and as a result, they have internalized the masculine gaze that despises them and depreciates them as "monsters." For Cixous who grew up in Algeria when it was a French colony, this long history of gynocide was not separate from the history in which workers were subordinated to capitalists and the colonized Algerians to the French as slaves/non-beings.[2]

Hence, Cixous stresses: "The future must no longer be determined by the past . . . I refuse to strengthen them by repeating them, to confer upon them an irremovability the equivalent of destiny, to confuse the biological and the cultural." At the same time, she diagnoses that "our time" is a time for breaking with the worn-out masculine and introducing a new feminine, and repeatedly proclaims that men's unconscious and the women who were suppressed by the "Dark Continent" are returning.

> Now women return from afar, from always: from "without," from the heath where witches are kept alive; from below, from beyond "culture"; . . .

Because she arrives, vibrant, over and again, we are at the beginning of a new history, or rather of a process of becoming in which several histories intersect with one another. As subject for history, woman always occurs simultaneously in several places. Woman un-thinks the unifying, regulating history that homogenizes and channels forces, herding contradictions into a single battlefield. In woman, personal history blends together with the history of all women, as well as national and world history. As a militant, she is an integral part of all liberations.[3]

Cixous prophesied that this kind of return of women, "with a force never yet unleashed and equal to the most forbidding of suppressions," would be a destructive explosion and precarious return. The laugh of the Medusa will be the "new history" that will be opened through the return of these women. If the phallocentric society looks squarely upon its own monstrosity which it has passed onto others, and removes the "convenient fear" that it has overlaid upon them in order to justify the suppression and killing of others, Medusa would simply be a woman smiling brightly.

Lee Bul's early works appear to initiate the continuous return of these suppressed women and the advent of a "new history." The brutal and violent scenes that she unfolds through the use of her whole body confronts the monstrosity of the phallocentric modern nation that is victorious on the backs of numerous women it has othered and stigmatized as monsters. In this landscape, the historical subject of woman can either only suffer suppression and violence and experience death, or be summoned in the form of frightening monsters or ghosts. Lee Bul is one member of these others, which "always occu[r] simultaneously in several places" (882), and also all of them, within the phallocentric "empire of one's own." This "hydra-like" plurality of otherness is not, as noted by Cixous, the masculine way of integrating a single subjectivity, but can be seen as that which needs to be newly constructed in a way that connects the history of the nation and the world, and the history of all women through the unique experiences and voices of each "personal history."

The Methodology of "Personal History": Guilt-by-Association or the Violence of the Modern Nation and the Political Ethics of Becoming an Artist

When I was young, the reason why I thought I would become an artist was because it was nearly impossible to get another job. It was also because I thought that the work of an artist was the only way to establish a continuous relationship with society and interact with people from all social classes, while remaining within one's personal situation.[4]

I grew up during the period of political and social upheaval in South Korea. And I started making art in an attempt to address the relationship between social issues and [the] emotional impact they had on me as a child.[5]

Lee Bul became an artist for mainly social and political reasons. During the military dictatorship, simply having blood ties to parents who engaged in dissident activities led to the stripping of even the most basic rights stipulated by the Korean Constitution, including the freedom of choice of profession. Within this reality created by the "guilt-by-association" system, being an artist, which did not require a background check, was a kind of last resort but also somewhat fascinating to a young Lee Bul. Immediately after his inauguration as president, Chun Doo-Hwan (who took power through the bloody December 12, 1979, military insurrection and the subsequent suppression of the May 18, 1980, democratization movement) announced an interdiction on the guilt-by-association system, which the previous dictatorship had used as an important tool of state control. But in reality the system was not abolished, and many of the affected people's lives were driven to tragedy and pain. Born in 1964, Lee's childhood, which she has long tried not to remember, was that of an outsider, a life that could never be ordinary due to political suppression, exclusion, and surveillance.

Later on, I came to realise that growing up with leftist parents in a country that at the same time did not approve of leftist ideas shaped me. On top of that, I had a particular name that kids made fun of,

I was left-handed and I was always the new kid in town, a stranger. I had to get used to the unfamiliar, the strange. These conditions I was exposed to were political and ethical. These concepts permeated my life. Being a stranger, an outsider and not the insider, but still playing a part.[6]

The exhaustion of constantly being reminded that one's life was different from those of others, and further, the incomprehensible contradiction that in a country which espoused "liberal democracy," social difference had nothing to do with one's free choice but was predetermined—for Lee, these experiences came to create a "sense of distance"[7] that cast doubt on all established ideas and forged an attitude of vigilance against a society that advocates lofty causes yet exacts personal exclusions and sacrifices.[8] Memories of her childhood, which the artist was able to look back on only after she entered her forties, became an unexpected opportunity to realize "that my interests are strongly linked to my youth, that is, the rapid modernization of Korea in the 1960s and 70s."[9] Lee was able to say in her own voice, however late, that her life and art was the product of Korea's modernization and modernity. For her, the substance of modernization and modernity is not the mainstream life of opportunities within it, but the life of an outsider who is incessantly marginalized, the life of the suspicious stranger who resorts to surviving by erasing her identity.

Lee's childhood was strongly constrained by the life of her mother, a Zainichi Korean who devoted herself to the anti-establishment movement. According to Lee, her mother, who was born in Tokyo around 1933, smuggled herself into Korea among university students with the mutual understanding to "save the motherland" at the young age of fifteen or sixteen.[10] In my estimation, this would be the period around the establishment of the Korean government (1948). The majority of Koreans who were in Japan at the time of liberation wanted to return to Korea. In August 1945, the Japanese government lifted military conscription of Koreans and shortly thereafter ships carrying Zainichi Koreans began to leave Japan.[11] But soon afterwards, the Supreme Command of the Allied Forces and the Japanese government required Zainichi Koreans to adhere to a registration process in a "planned return" system, mobilizing the Japanese

government's police force to oversee it. Jeong Young-hwan has referred to this as the "repatriation of return," pointing out how the voluntary and free "return" to the liberated motherland had become a "repatriation" process regulated by the Japanese government.[12] The "planned repatriation" with its mandatory registration led Zainichi Koreans to smuggle themselves into their motherland: an ironic situation in which a free return to one's homeland was deemed an illegal act. Thus, Lee's mother voluntarily became an unregistered "stateless person" in returning to her "homeland."

For Zainichi Koreans in the period immediately after liberation, the border crossing between North and South Korea, where a line had been drawn along the 38th parallel, was not like the current conception of the border. At the time, the division was seen as something temporary and easy to overcome.[13] No one expected that the selective return to the north or south of the 38th parallel would result in lifelong separation of families. However, as the U.S.-Soviet Joint Commission talks in March 1946 broke down, the prospect of establishing a reunified state was frustrated. On this point, Zainichi Koreans in Japan were divided into camps for and against the Moscow Agreement. The General Association of Korean Residents in Japan (hereafter, Chongryon), which supported the Moscow Agreement, launched a campaign to build a new homeland in alliance with leftist forces in South Korea and formed The Democratic Youth Alliance of Korean Residents in Japan (Youth Alliance), which focused on training activists to be in charge of building a new democratic homeland. The Chongryon Joongang/ Central High School Academy, which received students aged 15–33, and the Chongryon Dressmaking Academy (later changed to Chongryon Women's Cultural Academy), which trained women aged 16–23, were both established to turn out activists.[14]

Lee Bul's mother, a teen activist member, appears to have boarded the ship in order to change the fate of her homeland, which had withered by the cementing of the division. However, on this matter, she held her silence to the grave; she said it was because she could not trust the world. Thus, there is no way of knowing her activities in the years after her return to Korea. Lee Bul's life began when her mother, committed to the anti-establishment movement and on the run from the authorities, gave birth to her in the city of Yeongju in North Gyeongsang province. But a life shadowed by constant surveillance and attempts to outrun it continued thereafter. In 1976, when Lee was in the fifth grade, her mother, sensing a threat to her life, settled all her affairs and fled. She was eventually arrested and tried under custody for six months, during which time she was also tortured. Lee Bul stopped going to school and was left at home with only her younger siblings. Even after her mother returned home, her family continued to be surveilled, leading to a life of instability and poverty around the outskirts of Seoul. The guilt-by-association that Lee cited as a reason for becoming an artist compelled her to shoulder the same burden as her mother while she was growing up and even after she had become an adult.

In a divided country that became the front line of the global Cold War, anti-communism as an ideology was deeply connected with modernization and deployed to promote the legitimacy of the state. Immediately after liberation, the U.S. military government defined the Korean peninsula as an "ideological battleground, and strengthened anti-Soviet and anti-communist ideologies."[15] At the time of the May 16, 1961, military coup, Article 1 of the "revolutionary pledge" of the Military Revolutionary Committee stated "anti-communism will be a primary national policy and the anti-communist system, which has until now only been a slogan, will be reorganized and strengthened." Even if one did not directly espouse communism, the enactment of the Anti-Communist Act and the Political Activity Purification Act, and the revision of the National Security Act system made sure that any hint of sympathy for the North Korean system did not go unpunished. This was a process of making anti-communism an ideology that enabled dictatorship through the promotion of national unity against a common enemy. As a result, the presence or absence of an anti-communist consciousness became a criterion for distinguishing between enemies and comrades, outsiders and insiders.[16] Ideology came to be seen as a monster demanding endless sacrifices in a fierce political battle. While the families of North Korean refugees were excluded from the mainstream of society, their children branded as "commie offspring" and looked upon as "latent spies" subject to surveillance, the "monster of ideology" inscribed an even stronger fear through the

guilt-by-association system.[17] Reifying this monster in Korean society was, above all, state violence, and the guilt-by-association system meant that the scope of state violence could be expanded indefinitely. The dominant narrative of the modernization of Korean society has been to devise a myth of success and miracles by silencing countless individuals and marginalizing them as "strangers/outsiders," by branding them as "enemies" through the "politics of personal origins"[18] which creates divisions between citizens and non-citizens.

The modern state's project to achieve integration—by banishing certain individuals through concepts such as *minjok*[19] and class that prescribe the collective subject of history—paradoxically requires that there be historical remnants, others, and foreigners who are excluded from that framework.[20] While taking up the question of "society and the self" and the "self in society," Lee Bul has placed an emphasis on the "individual's position." In her personal history, the self encompasses the remnants of history, others, and foreigners. It effectively becomes a methodological base which lays bare the myth of modernization and modernity that is fundamentally inconsistent with the lives of individuals. And just as a "person's nonidentity with the collective allows for subterranean solidarities that have a chance of appealing to universal, moral sentiment, the source today of enthusiasm and hope," as stated by Susan Buck-Morss, it is an ethical and political methodology that welcomes others.[21]

The Rebellious Iconography of "The Flowers of Evil": Confronting the Power of the State in Sexual Torture/ Censorship of "Obscenity"; and the Otherization of the Female Body

The earliest of Lee Bul's works include two prints titled *Untitled (Morning interior)* (1980) and *Incurable Dreams* (1984), and until 1985 there are also about ten two-dimensional works including paintings. It is not until 1986, with her first public exhibition at the *Hongik Outdoor Sculpture Exhibition*, that sculptural pieces appear. In addition to *The Flowers of Evil* (1986), several untitled works from that year can largely be categorized into those that explore forms of the human body and forms of flowers. The human figure works—comprising small objects made from a mixture of synthetic resin and copper powder corroded with hydrochloric acid, and sometimes including the space surrounding the figure—are reminiscent of Giacometti's sculptures. While sharing some elements with contemporaneous Korean figurative sculpture dealing with human existence,[22] they also represent a distinct departure, notably emphasizing the female form, the limbs and facial features detached or distorted in pain. Lee Bul did not follow the customary practice of imagining the universal form of human existence as male. By delving instead into figurations of distorted, disconnected female bodies, she re-politicized the problem of existence. It was a break with the kind of figurative sculpture being produced within the context of a Korean existentialism that had become compliant, a depoliticized, innocuous brand of humanism pliable to government censorship.[23]

An ardent reader of the poetry of Choi Seung-ja, the young Lee Bul developed more intense and aggressive forms for her art. The title of a 1987 work *Untitled (My room has been closed for centuries)* is taken from a verse in Choi's poem "Death Is Already Not Sweet" (1984),[24] and the subtitle of *Sorry for suffering–You think I'm a puppy on a picnic?* (1990), a twelve-day performance held in Seoul and Tokyo, is also taken from Choi's "To Be Born Again" (1981). Aside from such titles, Lee's early work also has affinities to the images and ideas of this poet, who enjoyed wide popularity in the 1980s.[25] Before making her debut as a poet in 1979, Choi Seung-ja published the Korean translation of Alan Paton's *Cry, the Beloved Country*. Regarding Choi's indictment of violent exploitation of Third World peoples, as well as her criticism of Korea's realpolitik, her diagnosis of self-destructive femininity as resulting from an authoritarian gender system, and her opposition to the domination/subordination dichotomy, Park Yeon-hee, a literary scholar, has characterized it as "Third World self-awareness."[26] At the time, this "Third World self-awareness" was no different from an awareness of oneself as a subject of history. Choi thus became known as a poet of resistance, questioning a reality that produced tragic lives and urging changes through "the masochistic grammar"[27] of the female subject attacking the patriarchal order."[28]

As part of the work *An Alcoholic's Emotion* (1987), Lee Bul exhibited in a vase a red flower object first made in 1986. This object recalls Choi Seung-ja's poem "So

on a Certain Day, Love"[29] (1984). In this poem, which deals with romantic love and separation, love is akin to death or having one's limbs broken and put in a vase; it also seems like a masochistic desire for such a situation. However, when the narrator bids farewell, saying, "Go away, love or lover," it is a declaration of breakup with this self-destructive love that demands one's broken limbs be placed in a vase. However, Lee's flowers do not remain in the vase. They are subsequently transformed into large standalone sculptures titled *The Flowers of Evil* and then as part of an installation for the inaugural exhibition of the art collective MUSEUM at Kwanhoon Gallery, Seoul (1987). In this way, Lee would take a subject matter or motif, and through persistent repetition and transformation, elude definitive interpretation while activating the subversive performativity of her formal language. And the starting point was the iconography of flowers.

The two flowers in *The Flowers of Evil* overwhelm the viewer with their immensity of size, impossible to contain in a vase, refusing to serve any longer as masochistic symbols, as broken limbs. With their size and glittering surface, these flowers stand as a forceful repudiation of negative social preconceptions of femininity and projects a subversive performativity that challenges the patriarchal symbolic order. One of these is a non-motorized kinetic work that moves through wind and its own shifting weight, making sounds as the buds and petals move. The other, painted with a mixture of perfume and paint, emitted a scent strong enough to attract actual bees. This was also the first work which featured sequins, which would become a signature material in much of Lee Bul's subsequent work. In place of traditional sculptural materials, it is made of steel and synthetic resin with a painterly finish achieved with spray paint and integrates everyday "feminine" and "handicraft" materials such as bells, sequins, and perfume. The work even incorporates materials that stimulate the senses of hearing and smell. Thus Lee Bul launched her career by transgressing the boundaries and hierarchies between genres and the visual primacy of the male-centric art world.

The following year, at the inaugural exhibition of MUSEUM, she created an installation that brought togther and modified the flowers presented up to then—the flower in a vase, the withered rose that this flower was modeled on, scattered petals, and *The Flowers of Evil.* These flowers, as vibrant as poisonous mushrooms, are reminiscent of the genital iconography of feminist art; and the tall, cylindrical fish tank, with live fish swimming in it, placed on top of the giant flower, suggest themes of pregnancy and abortion. Critic and curator Yoon Jinsup described the exhibition as advocating for the rehabilitation of the image, using provocative and passionate forms to take up the subject of human life and death, sex, nakedness, fantasy, war, etc. The exhibition, according to Yoon, gave expression to an "intensified human" through figuration.[30] For the most part he argued for an existentialist "rehabilitation of representation," but Lee Bul's work went beyond the rehabilitation of existentialist representation that had been debilitated by official censorship of the time. It was searching instead for a representation of resistance that made the politics of censorship itself the problem.

Deploying anti-communist ideology for routinization and internalization of self-censorship among those accused of guilt-by-association, and firmly legislating censorship across all art genres and mass media, the military dictatorship in the 1970s–80s did not hesitate to subject artists to extralegal violence and arrests as part of its enforcement.[31] State censorship became more oppressive through the 1980s, and thus at height of the democratization movement in 1987, abolishing the system of censorship became a key objective in realizing institutional democratization in the cultural field. It is worth noting that in the late 1980s, while there was some relief in political-ideological censorship, there was at the same time a redoubling in the censorship of obscenities. The government found, in the flood of "obscenities," its rationale for maintaining the state censorship apparatus and continued the political censorship of art under the pretext of censoring obscenity.[32]

The Flowers of Evil, which Lee Bul used as a title for her artwork, is of course also the title of Baudelaire's collection of poems, but when she entered university it was the slang term for obscene films that had box office success.[33] When she arrived on campus, Lee found herself drawn more to theater activities than making art.[34] The faculty supervisor of her theater class happened to be Ma Kwang-soo.[35] With his view that "sexual freedom or freedom of sexual expression is proportionate to

a country's level of democratization, actualization of distributive justice, social welfare, and the development of various cultural values," he asserted that "obscenity does not exist."[36] However, while the state censorship of "obscenity" imposed legal penalties on artists their works, it became an opportunity, outside of the courts, for the entertainment industry to generate public interest in a "theater of the male gaze" that commodified sex and women's naked bodies across all kinds of media. The discussion in the 1980s and 90s about censorship of obscenity was strangely silent about the female body and gender bias that were displayed on the actual stage. Barely rising above the level of ethical censure against the "bad habits" of male audiences inclined toward "naked theater," it fostered an environment in which this kind of commercialization of female bodies sought justification under the pretext of being "postmodern theater."[37]

The iconography of Lee Bul's flower can be interpreted more clearly in this context. The state's efforts to maintain the "integrity" of its system was predicated on an ambiguous notion of "obscenity" to define an other or an other realm outside the accepted bounds of art. Ultimately, these method operated via the institutionalization of the male gaze which sexualized the female body and the violent oppression of such otherized, objectified female bodies. Such were the actual conditions determining the aesthetics of irony and absurdity that Lee Bul came to adopt as themes in her work through her theater activities. In particular, the issue of sexual violence against women workers, which women's organizations continuously raised during the 1980s, finally came to the fore in 1986 with the "Bucheon police sexual torture incident," which made it evident that sexual violence against women was at the core of the state's method of rule. Sexual torture was found to be a regular part of the forcible investigation methods of the police, fully revealing the brutality and violence of the military dictatorship. And this led to an awareness that sexual violence was not a problem of individuals but of the entire social structure.

Confronting the male gaze with the striking oversized presence of her flowers, Lee Bul de-sexualizes and neutralizes the masculine gaze toward the female body. Dwarfed in front of the work, the viewer is overwhelmed by *The Flowers of Evil,* which stands as a rebuke to the method of state control that arbitrarily created a divide between art and obscenity. By appropriating in her own way the contemporaneous "flowers of evil," which flourished through the commercialization of sex and the otherization of the female body, she materialized the imaginary fear of castration posited by psychoanalytic thought. At the same time, by adopting "feminine" materials and handicraft methods, she suggests that this imaginary fear functioned to fabricate the "monsters" of anonymous labor, of oppressed and discriminated female lives. Subsequent variations on the female body unfolding within Lee Bul's iconography of flowers expose the otherization of the female body—that is, what Cixous has referred to as the "long history of gynocide"—and linked with contemporary historical events, they invoke the state-sanctioned deaths of de-humanized/de-nationalized innocents.

Incurable Dreams and the Metamorphosis into "Monster-Warrior": The Obsession with Gynocide and the Political Art of the Subculture Hybrid

In 1987, the same year as the first exhibition of the art collective MUSEUM, Lee Bul made *Untitled (My room has been closed for centuries)*, which presents a figuration of a severed female body. Kang Tae-hi interpreted this work as "an incomplete fetus attached to the umbilical cord," and later argued that the "defectively developed or deformed fetus or monstrous bodies were the main subjects of the early works."[38] However in terms of its form, the work can be seen as another variation on the iconography of flowers. More precisely, fusing the iconography of enormous, vibrant flowers and amputated bodily organs, somewhat suggestive of a crossbred "post-human," it can be seen as an iconographic composite of the complex context and interpretation of the female body, rendered abnormal and incomplete by the patriarchal modern state.

For an image printed in the exhibition brochure for *MUSEUM III,* the third MUSEUM exhibition from the same year, Lee produced another variation on the iconography of flowers: a woman's body, without the head and limbs, containing a fetus in her belly, with the fetus umbilically connected to a flower that seems to be growing out of the woman's belly. Another drawing

placed next to it shows a similarly pregnant torso. However, this figure has male genitals, and the swollen belly contains fish swimming in a tank instead of a fetus, and flowers connected to the belly are accompanied by the words "the flowers of evil." Lee was preoccupied with the iconography of this flower at the time, which she joined to severed female and male bodies. When seen in relation to these works, the severed body in the work *Untitled (My room has been closed for centuries)* appears as both a pregnant woman and a man from whom blossoms the "the flowers of evil." What is certain is that there is no way to confirm the identity of these bodies, existing only as organs with their heads severed.

In Choi Seung-ja's poem "Death Is Already Not Sweet," an "I" appears as a "murderer," and this is followed by the lines: "I have killed this world. Then, / I washed my hands for the last time // and turned around." The murdered female body in *Untitled (My room has been closed for centuries),* the Lee Bul work which takes its title from this poem, becomes superimposed onto the world that "I" killed and have turned my back on. In this light, the work may be seen as a "killing of the world," a retribution and a rejection of the state that sanctions gynocide. At the same time, if we consider another poem by Choi, "On Woman" (1984),[39] the pregnant belly is a grave filled with "broken shells birds have pecked their way out of / and death's debris . . . piled high like empty casings." The life forms unable to leave this tomb are nothing but the "shell of birth" and the "remains of death." In this context, the severed, unidentified body may serve as a persistent reminder, giving shape to the non-being/non-citizen violently detained in a state of inability to give birth or to create.

Subsequently, Lee Bul continued to transform the body that was joined to the iconography of flowers in *Untitled (My room has been closed for centuries)*. One the one hand, she adopted the method of giving shape to the murdered female body as a separate object; and on the other, the method of overlaying techniques and materials representing the flowers onto the body, further integrating the two. The first method can be seen in the work exhibited in *Print Concept* (1987), the second exhibition of the MUSEUM collective: a full body image of a woman depicted in red-painted relief on a plaster frame, suggestive of something from a murder scene.

The second method can be seen in works shown in the *MUSEUM III* (1987) and *U. A. O. (Unidentified Art Object)* (1988) exhibitions: enormous, colorful breasts suspended upside down from the ceiling and extending to the floor; a female torso formed from countless breasts with blue-colored limbs attached to it; and a hanging piece of round plywood, to one side of which is attached a figure of body amputated at the elbows and below the knees, while the severed arm and legs are shown clinging on the reverse side.

Works produced through the second method shared techniques employed in the flower works, giving shape to bodily forms with materials such as styrofoam, fiberfill, fabric, paper, oil paints, and sequins. Despite the vibrant, colorful surfaces, the severed bodily forms bring to mind scenes of murder or torture. (In 1987, not long after the Bucheon police sexual torture case the year before, a college student named Park Jong-chul was illegally arrested and killed in police custody, having been subjected to water and electric torture. This case and the subsequent attempts at cover-up became the direct trigger for the nationwide June 1987 democratization uprising.) The incorporation of mythical signifiers (multiple breasts and flowers) symbolic of women's fertility/reproductive abundance in this representation of death shows Lee's stance against propagandist art. By fusing or bringing into collision signifiers of conflicting meanings across myths and into the historical present, she deploys strategies to disturb the phallocentric symbolic system and problematize the reality of institutionalized violence and blood-stained otherization that this symbolic system concealed.

It was around this time that Lee Bul exhibited the installation *Incurable Dreams* (1988),[40] which shows a sleeping mat on which lie a blanket in disarray and a pillow, from which, frighteningly, sprouts a monstrous form: a mask-like head with a dozen arms adorned with sequins. The title is from a verse in Choi Seung-ja's poem "To Be Born Again" (1981)—which is also quoted in the title of Lee's 1990 performance *Sorry for suffering–You think I'm a puppy on a picnic?* In the poem, Choi asks, "How can my chronic dream become a dream of freedom?"[41] and depicts an "I" tussling with a dream.

. . . A transparent scream, the sunlight of a distant land / that I dreamt of in my mother's dark womb. / My father's two feet that are good at trampling down / came into my body, pierced like stakes. / I wriggled to wake myself from the sleep that bound me like wires. / His two soles were sturdy like fate. / I have fought with the rebounding spring of my blood. / I have fought even in my sleep of sleeps and dream of dreams. / My hands became hoes and my forearms, scythes . . .[42]

Considered against this poetic image and narrative, the sleeping mat in Lee's *Incurable Dreams* can be seen as the inside of the mother's belly and the "I" as corresponding to the fetus depicted in her drawing from the brochure for the *MUSEUM III* exhibition the previous year. Choi writes in the last stanza: "Take me out, Mother, all mothers of the world! If you can't, please perform an abdominal laparotomy on me." In the poem, the narrator rages against the father who "came into my body, pierced like stakes." In this gruesome fight with the father, the "I" declares, "my hands became hoes and my forearms, scythes." That is, the monster protruding from the pillow is the self engaged in a life-and-death struggle with the "father"; and the shape of the blanket, which hints at someone having escaped, suggests that a woman has turned into the monster protruding from the pillow at the end of a bloody fight.

Another drawing from the same exhibition brochure also appears to depict a woman who metamorphoses into a monster while fighting in a dream. Her mouth agape as though in fear, the woman stands with her back to the wall. Tentacle-like shapes sprouting from her body seem to represent the intensity of her emotions, like "springs rebounding up from my blood." However, another face and an additional pair of legs emerging from, or superimposed on, the middle of the body confronts whatever may be the object of fear. This second face is not a face terrified with fear. Because of this face, the tentacles also look like Medusa's live, writhing snakes. On the same page as this drawing, Lee Bul included a collage-like self-portrait composed of duplicate superimpositions of this face ringed by tentacle-like forms. But on closer examination, the tentacles resemble the arms protruding from the pillow, and the face, with three sets of eyes, is also adorned like the monster's. In order to change the "incurable dreams" driving her pain and suffering into "unencumbered dreams," Lee transformed herself into a "monster-warrior" fighting the object that Choi Seung-ja had named "father."

Interestingly, the face in the drawing stricken with fear and the face in the self-portrait are both marked with a bindi. And the page in the brochure with this work contains words written in Sanskrit and long texts invoking Buddhism and Hinduism. The Adi-Buddha, which appears repeatedly in this text, is a Buddha who was self-generated in the earliest days of the creation of the universe and became the origin of the cosmos. In Hinduism, the Buddha is the ninth incarnation of Vishnu, known as the most merciful and benign of the principal Hindu gods. Vishnu manifests mainly as a young man in splendid attire with dark blue skin and a multiple set of arms. This mythological iconography can be discerned in the complex of references and appropriations in the metamorphosis of Lee's imagery from the iconography of flowers and "incurable dreams" to monster-warrior. Traversing the boundaries between male and female, human and animal, the metamorphic process of her self-portraiture evokes the incarnations of Durga, the most revered goddess in Hindu mythology, who projects the fierce, merciless aspects of women. Capable of generating a thousand arms and nine million reinforcement soldiers out of her own body, Durga was the ultimate monster-warrior.[43]

Eschewing direct depictions of or statements about reality, Lee Bul devised a new and unfamiliar visual language by resourcefully ranging across poetic and mythical imagery. While this began as a conscious distancing from propagandist art, it would eventually take a leap towards the practice of "women's writing" advocated by Cixous.

If woman has always functioned "within" the discourse of man, a signifier that has always referred back to the opposite signifier which annihilates its specific energy and diminishes or stifles its very different sounds, it is time for her to dislocate this "within," to explode it, turn it around, and seize it . . . Nor is the point to appropriate their instruments, their places, or to begrudge them their position of mastery . . . [Women] take pleasure in jumbling the order of space, in disorienting it . . . dislocating things and values, breaking them all up, emptying structures, and turning propriety upside down . . . to shatter the framework of institutions, to blow up the law, to break up the "truth" with laughter.[44]

Of course, Lee was not alone in her interest in Indian mythology. India had been a tourist destination for cultural elites in Korea since the 1960s,[45] and in the 1970s, with the influx of Western rock music and Japanese popular culture, cafes with Indian themes also proliferated. And despite government censorship efforts, *ppaekpan,* or bootleg copies of foreign records, began to circulate in the underground music scene, where the oppositional stance and sound of rock bands became popular among youths longing for freedom.[46] According to musician and songwriter Hwang Se-joon, "hard rock cafes," where rock music and Indian culture coexisted, flourished in the 1980s amid the dynamics of the pro-democracy movement. Largely found in Shinchon, a district of Seoul containing several major universities, these cafes served as a gathering spot for Lee Bul and other young artists.[47]

Assimilating the subculture of youth—Choi Seung-ja's poetry, Indian culture, rock music—Lee devoted herself to creating alternative signifiers that problematized and disturbed the repressive, dichotomous symbolic system created by patriarchal state power. The monster-warrior that emerged in her art was a hybrid constituted from the subculture of her youth, which offered resistance, escape, and alternative imagination amid an oppressive reality. This was in a sense a form of political art fueled by the agitated energy of a youth subculture that sought to implode the conspiratorial link between the mainstream art scene, the art academies, and repressive state power.

The Modernization Project and the Politics of Plastic Surgery: Abortion, the Fan Dance, and Hydra's Counterattack

Lee Bul's first solo exhibition *Step by Step, Th-that's* (1988), comprised previously exhibited works, new works called

Untitled (Cravings Red) (1988, refabricated 2011), *Untitled (Cravings Black)* (1988, refabricated 2011), *Untitled (Cravings White)* (1988, refabricated 2011), and a performance in which these sculptures were worn. From this period on, the distinction between sculpture-installation and performance became largely irrelevant for the artist. Her metamorphosis into the monster-warrior went a step further with the post-genre work *Cravings* (1988, 1989). Four performers, including Lee, carried out the performance wearing artworks that were a composite of the iconographies the artist had explored and accumulated until then. It was also quite reminiscent of "mobile suit" robots from Japanese animation, another subculture familiar to the artist.[48] This type of robot is the kind that a human can inhabit, and depending on who is behind the controls, the robot can be a mechanism for either good or evil.[49] This kind of idea converges with Lee's recognition that a performance performed through the "female body" cannot but be political in character.

> I'm not so sure, though, that I had a definite activist agenda in mind when I began these performances ... The fact that I was a woman doing this in public gave it a political dimension. And that I was dealing with aspects of the body, my body–which, of course, happens to be feminine–made it controversial, and even confrontational, for many people.[50]

That is, as Lee notes, the fact of women, as opposed to men, donning "monster" costumes and performing became, in itself, a political act. It went beyond simply enacting one's given otherness, beyond the grammar of the phallocentric symbolic system that naturalizes the form of the monster as an inherent attribute of women. It was a leap toward the practice of becoming a monster-warrior which rejects such a symbolic system.

Cravings was performed solo by Lee Bul at an outdoor site in Jangheung (1988) and then as an expanded version involving multiple performers in the 1989 edition of The Korean Young Artists Biennale (National Museum of Modern and Contemporary Art, Gwacheon), before being developed into *Sorry for suffering–You think I'm a puppy on a picnic?* (1990), spanning twelve days ranging over multiple sites from Gimpo Airport, Korea, to various parts of Tokyo. Heightening the indeterminate

performativity of her practice, Lee's approach was one of loose, spontaneous collaboration with artists of various genres, often moving beyond institutional art spaces such as the stage or the museum to situate her work in public or outdoor settings.

In the early 1980s, according to critic Yoon Jinsup, with the formation of a number of art collectives by young artists, as well as the emergence of the politically charged *Minjung* art movement, large-scale festivals of installation and performance art were organized in many cities. Yoon, who served as the first president of the Korean Performance Artists Association on its founding in 1988, sees "ritualism" and the "phenomenon of the crossover and fusion of genres" as characteristic features of performance art in the 1980s. As a young performance artist, Lee Bul fully embodied these characteristics. And as artistic exchanges between Korea and Japan grew in the 1980s with the formation of the Association, she became an active participant in the process.[51]

While Korean art movements such as *Minjung* art, as well a brand of modernism that was the official academic genre, tended to be male-centric in their preoccupation with forging a "Korean" artistic identity against the historical backdrop of colonial rule and national division,[52] performance art, which traversed genres and boundaries and rebelled against established aesthetic conventions,[53] opened up opportunities for young female artists like Lee to pose further questions about oppressive practices in the art world and society in general. For a period after 1989, the "ritualism" that Yoon identified as a feature of 1980s performance art became more prominent in Lee's performances dealing with issues of sexual and reproductive agency. These performances were in line with works by such groups as Korea's The Fourth Group and Japan's Zero Jigen,"[54] which criticized political realities and the art system through naked bodies and rituals. But taking a contrarian, anti-art stance, her performances were distinct from them in that they broached what had been dismissed as "women's issues" and "private problems" such as pregnancy and abortion.

In an untitled 1989 performance at Now Gallery, Seoul, Lee Bul and two other female performers appear with swollen bellies as though pregnant, one wearing a white dress with tentacles and a white gas mask; the second, a dance dress with hands and tails attached to the skirt and a black gas mask; and Lee herself in a gymnast outfit adorned with brilliant decorations. Throughout the performance, sounds evoking a religious ritual flow from an electric guitar and a synthesizer, and mixed with Lee's voice reading aloud through a microphone, creates a trance-like state. The performance concludes with the audience getting up, removing the performers' gas masks, and dancing together.

Abortion (1989) also proceeds with three performers: a completely naked Lee Bul, the woman in the white dress who appeared in the Now Gallery performance, and a woman in a Joseon-dynasty empress costume and headdress weeping in front of what appears as post-abortion bodily residue. Suspended upside down from the ceiling, Lee declaims with a painful expression: "I hang here to bear the burdens of all women who have aborted babies, to redeem their guilt and anguish . . ."⁵⁵ She is alternately a sacrificial lamb and a priestess performing sacrifices, and in the process, disarming the male gaze that sexualizes the naked female body and deems it obscene. The extreme physical pain of hanging by a rope for nearly two hours was a sensation so palpably felt by the audience that they were compelled to bring her down and release her to bring the performance to an end.

The woman in the white dress and the empress figure reappear in *The Song of the Fish* (1990), the first skipping rope while the second, with disheveled hair, sits on a swing and wields a knife. Here Lee Bul appears dressed in white mourning garments with her hair loose. In the pitch-black darkness, she approaches a shallow pool and places in it dead fish gotten from the market. Then slowly opening the belly of the fish one by one with bare hands, she strokes them and caresses them against her face alternately sobbing and laughing.

These performances shift issues of pregnancy and abortion from the personal, private dimension to the public, historical dimension. The recurring figure of the young woman in a white dress may be an observer trying to understand the political and social events that have impacted her life, perhaps even standing in for the artist as a child. Her swollen belly suggests the possibility of pregnancy and childbirth, but the protruding hands and tentacles suggest a bitter struggle with "incurable dreams." The woman in the empress costume, despite her high status, has perhaps suffered through a

miscarriage/abortion, turning into the madwoman in *The Song of the Fish.* The pose of the naked artist hanging upside down in *Abortion* echoes the image of St. Peter's martyrdom, whose request that he be crucified upside down was an acknowledgment of his sense of being "one who is not great."⁵⁶ But within the phallocentric symbolic system, the plight of women who had abortions was outside the scope of public interest for a nation that sought to be seen as a developed, civilized country, with the birthrate controlled through family planning. As a woman who had an abortion, the artist assumes a hieratic role in her performance, interpreting and redeeming the suffering of other women who have had the same experience. Similarly, in *The Song of the Fish,* she enacts shamanic role, pacifying the souls of victims of torture, casualties of systematized state violence.

With the iconography of "the flowers of evil" and the image of murdered women in her earliest work, Lee Bul had already been delving into issues of pregnancy/abortion, and not merely as a "private matter."⁵⁷ The demographic/technical control imposed on the female body—centered on pregnancy and childbirth—was at the core of the state project of modernization in Korea. The family planning project that began in 1961, and the deep-rooted preference for sons long before that, were the material conditions determining pregnancy, childbirth, and abortion. In addition, the family planning project was a product of the anxiety in developed countries of maintaining the "free world" within the Cold War system. The United States and other developed nations of the West believed that overpopulation and poverty in the Third World could lead to communism; so they promoted the "Westernization of reproduction," which took the form of economic aid to developing countries in return for restrictive birth control programs. Korea was a chief beneficiary of this policy, instituting a birth control program deemed one of the most effective in the world, and attracting massive economic aid from the West as a result. The core of Korea's family planning project, promoted as a major national policy for over twenty years, was the expansion of contraception. This began with vasectomies for men but soon shifted to devices and procedures applied to the female body: oral contraceptives, intrauterine devices, and female sterilization, among others. Mobilizing dichotomies such as pre-modern versus modern, backward versus developed countries, rural versus urban socity, and outdated custom versus advanced science,[58] the long-term state project of regulating women's bodies through advanced abortion technology was put forth as a civilizational project. In the midst of such efforts, the preference for boys—though publicly viewed disapprovingly as a pre-modern social convention—remained so persistent that abortions of female fetuses for the purpose of sexual selection were increasing even in the 1990s.[59]

Lee Bul's work has ceaselessly problematized the politics of the female body, or the "nationalization of women" at the core of Korea's modernization project, which has operated on a "pregnancy-abortion," rather than a "pregnancy-childbirth," continuum. For an independent but partitioned Korea after World War II, the core of the modernization project to become a "normal" country was, paradoxically, not "childbirth" but "abortion." This gained momentum from the aims and fears of the "free world" regarding the increase in population of others in the Third World. In this context, the bodies of Korean women became the object of enlightenment and regulation, as well as a global laboratory for advanced contraception and abortion technologies.

Meanwhile, in the male-centric alliance of this international modernization project, the dictatorial regime of Korea internalized its alterity as determined in the hierarchy established by this alliance, representing itself as tradition, woman, and the other.[60] The pregnant woman wearing a traditional white *hanbok* in *Artoilet II* (1990) performs a fan dance, which was officially promoted by state agencies since the 1950s as a dance representing Korean tradition on the overseas stage. For the ceremonies at the Olympics in Mexico City (1968), the fan dance was reconstituted as a group show, and the flower shape created by the large group of dancers became a symbol of nationalism represented in the full bloom of the national flower, *mugunghwa* (the rose of Sharon). That the fan dance came to be seen as a traditional Korean dance was also a product of the U.S. "Cultural Cold War," that is, a "Cold War orientalism which, by foregrounding the democratic value of tolerance and inclusion of others, both desires and mystifies the cultures of non-communist Asia."[61] Lee Bul effectively connected issues of abortion with the fan dance to look squarely at how the Cold

War system's global modernization project operated by regulating and reconstructing women's bodies, and how the otherized Asian countries actively utilized the sexist politics of "Cold War Orientalism" to try to assimilate themselves into the "free world."

Through the concept of *senghyeong,* or "formation,"[62] Lee Bul interrogates this politics of the body enacted by state power. The boom in plastic surgery since the 1970s based on Western standards of beauty is indicative of how the state's modernization project came to saturate everyday desires. Whether abortion or plastic surgery for cosmetic reasons, Lee regards them as part of a modernization project that artificially induces transformation in women's bodies through medical technology. As seen in *Technicolor Life Part 1* (1994), the artist expanded the concept of *seonghyeong*/plastic surgery (see preceding translator's note) from the material to the symbolic dimension. Women's identities created within phallocentric political dynamics were the product of such "symbolic formation." At the same time, she emphasized the materiality of formation, which entails cutting into the body, in the symbolic dimension.

Around this time Lee Bul began making objects resembling detached body parts out of silicone, a material used in plastic surgery. These would eventually lead to the representation of fragmented bodies, as in her cyborg sculptures. Ultimately her work suggests that various formations in the material/symbolic dimension—plastic surgery, abortion, or the fan dance—constitute a collective desire for an idealized and modernized body/*minjok*. But the reality of such desire is ruthlessly debunked, rendered as either fragmented silicon prostheses, as in *Alibi* (1994), or as the dead fish of *Majestic Splendor* (1991–present), which emits a stench of decay with the passing of time.

The artist also extended the use of decorative elements such as sequins and beads, which she had used since the early days, to traditional Korean ornaments for women such as *jokduri tteoljam.* (translator's note: *Jokduri* is a type of women's coronet and *tteoljam* is a type of women's hair ornament.) This was in line with her deployment of various costumes as signifiers of othered female identities within a patriarchal society. Such decorative materials were organically combined with elements like hair or detached body parts and organs to evolve into other forms of the monster-warrior. Decorative tentacle-like elements, which had evoked the pain of penetrated bodies, manifests as powerful armor in works like *Mask for a Warrior Princess* (1996), *I Need You (Monument)* (1996), and *Hydra (Monument)* (1997–1999). Until this point Lee Bul had developed performances that challenged repressive male fantasies by using the biological body as a weapon, namely the naked female body which had formed the basis for essentializing and naturalizing othered identities. The performance images of *Artoilet* (1990), or *Fingers There! Peel That Shit Off!* (1991), *Diagraming III* (1992), and the installation and performance at *Woman, The Difference and the Power* (1994), among others, maximized in this manner the performativity of becoming a monster-warrior, using the naked female body that cannot but be politicized. And as the nude performances met with the evolution of decorative elements in her work, it led to the creation of a new oppositional female subject, the Hydra figure in her monumental inflatables, for example, to problematize and confront the modernization project under the Cold War system.

Conclusion

Lee Bul is a prolific artist. She continues to exhibit all over the world while remaining tremendously productive in the studio. The content and method of her work are as varied and protean as they are hard to define. Nevertheless, the modest goal of this essay was to listen closely and look into what has remained constant, what she wants to say and question repeatedly as an artist about the world and our society. This goal was made clear to me in the process of examining Lee's works and conversing with her. The early works, which span a period of about ten years, were developed with a deep reciprocal internal connection as to subject matter, materials, and methods, and this can be said to extend to her subsequent works.

Running through all this are the reasons for her way of "being an artist in society." Her personal history, and the ethical and political position accumulated therein, can be said to have emerged from the fraught historical intersection of politics and power resulting in the marginalization and otherization of individuals barred from naming themselves a part of modernity's collective subject: *minjok* or citizen.

Of course, her position as an artist started from a concrete place called Korean society and the material conditions of the self as a woman/outsider living within it. And it is precisely this concreteness and materiality that is the power which has made Lee Bul the artist that she is today. In 1998, at the time of her second solo exhibition, Lee revealed that her cyborg work represented a continuation of her concerns from her early works. Despite the transition of focus from living organism to technology, Lee has invariably been asking questions about the problems of the masculine gaze, representations of women, and power and ideology. At the same time, she has taken a critical stance on visualism as a masculine privilege and its institutionalization by museums. Given this context, now that Lee Bul's early works, which forcefully problematized phallocentrism and visualism through practices critical of institutions, have been summoned to the museum, it is worth observing whether it is possible to grapple with her art "without the audience being equipped, without any assumptions about the artistic experience."[63] Perhaps it will serve as a test case for the art museum.

1   Hélène Cixous, "The Laugh of the Medusa," translated by Keith Cohen and Paula Cohen, *Signs: Journal of Women in Culture and Society* Vol. 1, no. 4 (1976): 885.

2   Ibid., 877, 888; Jung Eul-mi, "Hélène Cixous's l'Ecriture feminine," *Hangukpeurangseuhangnonjip* 29 (Hangukpeurangseuhakhoe, 2000.2.): 241–261; Park Hai-young, "Medusaui sinhwawa yeoseong: nuga medusareul duryeowohaneunga?" (The Myth of the Medusa and Women: Who is Afraid of Medusa?), *Hangukpeurangseuhangnonjip* 61 (Hangukpeurangseuhakhoe, February 2008): 283–298.

3   Hélène Cixous, "The Laugh of the Medusa," 878, 882.

4   Kataoka Mami, "Interview with Lee Bul," *Bijutsu Techo*, no. 965 (April 2020), 184.

5   Eimear Martin (comp.), "Women and Art in South Korea, 1960–2000," in *Lee Bul*, exh. cat. (London: Hayward Gallery Publishing, 2018), n.p.

6   Stephanie Rosenthal, "A Feeling about Freedom," in *Lee Bul*, exh. cat. (London: Hayward Gallery Publishing, 2018), 82.

7   Ibid., 82.

8   Kataoka Mami, "Interview with Lee Bul," 190–191.

9   Stephanie Rosenthal, "A Feeling about Freedom," 83.

10 Lee Bul, phone interview with the author, September 15, 2020.

11 The number of Koreans in Japan was close to two million at the time of liberation, following from the history of Japan's forced mobilization of Koreans under the wartime mobilization system, and Japan's policy of forced migration of Koreans to Japan linked to the Japanese imperial economic policy. By March 1946, 1.3 million people had already returned to Korea, it is estimated that, among them, more than 500,000 people returned with self-procured boats. Jeong Yeonghwan, *Haebanggongganui jaeiljoseoninsa: tdongnipteuro ganeun heomnanhan gil* (The History of Zainichi Koreans in the Post-Liberation Space: Tumultuous Road to "Independence"), translated from Japanese by Im Kyeong-hwa (Seoul: Pureunyeoksa, 2019), 144–146.

12 Immediately after liberation, a number of Korean groups in Japan voluntarily organized with the following aims: return measures, unemployment measures, strengthening of national unity, protection of the lives and assets of compatriots, and assistance in establishing a reunified government. In October 1945, the General Association of Korean Residents in Japan (hereafter Chongryon), a countrywide organization, was formed as an umbrella organization covering these groups. Chongryon became the central institution of the movement of Korean residents in Japan carrying out activities in all aspects of politics, economy, and culture, and actively promoted the return project. Its activities included adopting a platform for the building of a new Korea, achievement of permanent world peace, securing the lives of Korean residents, and promoting comfort and order for returning Koreans. Excluding these independent "return" projects, the "planned repatriation" proceeded against the background of the Allied Forces General Command limiting the assets to be taken upon return to the small amount of 1,000 yen or less and prohibited returnees from re-entry to Japan, leading to a sharp decline in the number of returnees. At the same time, Korea faced extreme housing and food shortages due to the increase in number of returning populations, leading to the situation in which the number of people returning to Japan increased. Kim In-deok, "Haebang hu joryeongwa jaeiljoseoninui gwihwanjeongchaek" (Post-liberation Training and Zainichi Koreans' Return Policy), *Hangukdongnibundongsayeongu* (A Study on the History of the Korean Independence Movement) 20 (Dongnipginyeomgwan hangukdongnibundongsayeonguso [Independence Hall Korean Independence Movement History Research Institute], August 2003), 27–54; Jeong Yeonghwan, *Haebanggongganui jaeiljoseoninsa: tdongnipteuro ganeun heomnanhan gil* (The History of Zainichi Koreans in the Post-Liberation Space: Tumultuous Road to "Independence"), 146–158.

13 Kim Kwi-ok, *Wollamminui saenghwalgyeongheomgwa jeongcheseong: miteurobuteoui wollammin yeongu* (The Life Experience and Identity of Returning Koreans: A Study of Returning Koreans from Below) (Seoul: Seoul National University Press, 1999), 62–67; Kim Mi-ran, "1960nyeondae soseolgwa minjok/gukgaui gyeonggyereul sayuhaneun beop" (1960s Novels and How to Think About Ethnic/National Boundaries), in *Hangukangnonjip* 51 (Keimyung University Korean Research Institute, June 2013): 179–215.

14 Jeong Yeong-hwan, *Haebanggongganui jaeiljoseoninsa: tdongnipteuro ganeun heomnanhan gil* (The History of Zainichi Koreans in the Post-Liberation Space: Tumultuous Road to "Independence"), 220–245.

15 Jeong Yeong-tae, "Teukjip: bundanchejewa geugubangongideollogiui jeongchigyeongjehak-Ilje mal migunjeonggi bangongideollogiui hyeongseong" (The Formation of Anti-communist Ideology by the US Military Government at the End of Japanese Imperialism – from the Special Issue: The Political Economy of the Division System and Far-Right Anti-communist Ideology), *Yeoksabipyeong* (Yeoksabipyeongsa, February 1992), 130.

16 Woo Jae-seung, Park Dong-chan, "Banggong" (Anti-communism), *Hangung minjongmunhwadaebaekgwasajeon* (Encyclopedia of Korean Culture, Updated 2015) Accessed November 11, 2020: https://encykorea.aks.ac.kr/Contents/SearchNavi?keyword=%EB%B0%98%EA%B3%B5&ridx=0&tot=59; Kim Hye-jin, "Teukjip: bundanchejewa geugubangongideollogiui jeongchigyeongjehak-Park Chunghee jeonggwongi bangongideollogiui jeongchigyeongjejeong gineung" (The Political Economic Functions of Anti-communist Ideology during the Park Chung-hee Regime – from the Special Issue: The Political Economy of the Division System and Far-Right Anti-communist Ideology), *Yeoksabipyeong* (Yeoksabipyeongsa, February 1992): 151–162.

17 Kim Jong-gun, "Bundancheje song sahoejuui hwaldong jibanui gajoksawa teurauma" (The Family History of Socialist Activities with the Division System and Trauma), *Tongirinmunhak* 60 (The Journal of the Humanities for Reunification, December 2014): 135–166.

18 Im Yoo-kyeong, "'Tsinwon'ui jeongchi-gwollyeogui tongchi gisulgwa yesulgaui jagi gisul" (The Ruling Technology of 'Identity's Political-Power and the Artist's Technology of the Self), *Sangheohakbo* 43 (Sangheohakhoe, 2015): 77–123; Park Sohyun, "Beullaengniseuteu ihuui munhwajeongchaek: talsasilhwaui munhwajeonjaengeul gyeonggyehamyeo" (Cultural Policy After the Blacklist: Preparing for a Post-Truth Cultural War), *Munhwagwahak* 96 (Munhwagwahaksa, December 2018): 246–264.

19 The term *minjok* is sometimes used as "nation," but its more precise meaning is an "ethno-nation" or "ethno-national group."—Trans.

20 Susan Buck-Morss, *Hegel, Haiti and Universal History* (Pittsburgh, PA: University of Pittsburgh Press, 2009), 133.

21 Ibid., 184.

22 In 1978, with the launch of the Dong-A Art Festival under the theme of "new figurative art," the active discussion of the concept of 'figurative art,' differentiated from both existing forms of abstract and conceptual art, began in the 1980s. Ryu Daum argues that a "figurative art," conscious of the artist's social responsibility as a "witness of the times" and dealing with the problems of human existence, emerged in the midst of the democratization movement against the military dictatorship and the rise of the problem of human alienation accompanying rapid economic growth and industrialization, beginning with the May 18 Democratization Movement (1980). Following from this, she argues that a figurative sculpture "expressing the consciousness of the times through the artist's subjective perspective" was derived. Ryu Daum, "1980nyeondae hanguk hyeongsangjogak yeongu-ingan jogageul jungsimeuro" (A Study on Korean Figurative Sculpture in the 1980s: Focusing on Human Sculptures), *Misulshakbo* 51 (Misulsahagyeonguhoe, December 2018): 267–273; in figurative sculptures of that time, the consciousness of the times was embodied in the search of the human (human body). Social criticism through themes such as the absurdity of modern society, the darkness of human existence, and human alienation, was

expressed through the production of space in what can be called installation sculpture of distorted, amputated, and damaged bodies and humans made anonymous and collectivized.

23   For a more detailed discussion, see Yoon Jung-im, "Sareuteureu hanguk suyongsa yeongu-sareuteureuui bipyeongeul jungsimeuro" (A Study on the Korean Reception of Sartre: Focused on Sartre's Criticism), *Peurangseumunhwayesuryeongu* 36 (Peurangseumunhwayesulhakoe, 2011.5.): 163–196; Park Ji-young, "Beonyeokdoen naengjeon, geurigo hyeongmyeong: sareuteureu, mareukeusijeum, siljongwa hyeongmyeong" (The Cold War and Revolution in Translation: Sartre, Marxism, Existence, and Revolution), *Seoganginmunnonchong* 31 (Sogang University Humanities Research Institute, August 2011): 89–135; Oh Hye-jin, "Kamwi, Mareukeuseu, Ieoryeong: 1960nyeondae eseeijeumeul tonghae bon gyoyangui munhwajeongchi" (Camus, Marx, Lee O-Young: A Study on Cultural Politics of 'Bildung' Through Essayism in the 1960), *Hangukangnonjip* 51 (Keimyung University Korean Research Institute, June 2013): 137–178.

24   The full text of this poem is as follows: "The flowing coffins / keep being closed and opened. / Once opened, they try not to be closed again / (They will be closed though, closed irrevocably) // From somewhere invisible, / A fat bat monitors white, fat-skimmed rats // Death is already not sweet. / It is like a tasteless button / pulling down the shutter of the world in front of my eyes. // My room has been closed for centuries / and white gloves are placed on the lonely throne. / I have killed this world. Then, / I washed my hands for the last time // and turned around / like an intern who at last finished a tedious task. // Andrei, oh, Andrei / you have been sitting on / the dead future quietly / in your posthumous room over the sea." Choi Seung-ja, "Jugeumeun imi dalkomhaji anta" (Death Is Already Not Sweet), *Jeulgeoun ilgi* (A Happy Diary) (Seoul: Munhakgwajiseongsa, 1984), 14. English translation of the poem by Won-Chung Kim.

25   Korean women's poems of the 1980s were thought to have enabled the "discovery of the context of women who have been marginalized and forgotten until now" and to have "generated a transformation so great as to be labeled as nothing less than a 'rupture'" from what came before. It was the rupture that enabled women to be viewed as 'historical beings' rather than limited to their biological sex. Lee Seung-ha et al., *Hangukyeondaesimunhaksa* (History of Korean Contemporary Poetry) (Seoul: Somyeongchulpan, 2005), 370–371. In the transition to viewing women as 'historical beings,' as pointed out by Kim Jeong-hyun, the establishment of Yeoseongpyeonguhoe (Women for Equality and Peace, 1983) and Hangugyeoseongdancheyeonhap (Koreans Women's Association United/KWAU, 1987), the launch of the women's literary coterie magazine, the introduction of women's studies lectures and theories in universities, and the emergence of literature for women workers, may have played a role in the background of the 1980s, which was a period in which social relations overwhelmed individual power and enforced silence within the conditions of the era such as the May 18 democratization movement (1980) and martial law, the extreme media suppression and censorship of the Fifth Republic. Kim Jung-hyun, "1980nyeondae hanguk yeoseongsiui jeongdonggwa yulli: tongchireul geobuhaneun jeongchiroseoui siseong yeongu" (The Affects and Ethics of Korean Women's Poetry in the 1980s: A Study on Great Poets as a Politics of Rejecting Governance), *Dongageomunhak* 79 (Dongageomunhakhoe, October 2019): 106–110.

26   Park Yeon-hi, "Gimjiha bumgwa gimhyeon, munji, choeseungja: 1980nyeondae je3segyemunhagui pyosanggwa geu jeonyu" (The 'Kim Jiha Boom' and Kim Hyeon, Munji, and Choi Seung-ja: The Representation and Appropriation of Third World Literature in the 1980s), *Dongageomunhak* 76 (Dongageomunhakhoe, December 2018): 173–188.

27   Ibid., 180.

28   Jung Gwa-ri, "Bangbeopjeok bigeuk, geurigo-choeseungjaui si segye" (Methodological Tragedy, and the World of Choi Seung-ja's Poetry), *Jeulgeoun ilgi* (A Happy Diary) (Seoul: Munhakgwajiseongsa, 1984), 116.

29   "Go away, love or lover. / To love is not to die for you. / To love is to live for you / and wait, / only to be snapped off mercilessly. // So, on a certain day, love, / please break my body / snap off my arms and legs / and / arrange / them / in / your / vase." Choi Seung-ja, "Geurihayeo eoneu nal, sarangyeo" (So on a Certain Day, Love), *Jeulgeoun ilgi* (A Happy Diary) (Seoul: Munhakgwajiseongsa, 1984), 32–33. English translation of the poem by Won-Chung Kim.

30   Yoon Jinsup, "Dangdolhan pyohyeonnyeogui gyeoljip: tto dareun yeohaengeul wihayeo" (Consolidating Bold Expressive Power: Towards a Different Journey), in *MUSEUM* (Seoul: Museum, 1987).

31   The establishment of such a 'censored republic' follows in the lineage of the censorship policy of the Japanese colonial period enacted as justification against the 'disruption of peace and corruption of public morals,' and the control of culture under the USMGIK after liberation. In the 1970s, the Park Chung-hee regime developed a political discourse and form of ideological control grounded on security and anti-communist ideology to reinforce the ruling system, and treated art that opposed this system and discourse as 'seditious.' The Park Chung-hee regime, which advocated reforming people's consciousness and purifying society, carried out a large-scale crackdown for the 'purification of public morals' and the 'eradication of decadent trends,' and even legislated penalties for "pornography" (objects stipulated as obscene by the state). Any cases deemed to have violated sexual representation, the family order of monogamy, or sexual taboos in artworks were stipulated as 'obscenity,' namely as that which was 'not elevated as art' as part of the censorship process. Espousing a 'bright and merry society' and the 'construction of a healthy society,' dark and gloomy representations that reveal the absurdity of Korean society and its problematic reality were disallowed. Jung Hyun-kyung, *1970nyeondae yeongeuk geomyeol yangsang yeongu* (A Study on Aspects of Theatre Censorship in the 1970s) (Ph.D. Dissertation, Chungnam National University, 2015), 127–159.

32   In the late 1980s, which is referred to as the period transitioning into a post-Cold War/post-ideology era, the great social impact of 'obscenity' censorship cases such as the play *Prostitution* (1988) and the Ma Kwang-soo incident (1989) continued into the 1990s. In the case of *Prostitution*, even though the performance ethics committee, which was a censorship body at the time, took issue with its anti-American content, all the media reported the controversy over obscenity as the distortion of Japanese occupation, and even pronounced the film, *Prostitution*, as a pornographic film, justifying the censorship while criticizing the absence of self-initiated purification in the art world. This was a case that showed the typical workings of 'obscenity' censorship. Lee Bong-beom, "1980nyeondae geomyeolgwa jedojeok minjuhwa" (Censorship in the 1980s and Democratization of the System), *Gubohakbo* 20 (Gubohakhoe, 2018): 153–210; Yang Geun-ae, "Oeseol yeongeuk, pyohyeonui jayuwa jendeo pyeonhyangseong-*Maechun* (1988), *Miranda* (1994) sataewa yeongeukgyeui byeondong" (Obscene Theater, Freedom of Expression, and Gender Bias: The Cases of *Prostitution* (1988), *Miranda* (1994) and Change in Theatre), *Gubohakbo* 20 (Gubohakhoe, 2018): 537–566; Park In-bae, "Yojeummunhwa-oeseol sibiinga geomyeorui jisoginga" (Today's Culture: A Dispute over Obscenity or the Continuation of Censorship?), *Gallajin sidaeui gippeunsosik* 266 (Urisinhagyeonguso, December 1996): 8–9; Lee Jin-ah, "Hangugyeongeuk mudae wie jaehyeondoen seksyueolliti-1988nyeon daebonsajeongeomyeol pyejireul jeonhuhan sigireul jungsimeuro" (Representation of Sexuality on the Korean Modern Theatre Stage: Focusing on the Period Before and After the Abolition of Preliminary Censorship of Screenplays in 1988), *Hangugyeongeukak* 39 (Hangugyeongeukakhoe, 2009): 81–117.

33   Yang Geun-ae, "Oeseol yeongeuk, pyohyeonui jayuwa jendeo pyeonhyangseong-*Maechun* (1988), *Miranda* (1994) sataewa yeongeukgyeui byeondong" (Obscene Theater, Freedom of Expression and Gender Bias: The Cases of *Prostitution* (1988), *Miranda* (1994) and Change in Theatre), 550.

34   According to Lee Bul, "I thought going to an art school would mean engaging with artists. It was disappointing and so I lost interest in art and turned to theatre. It was the theatre that introduced me to great writers, avant-garde and contemporary literature . . . I came to see how ironies could be found in the inner struggles of great writers and thinkers. I became more immersed in that point of view." Stephanie Rosenthal, "A Feeling about Freedom," 85.

35   Ma was a writer and professor of Korean literature who was tried in custody and convicted on charges of obscenity related to the publication of his 1991 novel *Jeulgeoun Sara* [Happy Sara].—Trans.

36   Ma Kwang-soo, "Oeseoreun eopda" (Obscenity does not exist), *Cheolhakgwa hyeonsil* (Cheolhangmunhwayeonguso, December 1994): 46–56.

37   Yang Geun-ae, "Oeseol yeongeuk, pyohyeonui jayuwa jendeo pyeonhyangseong-*Maechun* (1988), *Miranda* (1994) sataewa yeongeukgyeui byeondong" (Obscene Theater, Freedom of Expression and Gender Bias: The Cases of *Prostitution* (1988), *Miranda* (1994) and Change in Theatre), 556–561.

38   Kang Tae-hi, "How Do You Wear Your Body? Lee Bul ui mom jitgi" (Lee Bul's construction of the body), *Misul sogui yeoseong: hangukgwa ilbonui geuntphyeondae misul* (Women in Art: Modern and Contemporary Art in Korea and Japan) (Seoul: Ewha Women's University Press, 2003), 224.

39   "Every woman has a grave inside / where death and birth sweat it out / . . . Inside the women, where sandwind blows, / broken shells bird have pecked their way out of / and death's debris are piled high like empty casings. / Everything has to pass through the ruined shrine and rigid dead sea / in order to be born again and to die again." Choi Seung-ja, "Yeoseonge gwanhayeo" (On Woman), *Jeulgeoun ilgi* (A Happy Diary) (Seoul: Munhakgwajiseongsa, 1984), 49. English translation of the poem by Won-Chung Kim.

40   This work is distinct from the earlier print work by the same title.—Trans.

41   The original word in Korean for "Incurable" in Choi Seung-ja's poem that inspired Lee Bul's work "Incurable Dreams" has a few different connotations, but is better translated as "Chronic." There is a different Korean word that translates directly to "Incurable." [Note by Won-Chung Kim]

42   Choi Seung-ja, "Dasi taeeonagi wihayeo" (To Be Born Again), *I sidaeui sarang* (Love of This Age) (Seoul: Munhakgwajiseongsa, 1981), 16–18. English translation of the poem by Won-Chung Kim.

43   Durga was born with ten arms in dazzling gold from within the flames of anger that the gods poured out when Asura a demon sought to conquer the world took over the skies. Hence Durga's inner world is filled with anger, and with the powerful weapons he received from the gods he is said to have massacred the Asura clan and to have plunged demons into terror on countless battlefields. "Durga," Naver Encyclopedia of Knowledge, Accessed November 11, 2020: https://terms.naver.com/entry.nhn?docId=1668785&cid=41874&category Id=41874; Takahira Narumi, *Yeosin* (Goddess), translated from Japanese by Lee Man-ok (Seoul: Doseochulpan deullyeok, 2002).

44   Cixous, "The Laugh of the Medusa," 888.

45   Im Jung-yeon, "Indo yeohaenggui jirijeong sangsangnyeokgwa rokeol jaehyeonui gyebo" (The Genealogy of the Geographical Imagination of Traveling to India and Local Representation), *Gukjeeomun* 74 (2017), 163–186.

46   Ibid.; Phone interview with Cho Eun-jung, October 8, 2020. According to Cho Eun-jung, Indian culture had a special meaning within the oppressive conditions of Korea. During the Indian boom of the 1980s, some even went to study abroad at Shantiniketan, an art school founded by the poet Tagore. With the release of the film *The Road to India* (1984), the Orientalist fascination and fear of India became a mass phenomenon, and the liberalization of overseas travel led to a boom in travel to India in the 1990s.

47   Hwang Se-joon also mentioned that Lee Bul painted murals on the walls of these cafes, and that Lee Bul's tentacles are reminiscent of Indian mandala iconography. Hwang Se-joon, "Hagyeyeongnyanggganghwawokeusyop. Jakgawa jeonsiyeongutyun: dangdaeui siseoneuro 1990nyeondae bogi" (Curriculum Competency Enhancement Workshop. Artists and Exhibitions Research VI: Viewing the 1990s from the Perspective at the Time), in *GukjegyoryuTFT sajeon riseoochi bogoseo* (International Exchange TFT Preliminary Research Report) (Seoul: Seoul Museum of Art, 2020).

48   On *Mobile Suit Gundam*, see Kang Tae-hi, "How Do You Wear Your Body? Lee Bul ui mom jitgi" (Lee Bul's Construction of the Body), 234–235.

49   Uno Tsunehiro, *Jeolmeun dokjareul wihan seobeukeolchyeo ganguirok* (Lectures on Subculture for Young Readers), translated from Japanese by Kim Hyun-ah and Ju Jae-myong (Seoul: Work Life, 2018).

50   Eimear Martin (comp.), "Women and Art in South Korea, 1960–2000," n.p.

51   According to Yoon Jinsup, the Korean Performance Artists Association was launched with the motto of "improving the quality and expanding the base of performance art, international exchanges of performance art, publishing and hosting seminars on performance art, and fostering performance art critics," and regular performance art events were held, including Korea-Japan performance art festivals. After the *1987 Seoul-Yokohama Contemporary Art Festival* (Ars Cosmos Center, 1987), the 1st Korea-Japan Performance Art Festival (Dongsoong Art Center, 1989), and *Art-Action-Human-Life-Thinking-Mutual-Understanding* (Now Gallery, 1989) were also held. Yoon Jinsup, "1980nyeondae hanguk haengwimisurui taedonggwa jeongae" (The Beginning and Development of Korean Performance Art in the 1980s), in *Hangugui haengwimisul 1967–2007* (Performance Art in Korea 1967–2007) (Seoul: National Museum of Modern and Contemporary Art, 2007), 98–109.

52   Yoon Nan-ji, *Hanguk hyeondaemisurui jeongche* (The Identity of Korean Contemporary Art) (Seoul: Hangilsa, 2018); Kim Hyun-joo, "Hangukyeondaemisulsaeseo 1980nyeondae yeoseongmisurui wichi" (The Position of 1980s Women's Art in the History of Korean Contemporary Art), *Hangukgeunhyeondaemisulsahak* 26 (Hangukgeunhyeondaemisulsahakhoe, June 2013): 134.

53   Yoon Jinsup, "1980nyeondae hanguk haengwimisurui taedonggwa jeongae" (The Beginning and Development of Korean Performance Art in the 1980s), 109. Yoon Jinsup writes that Ahn Chi-in, Yoon Jinsup, Lee Doo-han, and Lee Bul were invited to the *1989 The Korean Young Artists Biennial* as performance artists, whereupon they turned the central exhibition hall of the National Museum of Modern and Contemporary Art, Gwacheon, into a mess." According to Yoon, "if Lee Doo-han made a commotion of cooking mackerel pike on a stove or after casting his naked body in plaster, attaching a flashing light onto his private parts and wandering around, Yoon Jinsup threw 180 eggs onto the large glass window at the front of the central exhibition hall making an action drawing. Lee Bul wore a strangely sewn costume resembling a beast and moved around the exhibition hall, while Ahn Chi-in scattered hundreds cards to raucous music. At the time, this scene was featured in a television program called 'Culture Walk,' and it is said that a government minister who had chanced upon the program called up Lee Kyung-sung, the head of the National Museum of Modern and Contemporary Art, Korea, complaining 'Do you call that art?'"

54   Park Sohyun, "Anti-Museology *hogeun munhwahyeongmyeongui gyebohak: thyeondaemisulsatui changchulgwa jedohwaui munje*" (Anti-Museology or the Genealogy of the Cultural Revolution: The Problem of the Creation and Institutionalization of 'Contemporary Art History'), *Hyeondaemisulsayeongu* 25 (hyeondaemisulsahakhoe, 2009): 59–94; Cho Soo-jin, "'Je4jipdan' sageonui jeonmal: 'hangukjeok' haepeuningui dojeongnwa jwajeol" (The Full Story of 'The Fourth Group': The Challenge and Frustration of the 'Korean' Happening), *Misulsahakbo* 40 (Misulsahakyeonguhoe, June 2013): 141–172.

55   James B. Lee, "Parody, Parable, Politics," in *Lee Bul* (Seoul: Ahn Graphics [Unpublished], 1997), 84.

56   Peter claimed that he was not as great as Jesus, and thus asked to be put to death on an upside down cross.

57   As Kim Eun-sil has pointed out, "Women do not just conceive and give birth according to nature's principles. Women get pregnant and give birth within the confines of the reproductive process imposed by their surrounding material conditions (contraceptive technology, accessibility to contraception, the distribution of medical resources and financial capacity, women's social participation, and economic conditions, etc.) and their social networks

(spouse or sexual partner, number of current children and their gender, relatives, neighbors, family members, contraceptive technology informants and medical consultants, employers, churches, and the state, etc.)." Kim Eun-sil, *Yeoseongui mom, momui munhwajeongchihak* (Women's Bodies, the Cultural Politics of the Body) (Seoul: Ttohanauimunhwa, 2001), 299.

58   Cho Eun-joo, *Gajokgwa tongchi-inguneun eotteoke jeongchiui munjega doeeonna* (The Family and Governance: How the Population Became a Political Issue) (Paju: Changbi, 2018), 47–57, 77–91, 139–171.

59   Regarding this, as one reporter stated: "The selective pregnancy technique that has been developing remarkably in recent years, that is, the technique of picking out sons or daughters from the beginning, is raising the likelihood of murder at the source that makes girls unable to exist in the world at all . . . One thing is clear, as long as you live in Korean society, no one is free from the possibility of becoming 'conspirator to the murder of a girl' for the time being. Even if one did not commit biological murder, it is because there are too many elements in every part of Korean society that leads to 'involuntarily' commit social murder by leaving in place laws and institutions that are unfavorable to women." Kim Eun-nam, "Baetsong yeoasalhae . . . gwangnanui yuhyeolgeuk" (Killing Girls Inside the Belly: Frenzied Bloodshed), *Sisa Journal* (November 12, 1998).

60   On the hierarchy of men's alliance and the feminization of identity, see Susan Brownmiller, *Against Our Will: Men, Women, and Rape* (NY: Simon and Schuster, 1975), translated by Park Soyoung as *Uriui uijie banhayeo-namseong, yeoseong, geurigo gangganui yeoksa* (Paju: Oworuibom, 2018).

61   Kim Ryeo-sil, "Dance, buchaechum, USIS yeonghwa: munhwanaengjeongwa 1950nyeondae USISui munhwagongbo" (Dance, Fan Dance, USIS films: The Cultural Cold War and USIS Cultural Bulletin in the 1950s), *Hyeondaemunhagui yeongu* (Studies in Modern Literature) 49 (Hangugmunhagyeonguhakoe, 2013), 341–375.

62   The word *seonghyeong* can be used to denote a number of meanings such as forming, figuration, shaping, or molding, and it is also commonly used for "cosmetic" or "plastic," as in "cosmetic surgery" or "plastic surgery" in Korean usage.—Trans.

63   Hans Ulrich Obrist, "Cyborg and Silicone: Artist Lee Bul about her work," in *Lee Bul*, exh. cat. (Seoul: Art Sonje Center, 1998), n.p.

막간
Interlude

제목 없음, 1994. 퍼포먼스. 《여성, 그 다름과 힘》,
한국미술관, 서울; 한국갤러리, 용인

Untitled, 1994. Performance as part of the
exhibition *Woman, The Difference and the Power*,
Hankuk Art Museum, Seoul; Hankuk Gallery,
Yongin, Korea

여성, 그 다름과 힘
1994

권진

한국미술관, 서울; 한국갤러리, 용인 | 1994.3.26.–4.25.

《여성, 그 다름과 힘》(1994) 전시는 그간 한국 사회에서 전례 없던, 페미니즘을 표방한 대규모 미술 행사였다. 이 전시에서 이불은 제목이 없는 설치 작품과 퍼포먼스를 선보인다. 겨울바람이 채 가시지 않은 3월의 봄, 용인시 마북리로 막 이사한 한국갤러리 야외 마당에서 퍼포먼스를 기다리던 관객들의 시선은 일제히 붉은색 옷을 입고 등장한 작가에게 쏠린다. 마당에는 나체로 누워 있는 여성의 이미지가 프린트된 이불이 덮인 철제 침대가 놓여 있다. 작가는 입고 있던 옷을 벗고 커다란 여행용 트렁크를 열어 그 속에 들어 있는 옷을 차례로 꺼내 입는다. 흑백 이미지가 인쇄된 하얀 티셔츠, 빨간 스웨터, 꽃무늬 잠바, 빨간 재킷, 군청색 점퍼 그리고 마지막엔 밍크코트를 껴입는다. 이 옷들은 젊은 여성, 아줌마, 자의식이 강하다고 여겨지거나, 중성적인 차림의 여성, 그리고 과시적인 부인들까지 사회적이고 문화 계급적인 코드가 부여된 복장들이다. 여러 겹의 옷을 껴입어 자세가 엉성해진 작가는 마지막으로 빗을 꺼내어 머리를 빗는 우스꽝스러운 몸짓을 취한다. 처음에 입었던 붉은색 옷은 트렁크에 집어넣고, 같은 색 스카프를 점퍼 호주머니에 끼워 넣는 것도 잊지 않았다. 작가는 트렁크를 들고 떠나려는 제스처를 취하지만, 침대 프레임에 묶여 연결된 목의 쇠사슬로 인해 그곳을 벗어날 수 없다. 침대를 끌고서라도 벗어나려는 노력을 해보지만 힘에 부친다. 작가는 침대로 걸어가 미리 놓아둔 곡괭이를 집어 든다. 그러고는 한 편에 있는 통나무로 다가가 목에 걸린 사슬을 올려놓고 곡괭이로 내리친다. 입고 있는 겹겹의 옷 두께로 움직임이 쉽지 않자, 겉옷, 속옷, 시계, 그리고 반지까지 차례로 벗어 던진다. 관객은 이 과정을 모두 숨죽여 지켜본다. 주변에는 간혹 새 지저귐과 카메라 셔터 터지는 소리만 울린다. 나체가 된 이불은 움직임이 자유로워졌고, 더 힘껏 곡괭이를 내리친다. 반복해서 같은 행위를 벌이지만 사슬을 끊기가 쉽지 않다. 갑자기 박수가 터지고 퍼포먼스는 끝이 난다.

퍼포먼스에서 사용했던 침대는 미술관의 지하실에 내려가야 관람할 수 있는 설치 작품의 일부이다. 이 설치의 계획은 <여성, 그 다름과 힘 전시를 위한 드로잉>(1994)에 제시되어 있다. 드로잉은 간결한 수직과 수평의 선을 따라 어둡고 음습한 지하 공간으로 내려가면 한 줄기 빛이 들어오는 방식의 설치 개념을 보여주는 다섯 종류의 박스형 단면도로 구성되어 있다. 실제로 설치된 작품은 퍼포먼스에서 사용된 철제 침대와 한의학에서 혈자리에 열 혹은 음압을 조정해 물리적 자극으로 치료하는 도구인 부항단지를 연상시키는 바닥 설치물, 그리고 노란 알전구에서 나오는 희미한 빛이 전부다. 작가 본인으로 추정되는 인물의 나체 사진이 인쇄된 이불에는 '누나', '어미', '할머니', '아주머니', '각시', 그리고 '누이' 등 사회적 역할에 따라 여성을 칭하는 단어가 수놓아져 있고, 이불 속에는 알약 캡슐과 주삿바늘이 널브러져 있다.

이불의 작품에 대한 적절한 해석을 위해서는 한국 현대미술사에서 여성 미술가들의 활동과 맥락을 잠깐 살펴볼 필요가 있다. 한국 현대미술의 풍경에서 여성미술인들이 가시화된 것은 1980년대 후반기 민중미술과 뜻을 같이해 활동하던 여성 작가들이 민족미술협의회(이하 '민미협')의 발기인으로 참여하면서 시작되었다고 기록된다. 민미협 내에 '여성미술분과'가 생기면서 20대의 젊은 여성들이 참여했고, 미술을 통해 여성 문제를 탐구한다는 정체성을 가진 '여성미술연구회'(이하 '여미연')로 개칭하며 작품 활동만이 아닌, 전시, 출판, 연구 모임 등 다양한 활동을 펼쳐나간다. 1990년대 초 해외에서 포스트모더니즘 이론을 접하고 귀국한 김홍희와 박신의 등에 의해 후기구조주의 이론에 기초한 담론이 전개되면서 한국의 여성 미술은 노동계급 여성해방운동과는 결이 다른 방식으로 여성 문제가 인간 전체의 문제라는 인식의 확산을 강조하게 된다.[1]

이와 같은 배경을 가진 《여성, 그 다름과 힘》 전시는 '여성적인' 미술과 '여성주의' 미술의 구분 점을 표방하며, 사회에 만연한 부계 중심의 사고 자체에 질문을 던지는 자리였다.[2] 이 전시에서 이불은 새로운 매체를 통해 페미니즘 언어를 구사하는 '신세대 페미니스트 그룹'에 귀속되지만, 사실 본 작품은 사회의 마이너리티로서 여성의 위치를 전면적으로 다룬 퍼포먼스라고 볼 수 있다. 그런데 아이러니한 지점은 이 시기 이후로 이불 퍼포먼스의 성격이 조금씩 변하게 된다는 것이다. 《여성, 그 다름과 힘》 전시 이전에 이불의 퍼포먼스가 이루어진 장소들은 일갤러리(1988)와 국립현대미술관 과천관(1989)을 제외하고 주로 극장, 길거리, 야외 등 전형적인 전시장을 벗어난 공공장소들이었다. 작가는 "이런 작업을 공공장소에서 보여주는 여성이라는 사실 자체가 정치적인 측면을 갖게 했죠. 그리고 신체, 저의 신체를 다루는 것 자체가 물론 여성주의적이게 되었지만, 많은 사람에게 논쟁의 여지가 있었고, 심지어 반대의 목소리가 나오기도 했습니다."[3] 라고 말한다. 이것은 초기 퍼포먼스 작업에서 의도적으로 사람들의 기대를 무력화시키며 특유의 취약함을 자처한 채, 즉흥적으로 생겨나는 가변성과 정치성이 무엇보다 중요했음을 알 수 있다. <갈망>(1988, 1989)부터 시작해서 이후 약 5년에 걸쳐 이루어진 일련의 퍼포먼스는 기존의 경계나 규칙을 의식적으로 위반하면서 자연스럽게 벌어지는 충격과 고통을 포함한 실제 상황 자체가 작품의 주요 요소였던 반면 이 전시에서의 퍼포먼스는 결과적으로 감상적인 차원에서만 머물렀다고 볼 수 있다.

전시는 '여성'이라는 뚜렷한 틀을 중심으로 마련되었고, 자리에 모인 관객들은 그 주제를 다른 그 어떤 장소에서 보다 강하게 인지하고 참석한 '미술인'들로서 퍼포먼스를 '감상'했을 것이다. 여기에 '신세대 작가의 실험성'이라는 설정된 범주와 수사가 더해진 작가의 행위는, 그 특유의 폭발적인 힘으로 인한 관객과의 상호 작용이 채 가시화되기 전에 각자의 위치를 매우 분명하게 인식하고 있는 관객들의 분석적인 태도로 인해 일방향적 작동으로만 그쳤을 수 있다. 그럼에도 당시 국내에 소개되고 만들어진 페미니즘 미술에서 종종 보이는 미학적 성향—단순한 피해자 입장에서 작가와 작품이 스스로를 대상화하는 방식—과는 확연히 다른, 확고한 젠더 수행성을 통해 주체성을

확장시킨 이 퍼포먼스는 많은 사람의 뇌리에 강하게 남는다. 여기에 덧붙여, 교류를 통한 '국제화'가 본격적으로 시작되고, 미술 갤러리, 미술 시장, 미술상 그리고 비엔날레 등 다양한 미술 제도가 확충되는 등 빠르게 변화해가는 문화 환경에 반하여 새로운 페미니즘 미술의 시각적 기호, 상징, 매체의 실험성 등을 충분히 다룰 만한 미술사적 접근이나 연구가 충분하지 못했던 당시의 현실적 차원도 상기할 수밖에 없다.

1   김홍희, 「여성작가·액티비스트·페미니스트: 한국 페미니즘 미술의 흐름과 국면들」, 『다시, 바로, 함께, 한국미술: 한국 페미니즘 미술의 확장성과 역할』((재)예술경영지원센터, 2019.6.): 7–8.

2   기획자와 관련자들의 인사말과 여러 메시지가 이어지는 전시 개막식 자리에서 이불은 여성성과 다른 여성주의의 확장된 개념의 중요성에 대한 자신의 의견을 짧게 피력한다.

3   "But the fact that I was a woman doing this in public gave it a political dimension. And that I was dealing with aspects of the body, my body—which of course, happens to be feminine—made it controversial, and even confrontational, for many people." Kim Seung-duk, "Lee Bul, Les deux corps de l'artiste," *art press* no. 279, May 2002, 23.

Woman, The Difference and the Power 1994

Jin Kwon

Hankuk Art Museum, Seoul; Hankuk Gallery, Yongin, Korea | March 26–April 25, 1994

Unprecedented in Korea at the time, *Woman, The Difference and the Power* was a large-scale event that sought to shed light on feminist art practices. In this exhibition, Lee Bul presented *Untitled* (1994), comprising installation and performance. On a day in March when the winter cold still lingered, audience members waited eagerly for the performance to take place on the lawn of the museum, which had recently relocated to Yongin.

All eyes turned to Lee Bul as she made her entrance dressed in red and carrying a suitcase. In the middle of the outdoor space, there was a steel-framed bed covered with a blanket, on which an image of a lying naked woman was printed. The artist took off her clothes, pulled new ones out of the suitcase, and put them on one by one: a white T-shirt bearing a black-and-white print, a red sweater, a flower-print jumper, a red windbreaker, an ultramarine blue jacket, and lastly, a fur coat. The clothes served as codes for various social, cultural, and classes, ranging from young women, homemakers, self-assertive or genderless girls to ostentatious ladies.

The artist, now weighed down by the layers of clothing and looking clumsy, picked up a brush and made a ridiculous gesture of brushing her hair. Then, slowly and deliberately, she packed into the suitcase the red clothes she had taken off. She picked up the luggage and made an attempt to leave, which she found impossible because she was shackled by the neck and chained to the bed frame. She kept trying to escape, dragging the bed,

only to realize it was beyond her strength. She walked toward the bed, uncovered the blanket, and picked up the pickaxe she had placed there. She then put the chain on a tree trunk nearby and slammed the pickaxe down on it. Finding it difficult, however, to move under the many layers of clothes, she began to take off, one by one, her outer garments, underwear, watch, and even her ring. The audience watched with hushed attention, the only sound the occasional chirping of birds and the click of camera shutters. The artist, now naked and able to move quickly and easily, brought the pickaxe down with force. She repeated this over and over again, though the chain remained unbroken. The audience burst into applause, and the performance ended.

The steel-framed bed used in the performance was also a part of the artist's installation, which viewers could see by opening the black steel door inside the exhibition space and going down to the basement. The initial concept for the installation was mapped out in a drawing consisting of five cross-sectional diagrams of simple vertical and horizontal lines leading to a dark, dank, underground space lit by a single ray of light. The actual installation consisted of the steel-framed bed, a bare hanging light bulb, and on the floor, objects suggestive of cupping glasses, a therapeutic instrument used in traditional Asian medicine to apply heat or pressure on acupuncture points. The blanket, which rested on top of the bed, bore an image of a nude woman—presumably the artist herself—embroidered with casual designations for female social roles, such as "sister," "mama," "grandma," "auntie," and "wifey." Under the duvet were scattered pills and syringes.

To properly interpret this work, it is necessary to consider the activities of women artists in the context of contemporary Korean art history. It wasn't until the late 1980s that women really came to the fore in the contemporary Korean art scene. Around this time, there were a number of female artists who worked within *Minjung Misul* (People's Art) and they participated in founding *Minjok Misul Hyeopeuihoe* (Korean People's Artists Association). The creation of a women's art division in the association attracted young female artists, and the division was later renamed "Women's Art Society," extending its activities beyond producing art to research, publication, and exhibitions. Critics such as Kim Hong-hee and Park Shin-Eui, who returned home in the early 1990s after studying postmodern theories abroad, played a leading role in developing a new critical discourse in Korea. Such developments led Korean feminist art to depart from existing ideas centered on liberation of working-class women to framing women's issues as a subject relevant to the rapidly changing Korean society at large.[1] Within this context, *Woman, The Difference and the Power* was organized to advocate a distinction between "feminine" and "feminist" art, and pose questions about the patriarchal thinking prevalent then in Korean society.[2]

Although in this exhibition Lee was labeled as part of a "new-generation feminist group" who deployed a new feminist language and new mediums, *Untitled* could be described as a performance that dealt in general terms with women's subaltern status in society. From this point on, there occurred a gradual yet distinct shift in Lee's performance works. Previously her performance sites were largely public spaces such as theaters, the streets, and the outdoors, not the typical white cube (with the notable exception of the National Museum of Modern and Contemporary Art, Gwacheon, in 1989). In a 2002 interview with *art press,* she said of her performances: "The fact that I was a woman doing this in public gave it a political dimension. And that I was dealing with aspects of the body, my body—which of course, happens to be feminine—made it controversial, and

even confrontational, for many people."[3] That is, her performances emphasized elements of mutability and unpredictability, and the vulnerability of the performer, which in turn had a disarming effect on the audience. The early performances, those that took place for about five years after *Cravings* (1988, 1989), consciously contravened existing rules and boundaries and permitted the real to intrude, including shock and pain.

Since *Woman, The Difference and the Power* carried the explicit theme of "women," and those in attendance to watch the performance were mostly "art people," who would have been intellectually primed for this critical framework, the meaning of Lee Bul's *Untitled* performance was neatly received into preset categories—"the experimentalism of new-generation artists," for example—that undercut the work's potential for audience interaction. Nevertheless, this performance left a forceful impression on many people's minds by extending female subjectivity beyond established gender performativity. It was a significant departure from the aesthetic tendencies often found in feminist artworks introduced to and created in Korea during this period, which tended to objectify both artists and their subjects as victims.

1 Kim Hong-hee, "Women Artists, Activists, Feminists: The Flow and Turning Points of Korean Feminism Art," [in Korean] in *Again, Right Now, Together, Korean Art: Role and Expansion of Korean Feminist Art* [in Korean] (Korea Arts Management Service, 2019.6.): 7–8.

2 At the opening of the exhibition, during which the curator and other participants gave opening remarks, the artist concisely expressed her opinion about the importance of the expanded notion of feminism as something distinct from femininity.

3 Kim Seung-duk, interview with the artist, "Lee Bul, Les deux corps de l'artiste," *art press,* no. 279 (May 2002): 23.

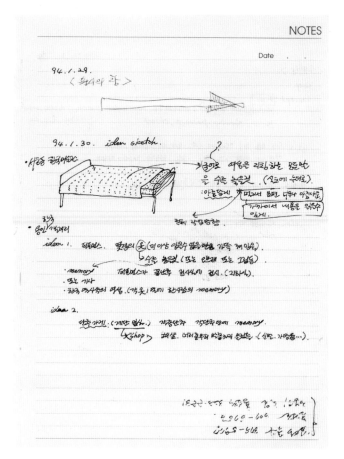

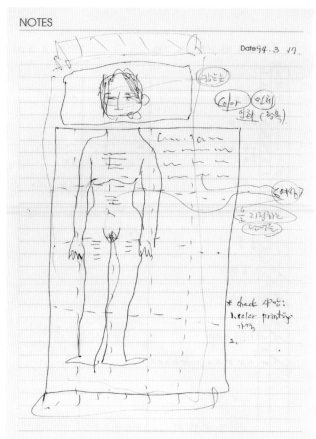

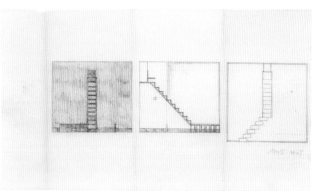

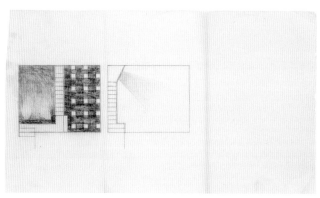

《여성, 그 다름과 힘》 전시를 위한 아이디어 스케치,
1994.1.30. 노트 종이에 펜

Idea sketch for *Woman, The Difference and the
Power*, January 30, 1994. Pen on notebook paper,
24.3 × 17 cm

《여성, 그 다름과 힘》 전시 설치를 위한 드로잉,
1994.2.5. 습자지에 연필, 색연필

Drawings for installation of *Woman, The
Difference and the Power*, February 5, 1994. Pencil,
colored pencil on tracing paper, 22.1 × 38.6 cm;
23.7 × 38.2 cm (39 × 55 × 3.5 cm; 40 × 55 × 3.5 cm
framed)

《여성, 그 다름과 힘》 전시를 위한 드로잉, 1994.3.17.
노트 종이에 펜

Drawing for *Woman, The Difference and the
Power*, March 17, 1994. Ballpoint pen on notebook
paper, 24.3 × 17 cm

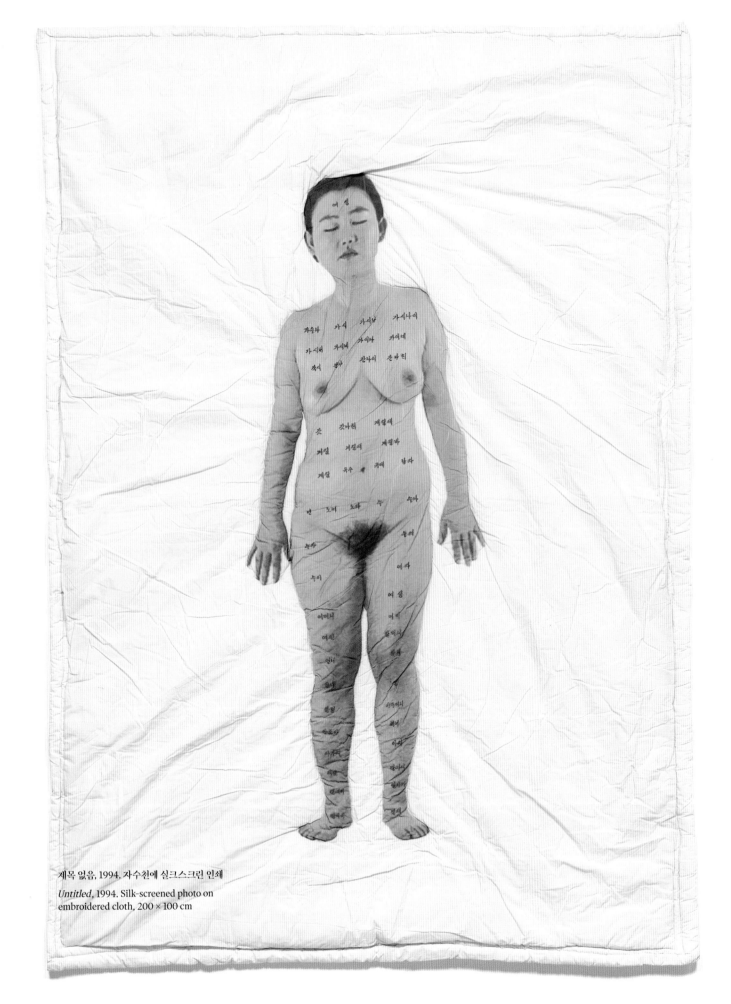

제목 없음, 1994. 자수천에 실크스크린 인쇄

Untitled, 1994. Silk-screened photo on
embroidered cloth, 200 × 100 cm

2막
Act 2

제목 없음, 1989. 퍼포먼스. 《예술과 행위 그리고 인간 그리고 삶 그리고 사고 그리고 소통》, 나우갤러리, 서울

이불의 퍼포먼스에는 어깨가 과장된 원피스, 방독면, 수영복 모양의 점프수트와 반짝이는 시퀸이 붙은 손이 배에서 튀어나오는 커스튬을 입은 세 명의 퍼포머가 등장한다. 이들은 인파가 붐비는 대학로 거리에서부터 갤러리 공간으로 걸어 들어가며 주민의 환경과 자연스럽게 조응한다. 갤러리 내부에는 전자 즉흥음악이 시연되고 있고, 퍼포머들은 가위로 입고 있는 옷을 자르거나 머리를 풀어헤치는 등 작지만 치열한 몸짓을 벌이고, 재구성된 레슬러 복장의 작가는 하울링이 커서 잘 알아들을 수 없는 마이크에 대고 최승자 시인의 「나의 詩가 되고 싶지 않은 나의 詩」(1981) 구절을 낭독한다.

Untitled, 1989. Performance. *Art-Action-Human-Life-Thinking-Mutual-Understanding*, Now Gallery, Seoul

Lee Bul's performance features three performers in outlandish outfits—a dress with puffy shoulders, a gas mask, a one-piece swimsuit with sequined hands protruding from the stomach—walking through a crowded Daehak-ro street into the gallery space, engaging naturally with the crowds and the surroundings. Impromptu electronic music plays inside the gallery, and the performers make small, obsessive gestures, of cutting up their costumes with scissors or shaking their hair loose, while the artist, in a reconfigured gymnast's suit, recites verses from Choi Seung-ja's "My Poem That Doesn't Want To Be My Poem" (1981) into a microphone with so much howling distortion that it's rendered almost incomprehensible.

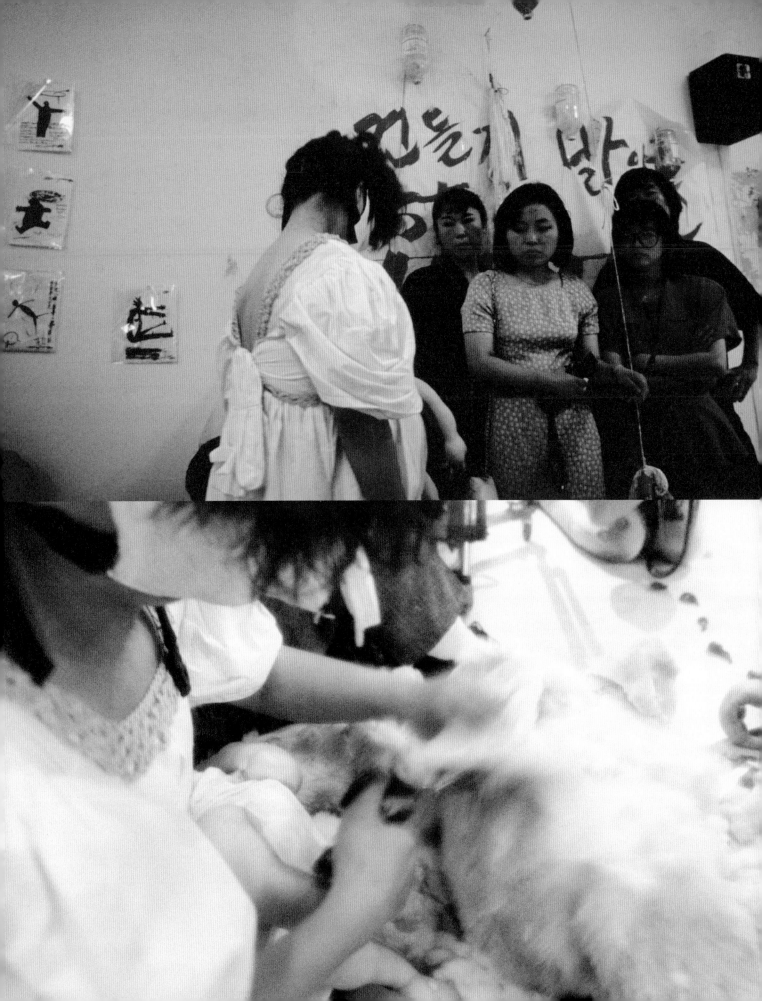

<물고기의 노래>, 1990. 퍼포먼스. 《동숭아트센터 개관
1주년 기념축제》, 동숭아트센터 소극장, 서울

The Song of the Fish, 1990. Performance.
The 1st Anniversary Festival, Dongsoong Art
Center Theater, Seoul

물고기의 노래
1990

제임스 리

퍼포먼스

《동숭아트센터 개관 1주년 기념축제》, 동숭아트센터 소극장, 서울 | 1990.3.

<물고기의 노래>(1990)는 우화나 전설로부터 전해져 대중의 상상력에 각인된 전형적인 혹은 신화적인 여성 이미지에 질문을 던진다. 작업은 세 부류의 여성 이미지의 '전형'과 그들의 불안한 변주를 보여준다. 메리 제인 드레스를 입은 작은 소녀는 줄넘기를 하며 끊임없이 숫자를 센다. 황후는 비명을 지르며 칼로 허공을 찌르고 천장에 매달린 그네를 탄다. 무대 앞쪽에는 작가 스스로가 비탄에 빠진 젊은 여성이자 과부로 분하여, 죽은 물고기로 가득한 수조에 무릎을 꿇고 앉아 있다.

일련의 이미지가 쉬이 읽히는 이유는 문화적으로 이미지는 시간을 거쳐 지속적으로 구성되고, 코드화되고, 대중화되어 일종의 상징으로서 역할 하기 때문이다. 요컨대, 이미지는 신화이지만 롤랑 바르트(1915–1980)가 관찰했듯 "그것이 어떻게 만들어졌는지에 대한 기억"은 망실된다는 특징을 가진다. 신화는 보편적이고 영원하며 의심할 여지 없는 것에 도달함으로써, 그것이 만들어지게 된 특정한 문화 가치와 역사적 상황은 감춰버린다. 이불은 신화적 여성 이미지는 대체로 남성이 만들어낸 것이며, 이 이미지가 갖는 상징성은 "여성의 실제, 사적인 이야기"를 방해한다고 말한다. 작품 속 여성 이미지 원형에 개인적이고 사적인 이야기를 주입함으로써 작가는 일반 대중 사이에 합의된 의미들을 희석시킨다. "비통한 젊은 여성의 모습이 유난히 불안해 보이도록 의도했는데, 이건 당시 제가 사적인 고민을 표현하는 방식이기도 했어요. 그러한 방식이 이미지를 조금은 낯설게 보이도록 했고, 의미는 더 이상 상징적이지만은 않게 되었죠. 그리고는 정의 내릴 수는 없지만 관객들이 감지할 수 있는 다른 의미들이 생겨났어요. 물론 그것이 무엇인지 완전히 알진 못하겠지만."

불안감을 조성하는 이미지의 근원으로 파고들면 숨어 있는 다른 층위의 의미를 마주하게 된다. 줄넘기하는 소녀, 사람을 죽일 듯 칼을 휘두르는 황후, 생선을 하나씩 어루만지다가 이내 내장을 꺼내는 비통한 여성까지, 반복적이고 강박적이기까지 한 행위는 의미의 경계를 넘나들며 광기를 내비친다. 이러한 이미지는 신화 속에서 여성에게만 전통적이지만 꺼림칙한 역할(이는 주로 비이성, 열정, 광기와 같은 힘에 예속된 역할이다)이 주어졌음을 명백히 폭로한다. 프로이트 연구자 필립 리프(1927–2006)가 "정신분석학은 여성을 치료하기 위해 시작되었고, 정신분석학의 고전적인 문제는 히스테리가 여성만이 가진 장애로 인식되었던 것"이라 한 것은 우연이 아니다. 프로이트 역시도 고대 그리스 신화의 틀 안에서 많은 이론을 만들어냈다. 이불은 이와 같은 해석에 동의한다. "아무도 신화가 의미하는 바를 궁금해하지 않아요. 신화는 그다지 '보편적'이지 않은 의미를 가졌지만 항상 일종의 문화적, 혹은 정치적 의도를 전달하잖아요."

이 글은 1997년 미출간된 도록 『Bul Lee』에 수록되었으며, 본 출판물에는 글의 일부가 재수록 되었다. 출처: James B. Lee, "Parody, Parable, Politics," in *Bul Lee* (Seoul: Ahn Graphics, [Unpublished], 1997), 84–89.

The Song of the Fish
1990

James B. Lee

Performance

1st Anniversary Festival, Dongsoong Art Center Theater,
Seoul | March 1990

The Song of the Fish is an interrogation of archetypal, or
"mythic," images of women which recur in fables and
legends and continue to inhabit the public imagination.
The performance presents unsettling variations on three
such archetypal female images: a little girl in a Mary Jane
dress counting off endlessly as she skips rope; an empress
shrieking and stabbing the air with a knife while swing-
ing to and fro on a throne hanging from the ceiling; and
in front of the stage, Lee Bul herself as a grief-stricken
young woman, perhaps a widow, kneeling by a pool of
water filled with dead fish.

These images are recognizable because their cul-
tural function is to serve as symbols, with meanings that
are public, codified and constant through time. In short,
they are myths, but as Roland Barthes observed, it is the
particular characteristic of myths to lose "the memory
of their fabrication." By attaining to the universal,
the eternal, the unquestionable, myths obscure the par-
ticular set of cultural values and historical circumstances
of their production. Lee suggests that mythic female
images like the ones in *The Song of the Fish* are largely
male-constituted, and that the symbolic meaning often
precludes what she calls "the real stories, the private
stories of women." By interjecting elements of the
personal and the private into these archetypal images,
she seeks to displace and destabilize some of their public,
consensual meaning. "The figure of the grieving woman
was meant to be especially unsettling because it was

partly an expression of my own private anguish at the
time. I think that made the image somewhat unfamiliar,
and the meaning was no longer just symbolic. There was
now some other, undefined meaning that the audience
could sense, though never fully come to know."

To locate the source of the disquieting effect of
these images is to come upon another level of subtext.
The little girl skipping rope, the murderous empress
brandishing her knife, the grieving woman who caresses
then disembowels by hand one fish after another: their
actions have a repetitive, almost obsessive quality that
suggests borderline madness. These images emphasize,
precisely in order to expose, the dubious role traditionally
reserved for women in myths, as embodiments of unrea-
son, passion, madness—forces which must be contained
and subjugated. It's no coincidence that, as the Freudian
scholar Philip Rieff notes, "psychoanalysis began as a
therapy for women, and the classical problem of psy-
choanalysis is hysteria, at first thought to be exclusively
a women's disorder." Or that Freud himself formulated
many of his theories within the borrowed framework
of Greek myths. As Lee says in agreement, "No one
really questions why myths mean what they mean. The
meaning is simply a given, and it's accepted. I'm saying
that the meaning isn't so 'universal,' that it's always in the
service of some kind of cultural or political agenda."

This text is excerpted and reprinted from "Parody, Parable, Politics" in *Bul Lee*
(Seoul: Ahn Graphics [Unpublished], 1997).

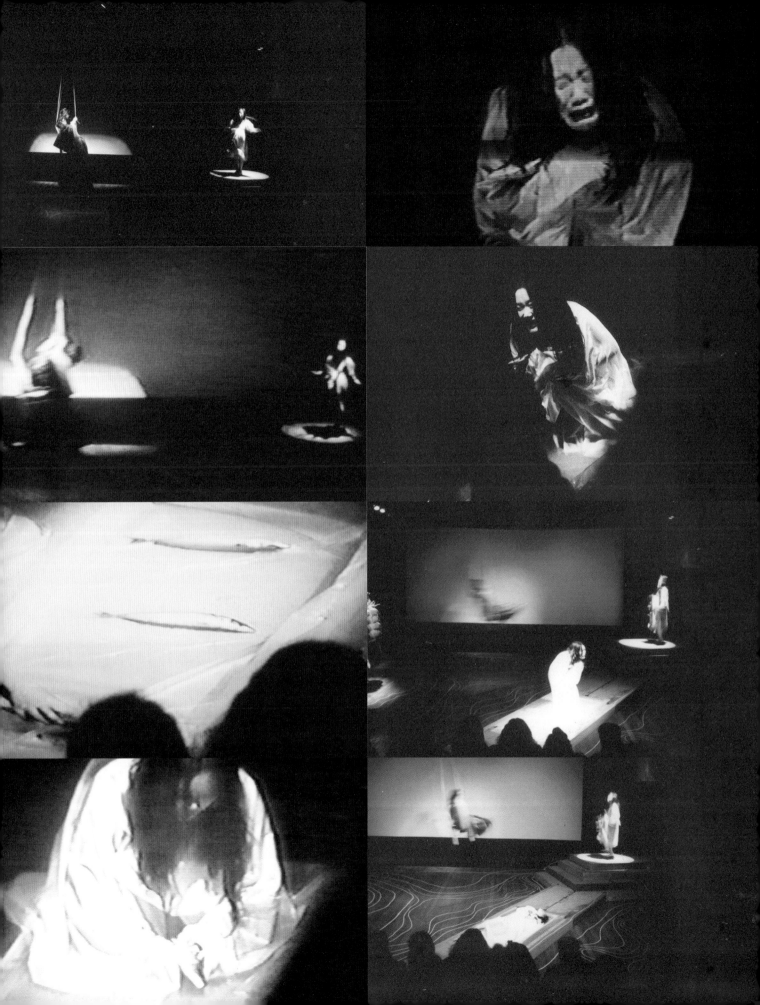

<아토일렛 II>, 1990, 퍼포먼스,
55분, 공간 소극장, 서울

Artoilet II, 1990, Performance,
55 minutes, Space Theater,
Seoul

아토일렛 II
1990

제임스 리

퍼포먼스, 55분

공간 소극장, 서울 | 1990.5.

<아토일렛 II>(1990)는 평론가 크레이그 오웬스(1950–1990)가 말했던 "여성이 부재한" 주류 재현 체계의 문화 이데올로기, 그리고 북한 공산주의 유령을 환기하는 식의 난폭한 방법으로 반대 의견을 억압해온 한국 현대사 속 권위주의 체제의 정치 이데올로기 간 연결 지점을 추적한다. 두 이데올로기 모두 롤랑 바르트가 명명한 "신화화" 개념처럼 권위를 얻고 이를 지속한다. 어떠한 문화적 혹은 역사적 현상은 구조의 특정 맥락을 은폐한 뒤 그것이 자연적인 것, 보편적인 것, 따라서 어떠한 정당화도 필요하지 않은 것이라고 주장하는 일련의 과정을 거친다. <아토일렛 II>에서 이불은 허를 찌르는 전략을 통해 모든 거짓 주장을 드러내고 해체한다.

작가를 포함한 여성 퍼포머 네 명은 조롱 조의 외설스러운 안무로 퍼포먼스를 시작한다. 피부색 전신 수트는 복부와 둔부를 과장하는 변형된 형태로, 들라크루아와 앵그르의 오달리스크에 등장하는 여성 누드의 그로테스크한 패러디다. 퍼포머들은 몰개성을 강조하기 위해 방독면을 뒤집어쓰고 개인의 신원을 숨긴다. 방독면은 전쟁을 경계하는 상태에 대한 레퍼런스로, 이는 국가에 의해 끊임없이 교사되어 한국인의 삶 기저에 항상 존재해왔다.

방독면은 작품 후반 퍼포머의 '부채춤' 패러디에 재등장한다. 작가는 부채춤이 궁중 공연에 근간을 둔 전통 한국 무용이라고 널리 알려져 있지만 (혹은 한국의 문화체육관광부에 의해 거짓으로 주입되었지만) 실제로는 대중오락의 한 형태로 1930년대에 처음 등장하여 대중 취향을 충족시키기 위한 화려한 의상의 구경거리, 이를테면 라스베이거스식 극에 가깝다고 말한다. 부채춤과 방독면의 불편한 병치는 (부채춤을 포함한) 문화적 신화를 고안하는 데에 동일한 신화화의 과정이 개입하고 있고, 정치적 프로파간다가 이를 마치 반박할 수 없는 사실인 양 공표하고 있음을 드러낸다(일례로 꽤 오랜 시간 동안 북한의 위협에 대한 국가 안보를 위해 정부, 특히 대통령에의 절대적 충성이 불가피하다는 사회적 통념이 드리워져 있었다).

작가의 일관된 목적은 탈신화화를 향해 있다. 퍼포먼스는 의식적이고 또 지속적으로 레퍼런스, 암시, 전유 등의 상호 텍스트를 구성해 작업이 가진 우발성에 주목하고, 이로써 미적 지식에 관한 어떤 절대적이고 독립적인 요구도 거부한다. 점차 잦아드는 제스처 뒤로 퍼포머가 관객을 마주 보고 앉아 짜장면을 먹는 짧은 장면이 등장하는데, 한국 관용어구 표현에 따르면 짜장면은 "이게 다 무슨 헛소리야?"라고도 해석된다. 퍼포먼스 내내 무대의 한쪽에 위치한 스포트라이트는 화장실을 향해 있다. 뒤샹이 분명 즐거워하리라.

이 글은 1997년 미출간된 도록 『Bul Lee』에 수록되었으며, 본 출판물에는 글의 일부가 재수록 되었다. 출처: James B. Lee, "Parody, Parable, Politics," in *Bul Lee* (Seoul: Ahn Graphics, [Unpublished], 1997), 84–89.

Artoilet II
1990

James B. Lee

Performance, 55 minutes

Space Theater, Seoul | May 1990

In *Artoilet II* Lee Bul traces a link between the cultural ideology of dominant representational systems in which, according to critic Craig Owens, "women have been rendered an absence," and the political ideology of authoritarian regimes in recent Korean history that have suppressed dissent by—among other more brutal means—invoking the communist bogeyman to the north. Both derive and maintain their authority by what Roland Barthes has termed "mystification": a process by which a cultural or historical phenomenon conceals the particular context of its construction and claims to be natural, universal, and thus needing no justification. Lee's trenchant, deconstructive strategy in *Artoilet II* is aimed at exposing and subverting, or demystifying, all such counterfeit claims.

The performance begins with a mock-salacious dance by four female performers, including the artist herself, in flesh-tone bodysuits altered and stuffed to exaggerate the stomach and buttocks, in a grotesque parody of the female nudes of Delacroix's and Ingres' odalisques. To underscore their depersonalized status, they are wearing gas masks which effectively render them faceless. The gas masks are also a pointed reference to the state of war-wary vigilance, continuously abetted by the government, that is a constant undercurrent in Korean life.

When the gas mask appears again later in the show, it is worn by a performer who parodies the "fan dance," which, as Lee explains, is not a traditional Korean dance

with roots in court performance, as is widely assumed (and disingenuously suggested by such official bodies as the Korean Bureau of Tourism); but is in fact a form of mass entertainment which first emerged in the 1930s to satisfy popular taste for florid, showy, costumed spectacles—in short, a rough equivalent of a Las Vegas revue. The jarring juxtaposition of the fan dance with the gas mask suggests that the same process of mystification is involved in the invention of cultural myths (such as that involving the fan dance) and the promulgation of political propaganda passing itself off as the irrefutable truth (such as the long-held notion that absolute loyalty to the government, and especially to the president, is necessary to defend against the North Korean threat).

Consistent with its purpose of demystification, the performance frequently calls attention to its own contingency, self-consciously announcing its status as an intertextual construction of references, allusions and appropriations, thereby disavowing any claim to absolute, self-contained aesthetic knowledge. In a knowing gesture of self-deflation, the show contains a brief segment in which a performer sits facing the audience, eating Chinese noodles called *jajangmyeon*—a word also used in an idiomatic Korean expression meaning "What's all the nonsense?" To one side of the stage, throughout the entire performance, a spotlight rests on a toilet: Duchamp would have given his amused approval.

This text is excerpted and reprinted from "Parody, Parable, Politics" in *Bul Lee* (Seoul: Ahn Graphics [Unpublished], 1997).

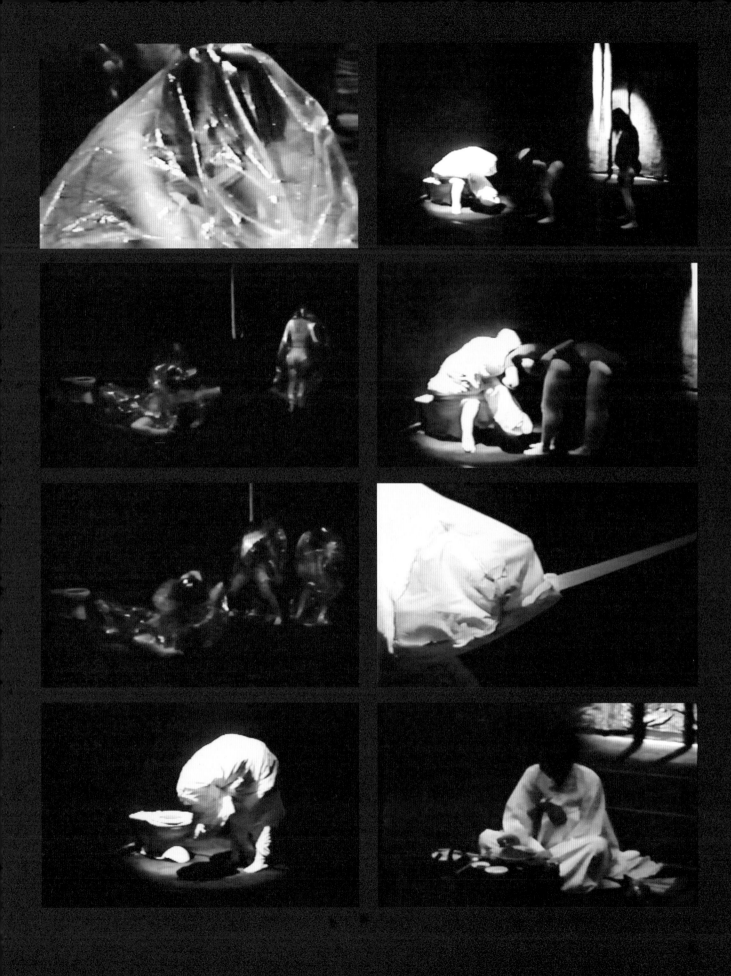

<그녀는 나의 눈물의 원천이다>, 1990, 설치와
퍼포먼스, 〈Tokyo-Seoul Traffic〉, K갤러리, 도쿄

She Is the Source of My Liberation, 1990.
Installation and performance as part of the
exhibition *Tokyo-Seoul Traffic*, K Gallery, Tokyo

<재진입>, 1990, 텔레 퍼포먼스, 《일렉트로닉 카페
프로젝트: 웃음》, 로스엔젤레스; 서울

1988년 개관한 일렉트로닉 카페는 작가 금누리와
디자이너 안상수가 공동 기획하고 운영한
네트워크와 예술을 연결 지어 실험적인 활동을
만들어내던 공간이다. 1980년대 후반 인터넷
정보통신망이 보급되면서 네트워크 문화를
기반으로 로스엔젤레스와 서울에서 실시간
퍼포먼스가 이루어진다. 이 자리에 참여한 이불은
플라스틱 통에 자신의 몸을 가두고 변조 마이크를
이용해 로스엔젤레스에 있는 작가들과 소통하는
<재진입>이라는 퍼포먼스를 펼친다.

Reinfection, 1990. Tele-performance. *Electronic
Café Project: Laugh*, Los Angeles: Seoul

Designed and operated by artist Gum Nuri and
graphic designer Ahn Sang-soo, *Electronic
Café* opened in 1988 as a space of experimental
activities at the intersection of art and new
networks enabled by emerging technologies.
Taking advantage of new Internet-based
communication networks in the late 1980s, real-
time performances were simultaneously held in
Los Angeles and Seoul. Lee Bul participated with a
performance piece titled *Reinfection*, standing in a
plastic container and communicating with artists
in L.A. through a voice-altering microphone.

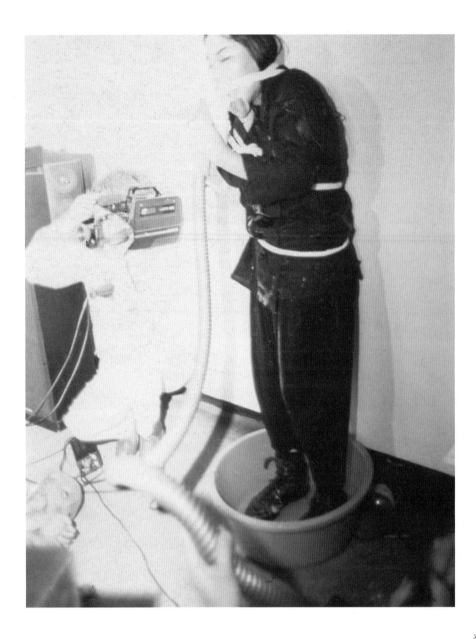

제목 없음, 1990. 퍼포먼스. 《4.19》, Pub Hof Rush,
서울

Untitled, 1990. Performance. *4.19*, Pub Hof Rush,
Seoul

<늦은 겨울산 발가벗고 달리기>, 1990. 한나절의
퍼포먼스, 오대산

Running Naked in the Late Winter Mountain,
1990. Performance, half-day. Odae Mountain,
Gangwon Province, Korea

<24시간 × 5일>, 1991. 퍼포먼스, 각 10분간, 5일동안
지속적인 행위. 《제2회 교감예술제》, 장안공원,
수원화성

24 hours × 5 days, 1991. Performance, 10 minutes
for 5 days. The 2nd COM–ART Show, Jangan Park,
Suwon Hwaseong Fortress, Korea

<껍질을 벗겨라, 썅!>, 1991. 레미네이트 사진 위에
젤리, 감자가루, 과자, 식용 색소, 플라스틱 접시, 술,
물비누통, 가변크기. 《설거지》, 소나무갤러리, 서울

Fingers There! Peel That Shit Off!, 1991.
Jello on laminated photo, potato flour, snacks,
food coloring, plastic plates, liquor, dispensers,
dimensions variable. *Dish Washing*,
Sonamu Gallery, Seoul

<도표를 그리다 III>, 1992, 퍼포먼스, 슬라이드 프로젝션,
40분, 《다이어트》, 갤러리사각, 서울

Diagraming III, 1992. Performance with slide
projections, 40 minutes, *Diet*, Gallery Sagak, Seoul

도표를 그리다 III
1992

제임스 리

퍼포먼스, 슬라이드 프로젝션, 40분

《다이어트》, 갤러리사각, 서울 | 1992.9.6.

이불은 한국어에 또렷하고 은밀하게 내재하는 남근 중심주의로
비판적 관심을 돌린다. 상반신을 노출한 채 흰 천을 헤드 드레스, 망토,
웨딩 드레스, 스트리퍼의 깃털 목도리 등으로 활용하면서, 여성의 혹은
여성에게 가해지는 성행위, 여성을 속되게 부르는 은어와 방언 등이
영사되는 스크린 옆에 선다. 그리고 스크린에 등장하는 단어들을
신랄하고, 도발적이고, 가끔은 우스운 몸짓으로 해석한다. 그는 머리에
붕대를 감고 근육질의 '머슬헤드' 혹은 보디빌더를 익살맞게 흉내 내며
과장된 남성성을 표현하는데, 이때 스크린에는 "냄비", "영계" 등의
단어가 나타난다. 일련의 단어는 한국이라는 특정 문화 맥락에 속해
있지만, 여성을 대상화하고 소비하는 유사한 뉘앙스의 단어들은 여타
언어에서도 어렵지 않게 찾을 수 있다.

막간에 그는 피를 연상시키는 붉은색 페인트를 천에 찍어
바른다. 작가는 "이러한 언어폭력이 여성들에게 가한 상처를 재현하는
것"이라고 설명하며, "많은 여성이 사회 구성원으로 속해 있음에도 한국
사회는 이러한 표현에 익숙해져 그 속에 내재된 모욕적이고 미개한
뜻은 간과한다"고 덧붙인다. 이어서 "사까시", "패떼기"와 같은 단어가
등장한다. 작가의 전복적 의도에 맞게 글씨체도 '해체되고', 글자는
분리, 왜곡되어 관객이 자연스럽게 단어를 오래 읽고, 생각하고, 다시
읽도록 유도한다. "걸레", "조개", "피조개." '피 묻은' 천 조각은 이불의
유일한 소품으로, 비너스, 스트리퍼, 처녀 신부 등 성적 대상이 된 여성
이미지 전형을 묘사한다. 하지만 작가의 현전이 갖는 힘에 의해 그
효과는 역설적이고 불편하게 느껴지는데, 작가의 짧게 자른 머리가
주는 중성적인 함의도 한 몫을 한다.

작품은 "무궁화 꽃이 피었습니다"라는 마지막 문장으로 끝난다.
작가는 벌어진 양다리 사이로 몸을 숙여 팔을 넣은 뒤 손바닥을 열어
보이는 제스처를 취해 문장이 내포하는 성적인 의미를 드러낸다.
"무궁화 꽃이 피었습니다"의 기원은 박정희 정권으로부터 찾을 수 있다.
당시 초등학교에서는 정치적 교화 활동의 하나로 애국 슬로건(무궁화는
한국의 국화)을 가르쳤다. <도표를 그리다 III>(1992)를 통해 작가는
언어는 결코 중립적이지 않고, 대중이 관습적으로 사용하는 단어
속에는 권력 유지를 위한 특정한 정치 문화적 이해관계가 숨겨져
있음을 상기시킨다.

이 글은 1997년 미출간된 도록 『Bul Lee』에 수록되었으며, 본 출판물에는 글의 일부가
재수록 되었다. 출처: James B. Lee, "Parody, Parable, Politics," in Bul Lee (Seoul: Ahn
Graphics, [Unpublished], 1997), 84–89.

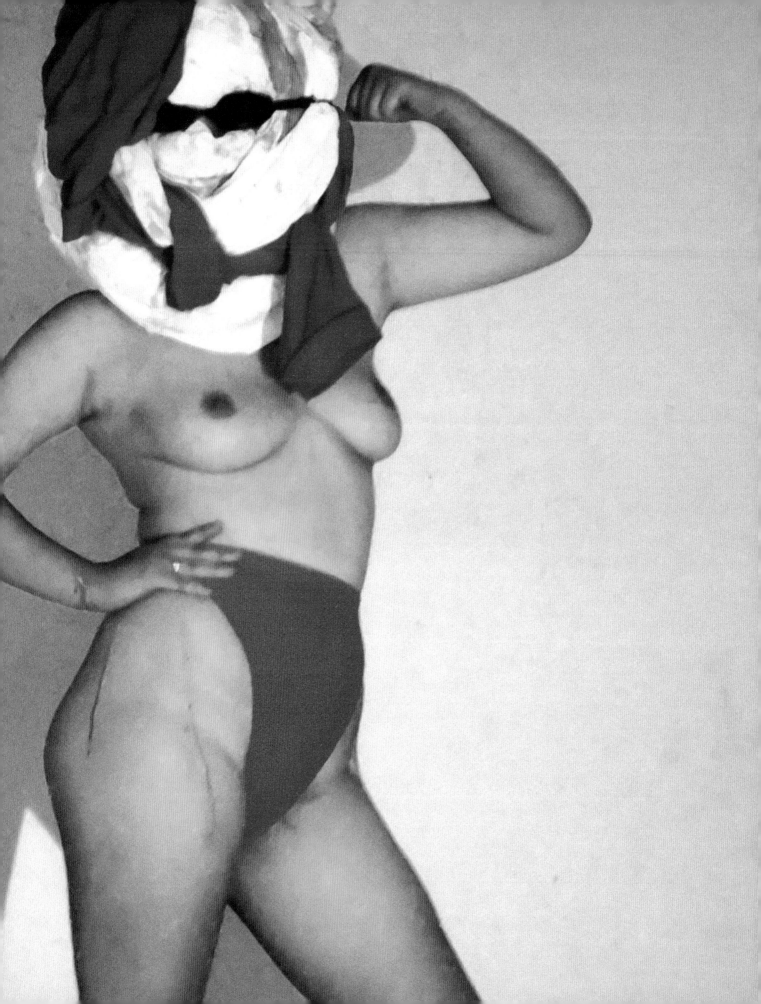

Diagraming III
1992

James B. Lee

Performance with slide projections, 40 minutes

Diet, Gallery Sagak, Seoul | September 6, 1992

In this work Lee Bul turns her critical attention to the phallocentric significations, both apparent and covert, in the Korean language. Topless, with only a bolt of cloth serving at various moments as headdress, cape, bridal gown and stripper's boa, among other things, she stands next to a screen slide-projected with slangs and vernacular expressions used to designate women and sex acts done to and by women. As the words are flashed, Lee strikes a series of poses that serve as biting, disconcerting and often hilarious commentary on the words. Head bandaged in cloth, she does a burlesque of a bodybuilder, a "muscle-head," in an exaggerated display of masculinity, as words like *nembi* ("cooking pot," "someone who cooks") and *younggae* ("young hen," considered an aphrodisiac) appear on the screen. Specific to the Korean cultural context, such words nevertheless share the purpose of objectification with similar words in any language: women are consumables, utensils, objects.

During pauses in the performance, the artist applies red paint resembling blood to the piece of cloth. "It represents the damage inflicted on women by these verbal assaults," she explains. "Korean society—and that includes many women—has become so used to these expressions that no one really stops to consider their demeaning, often savage implications." The next set of words appear: *sakkachi* ("fellatio"), *pettaeki* ("gang rape"). In keeping with her subversive purpose, even the typography of the text is "deconstructed," the letters separated and distorted so that the viewer must linger and often re-read them. *Gullae* ("rag," "slut"), *choggae* ("clam," "vagina"), *pichoggae* ("bloody calm," "vagina"). The piece of "bloody" cloth serving as her only prop, Lee depicts such familiar sexualized female images as Venus, the stripper, and the virginal bride. But the effect is made contradictory and unsettling by the authority of the artist's live presence, particularly by the androgynous connotations of her closely cropped hair.

The performance concludes with the final phrase *Mugunghwa kotchi piott sommnida* ("The rose of Sharon has bloomed"), commonly used by Korean children as a refrain in schoolyard games, but endowed in adult usage with sexual overtones which the artist illustrates by bending over and, arms through her spread legs, opening up her palms. The phrase has its origins in Park Chung-hee's brutal regime, which devised it as a patriotic slogan (the rose of Sharon is Korea's national flower) to be taught in elementary schools as part of a campaign of political indoctrination. In *Diagraming III,* Lee reminds us that words are never neutral, that the public conventions of usage mask the hidden, sometimes sinister, agenda advancing the interests of certain cultural and political forces operating in conjunction to maintain their authority.

This text is excerpted and reprinted from "Parody, Parable, Politics" in *Bul Lee* (Seoul: Ahn Graphics [Unpublished], 1997).

아버지 대개
미깡도 게임내

새하대야 어름
째지 입이 대개

쪼가리

사까치

까다가 까치 까이
기발으 까추아다

패대기

달림빵

거ㄹ레

:에ㅏ 힘ㅈㄱㅔ

먹어ㅆ다

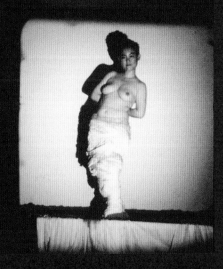

피어ㅆ네

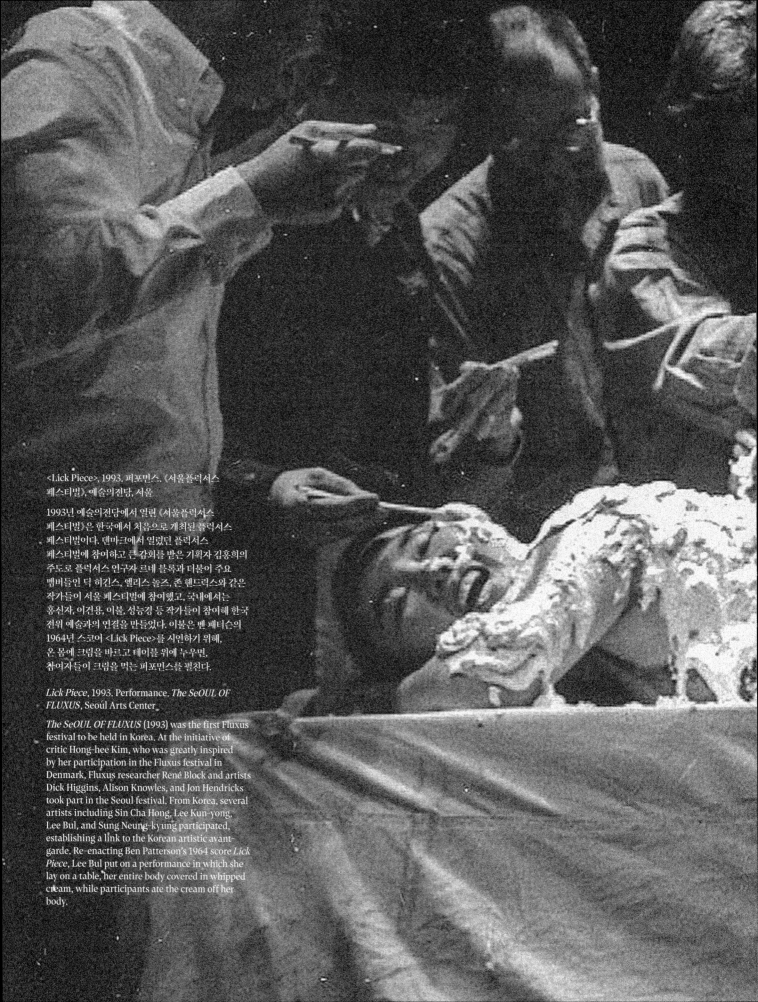

<Lick Piece>, 1993. 퍼포먼스. 《서울플럭서스
페스티벌》, 예술의전당, 서울

1993년 예술의전당에서 열린 《서울플럭서스
페스티벌》은 한국에서 처음으로 개최된 플럭서스
페스티벌이다. 덴마크에서 열렸던 플럭서스
페스티벌에 참여하고 큰 감회를 받은 기획자 김홍희의
주도로 플럭서스 연구자 르네 블록과 더불어 주요
멤버들인 딕 히긴스, 엘리스 놀즈, 존 헨드릭스와 같은
작가들이 서울 페스티벌에 참여했고, 국내에서는
홍신자, 이건용, 이불, 성능경 등 작가들이 참여해 한국
전위 예술과의 연결을 만들었다. 이불은 벤 패터슨의
1964년 스코어 <Lick Piece>를 시연하기 위해,
온 몸에 크림을 바르고 테이블 위에 누우면,
참여자들이 크림을 먹는 퍼포먼스를 펼친다.

Lick Piece, 1993. Performance. *The SeOUL OF
FLUXUS*, Seoúl Arts Center

The SeOUL OF FLUXUS (1993) was the first Fluxus
festival to be held in Korea. At the initiative of
critic Hong-hee Kim, who was greatly inspired
by her participation in the Fluxus festival in
Denmark, Fluxus researcher René Block and artists
Dick Higgins, Alison Knowles, and Jon Hendricks
took part in the Seoul festival. From Korea, several
artists including Sin Cha Hong, Lee Kun-yong,
Lee Bul, and Sung Neung-kyung participated,
establishing a link to the Korean artistic avant-
garde. Re-enacting Ben Patterson's 1964 score *Lick
Piece*, Lee Bul put on a performance in which she
lay on a table, her entire body covered in whipped
cream, while participants ate the cream off her
body.

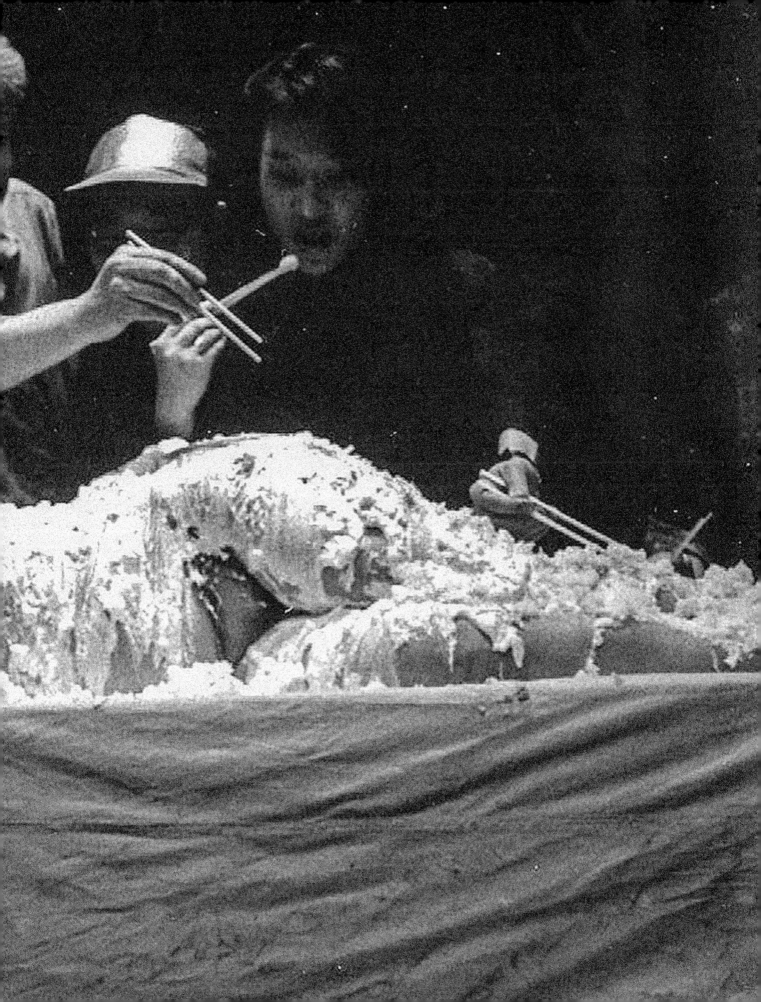

제목 없음, 1993. 퍼포먼스. 《Impromptu
Amusement》. 구니타치 아트홀, 도쿄

Untitled, 1993. Performance. *Impromptu
Amusement*, Kunitachi Art Hall, Tokyo

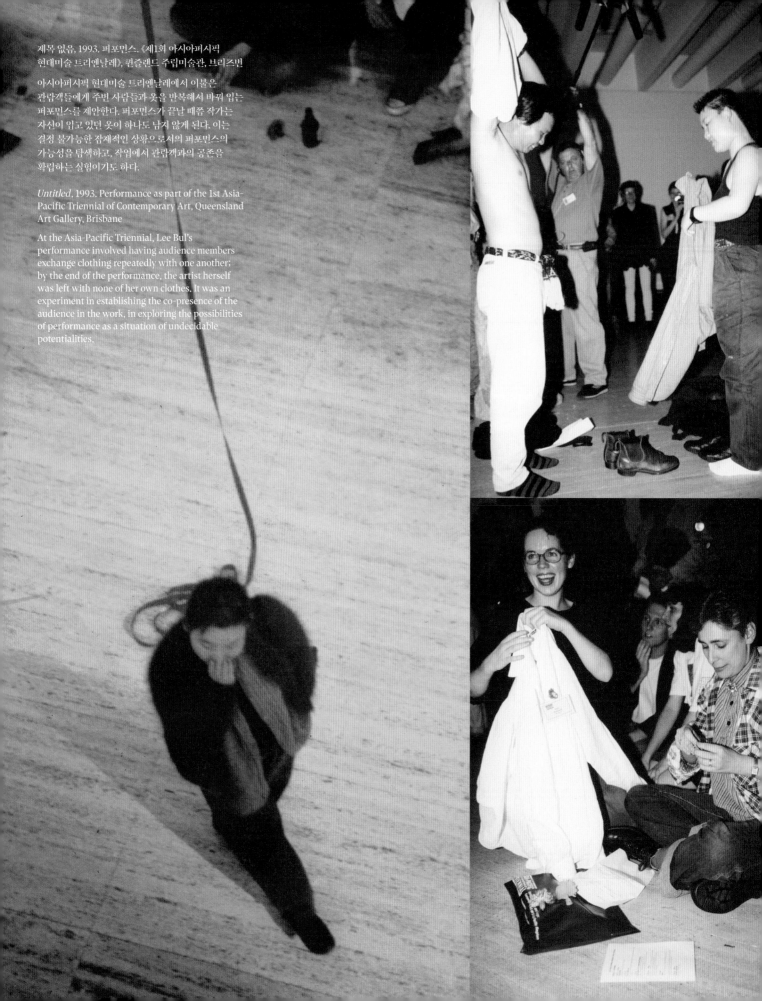

제목 없음, 1993. 퍼포먼스. 《제1회 아시아퍼시픽
현대미술 트리엔날레》, 퀸즐랜드 주립미술관, 브리즈번

아시아퍼시픽 현대미술 트리엔날레에서 이불은
관람객들에게 주변 사람들과 옷을 반복해서 바꿔 입는
퍼포먼스를 제안한다. 퍼포먼스가 끝날 때쯤 작가는
자신이 입고 있던 옷이 하나도 남지 않게 된다. 이는
결정 불가능한 잠재적인 상황으로서의 퍼포먼스의
가능성을 탐색하고, 작업에서 관람객과의 공존을
확립하는 실험이기도 하다.

Untitled, 1993. Performance as part of the 1st Asia-
Pacific Triennial of Contemporary Art, Queensland
Art Gallery, Brisbane

At the Asia-Pacific Triennial, Lee Bul's
performance involved having audience members
exchange clothing repeatedly with one another;
by the end of the performance, the artist herself
was left with none of her own clothes. It was an
experiment in establishing the co-presence of the
audience in the work, in exploring the possibilities
of performance as a situation of undecidable
potentialities.

<옥션>, 1994. 퍼포먼스. 《이런 미술―설거지》,
금호미술관, 서울

Auction, 1994. Performance as part of the
exhibition *This Kind of Art–Dish Washing*,
Kumho Museum of Art, Seoul

옥션
1994

제임스 리

퍼포먼스

《이런 미술–설거지》, 금호미술관, 서울 | 1994.5.24.

이불은 미술과 자본 사이의 부조화에 주목한다. 행동주의 미학을
견지해온 작가가 어쩌면 동시대 문화의 유일무이한 지배자인 자본의
다양한 징후와 메커니즘을 다룬다는 것은 필연인 듯 보인다. 앤디
워홀의 사례가 분명히 밝혀주었듯 서양에서 고급문화와 하위문화는
자본주의 논리의 영향력 아래 발전해왔다. 하지만 동양에서, 특히
급속한 경제 발전을 경험한지 얼마 되지 않은 한국과 같은 나라에서
미술은 시장 원리를 표리부동하게 부인해왔다. 이불은 시장을 부정해온
고급 모더니즘의 신비주의적 태도가 미술을 사회적 맥락으로부터
고립시킨 요인이라 본다. "오늘날 어떤 것도 자본이나 경제 영향으로부터
자유로울 수 없습니다. 애통해 할 것도, 개탄해 할 것도 아니고, 그저
작가들이 직면해야 할 무언가 일 뿐이에요."
  따라서 작가는 《이런 미술–설거지》 전시를 위해 <The Visible
Pumping Heart>(1994)라는 제목의 소형 오브제들을 제작했고,
전시 개막 당일 작품 경매 퍼포먼스를 진행했다. 이불은 매달린 여성
토르소, 해부학 심장 모형의 확대 형상, 이불 작업에 자주 등장하는
비즈와 시퀸으로 장식한 중성 인형 등을 만들어서 판매를 위해 제작한
아크릴 상자에 말끔히 포장하고는 "실내 식으로 금상첨화"라는 얄궂은
농담까지 덧붙였다. 그는 각각의 오브제를 만들기까지 소요된 시간을
계산하고, 이를 바탕으로 입찰을 시작했다. 이는 상품 개념으로서
미술 작품을 인정하면서 동시에 그에 대한 자의식적 패러디였다.
퍼포먼스가 끝날 무렵 작가는 작품만이 아니라 입고 있던 의상까지도
판매했다. 미술 평론가 이영재는 이 행사가 한국 미술계에서 유례없는
사건으로, 공적인 자리에서 미술과 자본을 같은 맥락에서 논하는 것이

금기시되었음에도 작가가 이를 공공연하게 드러냈다고 평했다. 다시
말하면, 한국 사회에서 지속적으로 충돌해왔던 미술과 자본이 비로소
담론의 장 안에서 공개적으로, 또 허심탄회하게 관계하기 시작했다.

이 글은 1997년 미출간된 도록 『Bul Lee』에 수록되었으며, 본 출판물에는 글의 일부가
재수록 되었다. 출처: James B. Lee, "Parody, Parable, Politics," in *Bul Lee* (Seoul: Ahn
Graphics, [Unpublished], 1997), 84–89.

<The Visible Pumping Heart I>, 1994.
천, 시퀸, 비즈, 솜, 아크릴상자

The Visible Pumping Heart I, 1994. Fabric, sequins,
beads, fiberfill, acrylic vitrine, 60 × 40 × 40 cm

Auction
1994

James B. Lee

Performance

This Kind of Art–Dish Washing, Kumho Museum
of Art, Seoul | May 24, 1994

In this and other works leading up to it, Lee Bul has set
her critical sights on the public dissonance between art
and commerce. It seems inevitable that an artist of such
insistently activist aesthetics would eventually come to
examine perhaps the single most dominant determinant
of contemporary culture: money in its myriad manifesta-
tions and workings. In the West—as the signal example
of Warhol made it abundantly clear—the production
of culture, both high and low, has evolved along with
the ascendance of the logic of capitalism; but in Asia,
especially in countries like Korea that have only recently
undergone accelerated economic development, the
arts have maintained a mostly disingenuous disavowal
of the market forces. As Lee sees it, such a stance of
denial smacks of the hermeticism of high modernism
which led to the isolation of art from the social context.
"Today nothing can escape the influence of money or
economics," she says. "It's neither something to lament
nor deplore, but simply something that artists must face
up to."

Thus, for *This Kind of Art–Dish Washing* exhibition
of 1994, she created a series of small objects titled *The
Visible Pumping Heart* (1994) and conducted an auction
as a performance at the opening. As she announced to
the gallery audience, the objects in the series—including
a winged female torso, an enlarged model of an ana-
tomical heart, and an androgynous doll, all intricately
ornamented with sparkling beads and spangles in her

trademark fashion—were produced (and neatly pack-
aged in attractive vitrines) with the express purpose of
making them salable and, as she ironically added, "to
complement any home decor." She then determined the
starting bid by calculating the number of hours spent
making each object: the gesture was both an acknowl-
edgment and a self-conscious parody of the concept of
art as commodity. By the end of the performance, she
had managed to actually auction off not only her art but
even the dress she was wearing for the occasion. Writing
in the Korean monthly *Art Plaza,* critic Lee Young-Jay
said of the event, "It was unprecedented in the Korean
art scene, because it was an open violation of the implicit
proscription against publicly speaking of money and art
in the same context." In other words, the collusion of
art and money had always existed in Korea, only now it
had been brought out into the open, into a field of larger,
more frank discourse.

This text is excerpted and reprinted from "Parody, Parable, Politics" in *Bul Lee*
(Seoul: Ahn Graphics [Unpublished], 1997).

<The Visible Pumping Heart II>, 1994.
천, 솜, 시퀸, 깃털, 바늘, 아크릴상자. 《이런 미술-
설거지》, 금호미술관, 서울

The Visible Pumping Heart II, 1994.
Fabric, fiberfill, sequins, feathers, needles, acrylic
vitrine, 60 × 40 × 40 cm. *This Kind of Art–Dish
Washing*, Kumho Museum of Art, Seoul

<The Visible Pumping Heart III>, 1994.
천, 솜, 시퀸, 인조모발

The Visible Pumping Heart III, 1994.
Fabric, fiberfill, sequins, synthetic hair,
70 × 25 × 18 cm

<The Visible Pumping Heart IV>, 1994.
깃털, 인조모발, 천, 시퀸

The Visible Pumping Heart IV, 1994.
Feathers, synthetic hair, fabric, sequins,
150 × 20 × 20 cm

233

<옷음>, 1994. 퍼포먼스, 20분. 《용서받지 못한》,
A 스페이스, 토론토

Laughing, 1994. Performance as part of the
exhibition *Unforgiven*, A Space, Toronto

웃음
1994

권진

퍼포먼스, 20분

《용서받지 못한》, A 스페이스, 토론토 | 1994.11.11.

《용서받지 못한》 전시에서 이불은 <Technicolor Life Part 1>(1994), <Technicolor Life Part 2>(1994), 그리고 <알리바이>(1994)와 함께 20여 분 지속된 퍼포먼스 <웃음>(1994)을 소개한다. 여성 정체성을 정치, 예술, 그리고 아동이라는 세 가지 관점에서 투영하는 이 전시를 아우르는 <웃음> 퍼포먼스는 비녀, 채집망, 풍선, 방독면, 색동 한복 등 한국의 문화 정치적인 기호를 함의한 오브제와 퍼포머로 분한 작가의 움직임, 그리고 이를 바라보는 우리의 관념 사이를 넘나들며 여성의 몸 위에서 교차하는 여러 의미의 망을 지우고 반문한다. '과연 우리가 알고 있던 것들이 정말 그런 것인지.'

　　퍼포먼스의 첫 번째 파트는 방독면을 쓴 얼굴과 부채춤을 추는 인형을 크게 확대한 사진을 콜라주하고 반짝이는 조명으로 프레임한 작품 <Technicolor Life Part 1> 앞에서 시작한다. 마치 사진 속 인형이 살아 나온 것처럼 한복에 방독면과 족두리를 쓰고, 커다란 부채를 들고 입장한 작가는 다소곳한 태도로 관객을 향해 큰절을 올린 후 부채춤을 연상시키는 행위를 시작한다. 한국의 전통 무용으로 알려진 부채춤은 사실 전승되어온 전통이 아니라 1960년대 이후 일종의 '쇼 문화'로 재구성된 현대의 군무이지만, 마치 한국의 정체성을 상징하는 것처럼 받아들여진다. 방독면을 쓰고 추는 부채춤은 일종의 기획된 근대 이데올로기에 대한 패러디이다. 작품에서 사용한 인형 이미지가 그로테스크한 버전으로 살아난 퍼포먼스의 첫 번째 파트는 작가가 바닥에 쓰러지면서 끝이 난다.

　　퍼포먼스의 두 번째 파트에서 작가는 입고 있던 한복과 방독면을 벗고, 붉은색 가운을 입는다. 머리에는 채집망 같은 주머니를 뒤집어쓰고, 커다란 비녀를 입에 문 작가는 할로겐 조명과 함께 설치된 <알리바이> 작품 앞에서 알 수 없는 손짓을 하며 천천히 몸을 움직인다. 작가는 자신의 손을 본떠서 만든 실리콘 형상에 나비를 박제하고, 머리핀을 꽂은 작은 조각 <알리바이>가 여성 정체성과 예술의 알리바이를 동시에 이야기하는 작품이라고 설명한다.[1] 잘 알려진 푸치니의 오페라 <나비부인>(1904)은 동양 여성의 지고 지순함과 순종적이고 속박적인 관계를 서양인의 관점에서 그리는 이야기인데, 이러한 오리엔탈리즘의 전형을 상징하는 나비를 박제한 작가의 손은 동양 여성의 손이면서 동시에 예술가의 손이다. 여기에는 서구 이데올로기가 동양을 상상하면서 만들어낸 허구성과 예술가에게 부여하는 환상이라는 두 가지 관점이 교차한다. 작가는 바닥에 쓰러지고, 퍼포먼스의 두 번째 파트는 끝이 난다.

　　퍼포먼스의 세 번째 파트에서 작가는 몸의 윤곽이 그대로 드러나는 하얀 슬립 가운만을 걸치고 전시 공간 중앙으로 나와 서서 풍선을 부는 행위를 한다. 온몸을 잔뜩 웅크리며 힘껏 바람을 불어넣을수록 풍선은 계속 부풀어 오르고, 이를 지켜보는 관객은 아슬아슬하게 이 풍선이 언제 터질지를 지켜본다. 종국에 '뻥!' 하고 풍선이 터지면 퍼포먼스의 세 번째 파트는 끝이 난다. 퍼포먼스의 마지막인 네 번째 파트에서 작가는 전시장 중앙에 나체로 서서 갑자기 크게 웃음을 터트린다. 무릎까지 치면서 웃어 젖히는 그 모습은 미친 사람 같기도 하다. 이내 정색을 하고 웃음을 멈춘 작가가 꾸벅 인사를 하면, 퍼포먼스는 모두 끝이 난다.

전시장의 다른 한 편에 설치된 <Technicolor Life Part 2>는 아이들의 인형 놀이를 패러디한 작품이다. 마치 인형 옷 갈아 입히는 장난감 세트처럼, 하나의 프레임 안에 신체, 과장된 원피스, 화려한 드레스, 각종 장신구 등이 걸려 있고, 신체에는 작가의 전신이 인쇄되어 있다. 작가는 어린 여학생들에게 가장 인기가 많은 장난감 인형들의 한결같은 포즈나 아이들이 좋아하는 장난감의 표면을 감싼 화려함 등을 투영한 이 작품에서 여성에 대한 시선을 어린이의 관점으로 풀어본다. 작품 제목에서 '테크니컬러'는 컬러 영화 제작 기법을 뜻하는 단어로, 1930년대 컬러 영상이 처음 도입되면서 목격했던 조악한 색으로 살아난 흑백의 이미지를 떠오르게 한다. 퍼포먼스 막간마다 배치한 '하하하' 웃음소리는 알 수 없는 통념이나 실체 없는 관념에 사로잡힌 우리의 시선을 깨우듯, 여성에 대한 사회의 관념을 비판적으로 견인한다.

---

1   박찬경, 「이불, 패러디적, 아이러니적 현실에 대한 패러디와 아이러니」, 『공간』 352호, 1997년 2월.

Laughing
1994

Jin Kwon

Performance, 20 minutes

Unforgiven, A Space, Toronto | November 11, 1994

In the exhibition *Unforgiven*, Lee Bul presented *Laughing* (1994), a twenty-minute long performance, together with *Technicolor Life Part 1* (1994), *Technicolor Life Part 2* (1994), and *Alibi* (1994). The exhibition dealt with female identity projected within the contexts of politics, art, and childhood.

Installed in a corner of the exhibition space was the work *Technicolor Life Part 2*, a blown-up, three-dimensional version of a children's dress-up paper doll, complete with extravagant garments and adornments, the figure of the doll printed with an image of the artist's naked body. Taking an archetypal feminine persona presented through a children's perspective, the work highlights how the immutable doll's pose and the glittery veneer of the accoutrements of womanhood hold a timeless appeal for young girls and functions to effect a social conditioning that leads to an inauthentic identity. The artist used the term "Technicolor" in the title to refer to the early process of color cinematography that brought vivid, saturated color to cinematic images, rendering them, paradoxically, more artificial and fantastic, and even less an approximation of life.

The performance *Laughing* deployed objects like traditional *binyeo* hairpin, butterfly net, gas mask, and colorful *hanbok* (traditional dress) as signifiers of Korean politics and culture, combined with the movement of the performer and the gaze of the viewer, to both elide and question the network of meanings traversing the

female body: "Is it really true what we thought we knew?"

The first part of the performance began in front of *Technicolor Life Part 1*—a collage of extreme close-up of a gas-masked face and dolls doing the fan dance, framed by a glowing chain of lights. As though one of the dolls had come to life, the artist appeared wearing *hanbok*, a gas mask, and a Korean bridal hairpiece. She bowed toward the viewers and began to move, simulating a fan dance. Mistakenly thought of as a traditional Korean dance, the fan dance is in fact an invented genre, post 1960s, designed to satisfy popular taste for showy entertainment. Lee Bul's performance of the dance in a gas mask—alluding to Korea's recent history of struggles against military dictatorships—parodies the prepackaged ideology represented by such manufactured cultural products.

In the second part of the performance, the artist took off her *hanbok* and the gas mask and changed into a red robe. Her head was covered with a hood that resembled butterfly net. With the *binyeo* held between her teeth, she moved slowly, forming indecipherable gestures, in front the halogen-lit *Alibi*. Made of translucent silicone and cast from her own hand, the work contains within it a butterfly pierced through with a hairpin. Lee Bul explains the work's allusive title operates to debunk preconceptions of feminine, as well as artistic, identity.[1] Puccini's well-known opera *Madama Butterfly* portrays the Asian woman as a pure and loyal subject, obedient and submissive in her relationship to men. A stereotypical symbol of such orientalist notions, the butterfly in *Alibi* is preserved in the artist's hand, that of an Asian woman as well as an artist. Here, the two perspectives of the fantasy of the Orient shaped by Western ideology and the fantasy projected upon the definition of an artist intersect. The second part of the performance ends with the artist collapsing to the floor.

In the third part of the performance, Lee Bul proceeded to the center of the exhibition space, wearing a white slip that revealed the contour of her body, and began blowing up a balloon. Crouching to exert all her strength, she continued to blow as the balloon kept expanding. The audience looked on tensely wondering when it might explode. Finally, as the balloon bursts, this part of the performance came to an abrupt end.

In the final part of the performance, the artist appeared naked in the center of the exhibition and burst out in loud laughter. Slapping her knees and laughing uncontrollably, she appeared to be a mad person. All of a sudden, she stopped with a stern look on her face and ended the performance. Absurd, even farcical, the laughter (the sound of which is also inserted between the brief intermissions between the parts of the performance) is like a critical reproach to rouse the audience from slipping back into complacent norms and conventions.

1   Park Chan-kyong, interview with Lee Bul, "Parody and Irony about Parodic and Ironic Reality," [in Korean] *Space* 352 (February 1997).

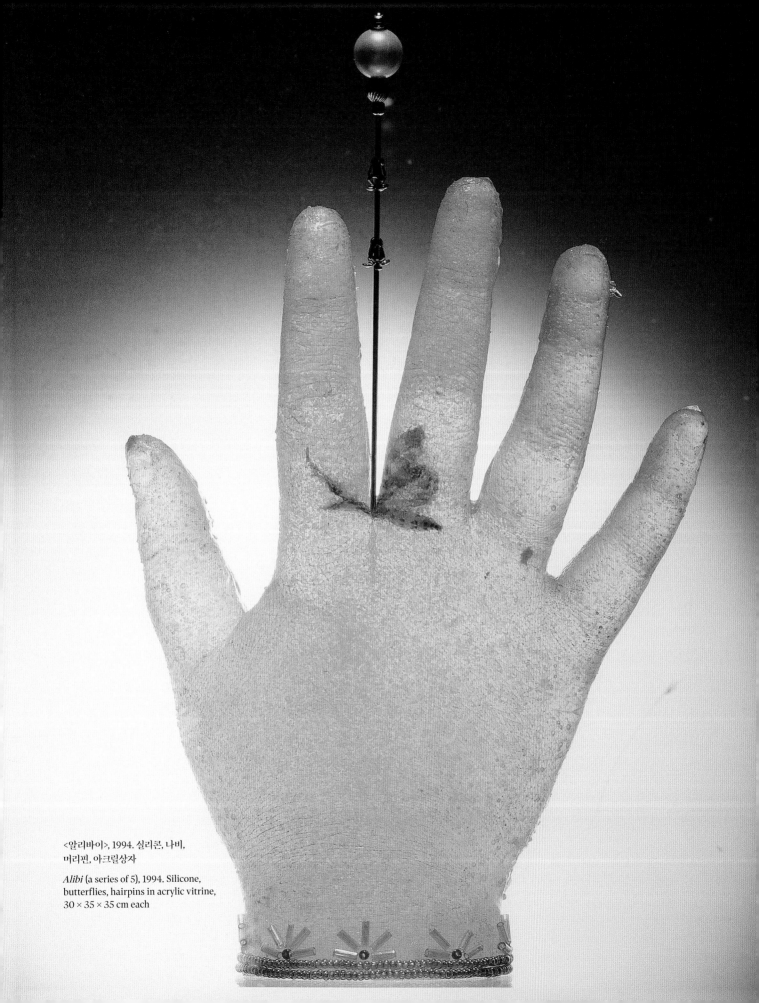

<알리바이>, 1994. 실리콘, 나비,
머리핀, 아크릴상자

Alibi (a series of 5), 1994. Silicone,
butterflies, hairpins in acrylic vitrine,
30 × 35 × 35 cm each

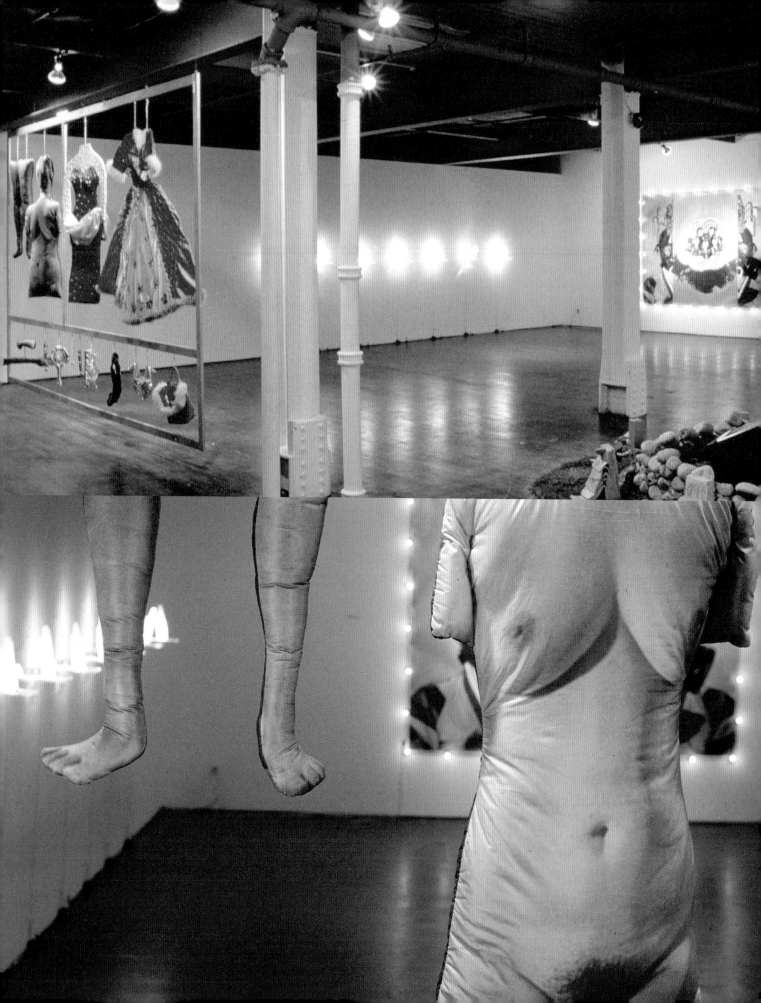

《용서받지 못한》 전시 전경, A 스페이스, 토론토, 1994

Installation view of *Unforgiven*, A Space, Toronto, 1994

<Technicolor Life Part 2>, 1994. 천에 사진 인쇄,
솜, 시퀸, 목재 프레임

Technicolor Life Part 2, 1994. Photo print on fabric,
fiberfill, sequins, wooden frame, 300 × 400 cm

<Technicolor Life Part 1>, 1994. 캔버스에 사진 인쇄,
물감, 래커 페인트, 조명

Technicolor Life Part 1, 1994. Photo print on
canvas, paint, lacquer, lights, 200 × 300 cm

막간
Interlude

<수 세기 동안 내 방은 닫혀 있었다>, 1987.
천, 솜, 목판, 아크릴릭, 시퀸

Untitled (My room has been closed for
centuries), 1987. Fabric, fiberfill, wood panel,
acrylic paint, sequins

1988년 이전

김아영

1982년 홍익대학교 조소과에 입학한 이불은 아카데미즘의 전통적 조각에서 탈피하기 위해 다양한 매체와 형식을 동원해 실험적 작업을 시도한다. 예컨대 기름을 먹여 만든 종이에 콜라주 기법을 실험한 평면 작업(1985), 동분과 파이버 글라스를 염산으로 부식시켜 독특한 느낌으로 살려낸 인체(1986), 노끈을 이용해 관절의 움직임을 시각화한 인체(1986), 한지를 이용해 피부를 표현한 인체 형상(1986) 등과 같은 습작들은 돌이나 철과 같은 전통적인 조각 재료에서 벗어나 독특한 표현 방식을 찾아갔던 이불의 시도를 엿볼 수 있게 한다. 사진으로 남아 있는 당시 작업들은 카메라와 빛의 각도에 따라 다양한 시퀀스를 보여준다. 시간이 멈춘 3차원의 공간을 점유하는 부동의 조각에 움직임을 부여하는 일종의 그림자 실험은 마치 살아 있는 시간과 공간의 맥락에서 연출하는 연극 무대의 한 장면처럼 생생하게 표현되어 있다. 당시 작가는 대학 내 마광수(1951–2017) 교수가 지도하던 연극반과 창작곡 연구회 밴드 '뚜라미'에서의 활동을 통해 무대 연출이나 풍자, 몸의 움직임을 통한 표현의 방식을 체득했다고 회고한 바 있는데, 당시 습작과 그것을 사진으로 연출한 방식을 살펴보면 1988년 이후로 본격화된 퍼포먼스 작업의 잠재적 근원을 가늠해볼 수 있다.

대학을 졸업한 해인 1987년부터는 소프트 조각의 원류로 볼 수 있는 작업들이 등장하기 시작한다. 아기 형상을 한 작은 소프트 조각이 한 예인데, 이불은 1988년 첫 개인전에서 한쪽 벽 모서리에 쪼그려 앉아 있는 형태로 이 작업을 처음 소개한다. 이후 동숭아트센터에서 진행한 <낙태>(1989) 퍼포먼스에서 이불의 품에 안긴 상태로 재등장하면서 이는 그의 자전적인 경험을 상징하는 기호이자 퍼포먼스의 서사를 강화하는 장치로서 대중에게 각인되었다. 천을 이용해 인체의 형태를 만들고 솜을 빽빽하게 채워 넣은 이 조각은 실제 아기와 흡사한 무게감을 가졌으며, 머리와 팔다리는 마치 사람의 관절처럼 부드럽게 움직였다. 조각을 품에 안으면 머리는 중력에 의해 뒤로 젖혀져 살아있는 아기를 안은 듯한 느낌을 주었다. 이러한 특성은 지금까지 알려진 대로 이 조각이 작가의 자전적인 상징을 내포한 시각적 기호이기보다는, 인간의 육체와 조각이 만났을 때 경험할 수 있는 촉각과 신체적 행위 그 자체에 집중하는 데 주안점을 두고 제작한 실험의 연장이라는 데 좀 더 무게를 실어준다.

대학교 4학년 때 구상한 <수 세기 동안 내방은 닫혀 있었다>(1987) 역시 유사한 관점에서 독해가 가능하다. 천에 솜을 채워 넣는 방식으로 제작된 이 작품은 잘린 상체와 다리, 탯줄을 연상시키는 도상으로 인해 관람객들의 서사적 상상력을 자극하기도 하지만, 인체의 일부를 표현한 소프트 조각과 페인팅을 혼용하여 벽에 걸 수 있는 형태의 실험적 조각으로 작업했다는 점에서 대학 시절부터 집중해온 매체-형식 실험의 연장선으로도 읽을 수 있다. 이러한 과정은 조각의 재료와 형식에 자신의 기억과 경험을 중첩시켜 다층적으로 서사 구조를 구축하는 작업 방법론을 체득해가는 데 중요한 전기가 되었다.

한편 이불의 드로잉은 작품 구상의 단계를 시각적으로 도해하고, 미처 조형화할 수 없는 상상력을 2차원의 형태로 풀어간다는 점에서 매우 중요한 작업의 한 줄기로 여겨진다. <Mr. W에게서 받은 인상>(1985)은 젊은 이불의 눈에 비친 세상의 단면을 서사적으로 표현한 몇 안 되는 작품이라는 점에서 눈여겨볼 만하다. 이불은 크레용으로 여성의 자궁과 같은 형태 안에 자신의 눈에 비친 도시의 풍경을 그리고, 그 옆에 이와 상응하도록 천을 꿰매어 패턴으로 봉합한 것과 같은 또 다른 세계를 그려 넣었다. 또 다른 세계를 구성하는 요소들은 이후 이불의 작업에 자주 등장하는 것이자, 그의 개인사를 연상시키는 장치들과도 매우 닮아 있어 그것이 자기 자신의 은유라는 것을 짐작하게 해준다. 이 두 세계는 마치 팽팽하게 대립하고 있는 것처럼 보이면서도 서로 완전히 분리할 수 없다는 것을 드러내듯 겹쳐져 있기도 하다.

비슷한 시기에 제작한 <고질적인 꿈 II>(1984)에도 당시 작가가 겪고 있던 내적 갈등을 짐작할 수 있는 글귀를 확인할 수 있다. "나는 내 두 발이 빠져 들어가는 것을 알면서도 모른 체한다. 자꾸만 빠져 들어간다. 당신은 당신이 하는 장난이 내게는 얼마나 무거운 진실인가를 모르는 체한다. 실크로 뜨면 나와줄까? 만들면서도 불안하기만 …" 판화에는 자신이 빠져들어 가는 것과 당신이 누구인지에 대한 직접적인 단서가 등장하지 않는다. 그러나 실크를 주재료의 하나로 삼고 조형 언어를 만들어갔던 이불의 이후 행보와 여러 육성 인터뷰를 상기할 때, 자신을 구성하는 필연적인 삶의 조건들을, 빠져나갈 수도 외면할 수도 없는 존재로 여긴 태도는, 이러한 작업이 끊임없이 자신을 반추하며 총체적인 자의식을 형성해간 작가 이불의 자기 고백임을 짐작하게 한다. 근래의 인터뷰에서 밝힌 한 대목은 이러한 젊은 시절의 이불을 소환하며 묘한 공명을 이룬다.

사회라고 쓰고 내가 세상을 보는 것은 아니잖아요. 내가 보는 것을 딱히 명명할 수 없으니까 그렇게 명명하는 것이지요. 내가 경험한 사회는 그것보다 훨씬 선행하는 것이었습니다. 지금 돌아보면 나의 단편적인 기억들이 '아, 이것이 사회였구나'라는 것을 말해줄 때가 있어요. … 어린 나이에 부모님의 환경을 나의 정체성으로 받아들이지는 않았던 것 같습니다. 오히려 분리시키려고 했지요. 제가 시도했던 것들도 일정한 거리를 두려고 했던 것이었어요. 초기 작업들이 등장하던 그때는 바로 이것을 끝끝내 납득을 못해서 아우성을 치던 시기였습니다. 전 그때의 작업을 보기가 참 힘들어요. 실패의 쓴맛 때문에요. 만족할 만한 단계도 아니었고 거칠고 발악을 하고 있어서 참 괴롭습니다.[1]

자신의 기억과 경험을 재료에 투사하며 발화하는 면모는 대학 졸업 후 동료들과 함께 결성한 '뮤지엄'[2] 전시들에서 여성의 신체를 정치적이고 사회적인 쟁점들이 충돌하는 전장으로 다루기 시작하면서 더욱 강화된다. 《U. A. O. (Unidentified Art Object)》(1988)에서 발표한 작품은 그 대표적인 예이다. 공중에 매달린 합판 위의 여성 신체는 시퀸으로 화려하게 수가 놓여 있지만 그 반대편에서는 불 속에서 자기 자신을 칼로 찌르고 있는 신체의 나머지 부분이 드러난다. 또 다른 출품작인 소프트 조각 역시 가까이서 보면 화려한 시퀸들이 시선을 사로잡지만, 멀리서 보면 얼굴 대신 여성의 유방이 자리하고 팔과 다리는 전복된 기형적 신체로 관람자들 앞에 나타난다. 여성의 신체를 전복시키는 이러한 조각적 형태는 그로부터 4개월

뒤 일갤러리에서 열린 첫 개인전에서 선보인 네 점의 소프트 조각, <무제(갈망)>(1988/2011) 연작으로 이어지며 착용이 가능한 형태로 바뀌는데, 이후 이불은 직접 조각을 입고 자신의 신체까지 생생한 의미의 전장에 내어놓으며 본격적으로 퍼포먼스를 선보이기 시작한다.

그러나 안타깝게도 이불의 초기 작품들은 1990년 여름, 홍수로 작업실이 물에 잠기면서 거의 소실되고 만다. 수장된 작업들을 모두 건져내고 한동안 작품 앞에서 통곡한 작가는 슬프고 황망한 마음을 추스르고 홍수 현장을 자세하게 기록하기 시작했다. 침수된 작업실에서 물을 한 컵 퍼담아 일시를 적고 성분 분석을 의뢰하겠다는 엉뚱한 메모에서부터 퉁퉁 부은 눈으로 작품들 속에 가만히 앉아 있기도 하고, 애정 어린 손으로 작품을 어루만지기도 하며 애써 웃음을 지어 보이는 모습들은 모두 기록 사진으로 남아 있다. 이불은 마지막 의식으로 침수된 작품들을 모두 불로 태운 뒤, 도움을 주러 달려온 가까운 예술인들과 한바탕 축제를 벌인다. 그로부터 몇 달 뒤 이불은 텅 빈 작업실에서 제작한 대형 조각 작품을 《선데이 서울》(1990)에서 발표한다. 인체 크기를 훨씬 초과하는 해당 조각은 이후 작업의 물리적인 스케일을 확장하는 데 중요한 계기가 된다. 그리고 이듬해 작가는 부패하는 유기물인 생선을 조각의 주요 재료로 삼아 자하문미술관에서 그를 세계적인 작가로 도약하게 한 작업, <장엄한 광채>(1991)를 처음으로 선보인다.

1   이어서 이불은 다음과 같은 인터뷰를 이어갔다. "국민학교 때였던 것 같습니다. 위성도시에 있는 군인 거주지로 이사를 갔고 그곳에 슬라브 지붕으로 된 공장이 있었어요. 뒤로 돌면 산 중턱에 도랑이 있었고 바로 옆에 조그만 집이 하나 있었어요. 이사 간다는 것에 들떠서 빈집에 저 혼자 들어가서 먼저 잤어요. 팔라멘트 등과 방을 돌던 나방이 생각납니다. 처음에는 겁 없이 들어갔는데 어느 순간 얇은 종이를 발라놓은 문이 유일한 안전망이란 생각이 드니까 어느 순간 너무 두려웠던 생각이 나는군요. 그 순간에 처음으로 세상을 처음 대면하지 않았나 싶습니다." 이불, 권진, 김아영, 박소현, 성기완, 장지한과의 대화, 고양 삼송 이불 스튜디오, 2020년 8월 14일.

2   '뮤지엄'은 즉흥적인 이름으로 알파벳을 우리말로 읽으면 '무서움'이 된다는 중의적 의미도 갖고 있었다. 개인주의적 성향이 강한 작가들이 졸업 이후에 전시를 이어간 사적 관계의 모임 성격이 강했다. 실제로도 당시 대관을 하거나 학교별로 형성된 그룹에 소속되는 것 이외에는 전시의 기회가 거의 없었던 현실 속에서 누구나 쉽게 등단할 수 있는 통로로서 이불 작가 역시 이 전시에 참여했다. 우정아, 「뮤지엄'의 폐허 위에서: 1990년대 한국 미술의 동시대성과 신세대 미술의 담론적 형성」, 『시각문화』 제20호 (2017): 133, 147.

제목 없음, 1986. 철, 노끈
Untitled, 1986. Steel, jute twine

Before 1988

Ayoung Kim

In 1982, Lee Bul began undergraduate studies at Hongik University's department of sculpture, where she attempted to break away from the academism and traditional training in sculpture by experimenting with various methods and mediums. For example, she would try a collage on oiled paper (1985), depict a human body with acid-corroded copper powder and fiberglass (1986), use jute twine to visualize moving joints of a human figure (1986), and employ the traditional Korean paper *hanji* to express human skin (1986). These experimental studies provide a glimpse into Lee's early desire to find her own unique method of expression, away from traditional sculptural techniques and materials such as stone and metal. Although her works from the time remain only in photographs, they capture and document the works in various sequences of time and movement. They show a kind of "shadow experiment" through which Lee breathed movement into her static sculptures, as if she were directing theater scenes on a stage in real time and space. As the artist recollects, while a student at Hongik she actively participated in theater class and was also a member of Ddurami, a campus band that branded itself as a "songwriting research band," and these activities helped her develop expressive methods through stage direction, satire, and body movement. Her artistic efforts from this time, and the way she presented them through photography, provide useful indicators of her turn toward performance beginning in 1988.

In 1987, the year she graduated from university, Lee Bul began creating works that can be seen as preliminary versions of her "soft sculptures." One such early work was included in her first solo exhibition at Seoul's

IL Gallery in 1988: a soft-sculpture baby figure sitting crouched in a corner of the gallery. This "baby sculpture" would reappear in Lee's arms during the performance *Abortion* (1989) at Dongsoong Art Center, Seoul, coming to be perceived by the audience as a symbol of her autobiographical experience and a device for reinforcing the narrativity of the performance. Made of fabric and stuffed with fiberfill, the sculpture weighed about as much a real baby, and its head and limbs moved smoothly as though possessing human joints. When cradled, its head was tilted back by gravity, making it appear uncannily real. These characteristics demonstrate that this soft sculpture is more than simply an element of autobiographical representation; it exemplifies the artist's extended experimentation with tactility and physical interaction between sculptures and human bodies.

A work conceived during her senior year in college, *Untitled (My room has been closed for centuries)* (1987), can be analyzed from a similar perspective. The dismembered human figure with forms reminiscent of umbilical cords immediately stimulates the viewer's narrative imagination. Combining techniques and materials of both soft sculpture and painting so that it could be hung on a wall, it also exemplifies the kind of experimentation with form and medium which preoccupied Lee Bul in art school. Such experimentation would prove vital in the development of her methodology for constructing a multilayered narrative structure by imbuing sculptural materials and methods with personal memories and experiences.

Drawings are an important aspect of Lee's practice. Allowing her to unravel on paper imaginative ideas that have yet to find their form, the drawings serve to illustrate the mental processes and stages of conception in her work. *Untitled (An impression of Mr. W)* is a rare piece from 1985 in which the artist descriptively portrays a slice of the world as she saw it as a young woman. Using crayons, she depicted city scenes inside a womb-like form; and next to it, she depicted another corresponding world of sewn fabric patterned with organic, paisley-like forms. The elements which appear in the latter part of the composition reappear in her subsequent works, and because they evoke elements of her biography, they may be seen as metaphors for the artist herself. In the composition, the two worlds appear to be in opposition, but they also overlap, suggesting that they cannot be completely separate from each other.

Incurable Dreams II (1984), another work from the same period, hints at an inner conflict the artist was then experiencing. The inscription reads: "I know my two feet are sinking, but I pretend not to know. They keep sinking. You pretend not to know how your pranks are such heavy truths to me. Will you/it[1] come out if I knit in silk? Feeling anxious even as I make it . . .." This work offers no direct clue as to what the narrator is falling into and who the "you" refers to. But it shows her attitude toward life's conditions as something neither she could escape nor avoid. In light of Lee Bul's later use of silk as a main material in her work, the inscription could be interpreted as addressed to herself, a self-confession from an artist whose practice is in important respects deeply self-reflective. During a recent interview, Lee recalled her early struggles:

> It's not like I write the word "society" and then I see the world. Because I can't exactly name what I see, that's what I call it. But the society I experienced far preceded any name I had for it. When I look back, there are bits of memories that tell me, "Oh, so this was society.". . . Even at an early age, I don't think I accepted my parents' environment as my identity. Rather, I tried to separate myself from it. The things I did [at the time] were my attempts to create a certain distance. My early works come out of a period when I was lashing out because I just couldn't accept things. It's very difficult for me to see my works from that period, because of the bitter taste of failure. It's painful for me because of the dissatisfaction, the coarseness, the struggle.[2]

Lee Bul's characteristic use of materials to reflect and project her memory and experience became more prominent with the works she produced during her MUSEUM years. MUSEUM was an artist group that she formed with other young artists who were Hongik University alumni.[3] In MUSEUM's exhibitions, she began showing works in which the female body features as a site of colliding political and social issues. In the 1988 exhibition titled *U. A. O. (Unidentified Art Object)* at Renoir Art Hall, Seoul, she exhibited a suspended female figure made of stuffed fabric, divided, as it were, into two halves by the flat plane of a circular piece of plywood. The front side showed the figure adorned with sparkling, crystalline, leaf- and vine-like formations; whereas the reverse side of the figure was shown clutching a knife against a red, flame-like background. Similarly, another soft sculpture in the show, splendidly adorned with sequins and captivating to the viewers at first glance, revealed itself to be a distorted female form, with arms and legs upturned and breasts in place of the head. Such sculptural forms, subverting the female form, would develop into the wearable soft sculpture series *Untitled (Cravings)* (1988, refabricated 2011) that the artist exhibited in her first solo show at IL Gallery, Seoul, four months later. And she would now stage performances in these monstrous soft sculptures, finally putting her own body out on the battlefield of meanings.

Unfortunately, these soft sculptures, along with most of her early works, were lost in the summer of 1990 when Lee Bul's studio was damaged by a massive flood. After gathering the irreparably ruined pieces and crying for a while, she set about documenting the flood scene in detail with photographs. In these photographic documents the artist appears, eyes swollen from crying, silently sitting amidst the destruction; in some, she is smiling hard as she affectionately handles the damaged works; there is also a random memo to scoop a cup of the flood water to send out for official analysis. As her last ritual, Lee Bul burned all of the ruined works and held a party with the friends and fellow artists who had come to help. A few months later that year, in *Sunday Seoul,* a group exhibition at Sonamu Gallery, Seoul, she showed a large-scale sculpture which she had created in her emptied studio. Far exceeding human scale, the work signaled the subsequent expansion of her work's dimensions. The following year, in a group exhibition at Jahamoon Gallery, Seoul, she premiered the work which would bring her international recognition: *Majestic Splendor* (1991), an installation deploying the decaying organic flesh of fish as its primary medium.

1   It is ambiguous in the original Korean whether the narrator is addressing the "you," or referring to an unnamed object, an "it," that may emerge from the act of knitting, as the pronoun is elided from the construction.—Trans.

2   Lee Bul continued: "It was when I was in elementary school, I think. We moved to a military village in a satellite city [just outside Seoul], and there, there was a slab-roofed factory building. And in the back, there was a ditch in the middle of the mountain, and right next to it a small house. I was so excited about moving I went into the empty house to sleep by myself. I remember the filament bulb and the moth that was flying around the room. I remember at first I went in without fear, but at some point I got very afraid, thinking that the thin paper door was the only safety net [of the house]. Perhaps that was the moment I faced the world for the first time." Lee Bul, in conversation with Jin Kwon, Ayoung Kim, Sohyun Park, Kiwan Sung, and Jihan Jang, at Studio Lee Bul, Samsong-dong, Goyang, Gyeonggi Province, August 14, 2020.

3   "MUSEUM" was an improvised name, and had a double meaning, as the English could be pronounced to sound like a homonym in Korean meaning "fear." Formed by personally related young artists with strong individualistic characters, the group's members shared a common purpose to organize exhibitions together to show their works. At the time, it was usual for artists to seek exhibition opportunities by renting a space or being a member of a group formed by alumni. In such a reality, Lee Bul participated in MUSEUM exhibitions as a way to start her career as an artist. Woo Jung-Ah, "MUSEUM-ui pyeheo wieseo: 1990-nyeondae hangug misurui dongsidaeseonggwa sinsedae misurui damronjeok hyeongseong" (On MUSEUM's Ruins: Contemporaneity of Korean Art and the Discursive Construction of "New Generation Art" in the 1990s), *Art History and Visual Culture* 20 (2017): 133, 147.

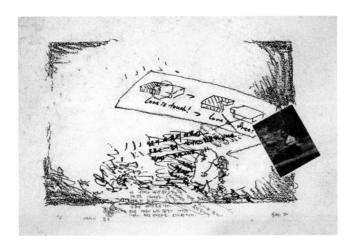

<고질적인 꿈 II>, 1984. 종이에 실크스크린

Incurable Dreams II, 1984. Silkscreen on paper

<Mr. W에게서 받은 인상>, 1985.3.13. 종이에 크레용

Untitled (An Impression of Mr. W), March 13, 1985.
Crayon on paper

<알콜중독자의 정서>, 1987. 혼합매체.《제18회
홍익조각회전》, 한국문화예술진흥원 미술회관, 서울

An Alcoholic's Emotion, 1987. Mixed media.
18th Hongik Sculpture Association Exhibition,
Korean Culture and Arts Foundation, Seoul

제목 없음, 1986. 돌, 합성수지에 유리섬유, 동분, 염산

Untitled, 1986. Stone, copper ash, fiberglass with
hydrochloric acid effect

<악의 꽃>, 1986. 철, 유리섬유, 안료, 메탈릭페인트,
스프레이페인트, 시퀸, 향료.《홍익대학교 조소과
야외조각전》, 홍익대학교, 서울

The Flowers of Evil, 1986. Steel, fiberglass,
pigment, metallic paint, spraypaint, sequins,
perfume extract. *Hongik Outdoor Sculpture
Exhibition*, Hongik University, Seoul

<악의 꽃>, 1986. 철, 유리섬유, 플라스틱필름,
스프레이페인트, 금속방울.《홍익대학교 조소과
야외조각전》, 홍익대학교, 서울

The Flowers of Evil, 1986. Steel, fiberglass, plastic
film, spraypaint, metal bells. *Hongik Outdoor
Sculpture Exhibition*, Hongik University, Seoul

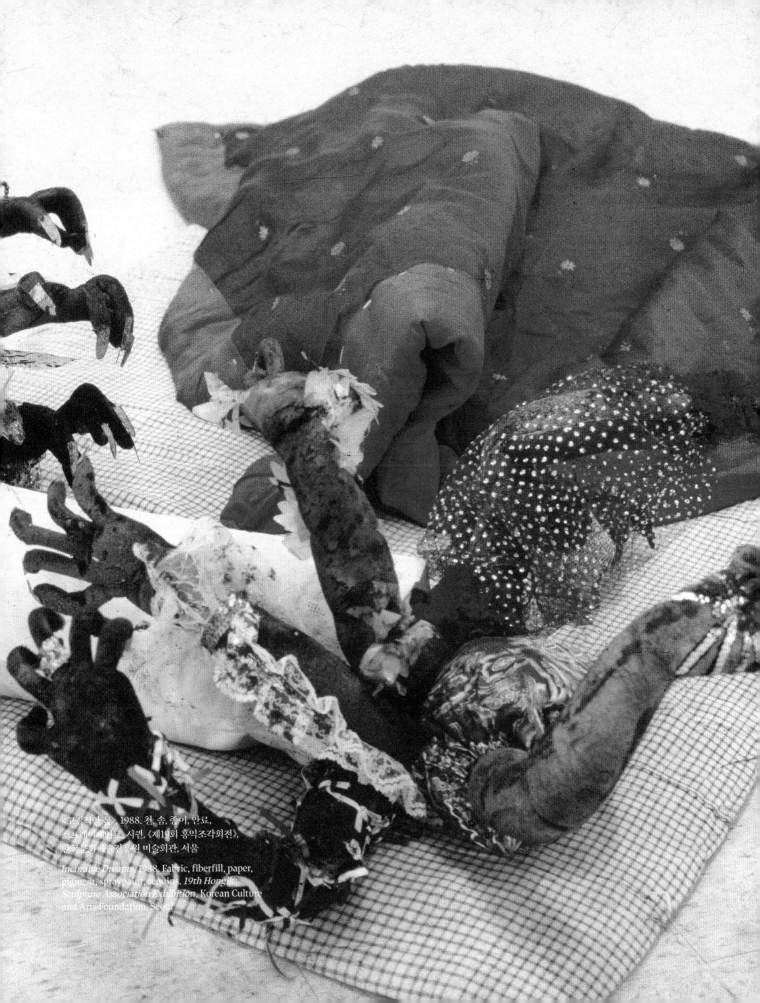

<불치의 꿈>, 1988, 천, 솜, 종이, 안료,
스프레이페인트, 시퀸, 《제19회 홍익조각회전》,
한국문화예술진흥원 미술회관, 서울

Incurable Dreams, 1988. Fabric, fiberfill, paper,
pigment, spraypaint, sequins. *19th Hongik
Sculpture Association Exhibition*, Korean Culture
and Arts Foundation, Seoul

제목 없음, 1987. 발포 폴리스티렌, 한지, 페인트,
천, 시퀸, 꽃, 석고가루, 물, 산소, 생선, 가변크기.
《뮤지엄》, 관훈미술관, 서울

Untitled, 1987. Styrofoam, Korean mulberry
paper, paint, fabric, sequins, flowers, plaster
powder, water, oxygen, fish, dimensions variable.
MUSEUM, Kwanhoon Gallery, Seoul

제목 없음, 1987. 석고, 금속천, 안료, 가변크기.
《Print Concept》, P&P갤러리, 서울

Untitled, 1987. Plaster, metallic fabric,
pigment, dimensions variable. *Print Concept*,
P&P Gallery, Seoul

제목 없음, 1987. 발포 폴리스티렌, 천, 종이, 안료,
시퀸, 가변크기. 《MUSEUM III》, 수화랑, 서울

Untitled, 1987. Styrofoam, fabric, paper, pigment,
sequins, dimensions variable. *MUSEUM III*,
Soo Gallery, Seoul.

제목 없음, 1987–1988. 천, 솜, 아크릴릭

Untitled, 1987–1988. Fabric, fiberfill, acrylic paint,
51 × 27 × 16 cm

제목 없음, 1988. 천, 솜, 시퀀, 페인트. 《U. A. O.
(Unidentified Art Object)》, 금강 르느와르 아트홀,
서울

Untitled, 1988. Fabric, fiberfill, sequins, paint,
200 × 100 × 70 cm. *U. A. O. (Unidentified Art
Object)*, Renoir Art Hall, Seoul

제목 없음, 1988. 합판, 천, 솜, 유채, 종이, 금속, 조화.
《U. A. O. (Unidentified Art Object)》, 금강 르느와르
아트홀, 서울

Untitled, 1988. Plywood, fabric, fiberfill, oil paint,
paper, metal, artificial flowers, 100 × 100 × 60 cm.
U. A. O. (Unidentified Art Object), Renoir Art Hall,
Seoul

무제 드로잉(아이디어 I), 1987.12.22. 종이에 펜

Untitled drawing (Idea I), December 22, 1987.
Ballpoint pen on paper, 21.6 × 28 cm

무제 드로잉(아이디어 II), 1987. 종이에 펜

Untitled drawing (Idea II), 1987. Ballpoint pen on
paper, 21.6 × 28 cm

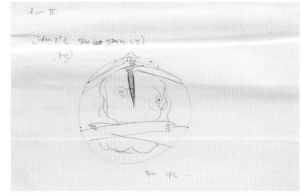

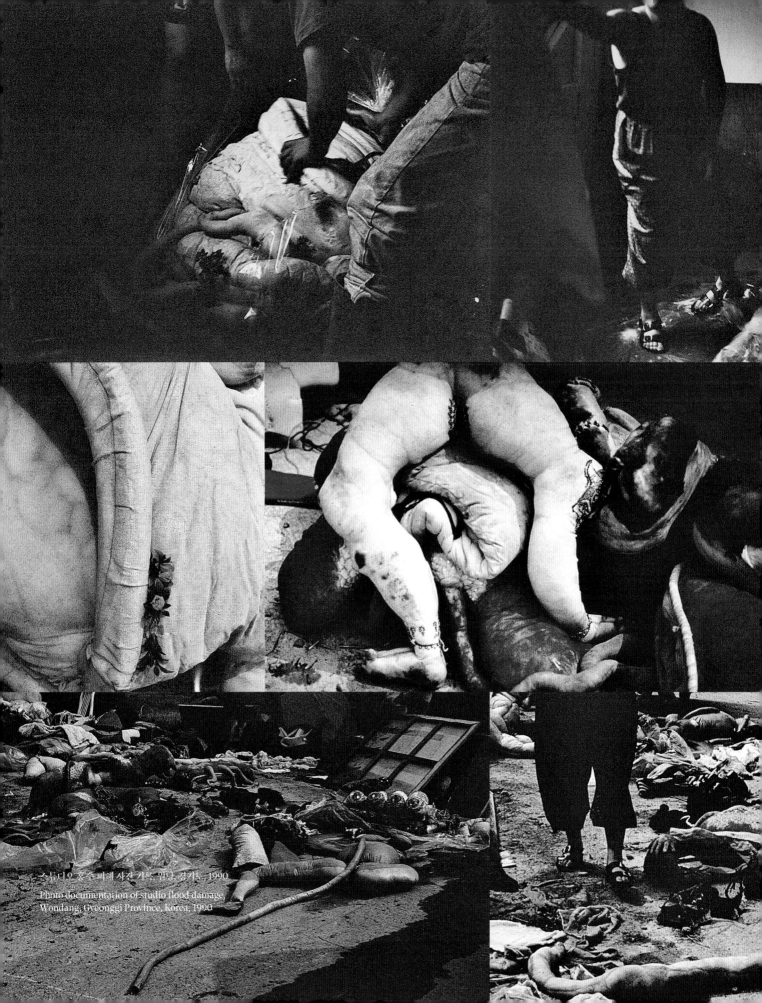

스튜디오 홍수 피해 사진 기록, 원당, 경기도, 1990
Photo documentation of studio flood damage,
Wondang, Gyeonggi Province, Korea, 1990

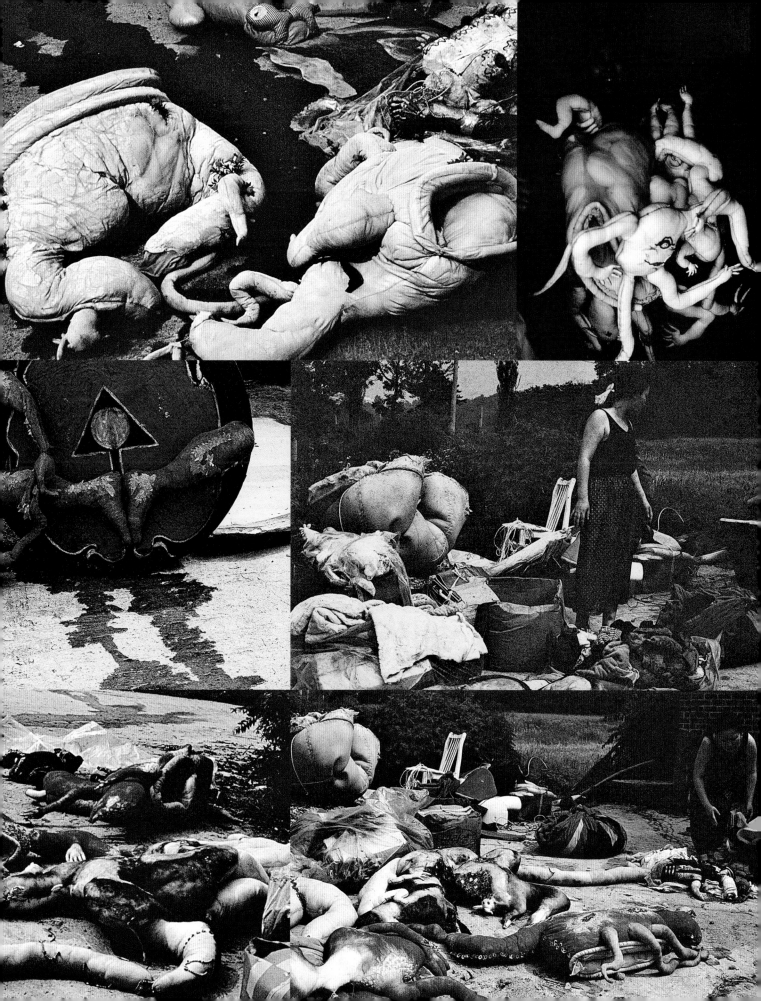

제목 없음, 1990. 발포 폴리스티렌, 한지, 천, 솜, 시퀸,
비즈, 안료, 래커 페인트. 《선데이 서울》, 소나무갤러리,
서울

Untitled, 1990. Styrofoam, Korean mulberry
paper, fabric, fiberfill, sequins, beads,
pigment, lacquer paint, 320 × 150 × 100 cm;
150 × 100 × 50 cm; 320 × 150 × 150 cm (from left
to right). *Sunday Seoul*, Sonamu Gallery, Seoul

3막
Act 3

<장엄한 광채>(86점 중), 1993, 생선, 시퀸,
비닐백, 《성형의 봄》, 덕원갤러리, 서울
Majestic Splendor (a series of 86), 1993.
Fish, sequins, vinyl bags, 20 × 15 cm each.
Plastic Spring, Duk Won Gallery, Seoul

장엄한 광채
1991-현재

권 진

<장엄한 광채>는 1991년 시작한 작품이다. 생선의 표면을 화려한 비즈와 시퀸으로 장식한 이 작품은 시간이 지남에 따라 생선이 부패하면서 발생시키는 견디기 힘든 악취까지 작품의 존재 양태로 포섭한다. <화엄>이라는 제목으로 처음 소개된 것은 민중미술 계열의 작가들이 참여한 《혼돈의 숲에서》(자하문미술관, 서울, 1991) 전시다. 각기 다른 투명 비닐봉지에 담긴 100마리 생선이 전시장 벽면에 나란히 걸리며 평행한 선으로 이어진다. 초기에 소개된 <장엄한 광채>에는 나프탈렌과 같은 부패를 제어하는 장치, 그리고 제의용 노자돈과 과자 등 노화나 소멸에 대해 예를 표하는 상징적 요소도 포함되어 있었다. 그리고 생선만이 아닌 닭 머리나 닭 발도 함께 사용되었다. 시간이 지나면서 전시장은 이 여러 생체가 부패하면서 발생시키는 악취로 가득 채워지고, 썩은 내의 후각 요소가 점점 강력해지며 시각을 압도하게 된다. 이는 시각의 언어로만 다뤄졌던 미술의 기존 개념과 위계를 흔드는 전면적인 도전이었다.

    <장엄한 광채>의 두 번째 시도는 《성형의 봄》(덕원갤러리, 서울, 1993) 전시에서 이뤄졌다. 변화하는 사회적 환경에서 예술의 '현재성'을 표방한 이 전시는 '우아한' 회화에서 벗어나 키네틱이나 사진과 같은 새로운 매체를 사용하며 당대에 주목받던 작가 아홉 명을 초청했고, 이들과 함께 이불은 86마리의 장식된 생선 설치를 한 번 더 감행한다. 이 전시에서 <장엄한 광채>는 생선이 담긴 비닐백이 한 줄이 아닌 네 줄로 격자를 그리며 한 벽에 채우는 방식으로 소개되었다. 위쪽 세 줄에 놓인 생선들을 자세히 보면 서로 마주보고 있는데, 이 어긋난 패턴은 격자의 형식과 반복적 배열을 살짝 비틀며 새로운 리듬감을 제시한다. 생선의 머리가 서로 마주하는 모습은 한편으로는 죽은 생명에 대한 제의처럼 보이고, 다른 한편으로는 무생물인 전시장을 생물로 깨우는 것과 같은 유머로도 보인다.

같은 해 《제1회 아시아퍼시픽 현대미술 트리엔날레》(퀸즐랜드 주립미술관, 브리즈번, 1993)에서 작가는 냉장고를 변형한 상자에 50마리의 생선을 봉인하는 방식으로 <장엄한 광채>를 소개했다. 이러한 설치 방식의 변모는 그동안 격자무늬와 직선이라는 미니멀리즘적 배열을 통해 미학적 위계에 대한 의문을 강조하던 형식에서 벗어나, 부패하는 생체 자체가 전시장에서 사건을 발생시켜, 그 비시각적 작동이 시각의 재현성에 대한 관심으로 이동해가는 역전 현상을 노린 것으로 보인다. 《싹》(아트선재센터 건립부지, 서울, 1995) 전시에서는 유리와 철로 만든 정방형의 진열장 속에 접시를 놓고, 단 한 마리의 생선만을 설치했다. 《한국현대미술의 오늘》(제1회 광주비엔날레, 1995)에서는 투명 비닐봉지 속 생선 설치와 함께 살아 있는 잉어가 가득한 물속 움직임을 기록한 사진 슬라이드 프로젝션을 <(She Was) As Good As Gold>(1995)라는 제목으로 소개했다.

    <장엄한 광채>의 형태적 설치 실험은 1995년 집중된 관련 전시에서 계속된다. 《제6회 트리엔날레 크라인플라스틱》(수드베스트 란데스방크 포룸, 슈투트가르트, 1995) 전시에서는 유리와 철로 만든 진열장 속에 줄을 매달아 언뜻 생선 건조 풍경을 연상시키고, 《정보와 현실》(프루트마켓 미술관, 에딘버러, 1995) 전시에서는 투명 비닐봉지를 이어 매달아 사면을 형성해, 가운데 임의의 공간을 구성한다. 이 봉지 속에는 생선은 물론 소금도 담겨 있었다.

    당시 미술관의 2인전으로 기획된 《프로젝트 57: 이불/치에 마쓰이》(뉴욕 현대미술관, 1997) 전시에 초청된 이불은 <장엄한 광채>를 한 번 더 감행한다. 설치 작품에서 악취가 진동하자 미술관 측은 전시장에서 작품을 철거해 인근 호텔로 옮겨버렸고, 이 사건을 목격한 하랄트 제만(1933–2005)은 《타자》(제4회 리옹비엔날레, 1997)에서 작품의 원래 의도를 훼손하지 않는 방식으로 전시를

감행하며 <장엄한 광채>를 서양의 대중에게 처음으로 소개한다.

뉴욕 현대미술관의 전시를 준비하는 과정에서 이불은 작품 설치 방식을 고민하며 일련의 드로잉을 완성한다. <장엄한 광채>를 위한 스터디 연작(1996)을 살펴보면, 전시장 벽만이 아닌 바닥까지 확장해서 격자 설치를 하거나, 투명 진열장에 빈틈없이 생선을 꽉 채우고, 생선으로 꽉 찬 진열장의 크기가 인체 크기만큼 커지거나, 2m 크기의 얇은 금색 박스에 생선을 격자로 놓기도 하는 등 냄새로 각인되는 생선의 재현을 둘러싼 상상과 사고의 변천을 목격할 수 있다. 최종적으로 뉴욕 현대미술관에서는 1.5m 길이의 금사망에 인조 모발, 백합, 생선을 함께 담아 알 수 없는 기괴한 형태를 만들고, 이것을 다시 냉장 진열장 속에 넣어서 전시하게 된다.

뉴욕 현대미술관《프로젝트》전시를 위한 드로잉 연작(1996)에서도 설치 방식을 고민한 여러 흔적을 추적할 수 있다. 한 드로잉은 뉴욕의 설치와 흡사한 도면을 담고 있는데, 작은 방에 단독으로 설치된 <장엄한 광채> 진열장은 입구에 세운 가벽으로 시선을 살짝 차단하고, 이 가벽에는 생선이 각 한 마리 담긴 투명 봉투가 격자로 설치된다. 다른 드로잉에서는 이 사각 봉투의 대안으로 둥근 형태로 된 유리 박스가 등장하기도 하고, 냉장 진열장 주변으로 에어 커튼을 설치해 냄새를 차단하는 등 매순간 치열하게 고민했던 작가의 분투를 고스란히 전해준다.

<화엄>이라는 처음 제목은 이후 이 단어를 풀이한 <장엄한 광채>로 작품명이 바뀐다. 이는 한자어에 담긴 불교적인 해석을 지우면서, 생선이 썩어가며 풍기는 막을 수 없는 악취를 통해 그 실제성을 강력하게 확인시킨다는 점에서, '진실'에 대한 지독한 아이러니를 제목 자체에 명징하게 담으려는 시도로 보인다. 예술을 위한 시간과 장소에 우발적인 사건을 발생시켜온 <장엄한 광채>는 이불만의 또 다른 퍼포먼스이다.

<장엄한 광채>, 1997. 생선, 시퀸, 과망간산칼륨,
폴리에스테르백.《프로젝트 57: 이불/치에 마쓰이》,
뉴욕 현대미술관

Majestic Splendor, 1997. Fish, sequins, potassium
permanganate, mylar bags. *Projects 57:
Bul Lee/Chie Matsui*, Museum of Modern Art,
New York

Majestic Splendor
1991–Present

Jin Kwon

First shown in 1991, *Majestic Splendor* is a series of installation work composed of ornately decorated raw fish. The inexorable odor of decay over time is a salient aspect of this work. It was first presented with the title *Hwaeom*[1] in the exhibition *At the Forest of Chaos* (Jahamoon Gallery, Seoul, 1991), which featured artists associated with *Minjung Misul* (People's Art). A hundred raw fish, each decorated with colorful sequins and beads and placed in clear plastic bags, were arranged in a row on the gallery wall. Early presentations of the work included naphthalene balls to control the decay and odor. Sometimes the bags also contained chicken heads and feet, as well as symbolic items such as money and snack offered up in rites of respect for the dead and the aging. As time passes, the exhibition space gradually fills with the odor of decaying organic matter, and the olfactory aspect of the work overpowers the visual, challenging the traditional hierarchy of visual art, in which vision is supremely privileged to the exclusion of other sensory elements.

The second presentation of *Majestic Splendor* was at the exhibition *Plastic Spring* (Duk Won Gallery, Seoul, 1993), which featured nine young rising artists. Against a changing social and cultural backdrop, the exhibition advocated for the "presentness" of art with works that used new mediums and methods such as photography and kinetics, as opposed to "elegant" paintings. For her installation, Lee Bul arrayed eighty-six decorated fish in a four-row grid formation. The fish in the top three rows are positioned head-to-head, and this alternating pattern slightly disrupts the repetitive grid to suggest a different rhythm. The way the fish face each other seems like an echo of formal arrangements in traditional memorial

rites, while also injecting a bit of humor into the austere, lifeless exhibition space.

In the same year, the artist presented a somewhat different version of *Majestic Splendor* in the 1st Asia-Pacific Triennial of Contemporary Art (Queensland Art Gallery, Brisbane, 1993). Here the decorated fish were sealed into a modified refrigerator. This seemed to indicate a shift—from a minimalistic arrangement of grids and lines, implicitly critical of certain privileged aesthetic conventions—to an emphasis on the phenomenon instigated in the exhibition space via the mechanism of decaying matter and the resulting non-visual effect, raising questions about visual representation itself. At the exhibition *Ssack* (Art Sonje Center's pre-construction site, Seoul, 1995), only a single fish was placed on a plate in the center of a large glass-and-steel cube; in *Korean Contemporary Art* (1st Gwangju Biennale, 1995), an installation of fish in clear vinyl bags is presented together with a photo-slide projection of live carp in a pond. The installation method continued to evolve: for the 6th Triennale Kleinplastik (Südwest LandesBank Forum, Stuttgart, 1995), a row of fish was hung from a single steel wire strung around the inner perimeter of a cubic glass-and-steel vitrine; while in *Information and Reality* (Fruitmarket Gallery, Edinburgh, 1995) large, specially fabricated panels composed of clear vinyl bags were hung from the ceiling to create a space in the middle.

Invited by the Museum of Modern Art, New York, in 1997 to exhibit in its *Projects* series, Lee Bul began conceiving the most ambitious version of *Majestic Splendor* to date. The preparatory studies and drawings reveal the artist engaging imaginatively with questions of visual representation and olfactory impression: some show the installation continuing from the wall to the floor in a uniform, all-over grid, while others show the vitrine expanded to human size and completely filled with fish, and still others show the fish, like precious bejeweled objects, arranged in a shallow golden display case.

Ultimately, the realized installation comprised two visual components: an installation of decorated fish in clear bags arranged in the familiar minimalist grid on a floor-to-ceiling partition near the gallery entrance; and behind this wall, a custom-designed, stainless-steel refrigerated vitrine housing an abstract, biomorphic sculpture made of synthetic hair, lilies, and ornamented fish, encased in golden netting. There was another element to the work, that of scent; but the artist's intention this time was not to foreground the smell of decay but to suppress it to the maximum extent technically possible (through the use of Mylar bags, chemical desiccants, and a filtered refrigeration system). In its place, the gallery space was suffused with a scent derived from the fragrance profiles of "Oriental" perfumes popular in the West at the time (such as Dior's Poison and Yves Saint Laurent's Opium), an opulent, decadent olfactory counterpoint and complement to the sight of gradual decomposition.

Despite the technical measures in place, the odor couldn't be completely contained, of course, and that was the point: an immaterial yet pervasive sensory element had infiltrated a system of visual representation. The resulting disturbance, both in the aesthetic dimension and in the practical realm of museological display, was too much for the museum to manage; and MoMA took the rash step of taking down the installation without consulting with the artist. The vitrine was hastily moved off-site to a disused hotel nearby that the museum had acquired for its planned expansion. It was here that Harald Szeemann, the renowned European curator, managed to see the work and decided to restage the installation in its entirety, in accordance with the artist's intentions, in his Lyon Biennale that year. The work was exhibited to broad critical acclaim, and this succès de scandale proved instrumental in the rapid rise of Lee Bul's reputation on the international stage.

1   As the work began to be exhibited extensively in international venues, the original title, *Hwaeom,* was eventually changed to the English *Majestic Splendor,* which, though largely faithful to the essence of the original term, unavoidably elides its Buddhist connotations (e.g., *Hwaeom Gyeong,* or the "Hwaeom scriptures," is the Avatamska Sutra in Sanskrit).

<장엄한 광채>(100점 중), 1991. 생선, 닭머리, 닭발,
깃털, 제의용 노잣돈, 제의용 과자, 시퀸, 나프탈렌,
비닐백.《혼돈의 숲에서》, 자하문미술관, 서울

Majestic Splendor (a series of 100), 1991. Fish,
chicken heads and feet, feathers, ancestral money,
ancestral snacks, sequins, naphthalene deodorant
balls, vinyl bags, 20 × 15 cm each. *At the Forest of
Chaos*, Jahamoon Gallery, Seoul

《혼돈의 숲에서》 전시 전경, 자하문미술관, 서울, 1991

Installation view of *At the Forest of Chaos*,
Jahamoon Gallery, Seoul, 1991

《성형의 봄》 전시 전경, 덕원갤러리, 서울, 1993

Installation view of *Plastic Spring*, Duk Won
Gallery, Seoul, 1993

<장엄한 광채>(86점 중), 1993.
생선, 시퀸, 비닐백.《성형의 봄》, 덕원갤러리, 서울

Majestic Splendor (a series of 86), 1993.
Fish, sequins, vinyl bags, 20 × 15 cm each.
Plastic Spring, Duk Won Gallery, Seoul

<장엄한 광채>(50점 중), 1993. 생선, 비즈, 시퀸, 핀,
냉장고.《제1회 아시아퍼시픽 현대미술 트리엔날레》,
퀸즐랜드 주립미술관, 브리즈번

Majestic Splendor (a series of 50), 1993.
Fish, beads, sequins, pins, refrigerator,
200 × 60 × 120 cm. 1st Asia-Pacific Triennial
of Contemporary Art, Queensland Art Gallery,
Brisbane

<장엄한 광채>, 1995. 생선, 시퀸, 유리-철 진열장.
《싹》, 아트선재센터 건립부지, 서울

Majestic Splendor, 1995. Fish, sequins, glass-and-
steel vitrine, 100 × 100 × 100 cm. *Ssack*, Art Sonje
Center (pre-construction site), Seoul

<장엄한 광채>, 1995. 생선, 시퀸, 유리-철 진열장.
《제6회 트리엔날레 클라인플라스틱》, 수드베스트
란데스방크 포룸, 슈투트가르트

Majestic Splendor, 1995. Fish, sequins, glass-and-
steel vitrine, 100 × 100 × 100 cm. *6. Triennale
Kleinplastik 1995: Europa-Ostasien*, Südwest
LandesBank Forum, Stuttgart

<(She Was) As Good As Gold>, 1995. 생선,
금분, 시퀸, 할로겐 조명, 센서, 슬라이드 프로젝션.
《한국현대미술의 오늘》, 제1회 광주비엔날레

(She Was) As Good As Gold, 1995. Fish, gold dust,
sequins, halogen lights, sensor, slide projections,
300 × 500 cm diameter. *Korean Contemporary Art*,
1st Gwangju Biennale, Korea

<장엄한 광채>, 1995. 생선, 시퀸, 과자, 소금,
우레탄 시트, 금속 플랫폼, 선풍기, 종이, 가변크기.
《정보와 현실》, 프루트마켓 미술관, 에딘버러

Majestic Splendor, 1995. Fish, sequins, ancestral
snacks, salt, urethane sheets, metal framed
platform, fan, printed papers, dimensions variable.
Information and Reality, Fruitmarket Gallery,
Edinburgh

<장엄한 광채>, 1997. 생선, 시퀸, 과망간산칼륨,
폴리에송테르백. 《프로젝트 57: 이불 리에 마쓰이》,
뉴욕 현대미술관

Majestic Splendor, 1997. Fish, sequins, potassium
permanganate, mylar bags, 360 × 410 cm.
Projects 57: Bul Lee/Chie Matsui, Museum of
Modern Art, New York

<장엄한 광채>, 1997. 냉장 진열장, 금사, 인조모발,
생선, 시퀸, 백합. 《프로젝트 57: 이불/치에 마쓰이》,
뉴욕 현대미술관

Majestic Splendor, 1997. Refrigerated vitrine,
gold thread, synthetic hair, fish, sequins,
lilies, 210 × 130 × 130 cm. *Projects 57: Bul Lee/
Chie Matsui*, Museum of Modern Art, New York

The sculpture has been temporarily removed for technical reasons.

<장엄한 광체>의 뉴욕 현대미술관 전시장 철거 이후
미술관에서 비치한 안내문과 작가가 안내문 위에
올려둔 향수, 1997

Sign placed by MoMA after removal of *Majestic
Splendor* and container of perfume placed on top
of the sign by Lee Bul, 1997

뉴욕 현대미술관 전시장 철거 이후 도르셋 호텔에
설치된 <장엄한 광체> 전경, 1997

View of *Majestic Splendor* in the former
Dorset Hotel after removal from Projects gallery,
New York, 1997

<장엄한 광채>, 1997, 냉장 진열장, 금사, 인조모발,
생선, 시퀸, 백합. 《타자》, 제4회 리옹비엔날레

Majestic Splendor, 1997. Refrigerated vitrine,
gold thread, synthetic hair, fish, sequins, lilies.
210 × 130 × 130 cm. *L'autre*, 4th Biennale de Lyon.

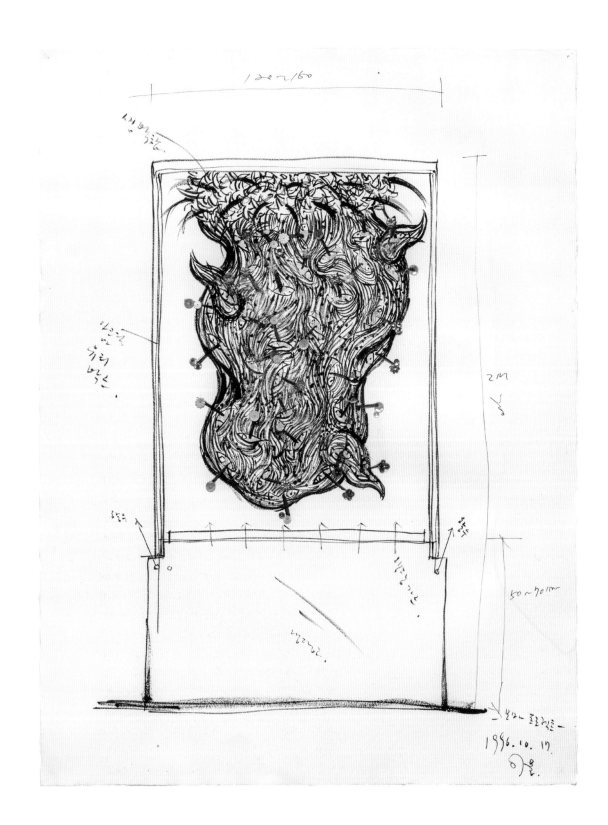

뉴욕 현대미술관《프로젝트》전 냉장 진열장을 위한
스터디, 1996.10.17. 종이에 먹, 아크릴릭, 색연필, 시퀸

Study for a refrigerated vitrine, MoMA *Projects*
installation, October 17, 1996. India ink,
acrylic paint, colored pencil, sequins on paper,
61 × 45.5 cm (72.7 × 57.2 cm framed)

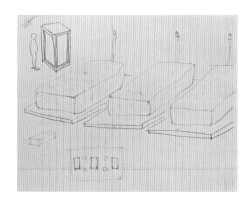

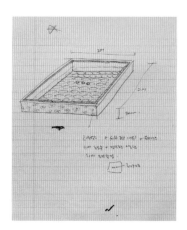

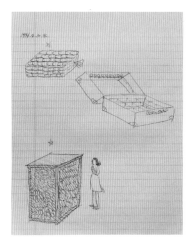

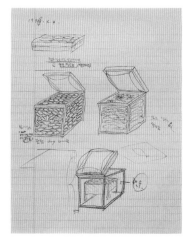

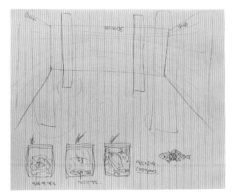

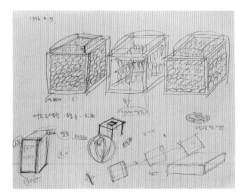

<장엄한 광채>를 위한 스터디, 1996.
노트 종이에 펜, 연필

Studies for *Majestic Splendor*, 1996.
Ballpoint pen and pencil on notebook paper,
21.5 × 27.8 cm; 27.8 × 21.5 cm

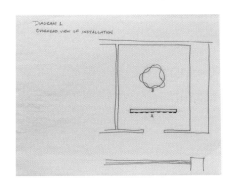

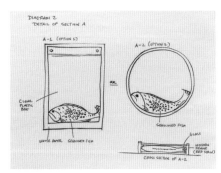

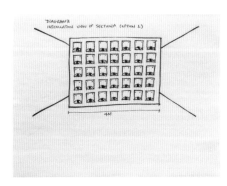

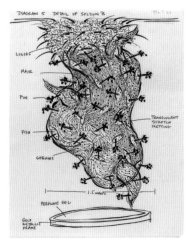

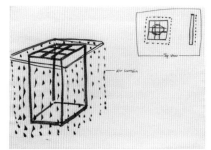

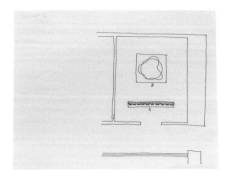

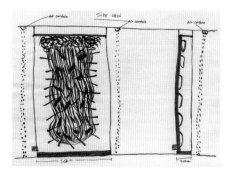

뉴욕 현대미술관《프로젝트》전 설치를 위한 드로잉
(첫 번째 제안), 1996. 종이에 먹, 펜, 연필

Drawings for the *Projects* installation
(1st proposal), 1996. Ballpoint pen, India ink, pen,
and pencil on paper, 21.5 × 27.8 cm; 27.8 × 21.5 cm

뉴욕 현대미술관《프로젝트》전 설치를 위한 드로잉
(두 번째 제안), 1996. 종이에 먹, 펜, 연필

Drawings for the MoMA *Projects* installation
(2nd proposal), 1996. Pen, pencil, India ink, and
ballpointpen on paper, 21.5 × 27.8 cm; 21 × 29.6 cm

<송가>(프로덕션 스틸), 2000. 비디오, 6분
Anthem (production still), 2000. Video, 6 minutes

속도보다 거대한 중력[1]

장지한

1987년 미술대학의 조소과를 졸업한 이불은, 1997년 뉴욕
현대미술관에서 전시가 열리기까지 약 10년간 서울의 대학가와
도쿄의 길거리 그리고 유서 깊은 미술관을 넘나들며 작업을 발표했다.
이불의 작업 세계에서 1997년이라는 해를 하나의 변곡점으로 볼 수
있는 이유는, 그가 벌거벗은 신체와 부패하는 생선 등을 작업의 요소로
활용하기를 그만두고, 1998년부터 백색의 사이보그 조각으로 이동했기
때문이다. 20세기 말, 우리는 이불의 작업에서 유기체의 낯선 물성,
그리고 신체의 현존과 관객 사이의 복잡한 게임을 더이상 볼 수 없게
되었다. 조각에 환멸을 느끼고 과격한 퍼포먼스를 이어가던 이불은
다시 조각으로 돌아간다. 변한 것은 매체뿐만이 아니었다. 잘 알려져
있듯 이불에게 사이보그는 근대적인 세계에서 기술에 대한 인간의
숭배를 의미한다.[2] 근대적인 유토피아와 관련된 테크놀로지에 대한
관심은 이후 <나의 거대 서사> 연작(2005–현재)으로 이어진다.
자신이 직접 만든 조각을 입고 바닥을 기어 다니던 이불은 이제
세계와 거리를 두고 언제나 실패로 귀결되는 근대적인 꿈의 부질없음을
바라보는 것처럼 보인다. 퍼포먼스에서 다시 조각으로, 정체성의
정치학에서 근대적인 유토피아의 문제로 이동하는 이런 서사는 언뜻
보기에 그럴듯하다.

하지만 가시적인 양식상의 차이를 추적하는 것만으로는 약
30년간 지속적으로 이어지는 이불의 근본적인 질문을 제대로 이해할
수 없다. 시퀸 장식이 관통하던 생선의 미끌미끌한 표면이 매끈한
실리콘으로 변하고, 땅을 밟고 서 있던 인간의 신체 대신 조각이 공중에
매달려 있지만 이불은 '시작'부터 지금까지 자신을 구속하는 근대성의
문제와 싸우고 있다. 조각이라는 매체와 근대성 그리고 기술의 문제는
초기부터 줄곧 이불의 관심사였다. 이 글은 1987년부터 1997년까지
10년간 발표된 이불의 초기 작업을 다룬다. 1987년 민주화 운동을
기점으로 더 많은 자유를 향해 사회의 모든 영역이 빠르게 변해가던

역사의 갈림길에서, 이불은 무엇을 고민하기 시작했는가? 한 작가의
10년간의 기록은 우리에게 무엇을 말하고 있을까?

장엄한 광채

1997년 뉴욕 현대미술관에 설치되었던 이불의 대표작 중 하나인
<장엄한 광채>(1997)는 시대를 대표하는 급진적인 작가에게 꽤나
어울리는 서사 하나를 구성한다. 이불은 당시 뉴욕 현대미술관의
《프로젝트》 시리즈로 기획된 2인전을 위해 뉴욕으로 향하게 된다.[3]
이미 한국을 넘어 일본과 캐나다, 영국과 호주를 넘나들며 국제적으로
활동하던 이불은 뉴욕에서의 첫 전시를 위해 1991년 서울에서 처음
전시했던 작업 <장엄한 광채>를 좀 더 발전시키기로 한다. 빛에
반사되어 다채로운 색을 발하는 시퀸이 시선을 사로잡는 이 작품은
시각을 넘어서서 다른 감각을 자극한다. 주재료가 실제 생선인
탓에 반짝이는 아름다움은 조금만 시간이 지나도 견고한 자율성을
잃어버리게 된다. 생선이 부패하는 속도를 늦추고자 유리 진열장의
온도를 차갑게 유지하거나 화학 물질을 첨가하는 등의 노력을
기울였음에도 불구하고, 근대미술의 상징과도 같은 공간은 생선 썩는
악취로 진동하게 된다. 미술의 역사를 돌이켜보면 급진적인 작업은
언제나 권위적인 힘의 벽에 부딪힌다. 이 흔한 서사는 무엇이든 가능할
것만 같은 '동시대 미술'의 세계에서도 그 유효함을 증명한다. 뉴욕
현대미술관은 전시 개막 당일에 냄새가 나는 작업의 일부를 철거하기로
결정한다.[4]

당시 큐레이터였던 바바라 런던은 브로슈어에 이불의
작업을 "설치미술"로 명명하고, 이것이 "미술관과 갤러리에 만연한
제도화된 미술 형식과 단절하고 싶은 (한국과 일본의) 젊은 작가들의
선택"이라고 썼다. 그에 따르면 이는 "보편적인 것 바깥에서 자유를

찾는 투쟁"이다. 더불어 "내용과 형식의 측면 모두에서 대립적인" 이런 종류의 설치미술은 "많은 대도시의 대안 공간의 주요 흐름"이라는 말도 덧붙였다.[5] 여기서 기존의 권위에 도전하는 영웅적인 예술가의 서사는 매체에 대한 담론과 결합한다. 시각을 넘어 후각을 자극하는 이불의 작업은 기존의 조각이나 회화가 아니라, 제도의 권위에 도전하는 설치미술이라는 것이다.

이불의 작업에 대한 독해는 활동 초기부터 '권위에 도전하는 젊은 작가'와 '정체 불명의 형식'이라는 두 담론에 기대고 있었다. 예를 들어, 1992년 김정숙은 이불이 당시 동료들과 함께 결성했던 소그룹 '뮤지엄'의 활동을 소개하는 글에서 이들을 "탈장르"로 규정하고 "권위 파괴적이며 미리 규정된 통로를 벗어나" 있고, 더 나아가 "궁극적 지향점을 설정하지 않는"다고 말했다. 이런 식의 설명은 이불을 그 악명 높은 '신세대' 미술가로 위치시킨다.[6] 이는 갖가지 종류의 새로움에 '자유'라는 이름을 붙이던 그저 1990년대적인 서사가 아니다. 1980년대 말, 1990년대 초의 역사적인 단절을 '동시대 미술'이라는 이름 아래 설명하는 이런저런 프로젝트는 지금까지도 이불을 "박물관의 권위, 미술사의 전통에 공격을 가하고", "비장하고 심각하고 무겁고 고상한 것 대신에, 유머와 유희, 가벼움과 천박함, 충격과 기발함, 왜곡과 그로테스크를 선호"하는 신세대 미술가로 호명한다.[7]

이는 일견 새로운 시대의 예술가에게 어울리는 낭만적인 서사처럼 보이지만, 여기에는 정작 이불의 '작품'을 위한 자리는 없다. 그것이 '탈장르'이든, 전통적인 매체를 벗어난 '설치미술'이든, 새로움은 그저 규정할 수 없는 불편함으로 다가오기에 급진적이다. 생선이 부패하며 발생하는 냄새는 미학적으로 자율적인 공간을 위협하기에 해결해야만 하는 문제가 된다. 여기서 시각을 넘어서는 새로운 감각을 공간에 끌어들이는 것은 자율적인 '작품'이라기보다는 권위에 도전하는 '행위'에 가깝다. 이런 유의 '실험'은 언제나 가볍고 자극적이다. 그들이 보기에 신세대의 젊음은 (혹은 동아시아의 여성 미술가는) 전통적인 매체를 혁신하기보다, 권위를 무너뜨리고 시끌벅적한 축제의 장을 열고 싶어 한다.

누군가가 이렇게 이불의 작품을 두고 매체의 파괴와 권위에 대한 저항을 논할 때, 다른 한쪽에서는 부단히 '의미'를 발견하고자 노력한다. 뉴욕 현대미술관에서의 전시가 있고 나서 1년 뒤 이불은 휴고보스상의 후보에 오르게 된다. 당시 큐레이터 조앤 영은 <장엄한 광채>에서 은유적인 의미를 확인한다. 이는 미술사의 전통에 대한 공격 따위가 아니라, "노화에 대항하는 여성의 보편적인 투쟁"에 대한 은유다. 시간이 지나 생선이 부패하면 그 자리에 인간이 만든 아름다운 장식만 남는다. 문명은 영원하지만, 신체의 아름다움은 일시적이다. 육신은

결국엔 그저 견딜 수 없는 악취만을 남길 뿐이다. 이는 "남성이 지배하는 문화에서의 여성의 노예 상태에 대한 통렬한 풍자"이자, "여성의 전형적인 재현"에 대한 작가의 탐구다.[8]

이렇게 이불의 작품에서 '여성의 재현'을 발견하는 식의 독해는 작가의 작품을 이해하는 또 하나의 계보를 형성한다. 미술사학자 강태희 역시 <장엄한 광채>의 생선에서 여성의 형상을 확인한다. 그에 따르면 작품이 우리에게 보여주는 것은 "비녀, 시퀸, 가발, 백합 등으로 장식된 금실로 짠 망 안에 생선을 가득 채운 괴물"이다. 하지만 이 괴물은 그저 상상 속의 낯선 이미지가 아니다. "이불이 재연하고 또 재현한 것은 임신 과정의 어머니와 태아, 그리고 기관이 이상 증식한 동물적인 몸이다. 그는 이런 몸을 통해 괴물화된 여성 정체성에 개입"한다.[9]

정리하자면, 이불의 작품은 우리에게 서로 다른 두 가지 모습으로 다가오는 것처럼 보인다. 한쪽에서 과감하게 권위에 도전하는 몸짓을 발견할 때, 반대편에서는 여성의 정체성을 확인한다. 예를 들어, 냄새는 전통적인 매체와는 무관한 탈장르의 징후이거나, 또는 여성이 나이 들어감에 대한 은유다. 평론가와 큐레이터가 이렇게 의미의 파괴와 생성 사이에서 길을 잃고 갈팡질팡하는 사이, 이불은 우리에게 흥미로운 이야기를 들려준다. 작품의 구성 요소인 냄새에 관한 질문에 이불은 다음과 같이 대답한다.

제가 점검하려고 했던 것은, 재현과 관련된 개념, 또 그것과 시각을 특권적으로 보는 지배적 미학의 원리와의 관계이며 생선은 시각적 재현물로 보일 수 있지만 냄새라고 하는 다른 요소, 전통적인 재현의 전략의 카테고리 어디에도 해당되지 않았던 다른 요소인 냄새를 사용함으로써 실제감, 사물의 직접성, 재현보다 먼저 위치하거나 그것을 넘어선 느낌을 환기시킬 수 있습니다. … 냄새는 재현물의 외부에 존재하는 요소이고 사람들은 그러한 문맥을 통과해서 시각적인 재현물을 보게 됩니다.[10]

이는 이불에게 새로운 감각의 문제가 장르를 해체시키기 위한 치기 어린 행동도, 의미를 좀 더 극적으로 전달하기 위함도 아니었음을 시사한다. 그의 관심사는 재현 그 자체가 작동하는 방식을 새롭게 발명하는 일이었다. 이불에 따르면 작품에서 생선은 "시각적 재현물"이지만, 그 "재현보다 먼저 위치"하는 다른 감각이 있다. 이불의 작품에서 시각적 재현은 다른 감각과 서로 뒤엉켜 있다. 이미지는 그간 "특권적" 위치를 점유해 왔기 때문에 이미지를 자율적이고 초월적인

세계로부터 바로 지금 여기, 이 세계로 끌어내리기 위해서는 재현의 외부에 존재하는 요소, 즉 시각이 아닌 다른 감각이 필요하다. 냄새가 난다는 것은 눈앞의 이미지가 현실 세계 저 너머의 미학적인 세계가 아니라, 우리와 함께 그저 같은 공간을 점유하고 있음을 암시한다. 이러한 현존의 언어는 하얀 벽에 걸린 비닐봉지에 들어 있는 것이 시간의 지속을 견디지 못하고 사라질 그저 연약한 '물질'의 현존임을 드러낸다.

1991년 서울의 자하문미술관에서 처음 발표된 <장엄한 광채>(1991)의 초기 모습은 당시 이불의 목표가 생선을 통해 정체성과 관련된 무언가를 암시하는 것이 아니라, 시각적인 이미지에서 상징적인 의미를 모두 제거한 채 그저 '물질'로서 제시하는 것이었음을 보여준다. 당시 비닐봉지에 담긴 것은 생선뿐만 아니라 닭의 머리와 발, 심지어 과자만 들어있는 봉지도 있었다. 어느 몇몇 봉지에는 생선의 일부와 닭의 발을 시퀀과 함께 꿰매어 놓음으로써 유기체 역시 천과 마찬가지로 바느질을 통해 어떤 형상을 만드는 데 쓰이는 물질에 불과하다는 것을 보여준다. 비닐봉지들은 그들 사이에 어떠한 위계도 없다는 듯이 벽에 일렬로 나란히 설치되어 있다. 몇몇 비닐봉지 속에 담긴 화폐는 이러한 순수한 물질의 세계를 극적으로 암시하는 듯하다. 이불의 작품에서는 그것이 닭의 발이든 생선의 머리이든, 이들은 화폐와 동일한 위상에 놓인다. 모든 것은 그저 서로 교환 가능한 물질에 불과하다.

모든 것을 유한하고 교환 가능한 '물질'로 다루는 이불의 극단적인 탈숭고화의 형식은 그가 대학을 졸업하던 1987년에 발표한 작업에서도 잘 드러난다. 세계의 모든 것들로부터 초월적인 의미를 지워내고자 했던 그에게 인간의 형상 역시 예외는 아니었다. 이불은 1987년 작품 <수 세기 동안 내방은 닫혀 있었다>(1987)를 통해 소위 '소프트 조각' 형식의 작업을 처음 발표했다. 이 기묘한 조각에서는 분명 인간의 팔과 다리의 형상이 발견되지만, 온전한 모습이 아니다. 팔다리는 두 개가 서로 쌍을 이루는 모습이 아니라 각각 한쪽밖에 남아있지 않다. 무거운 대리석이나 브론즈가 아닌 부드러운 천을 재료로 하는 이 조각은 하늘로 길게 뻗은 꼬리를 통해 상상 속의 괴물과 같은 인상을 준다. 마치 물구나무서기를 하듯 벽을 등지고 다리를 위로 뻗은 이 괴물은 머리가 없다. 과장되게 표현된 관절을 따라 시선을 옮기다 보면 머리가 있어야 할 자리에는 목이 없는 신체가 연결되어 있다. 또한 이 신체는 조각이 아니라, 목판에 아크릴 물감으로 그려진 그림이다. 하지만 그림에는 손이 없다. 손은 다시 조각으로 만들어져 아크릴 물감으로 그려진 팔에서부터 이어진다. 마치 <장엄한 광채>에서 꼬리 없는 생선과 닭의 발을 꿰매듯, 괴물의 다리와 인간의 몸, 조각과 회화는 그저 서로 연결되어 있다. 괴물과 인간, 3차원과 2차원, 천과 나무가 연결된 이 작업은 인간과 관련된 어떠한 의미도 생산하지 않는다. 오히려

인간의 형상 역시 그저 물질로서 이리저리 분절되고 해체될 수 있음을 드러낼 뿐이다.

특정한 주체성의 모델을 생산하지 않는 인간의 형상은 이불의 작품에서 사회적이고 정치적인 '인간'의 모습으로 우리의 시선을 사로잡는 것이 아니라, 인간의 피부를 연상시키는 주름을 표현하기에 적합한 천의 물성과 그 안을 가득 채운 솜으로 인해 마치 '인간처럼' 양감 있게 부푼 형태를 극적으로 드러낼 뿐이다. 그것이 생선이든 과자든 심지어 인간이든 이불의 작업에서 세계의 형상은 "시각적 재현물"이지만, 어떤 의미를 생산하기 위해 존재하지 않는다. 그것들은 "재현보다 먼저 위치하거나 그것을 넘어선" 무엇이다. 신체는 다른 무엇도 아닌 부드러운 천의 질감과 적당히 익숙한 형태로 먼저 다가온다. 여기서 중요한 것은 재현을 둘러싼 의미가 아니라 "사물의 직접성"이다. 생선의 불편한 냄새와 천의 부드러운 질감은 시각적 재현이 생산하는 의미에 선행한다.

재현의 위기

1980년대 말 재현의 모델을 새롭게 발명하려는 이불의 이러한 시도는 당시 한국 미술계에 있어 매우 급진적이고 낯선 것이었다. 1980년대에 일군의 미술가들은 무언가를 '재현'하기 위해 고군분투하고 있었다. '민중미술'이라는 이름으로, 아니면 '현실주의'나 '리얼리즘'이라는 이름 아래 그들의 관심은 "현실이란 우리에게 무엇인가? 우리는 현실을 어떻게 보고 느끼는가?" 더 나아가 "누가 그 '현실'을 보고 느끼는가? 즉 현실인식의 주체자는 누구인가?"에 집중되어 있었다.[11] 다양한 작가들이 각기 다른 대답을 제출하더라도 세계를 재현하는 일은 미술가가 시급하게 개입해야만 하는 공동의 의제였다. 재현이라는 정언명령을 수행하기 위해 발명된 어떤 주체성의 모델이 있었고, 1980년대에 생산된 그림은 그것이 민중이든 역사 속 인물이든 인간에게 역사적이고 비판적인 의미를 부여하고 있었다.

하지만 1980년대 말 한국은 빠른 속도로 변화하고 있었다. 국가의 폭력을 넘어 더 많은 자유를 향해, 좁은 한반도를 넘어 드넓은 세계를 향해 사회의 풍경이 하루가 다르게 변화해 가자 현실을 재현하기 위해 그려진 수많은 그림들이 갑자기 현실과 무관하게 보이기 시작했다. 그림 속 공간과 현실의 공간 사이의 간극이 걷잡을 수 없이 벌어졌을 때 1990년대 초 비평가 엄혁은 다음과 같이 썼다.

우리의 현실공간이란 어떤 것이고 미술이 차지하고 있는 공간은 무엇이기에 이와 같은 문제가 생기는가 … 우리의 현실공간은

그것이 파편/분열화되어 있든 혹은 그것이 긍정적이든 부정적이든 이것의 절대값은 '변질 혹은 변화되었다'는 사실이다. 그러나 우리의 미술은 아직도 요지부동이다.[12]

이불의 초기 작업은 이러한 '재현의 위기'를 드러낸다. 인과관계를 정립하는 것이 불가능할 정도로 분열된 세계를 마주한 미술가에게 특정한 주체성의 모델과 연결된 재현의 공간은 낡은 형식으로 다가왔다. 이러한 상황에서 이불은 주체성을 생산하던 모든 '장치'와 절연하는 것을 선택한다. 푸코가 고안한 장치란 개념은 어떤 주체를 구성하는 요소들의 "이질적 집합"이다. 이는 "담론, 제도, 건축물, 법, 경찰조치, 철학적 명제"등을 모두 포함한다.[13] 이불은 여러 차례 자신에게 주어졌던 제한적인 선택지에 관한 불만을 회고한 바 있다. 예를 들어, 미술의 형식은 그저 두 개의 언어로 극명하게 나뉘어 있었다. 모더니즘과 민중미술이라는 서로 대립하는 두 종류의 담론은 각자의 방식으로 미술의 언어를 특정한 주체성의 모델과 연결된 재현의 공간으로 제한하고 있었다. 또한 국가의 폭력은 이불의 삶을 태어날 때부터 옥죄고 있었다. 연좌제라는 부조리한 제도는 한국 사회가 그를 규정하는 강력한 장치의 일부였다.[14]

이불의 작업은 이런 근대적인 장치의 바깥을 지시한다. 아감벤은 푸코의 장치 개념을 자신의 논의 속으로 끌고 오면서 존재자를 크게 "두 개의 커다란 집단"으로 분류한다. "요컨대 생명체들(실체들)과 장치들이라는 두 개의 커다란 부류가 있다. 그리고 이 양자 사이에 제3항으로서 주체가 있다. 생명체들과 장치들이 맺는 관계의 결과, 이른바 양자가 맞대결한 결과로 생겨나는 것을 주체라고 부르기로 한다."[15] 즉, 아감벤 식으로 말하자면, 이불은 그것이 국가의 폭력이든 모더니즘이나 민중미술이든 근대적인 '장치'의 반대편에 있는 것, 다시 말해 장치의 영향 아래 일어나는 주체화의 과정과 무관한 '생명체'를 제시한다. 그저 날것으로 제시된 생선이나 분절된 신체의 형상은 장치에 의한 어떠한 의미의 산출도 없는 '실체' 그 자체를 표상한다. 이불은 주체를 생산하는 근대적인 장치 바깥의 장소, 즉 실체들의 공간을 구성한다. 이곳에는 주체의 해석학을 위한 자리는 없다. 그저 "재현보다 먼저 위치하거나 그것을 넘어선" 생명체들만이 공간을 점유하고 있을 뿐이다.

하지만 중요한 것은 근대적인 장치 외부의 공간을 그려내는 이불의 초기 작업에는 이런 식으로는 설명할 수 없는 잔여물이 있다는 사실이다. 의미 없는 실체들의 세계에는, 시간이 지나면 부패하고 형체를 알아볼 수 없게 될 생명체들의 공간에는, 변하지 않을 아름다움의 징표가 새겨져 있다. 1991년 발표된 <장엄한 광채>에서

생선의 표면에는 시퀸이 박혀 있다. 상징이라기보다는 장식에 가까운 이 물질은 실체들의 세계에 극적으로 의미를 부여하지는 않더라도, 극히 평범하거나, 심지어는 불편한 감정을 유발하는 것의 표면에서 기묘한 감각을 불러일으킨다. 생선은 부패하는 과정에서 악취를 풍기지만 시퀸은 아랑곳하지 않고 비늘 사이사이에 자리잡은 채 빛을 반사하며 자신의 존재감을 잃지 않는다. 비닐봉지 속의 좁은 공간에는 이처럼 유한함과 무한함, 유기물과 무기물, 역겨움과 아름다움 사이의 긴장관계가 숨겨져 있다.

하지만 반짝이는 시퀸은 그저 아름답기만 한 것은 아니다. 그것은 한국의 근대화 과정에서 주로 여성이 도맡아 했던 값싼 노동을 지시한다.[16] 이 물질은 여성들이 수많은 밤을 지새우며 자신에게 주어진 일을 그저 받아들일 수밖에 없었던 바로 그 시간을 의미한다. 의미를 거부하는 생명체의 표면에는 망각을 거부하는 의미가 새겨져 있다. 이불은 대상을 가리지 않고 무의미한 표면을 시퀸으로 장식했다. 마치 피부의 주름을 닮은 듯한 천의 물성을 드러내던 소프트 조각의 표면에도 시퀸은 조용히 자신의 존재감을 지키고 있다. 여기서 자연과 인공의 대비는 의미의 문제로 확장된다. 재현 바깥의 실체들의 세계에는 근대성의 징표가 새겨져 있다. 어디에서든 빛을 반사하며 반짝거리는 시퀸은 마치 그 영업의 시간만큼은 절대 잊을 수 없다고 말하는 듯하다.

이렇게 근대성의 기억을 품고 있던 시퀸은 초기에는 무거운 상징이라기보다는 장식에 가까웠지만, 시간이 지날수록 자율적인 구조를 지닌 조각에 가까운 모습으로 발전하게 된다. 예를 들어 1991년에 발표된 <장엄한 광채>에서 시퀸은 특별한 형상을 만들지 않은 채 점의 형태로 촘촘하게 박혀 있거나, 이따금 꽃을 연상시키는 모습으로 생선의 표피를 관통하고 있지만, 1997년 뉴욕 현대미술관에서 시퀸은 마치 나선형에 가까운 형태로 독자적인 구조를 구축하고 있다. 즉, 초기에 시퀸이 생선의 표면을 관통하는 장식에 가깝다면, 이후에 시퀸은 독립된 조각으로서 생선과는 분리된 자율적인 공간을 구성하거나, 혹은 마치 생선이 시퀸으로 만들어진 조각을 입고 있는 것처럼 보이기도 한다. 이는 근대적인 장치로부터 분리된 생명체와 근대성을 지시하는 기표 사이의 간극을 드러낸다. 의미를 거부하는 유기물과 의미를 보존하고 있는 무기물은 서로 연결되어 있으면서 동시에 분리된 채 긴장을 유지하고 있다.

하지만 시간이 흐를수록 상황은 점점 다른 방향으로 흘러간다. 생선이 부패하면서 상대적으로 네모 반듯하던 비닐봉지는 다소 둥글게 오므라들고 팽팽하게 유지되던 시퀸과 생선 사이의 간극은 조금씩 줄어든다. 결국 생선이 형체를 알아볼 수 없을 정도로 액체에 가깝게 변해버리면 둘은 뒤엉켜서 그저 하나의 덩어리처럼 보이게 된다. 시간의

지속은 유기물과 무기물 사이의 구분이 무의미할 정도로 상황을 극단적으로 밀어붙이고, 이는 결국 아름다움과 추함, 의미와 무의미 사이의 구별 불가능성을 암시한다.

이불은 이렇게 전통적인 형식의 조각과는 전혀 다른 방식으로 서사를 구성했다. 그는 조각의 언어에 시간성을 기입하고 있었다. 시간의 지속은 각각의 물질이 시시각각 다층적인 의미를 드러내게 했다. 즉, 이불의 작품은 그저 의미를 파괴하거나(신세대 미술, 탈장르), 또는 의미를 생산하는 것이 아니라(여성으로서의 정체성, 전통) 의미가 파괴되는 동시에 생산되는 미학적인 구조를 구축한다.[17] 그는 이러한 통약 불가능한 두 가지 측면을 '아이러니'라는 말로 설명하기도 했다.[18] 작가의 말에 따르자면 "예쁘게 만들고자 하지만, 그 예쁜 것에 빠져들지 못하게 하는", "일종의 지적 게임이 있어서 빠져들게 하는 측면과 절대 빠져들 수 없게 하는 측면, 이 두 가지 면을 다 가지고" 있는 것이다.[19] 다시 말해, 이불의 작품에는 근대성을 구성하는 '장치' 외부의 언어와 근대성을 '지시' 혹은 '재현'하는 언어가 서로 뒤엉켜 있다.

1991년 <장엄한 광채>가 발표되기 이전부터 이불은 이 문제에 천착하고 있었다. 1988년 이불의 작업에 처음 등장한 실제 인간의 신체는 그저 무언가를 재현하는 것(또는 재현하지 않는 것)으로는 설명할 수 없는 분열된 세계에 접근하는 자신만의 방식이었다. 이불에게 조각은 자율적인 세계로부터 빠져나와 어딘가로 확장되어야만 했다. 1987년 천으로 주름을 표현하고 솜으로 그 안을 채워 왜곡된 팔다리의 형상을 만들었던 이불은 1년 뒤 그 조각을 직접 입기 시작한다. 역사적이고 정치적인 인간의 재현에 대한 강력한 공격이었던 그의 소프트 조각은 실제 인간의 신체와 결합된다. "재현보다 먼저 위치하거나 그것을 넘어선" 조각을 위해 형상을 해체하고 재료의 물성, 즉 "사물의 직접성"을 강조하던 이불은 그곳에 다시 재현의 요소를 끼워 넣는다. 근대적인 인간을 둘러싼 의미를 넘어서고자 했던 조각은 기관을 덜어내고 솜을 채웠던 그 자리를 실제 인간으로 채운다.

국립현대미술관에서의 퍼포먼스 <갈망>(1989)에서 이불은 자신보다 큰 소프트 조각을 입고 공간을 느린 속도로 누볐다. 사람의 손과 발을 닮은 형상 여럿이 주렁주렁 달려 있었고, 그것들은 마치 인간의 장기를 연상시키기도 했다. 이는 어찌 보면 안과 밖이 뒤집어져 갖가지 기관들이 밖으로 돌출되어 있는 것처럼 보였다. 이불과 다른 세 명의 퍼포머는 그것을 입고 자신들의 머리, 그리고 손과 발을 조각의 외부로 드러냈다. 이제 인간의 대척점에 서 있는 괴물의 모습을 한 조각은 마치 인간처럼 두 발로 서서 걸을 수 있게 되었다. 비인간적인 물질은 부분적이나마 인간의 모습을 슬쩍슬쩍 드러내고 있다.

하지만 비인간과 인간, 조각과 신체가 뒤엉킨 모습을 한 퍼포머는 대부분의 시간 동안 천을 바닥에 문지르며 기어 다니거나, 느릿느릿 알 수 없는 동작을 반복할 뿐이다. 또한 인간의 얼굴에는 마치 샤먼을 연상시키는 무늬가 그려져 있다. 이는 괴물의 형상 밖으로 얼굴을 내민 인간이 설명할 수 없거나 혹은 영적인 것을 좇는 전근대적인 존재에 가깝다는 것을 암시한다. 또한 조각에는 마이크가 설치되어 있어 조각과 신체 사이에 발생하는 모든 진동을 증폭시키는데, 이는 언어가 발명되기 이전의 소음에 가깝다. 그저 의미 없는 울부짖음과 음향 장치의 피드백에 의한 하울링 소리가 퍼포먼스 내내 공간을 가득 채울 뿐이다.

조각을 짊어지고 계단을 오르며 낯선 인간을 경계하는 동물처럼 으르렁대는 퍼포머의 모습은 마치 언어 그 자체를 거부하는 것처럼 보인다. 아감벤에 따르면 "언어는 가장 오래된 장치"다. "언어 자체도 권력과 접속되어 있다."[20] 그런데 그 소리는 이따금 의미 없는 소음에서 처절한 절규로, 때로는 애절한 흐느낌으로 우리에게 다가온다. 언어라는 장치를 거부한 자리에는 괴물의 신음소리와 인간적인 울음이라는 양극단의 사이를 오가는 공기의 진동만이 남는다. 어디까지가 비인간의 소음이고, 어디서부터 인간의 감정 섞인 표현인지 알 수 없다. 괴물의 형상을 하고 인간의 대척점에 서 있는 것처럼 보이지만 여기에는 인간적인 면이… 남아 있다.

같은 해 여름 나우갤러리에서의 퍼포먼스는 거리에서부터 시작된다. 이불은 동료 퍼포머들과 함께 대학로 거리를 누볐다. 이불은 흥미로운 구경거리를 위해 모여든 사람들 사이에서 음악에 맞춰 몸을 흔든다. 옆의 동료들이 쓰고 있는 방독면은 1980년대 후반 당시의 상황을 고려하면 자연스럽게 근대적인 규율의 세계를 떠올리게 하지만, 의미 없는 기표로서 그저 축제의 현장을 위한 무대장치의 일부로 느껴지기도 한다. 하지만 관객과 퍼포머들이 계단을 올라 갤러리 안으로 들어가는 순간 분위기는 사뭇 달라진다. 방독면을 쓴 동료는 의자에 앉아 곰인형을 가위로 자르고 인형 속을 가득 채운 솜을 밖으로 꺼내기 시작한다. 이는 소프트 조각이나 부패하는 생선과 마찬가지로, 재현이 지시하는 대상의 아우라를 파괴하면서 그것이 다른 무엇도 아닌 그저 물질임을 드러낸다. 시각적인 재현의 의미가 해체되고 어두운 시절의 징표가 낡은 상징처럼 느껴질 때, 이불은 마이크 앞에서 천천히 최승자의 시를 낭독한다. "… 비명을 지르며 까무러치고 싶어 까무러쳤다 십 년 후에 깨어나고 싶어."[21]

부유하는 기표와 물질의 세계 사이에서 근대적인 주체는 여전히 의미로 가득 찬 세계에 남겨져 있다. 그는 기억에 사로잡힌 채 무의미로 가득 찬 세계에 홀로 남겨진 인간이다. 도망갈 방법이 없는 주체는 차라리 정신을 잃고 이곳에서 잠시 사라지고 싶다고 말한다. 이 순간 방독면은 힘을 잃어버린 상징이라기보다 일시적인 죽음을 갈망하는 주체를 지금까지도 구속하는 역사 속의 증거처럼 보이기도 한다. 마치 <장엄한 광채>에서 시퀸이 반짝이는 장식이면서 동시에 어두운 시간을 증언하는 것처럼 말이다.

모호한 시간

물질의 현존과 근대성의 재현은 이런 식으로 이불의 작업에서 서로 뒤엉켜 있다. 시간의 지속은 이 둘을 서로 분리해내기 어려운 상황으로 끌고 가고, 결국 더 이상의 구별은 불가능해지고 만다. 1989년 이불은 미술관과 거리, 소극장을 넘나들며 조각과 신체 사이의 상호작용이 의미의 재현과 해체가 일어나는 경계를 어디까지 불확실한 방향으로 끌고 갈 수 있는지 계속해서 실험하고 있었다. 그 해 10월 동숭아트센터에서의 악명 높은 퍼포먼스 <낙태>(1989)는 신체 그 자체가 의미의 생성과 파괴라는 이중의 과제를 동시에 수행할 수 있음을 보여준다. 퍼포먼스가 시작되면 이불은 의자에 앉아 관객에게 낙태와 관련된 자전적인 이야기를 들려준다. 이 서사는 낙태를 암시하는 태아의 형상과 함께 극적으로 전달된다. 여기서 중요한 것은 기억의 온전한 재현을 방해하려는 작가의 노력이 더해진다는 사실이다. 퍼포먼스가 진행되는 동안 퍼포머는 객석에 있었고 무대 위에는 반대로 관객들이 자리잡고 있다. 이불은 또한 입장하는 관객들에게 사탕을 나눠 주었고, 본인 역시 사탕을 입에 물고 마치 흥미로운 구경거리라도 있는 마냥 객석에 앉아 있다. 그는 이것이 고통스러운 기억으로 얼룩진 자신의 이야기이지만, 동시에 스스로가 이 서사를 바라보는 관객이기도 하다는 것을 암시하는 듯하다. 이불은 퍼포먼스를 통해 과거의 서사를 재현하지만, 동시에 그의 말을 빌리자면 "회상적이고 낭만적인 감상에 빠져들지 않기 위해" 주의를 기울인다.[22]

하지만 퍼포머와 관객 사이의 재현을 둘러싼 미묘한 줄다리기는 이불이 나체의 몸으로 암벽 등반용 로프에 의지해 공중에 매달리는 순간, 승자도 패자도 없이 끝이 난다. 신체는 직전까지 어두운 기억을 재현하고 있었지만, 이제 그 재현의 공간은 사라지고 오직 신체의 순수한 현존만이 공간에 덩그러니 남는다. 할 포스터는 신체를 활용하는 예술이 몸을 살갗의 직접성을 드러내기 위해, 즉 신체의 현존을 강조하기 위해 활용하면서 동시에 "몸을 재현물이자 기호로" 다루는 "이중성"에 주목한 바 있다.[23] <낙태>에서 이불의 신체는 이러저러한 기호들 사이에서 여성으로서의 경험을 재현하지만, 어느 순간 맨몸으로 공중에 매달려(흥미롭게도 여전히 사탕은 한 손에 들고 있다) 몸의 물리적 현존만을 강조한다.

이불은 신체를 통한 재현으로부터 몸의 순수한 현존으로 이행하는 시간의 지속 사이에 구원의 서사를 끼워 넣었다. 그는 성경의 구절을 조금 바꿔 "나는 아기를 유산한 모든 여성의 짐을 짊어지기 위해, 그들의 죄와 괴로움을 구원하기 위해 여기에 매달려 있다"고 말했다.[24] 강렬한 조명 아래 거꾸로 매달린 그의 몸은 관객과 함께 분명 이곳에 있지만, 동시에 초월적인 장소에 있는 것처럼 느껴지기도 한다. 하지만 고통과 구원을 함께 말하는 이불은 근대성의 무게를 덜어내고자 하는 자신의 모습이 스스로 견디기 힘든 것처럼 보인다. 1994년 그는 토론토의 한 갤러리에서 방독면과 한복을 입고 다소 어설픈 부채춤을 추기 시작한다. 3분 남짓 춤을 추던 이불은 부채를 떨어뜨리며 갑자기 바닥에 쓰러진다. 근대적인 주체의 상징적인 죽음이 있고 나서 얼마가 지나 그는 관객 앞에 서서 잠시 자조적인 웃음을 짓는다. 이후 이불은 퍼포먼스가 진행되는 동안 옷을 하나씩 벗어나간다. 마지막에 이르러 나체의 몸이 되었을 때 그는 약 1분 동안 멈추지 않고 크게 소리 내어 웃는다. 공간을 홀로 가득 채우는 이불의 자조적인 웃음은 그 상황을 마치 한편의 부조리극으로 만든다.

'자조적인' 웃음이라고 표현했지만, 사실 이 웃음이 향하는 대상을 명확하게 지시하기는 쉽지 않다. 주체의 상징적인 죽음(부채춤을 추다가 쓰러지면서, 혹은 비녀로 자신을 찌르면서)을 연기한 이후 웃음을 구성하는 음절 하나하나를 또박또박 발음하는 이불의 눈빛은 정확히 정면을 향하고 있다. 이 작위적인 웃음은 자신이 연출한 죽음이 전혀 심각한 것이 아니라고, 더 나아가 이 웃음마저 '연기하고' 있음을 의도적으로 드러내면서 직전의 비장함을 덜어내지만, 동시에 심각한 모습으로 자신의 서툰 몸짓을 바라보는 관객에 대한 것이기도 하다. 즉 그가 '하, 하, 하,' 라고 발음하는, 선명하지만 어색한 웃음은 모두를 향한다. 이때 불확실한 것은 웃음의 대상만이 아니다. 퍼포먼스의 마지막 1분은 웃음을 흉내 내는 듯한 소리에서 출발하지만, 어느 순간 그 웃음은 눈물을 동반하는 기괴한 폭소로 이어진다.

이불의 퍼포먼스는 이렇게 무대와 객석, 비극과 희극 사이의 곤혹스러운 불확실성을 마주하게 한다. 이런 점에서 <낙태> 역시 '정체성의 재현'이나 '개인적인 기억'에 관한 무대가 아니다. 그곳은 관객에게 자신의 과거를 털어놓기 위한 자리가 아니라, 무대의 안과 밖의 '동시적인' 실존을 가능하게 하는 '시간의 지속'에 관한 장소다. 우리는 누군가의 자전적인 이야기가 아니라 통약불가능한 두 가지 상이한 존재론이 빚어내는 차이의 연쇄적인 충돌을 마주한다. 의미가 기입된 신체와 모든 의미가 무화되는 살갗의 표면, 그리고 고통스러운 과거를 회상하는 주체와 그를 구원하고자 공중에 매달린 초월적인

존재는 무대와 객석 사이에서 죽음과 부활을 반복하며 의미가
생산되면서 동시에 파괴되는 시간을 구축한다.

즉 이불은 우리에게 '트라우마'에 사로잡힌 어느 주체의 형상을
제시하는 것이 아니다. 그의 작품은 의미를 고정시키기에는 얕고,
의미를 부정하기에는 깊다. 그가 우리에게 증언하는 것은 비인간적이면서
너무나도 인간적인, 견딜 수 없을 정도로 퀴퀴한 냄새를 풍기지만
찬란하게 반짝이는, 갖가지 상징적인 의미로 가득하지만 동시에 의미를
거부하는 기묘한 존재론이다. 그는 고통과 구원, 상징과 장식, 비웃음과
유쾌함이 꼬리에 꼬리를 물고 순환하는 시간 속으로 우리를 끌고 갈
뿐이다. 이 세계로부터 벗어나는 속도와 그 세계가 끌어당기는 중력이
충돌하는 그 시간은 그가 말하는 여행의 순간을 닮았다. "저의 작업은
다른 장소와 시간으로의 일종의 여행입니다. … 어떤 여행이 있습니다.
하지만 항상 풍경과 장소는 동일합니다."[25] 그가 우리 눈앞에 제시하는
괴물의 형상이 꿈과 실패 사이, 구원과 종말 사이에 거주하는 우리
자신들의 초상이 아니라면 대체 무엇이겠는가?

1 이 글의 제목은 이불 작가의 작품 제목을 그대로 차용한 것이다. <속도보다 거대한 중력>은 1999년 제48회 베니스비엔날레에서 처음 발표되었고, 당시 이불은 특별상을 수상하기도 했다.

2 이불은 다음과 같이 말한다. "(<사이보그>나 <아나그램> 연작과 같은) 제 과거의 작업은 인간의 몸에 집중하는 것 같지만, 실은 저는 신체를 통해 인간이 특정한 이상이나 비전을 좇는 것에 대해 다루고 있었습니다." Grazia Quaroni, "Interview with Lee Bul," in *Lee Bul: On Every New Shadow*, exh. cat. (Paris: Fondation Cartier pour l'art contemporain, 2007), 15.

3 이불은 당시 일본인 작가 치에 마쓰이와 함께 2인전을 열었다.

4 당시 전시는 크게 두 개의 공간으로 구성되어 있었다. 전시장 입구로 들어섰을 때 마주하는 벽에는 시퀸으로 장식된 생선들이 비닐봉지 안에 들어 있었고, 안쪽 공간에는 약 2m 높이의 냉장고 안에 인조비단발과 생선, 시퀸과 백합이 금실과 함께 뒤엉킨 조각이 설치되어 있었다. 이중 철거된 작품은 냉장고 안에 설치된 조각 작품이다. 작품의 일부를 철거한 자리에는 향수가 담긴 작은 용기와 함께 "이 조각은 기술적인 이유로 인해 일시적으로 철거되었습니다"라고 적힌 노트가 함께 배치되었다. 철거된 작품은 한때 호텔이었던 건물의 객실에 설치되었고 (그 호텔은 미술관의 확장을 위해 미술관 측에서 구매한 건물이고, 당시에는 호텔로 활용되지 않고 방치되어 있었다), 관객이 특별히 요청해야만 미술관 직원의 안내 아래 관람할 수 있었다. 이불, 장지한과의 이메일 인터뷰, 2020년 7월 21일.

5 Barbara London, *Projects 57: Bul Lee/Chie Matsui* (New York: Museum of Modern Art, 1996), https://www.moma.org/calendar/exhibitions/232 (2020년 6월 24일 검색).

6 김정숙, 「신세대 그룹 MUSEUM 나양한 이벤트와 프로젝트 개밀」, 『미술세계』 88호, 1992년 3월, 56–57.

7 김홍희, 「한국 현대미술사의 신기원, 1990년대」, 『X: 1990년대 한국미술』 (서울: 서울시립미술관, 현실문화, 2016), 73.

8 Joan Young, "Lee Bul," in *The Hugo Boss Prize 1998*, exh. cat., ed. Carol Fitzgerald (New York: Guggenheim Museum Publications, 1998), 66–68.

9 강태희, 「How do you wear your body?: 이불의 몸 짓기」, 『미술사학』 16 (한국미술사교육학회, 2002.8.): 174–175.

10 한스 울리히 오브리스트, 「사이보그 & 실리콘 – 이불과 그녀의 작품세계」, 『Lee Bul』 (서울: 아트선재센터, 1998), 페이지 없음.

11 원동석, 「현실과 미술의 만남」, 『현실과 발언: 1980년대의 새로운 미술을 위하여』, 현실과 발언 동인 (열화당, 1985), 31.

12 엄혁은 현실공간의 "파편화"와 "분열화"를 다음과 같이 묘사한다. "뜨거운 봄날 어린 고등학생이 제 몸에 불을 질러 산화해가고, 컴퓨터 칩이 하루하루 개발되며, 한 노동자가 원인도 모르게 죽어가고, 어떤 백화점에서는 바겐세일에 인파가 몰리는 등 한 공간에서 너무나 상이한 사건들이 아무런 유기적 관계가 없는 듯 일어나고 있다." 엄혁, 「미신, 미학, 그리고 미술: 우리시대의 아우라와 리얼리즘」, 『문화변동과 미술비평의 대응: 90년대 한국미술의 진단과 모색』, 미술비평연구회 (시각과 언어, 1994), 103.

13 조르조 아감벤, 「장치란 무엇인가?」, 『장치란 무엇인가? 장치학을 위한 서론』, 양창렬 옮김 (서울: 난장, 2010), 17.

14 이런 측면에서 이불의 작업을 어떤 식으로든 한국미술사의 담론의 계보 위에 위치시키려는 시도는 정당하지 않다. 그것이 '전통'이든, '한국미술'이든, 이불의 작업은 주체성을 구성하던 담론의 바깥을 지시한다. 그럼에도 불구하고 최근까지 몇몇 평자들은 그의 작업을 '한국미술사'의 선형적인 서사 안에서 독해하고자 한다. 예를 들어, 이영욱과 박찬경은 그들이 공저한 글에서 다음과 같이 썼다. "이불, 이수경, 배영환 등은 꽤 오래 전부터 근대주의의 이면으로 배제된 '전통'을 중요한 코드로 사용해왔는데, 이에 대한 비평적 논의도 뒤따라야 할 것이다." 이영욱, 박찬경, 「앉는 법: 전통 그리고 미술」, 『레드 아시아 콤플렉스』, 김항 외 (서울: 국립현대미술관, 현실문화, 2019), 255.

15 조르조 아감벤, 「장치란 무엇인가?」, 33–34.

16 이 노동은 이불의 자전적인 경험과 깊은 관련이 있다. 그는 인터뷰를 통해 종종 어머니의 노동을 바라보던 자신의 어린 시절에 대해 회상하곤 했다. 최근의 인터뷰에서 이불은 다음과 같이 말했다. "저는 병약한 아이였고 누운 채로 제 주변의 밝게 빛나는 비즈와 뜨개질한 옷을 바라보던 기억이 납니다. 저는 중년의 여성이 그러한 일을 하는 모습을 보며 자랐습니다. 저는 반

농담조로 색채와 질감에 대한 저의 감각이 그 시간 덕분이라고 말합니다. 바로 그러한 기억으로 인해 전 작품에서 비즈를 사용합니다." Stephanie Rosenthal, "A Feeling about Freedom," in *Lee Bul*, exh. cat. (London: Hayward Gallery Publishing, 2018), 84.

17 이불을 지금까지도 호명하는 '여전사'라는 용어는 그의 작품이 오랫동안 그저 저널리즘의 헤드라인을 장식하기 위해 소비되어 왔음을 잘 보여준다. 작가의 성적 정체성(여성)과 반골 성향(전사)을 강조할 뿐인 이 기표는 작품을 기려버린다. 이는 작가의 활동 초기부터 뿌리 깊게 박혀있는 선입견과 관련이 있어 보인다. 이불은 다음과 같이 말했다. "일전에 자하문미술관에서 민중미술가들과 함께 전시를 할 기회가 있었습니다. 이 때 처음 생선을 소재로 한 작품을 출품하면서, 이 작업을 통해서 일상사에서 출발한 정치적 비판의식을 보여주려고 했는데, 그런 진지한 접근을 이해해 주는 이가 없더군요. 나의 외양이나 태도가 내 작품의 내용이 그러한 진지한 문제에서 출발하고 있다는 것을 못 읽게 만드는 상황이었다고 생각됩니다." 박찬경, 「이불, 패러디적, 아이러니적 현실에 대한 패러디와 아이러니」, 『공간』 352호, 1997년 2월, 81.

18 이불은 인터뷰에서 자신과 세계와의 관계에 대해 말한 적이 있다. "바깥, 나를 둘러싼 외부 세계, 나의 일부이기도 한 환경은 아마도 제가 자의식을 발전시키기 시작했던 때부터 저의 관심사였을 겁니다. 하지만 이것은 '나와 대결하는 세계'로서가 아니라, '나 그리고 세계', 혹은 '세계 속의 나'에 가깝습니다. 그것이 나의 질문과 관심의 핵심이었죠." 다시 말해 이불은 작품을 통해 그저 세계에 대항하는 것이 아니라, 세계와 평행한 상태로 세계의 외부에 있거나(나 그리고 세계), 또는 내부에(세계 속의 나) 있으려고 한다. Stephanie Rosenthal, "A Feeling about Freedom," 82.

19 박찬경, 「이불, 패러디적, 아이러니적 현실에 대한 패러디와 아이러니」, 『공간』 352호, 1997년 2월. 84.

20 조르조 아감벤, 「장치란 무엇인가?」, 33.

21 최승자, 「나의 詩가 되고 싶지 않은 나의 詩」, 『이 時代의 사랑』 (서울: 문학과지성사, 1981), 19.

22 박찬경, 「이불, 패러디적, 아이러니적 현실에 대한 패러디와 아이러니」, 82.

23 할 포스터는 다음과 같이 말한다. "자연적인 살이면서 동시에 문화적인 인공물이기도 한 신체의 모호함은 아마 명료하게 설명될 수 없을 것이다. 신체미술은 단지 우리를 이런 모순에 직면하게 할 뿐이다." 할 포스터 외, 『1900년 이후의 미술사: 모더니즘, 반모더니즘, 포스트모더니즘』 배수희 외 옮김 (서울: 세미콜론, 2011), 569.

24 James B. Lee, "Parody, Parable, Politics," in *Bul Lee* (Seoul: Ahn Graphics (Unpublished), 1997), 84.

25 Stephanie Rosenthal, "Lee Bul: Crashing," in *Lee Bul*, exh. cat., ed. Stephanie Rosenthal (London: Hayward Gallery Publishing, 2018), 10.

<송가> (프로덕션 스틸), 2000. 비디오, 6분
Anthem (production still), 2000. Video, 6 minutes

302

Gravity Greater Than Velocity[1]

Jihan Jang

For about a decade after graduating from art school in 1987 with a degree in sculpture, and until her 1997 exhibition at the Museum of Modern Art (MoMA) in New York, Lee Bul showed her work in various settings, from Seoul's college districts and the streets of Tokyo to prestigious museums. The year 1997 can be seen as an inflection point in her oeuvre because it's when she stopped working with the naked body and rotting fish as materials and eventually moved on to producing white cyborg sculptures. By the end of the twentieth century, we could no longer find in her work the strange properties of organic matter or the complicated games between the audience and the actualities of the body. Having first turned to avant-garde performances after becoming disillusioned with sculpture, she had now returned to sculpture. The change was not limited to that of medium. As is well known, for Lee Bul, the cyborg signifies the cult of technology in the modern world.[2] Her interest in technology as it relates to modern utopia continued in the subsequent series *Mon grand récit* (2005–present). The artist, who had crawled across the gallery floor in self-created sculptures, now stood at a distance from the world, and appeared to be gazing at the futility of modern dreams that inevitably end in failure. This narrative, of Lee's shift from performance back to sculpture, and from identity politics to the question of modern utopia, seems plausible at first glance.

However, just tracing the visible difference in formal style is not enough to understand the fundamental question that has occupied the artist for nearly thirty years. The slippery surface of the fish penetrated by ornamental sequins has turned into smooth silicone, and in place of the human body that once stood on solid ground, there are now sculptures suspended in midair; but Lee Bul is still grappling with the same problem of modernity that has preoccupied her from the beginning to the present. Issues of modernity, technology, and the medium of sculpture have consistently been at the core of her artistic interests. This text deals with Lee's early work in the ten-year period from 1987 to 1997. What were her concerns at the historical crossroads marked by the 1987 democratization movement that set off rapid changes throughout Korean society toward greater freedom? What does the ten-year record of this artist reveal to us?

Majestic Splendor

The 1997 exhibition of *Majestic Splendor*, one of Lee Bul's representative works, at the Museum of Modern Art (MoMA) in New York, presents an apt narrative for an artist radical in her approach and representative of her era. Invited by the MoMA to exhibit in its renowned *Projects* series.[3] The artist, who had already been active internationally in Japan, Canada, and Australia, decided to further develop her installation of decorated fish, which she had first exhibited in 1991. Captivating the gaze with the variegated colors of glittering sequins, the work also stimulates other senses beyond sight. Because the main material is real fish, beauty's sparkling form begins to lose its solidity after a short period of time. Despite steps to slow the process of decay—keeping the glass display case cool through refrigeration or adding chemical desiccants—the quintessential modern art museum was soon filled with the smell of rotting fish.

Throughout the history of art, radical artworks have always run up against a wall of authoritative power. This familiar narrative continues to have validity even in the world of "contemporary art" where anything seems permissible. The MoMA summarily decided to take down a part of the odorous work on the opening day of the exhibition.[4]

Referring to Lee Bul's work "installation art," Barbara London, the curator of the show, wrote: "It is the medium of choice for young artists who wish to break with institutionalized art forms prevalent in museum and gallery spaces." According to London, it is the "struggle" to "find freedom outside of the norm." Moreover, she adds, in this kind of installation art, "the medium is confrontational in both form and content, and as such, it is a staple of alternative art galleries found in most urban centers."[5] Here, the narrative of the heroic artist who challenges the existing authority is joined to a discourse on the medium. Thus, departing from the established modes of sculpture or painting, and pushing beyond vision to stimulate the sense of smell, Lee's is a work of installation art that challenges the authority of the institution.

From the beginning of her practice, typical readings of Lee Bul's art tended towards discourses around "the young artist who challenges authority" or the work's "unidentifiable, unclassifiable forms." In a 1992 article introducing the activities of the artist group MUSEUM, which Lee had formed with her colleagues, critic Kim Jeongsook characterized the group as "post-genre" and described them as "subversive of authority and existing outside of pre-established paths," and furthermore, as one which "does not define an ultimate goal." This kind of explanation places Lee Bul in that notorious position of the "new generation" artist.[6] This is not just an instance of the 1990s narrative that affixed the label of "freedom" to anything new. Projects that describe the historic break at the end of the 1980s and the early 90s under the name of "contemporary art" still refer to Lee to this day as a "new generation" artist who "attacks the authority of the museum and the tradition of art history," and who "prefers humor and play, lightness and superficiality, shock and novelty, the distorted and the grotesque to the severe, the serious, the heavy and dignified."[7]

This does seem like a romantic narrative suited to a new generation artist, but there is no room for the actual "work" of Lee Bul here. Whether it's "post-genre" or "installation art" moving beyond traditional media, newness is radical because it always arrives with an indefinable sense of discomfort: the odor released by decaying fish becomes a problem that must be solved because it threatens the aesthetic autonomy of the museum. Here, the introduction of a sense element beyond vision is considered more an "act" of challenging authority than a creation of an autonomous "work." This kind of "experiment" is always light and stimulating: In this view, the new generation of youth (or East Asian female artists), rather than innovating traditional media, just want to tear down authority and put on a boisterous festival.

While some discuss the work of Lee Bul in this way, as the destruction of the medium and resistance to authority, there are others who tirelessly seek to discover its "meaning." A year after the MoMA exhibition, Lee was shortlisted for the Hugo Boss Prize. The curator at the time, Joan Young, affirms the meaning of *Majestic Splendor*: It is not an attack on the tradition of art history, but a metaphor for "the universal struggle of women against aging." When the fish decay over time, only the beautiful man-made ornaments remain in their place. Civilization is everlasting, but the beauty of the body is temporary. In the end, the flesh simply leaves an unbearable odor. It is, Young observes, "a biting satire on the slave-like position of women in a male-dominated culture" and an artistic interrogation of "typical representations of women."[8]

This kind of reading, which primarily finds "representations of women" in Lee Bul's work, constitutes another line of interpretation. Art historian Kang Taehi also sees the female form in the work that was installed in a vitrine as part of the MoMA version of *Majestic Splendor*. According to Kang, what it shows is "a monster stuffed with fish decorated with hairpins, sequins, synthetic hair, lilies, etc. in a net woven with golden thread." However, this monster is not just a strange image of the imagination. "What Lee Bul reproduces and represents is the mother and the fetus during pregnancy, and the animal body with an abnormal proliferation of organs. She intervenes in the monstrous identity of women through this body."[9]

According to these readings, Lee Bul's work appears to come at us in two different ways. On the one hand, it's a bold attempt to challenge authority; on the other, it's an affirmation of women's identity. For example, the smell in her work is a post-genre element that does away with traditional media or it's a metaphor for women aging. While critics and curators lose their way wandering between the destruction and creation of meaning in her work, Lee Bul tells us an interesting story. On the question of smell as an element of the work, she responds as follows.

> What I'm trying to examine is the idea of repre-sentation and its relationship to the privileging of vision as the dominant aesthetic principle . . . While the fish can be seen as a representation, it also evokes—because of this other element of smell, which doesn't fit in to the traditional categories of representational strategies—a sense of the real, of object immediacy, of something that is prior to, or beyond, representation. For instance, if you go to an exhibition where this fish work is shown, and if you have normal smelling capacities, what you will encounter first is the smell, the element that is outside representation, and through that context you then come upon a visual representation.[10]

She suggests that this issue of new sensation was broached neither as a playful stunt nor as a means to deliver "meaning" in a more dramatic way. Her interest was in finding a new way in which representation itself operates. According to Lee, the fish in the work is a "visual representation" but there is another sense that is "prior to . . . representation." Visual representation in Lee's work is intertwined with other senses. Because the image has long occupied a "privileged" position, in order to bring it down from its transcendent, autonomous realm to this world in the here and now, an element outside of representation, namely, a sense other than vision is needed. Smell implies that the image in front of us exists not in an aesthetic realm far removed from the real world but occupies the very same space as us. This language of existence reveals what is inside the plastic bags on the gallery wall as the existence of mere fragile "material" subject to dissolution by the brute passage of time.

The first version of *Majestic Splendor,* exhibited in 1991 at Jahamoon Gallery, Seoul, shows that Lee Bul's intent at the time was not to suggest something related to identity through the fish but to present mere "material," the image rid of all symbolic significance. In this version of the work, the plastic bags contained not only fish but also chicken heads and feet. In some, these organic materials are sewn together and sequined, suggesting that, like fabric, they're nothing more than materials used in the construction of form through sewing. The plastic bags are uniformly installed on the wall in a single row, as if there is no hierarchy among them. The money contained in some plastic bags dramatically reinforce the suggestion that this is a realm of pure matter. Whether it's chicken foot or fish head, it occupies the same topol-ogy as money. Everything is merely an interchangeable substance.

Lee Bul's mode of turning the lofty into the ordi-nary, treating everything as a finite and interchangeable "substance," is also evident in her work from 1987, the year she graduated from university. In her youthful efforts to erase transcendent meaning from everything in her world, the human figure was no exception. She first presented a work in the form of a "soft sculpture" with the 1987 work *Untitled (My room has been closed for centuries).* In this strange work, shapes of human arms and legs can be discerned but not fully intact, not as complete pairs but missing limbs. Using soft fabric as its sculptural material instead of metal or stone, the work gives the impression of an imaginary monster with a long tail stretched toward the sky. With its back to the wall and legs outstretched as though doing a handstand, this monster is without a head. In the place where the head should be, there is instead a body without a neck, a body that is simply a painted image on a wooden board. But there are no hands in this image. The hands are again constructed as sculpture and continue from the arms rendered in acrylic paint. In the way that the fish and chicken feet were sewn together in *Majestic Splendor,* the limbs of the monster and parts of the human body, sculpture and painting, are simply interconnected here. This work—in which monsters and humans, the three-dimensional and the two-dimensional, and fabric and wood are interconnected—does not generate any meaning related to humans. It reveals that the human form, as with any mere substance, can be fragmented and deconstructed.

The human form in Lee Bul's work does not produce a specific model of subjectivity and does not seek our attention as a social and political "being." Rather, through the materiality of the fabric, suitable for representing wrinkles suggestive of human skin, and the fiberfill that is stuffed inside, it merely presents in a dramatic manner a voluminous "human-like" form. The shape of the world in Lee's work—whether it's fish or humans—is a "visual representation." But it does not exist to produce any meaning. As she has said, it is something "that is prior to, or beyond, representation." In her work, the body initially comes to us as nothing other than the soft texture of fabric and a suitably familiar form. What is important here is not the meaning surrounding representation but the "object immediacy": the uncomfortable smell of the fish and the soft texture of the fabric precede any meaning produced by visual representation.

The Crisis of Representation

Lee Bul's attempt to invent a new model of representation in the late 1980s was quite radical and strange to the Korean art world at the time. Artists associated with a range of movements in the 1980s had been struggling to "represent" something. Under the name of *Minjung* art or in the name of realism they posed such questions as: "What is reality to us?" and "How do we see and feel reality?" Further, they asked: "Who sees and feels that 'reality'? That is, who is the subject of the consciousness of reality?"[11] Even if there were different responses to these questions, it was agreed that the task of representing the world was a common agenda that artists had to take up urgently. There was a model of subjectivity invented to carry out the categorical imperative of representation, and paintings produced in the 1980s—whether of historical figures or ordinary people (*minjung*)—sought to imbue man with historical and critical meaning.

Korea, however, was changing rapidly in the late 1980s. As the social landscape was being transformed, beyond violent state authority toward greater freedom, toward a wider world beyond the small peninsula, many paintings made to represent reality suddenly appeared

to have nothing to do with it. Addressing the widening gap between reality and painting's representation of that reality, critic Um Hyuk wrote in the early 1990s:

> What is the space of our reality? And what is the space occupied by our art that is giving rise to this kind of problem? . . . the space of our reality, whether it is fragmented and splintered or whether it is positive or negative, it's a fact that its absolute value has "deteriorated or changed." Nevertheless, our art remains the same.[12]

The early work of Lee Bul exposes this kind of "crisis of representation." For an artist facing a world so fragmented that it was impossible to establish human relationships, the space of representation arising from certain models of subjectivity seemed outdated. In this situation, she chose to insulate herself from all "apparatuses" that produce subjectivity. The concept of apparatus developed by Foucault refers to a "heterogeneous set" of elements that constitutes a subject, including "discourse, institutions, buildings, laws, police procedures, and philosophical propositions."[13] Lee Bul has recalled her dissatisfaction with the limited options she had as a young artist. For example, the prevailing art form was plainly divided into two camps: the opposing discourses of modernism and *Minjung* art were in their own ways limiting the language of art to a space of representation connected to specific models of subjectivity. In addition, her life was constrained by the authority of the state; from her birth, the absurd system of "guilt by association"—whereby her mother's dissident activities placed her entire family under official suspicion and surveillance—was part of the powerful apparatus of Korean society that regulated her life.[14]

Lee Bul's work points to the exterior of these modern apparatuses. Bringing Foucault's concept of the apparatus into his theory, Giorgio Agamben classifies beings largely into "two large groups": "To recapitulate, we have then two great classes: living beings (or substances) and apparatuses. And, between these two, as a third class, subjects. I call a subject that which results from the relation and, so to speak, from the relentless fight between living beings and apparatuses."[15] Following Agamben then, Lee Bul points to that which exists on the opposite side of modern apparatuses, whether state violence, modernism, or *Minjung* art. In other words, she posits a "living being" unrelated to the process of subjectification that occurs under the influence of these apparatuses. The form of the fractured body or fish presented in the raw represents only the "substance" itself, without any meaning produced by the apparatus. Lee constructs a space outside the modern apparatuses that produce subjects—that is, the space of substances. Here, there is no room for the hermeneutics of the subject. It is a place occupied only by living beings that are "prior to, or beyond, representation."

What is important, however, is that in Lee Bul's early work, which delineates a space outside of modern apparatuses, there are remnants that cannot be explained away. In a world of meaningless substances—the space of living beings that will decay and become unrecognizable over time—are inscribed signs of unchanging beauty. The sequins embedded in the surface of the fish in *Majestic Splendor* of 1991 are closer to ornament than symbol. This material does not imbue meaning onto the world of substances; but it nevertheless evokes a strange sensation on the surface of something ordinary or something that might even cause uncomfortable feelings. Positioned amid the fish scales and reflecting light, the sequins maintain their presence even as the flesh decomposes. Within the confines of the plastic bag, there is the tension between the finite and infinite, the organic and inorganic, disgust and beauty.

The sparkling sequins, however, are not merely beautiful. They point to the cheap labor provided mainly by women in the process of Korea's modernization.[16] This material represents the countless hours expended by women on manual work that they had little choice but to accept. Thus, on the surface of living beings that reject meaning are inscribed the refusal to forget. Lee Bul would decorate, without regard to subject, meaningless surfaces with sequins. Even on the surface of her soft sculptures, which brings out the materiality of the fabric resembling wrinkles of skin, the sequins silently maintain their presence. Here the contrast between nature and artifice expands into a question of meaning. Signs of modernity are inscribed on the world of substances beyond representation. Always reflecting light anywhere, the glistening sequins seem to memorialize those endless hours.

The sequins, harboring memories of modernity in this way, were in the beginning still more ornament than symbol, but gradually they began to acquire a more autonomous sculptural form. In the 1991 version of *Majestic Splendor,* the sequins are embedded in the fish without any apparently intentional shape or pattern. The occasional discernible designs, of flower for instance, seem largely random or improvisational. However, the sequins adorning the fish in the MoMA installation are more deliberate in their construction, with quite intricate, elaborate architectonics. That is, if the early sequins function as decoration piercing the surface of the fish, then the later sequins, functioning as independent sculpture, create an autonomous space separate from the fish. This reveals the gap between living beings separated from modern apparatuses and the signifier indicating modernity. The organic matter that rejects meaning and the inorganic matter that preserves meaning are in tension, at once interconnected yet separate from each other.

However, as time passes and the fish decay, the firmly delineated gap between the sequins and the fish dissolves. Ultimately, as the process of decomposition continues, the two become a single indistinguishable aggregation, rendering the fish formless. The indifferent passage of time voids any meaning in the distinction between organic and inorganic matter, making indistinguishable beauty and its opposite, meaning and meaninglessness.

By inserting the temporal into her sculptural language, Lee Bul devised a narrative completely different from the traditional mode of sculpture. Time forced different materials to reveal, moment by each passing moment, their multi-layered meanings. Lee's works neither simply destroy meaning (as a "new generation" or "post-genre" art), nor simply produce meaning (identity as a woman, tradition); rather they form an aesthetic structure in which meaning is generated at the same time as it is being destroyed.[17] She has used the term "irony"[18] to refer to this contradictory phenomenon. She went on to explain: "I want to make it pretty, but I want to make it difficult to fall for the prettiness . . . an intellectual game which makes us fall for something yet at the same time keeps us from falling."[19] In other words, in Lee's work, the language outside of the "apparatuses" that constitute modernity and the language that "points to" and "represents" modernity are intertwined.

Even before the 1991 exhibition of *Majestic Splendor*, the artist had been grappling with this concern. The real human body that first appeared in Lee's work in 1988 presented a way of approaching a fragmented world that couldn't be explained simply as that which represents, or doesn't represent, something. For Lee, sculpture had to escape from its autonomous realm and expand toward someplace else. The year before, in 1987, she had made from fabric and fiberfill distorted, disconnected bodily forms. Now she began putting on these sculptural forms. The soft sculptures, which were a powerful critique of the historical and political representations of man, were now combined with the real human body. Aiming for a sculpture "that is prior to, or beyond, representation," Lee Bul dismantled form and emphasized its material properties, that is, its "object immediacy." Now, however, elements of representation were being reintroduced. Real humans filled the space where organs had been emptied out and stuffed with fiberfill.

In the performance *Cravings* (1989) at the National Museum of Modern and Contemporary Art, Gwacheon, Lee Bul donned a soft sculpture larger than her body and moved slowly through the space. A number of shapes resembling human hands and feet, suggestive of human organs, hung off the sculpture. It looked as though a body had been turned inside out, with various organs protruding. The artist and three other performers wore the sculptures, leaving only their heads, hands, and feet exposed, the non-human encasement revealing glimpses of the human form.

For much of the time, the performers crawl around on the floor or engaged in indefinable movements, their tangled forms a mixture of the human and non-human, body and sculpture. Their faces are painted with patterns that are vaguely shamanic, suggesting that the human heads protruding from these monster forms may belong to pre-modern entities in pursuit of something spiritual or mysterious. The sculptures are equipped with microphones that amplify every vibration between the sculpture and the body, producing a sound that resembles something that might have existed prior to language. Meaningless cries and howls of acoustic feedback fill the space throughout the performance.

The image of one performer carrying an overflowing sculpture up the stairs while growling like an animal wary of unfamiliar humans is like a rejection of language itself. According to Agamben, "language is the most ancient of apparatuses . . . Language itself is connected to power."[20] In the meaningless noise, however, there can sometimes be detected heartrending howls and sorrowful weeping. In the space where the apparatus of language has been rejected, there remain only the vibrations of air between the extremes of a monster's growls and human cries. It's difficult to say how much of this is non-human noise and how much of it a human expression of emotion. Having the appearance of monsters, the figures seem to stand in opposition to the human, yet something of the human remains.

An untitled performance the same year at Now Gallery, Seoul, begins on the streets of Daehak-ro, in what was at the time a "college district." Lee Bul strolls through the streets with fellow performers, swaying to music as people begin to gather in anticipation of a spectacle. Gas masks worn by some of the other performers naturally conjure up certain notions of political authority in the turbulent late 1980s, but they also feel simply like a part of the prop, a meaningless signifier in the setup for festival entertainment. But the mood shifts once the performers and audience climb the stairs and enter the gallery. Wearing a gas mask, one of the performers sits in a chair and cuts into a teddy bear with scissors. She begins to take out the cotton stuffing from inside the doll. As with the soft sculptures and the decaying fish, the aura surrounding the object of representation is deflated, revealing it, the object, to be nothing but matter. As the meaning of visual representation is dismantled and signs of the dark times appear like worn-out symbols, Lee Bul slowly recites a poem by Choi Seung-ja into the microphone: ". . . I'd like to scream until I pass out, / pass out and come around to consciousness in ten years."[21]

Adrift between the floating signifier and the material world, the modern subject persists in a world full of meaning. But captive to memory, this human being exists alone in a world full of meaninglessness. With no possibility of escape, this subject would rather lose its mind and disappear from this place for a while. In this moment, the gas mask seems less a powerless symbol than an evidence of the history that continues to imprison the subject who longs for temporary death. Just as the sequins in *Majestic*

Splendor are sparkling decoration, and at the same time, testimony to a darker time.

Ambiguous Time

The existence of matter and the representation of modernity are entangled in the work of Lee Bul. The passage of time leads the two toward an inextricable state, and ultimately it becomes impossible to distinguish between them. In 1989, Lee Bul was continuously experimenting, traversing the spaces of museums, streets, and theaters, trying to see how far she could push the boundary between the representation and dissolution of meaning in the interaction of sculpture with the human body. The notorious performance *Abortion,* staged in October of that year at Dongsoong Art Center, Seoul, shows that the body itself can carry out the dual process of simultaneously creating and destroying meaning. As the performance begins, the artist sits in a chair and tells the audience an autobiographical story related to abortion. But what is important here is her effort to hinder the full representation of memory. During the performance, Lee occupies the place of the audience, while inversely the audience is seated on the stage. (She also handed out candy to audience members entering the auditorium, and then she too put a candy in her mouth and sat in the theater as if waiting for the entertainment to begin.) Through such gestures, she suggests that the story is hers, of her painful memories, but at the same time, that she is also part of the audience for this story.

Through performance, Lee Bul reproduces a narrative of the past, but she is constantly concerned "not to fall into a retrospective and romantic sentiment."[22] The subtle tug-of-war over representation between the performer and the audience comes to an end the moment the artist is hoisted in the air naked, supported only by a rock-climbing rope and harness. Just moments before, the body was representing dark memories, but now the space of that representation is gone, and there is only the pure existence of the body in space. The critic Hal Foster has remarked on "the definitive ambiguity" of art that uses the human body to reveal the immediacy of the flesh, to emphasize the existence of the body, while at the same time using "the body as a tool of representation and symbol."[23] In *Abortion* Lee Bul's body, amid a variety of

signs, functions to represent the experience of women, but at some point suspended in midair, the naked body (interestingly still holding the candy in one hand) emphasizes only its material existence. In this transition, Lee has interposed a narrative of salvation. Tweaking familiar verses from the Bible, she declaims: "I hang here to bear the burdens of all women who have aborted babies, to redeem their guilt and anguish . . ."[24] Suspended upside down under the glaring light, her body occupies the same space as the audience, but simultaneously it seems to exist in some transcendent place. Speaking of pain and salvation together, she seems unable to bear herself struggling to be free of the weight of modernity.

For a performance in 1994 at A Space in Toronto, Lee Bul began with a somewhat haphazard fan dance while wearing a gas mask and *hanbok.* After a few minutes, she drops the fan and suddenly falls to the floor. Some time after this symbolic death, she gets up in front of the audience and puts on a self-mocking smile. As the performance progresses, the artist takes off her clothing one piece at a time. When she is fully naked, she laughs out loud continuously for about a minute. Her self-mocking laughter is the only sound filling the space, turning the situation into a theater of the absurd.

Though I've described the laughter as "self-mocking," it's not easy to define to whom it is directed. *Ha, ha, ha.* As she enunciates the syllables that make up her laughter, Lee Bul's gaze is directed straight ahead. The deliberately contrived laughter shows that her enactment of death isn't serious, that even the laughter is all an act. Yet at the same time, the laughter is directed at the audience looking solemnly upon her gawky movements. Awkward but lucid, the laughter is directed at everyone. The sense of indeterminacy pervading the performance continues into its final moments, which starts with the artist making a sound that mimics a laugh but soon turns into a strange, uproarious mixture of laughter and tears.

Lee Bul's performance confronts us with a discomforting indeterminacy between the stage and the audience and between tragedy and comedy. In this light, *Abortion* is not a stage for the "representation of identity" or "personal memory." It is not a confessional for her past but a place of "temporal duration" that makes possible a "simultaneous" existence both inside and outside the stage. We are confronted not with someone's autobiographical story but a series of collisions produced by two disparate and incommensurable ontologies. The body inscribed with meaning and the surface of the flesh where meaning is annihilated; the subject recalling a painful past and the transcendent being hanging in midair to offer salvation; death and resurrection alternating between the stage and the audience—these construct a time in which meaning is simultaneously produced and obliterated.

In other words, Lee Bul does not propose to give form to a subject consumed by "trauma." Her art testifies to a strange and wondrous ontology that is non-human yet all too human, that emits a foul musty odor but sparkles brightly, and is replete with a variety of symbolic meanings but at the same time refuses meaning. She takes us into a temporal dimension where torment and salvation, symbol and decoration, ridicule and delight, continuously circulate. The moment when the velocity of escape from the world collides with the force of gravity exerted by the world echoes that moment of travel about which Lee Bul has said: "My works are a kind of journey to another place, another time . . . there is a journey, but it is always the same view. The same site."[25] If the image of the monster that she presents is not a portrait of us, dwelling between dreams and failures, between salvation and terminus, then what else could it be?

1 The title of this article is borrowed from the title of Lee Bul's artwork *Gravity Greater than Velocity*, first exhibited at the 48th Venice Biennale in 1999, for which the artist was recognized with a *Menzione d'Onore*.

2 As stated by Lee Bul, "My past work [such as the *Cyborgs* or *Anagrams* series] may have seemed like it was focused on the human body, but in fact I was looking more at the human pursuit of certain ideals, certain visions, through the body." Grazia Quaroni, "Interview with Lee Bul," in *Lee Bul: On Every New Shadow*, exh. cat. (Paris: Fondation Cartier pour l'art contemporain, 2007),15.

3 Lee Bul was part of a two-person exhibition with the Japanese artist Chie Matsui.

4 The installation was composed of two parts. Arranged in a grid on the wall facing the entrance to the exhibition space, fish decorated with sequins were placed in plastic bags; and in the inner hall, artificial hair and fish, and sequins and lilies entwined with golden thread were installed inside a two-meter-high refrigerated vitrine. The work removed from the exhibition was the sculpture in the vitrine. In place of the removed work, a small container of perfume was placed with a note that read: "This sculpture has been temporarily removed for technical reasons." The removed work was stored in a disused hotel nearby that the museum had acquired for its eventual expansion, and it could only be viewed by special request to the museum and under supervision by museum staff. Author interview with Lee Bul, July 21, 2020.

5 Barbara London, *Projects 57: Bul Lee/Chie Matsui* (New York: Museum of Modern Art, 1996), https://www.moma.org/calendar/exhibitions/232 (accessed June 24, 2020).

6 Kim Jeongsook, "Sinsedae geurup MUSEUM dayanghan ibenteuwa peurojekteu gaebal" (Various Events and Project Initiatives of the New Generation Group MUSEUM), *Misulsegye*, no. 88 (March 1992): 56–57.

7 Kim Hong-hee, "Hanguk hyeondaemisulsaui singiwon, 1990nyeondae" (A New Era of Korean Contemporary Art, the 1990s), in *X: 1990Nyeondae Hangugmisul* (X: 1990s Korean Art), exh. cat. (Seoul: Seoul Museum of Art; Hyunsilmunhwa, 2016), 73.

8 Joan Young, "Lee Bul," in *The Hugo Boss Prize 1998*, exh. cat., ed. Carol Fitzgerald (New York: Guggenheim Museum Publications, 1998), 66–68.

9 Kang Taehi, "How Do You Wear Your Body? Lee Bul ui mom jitgi" (Lee Bul's construction of the body), *Misulsahak* (Korean Association of Art History Education) 16 (August 2002): 174–175.

10 Hans Ulrich Obrist, "Cyborgs and Silicone: Artist Lee Bul about her work," in *Lee Bul*, exh. cat. (Seoul: Art Sonje Center, 1998), n.p.

11 Won Dong Seok, "Heonsilgwa misurui mannam" (Reality Meets Art), in *Hyeonsilgwa bareon: 1980nyeondaeui saeroun misureul wihayeo* (Reality and Speech: For the New Art of the 1980s) (Seoul: Yeolhwadang, 1985), 31.

12 Um Hyuk describes the "fragmentation" and "division" of the space of reality as follows: "Such different events are taking place in one space as if there were no organic relationship among them: On a hot spring day, a fragile high school student sets his body on fire and oxidizes it, the computer chip advances day by day, a worker is dying without knowing the cause, and bargain sale crowds gather at some department store." Um Hyuk, "Misin, mihak, geurigo misul: urisidaeui aurawa rieollijeum" (Superstition, Aesthetics, and Art: Aura and Realism of Our Time), in *Munhwabyeondonggwa misulbipyeongui daeeung: 90nyeondae hangungmisurui jindangwa mosaek* (A Response to Cultural Change and Art Criticism: Diagnosis and Search for Korean Art in the 90s) (Seoul: Sigakgwa eoneo, 1994), 103.

13 Giorgio Agamben, "What is an Apparatus," in *What is an Apparatus? And Other Essays*, translated by David Kishik and Stefan Pedatella (Palo Alto: Stanford University Press, 2009), 17.

14   In this respect, any attempt to situate Lee Bul's work within the lineage of the discourse on Korean art history is unjustified. Whether in relation to "tradition" or "Korean art," Lee Bul's work points to the outside of the discourses that constitute subjectivity. Nevertheless, until recently, some reviewers have tried to read her work within the linear narrative of "Korean art history." For example, Lee Young Wook and Park Chan-kyong wrote as follows in their co-authored article: "Lee Bul, Lee Soo-kyung, Bae Young-hwan, among others, have used "tradition," long excluded as the reverse side of modernism, as an important code, but critical discussion about this should also follow." Lee Young Wook and Park Chan-kyong, "Anneun beop: jeontong geurigo misul" (How to Sit: Tradition and Art), in *Redeu asia kompeullekseu* (Red Asia Complex) (Seoul: National Museum of Modern and Contemporary Art; Hyunsilmunhwa, 2019), 255.

15   Giorgio Agamben, "What is an Apparatus," 14.

16   This labor has a deep relation to the autobiographical experience of Lee Bul. Through interviews, she has reminisced on her childhood when she looked upon her mother's work. In a recent interview, Lee Bul stated the following: "I was a sickly child so I remember lying down and looking at the brightly colored beads and knitted clothes around me. I grew up watching middle-aged women producing such work. I half-jokingly say that I owe my sense of color and texture to those times. I use beads in my works because of such memories." Stephanie Rosenthal, "A Feeling about Freedom," in *Lee Bul*, exh. cat., ed. Stephanie Rosenthal (London: Hayward Gallery Publishing, 2018), 84.

17   The term "woman warrior" still used to refer to Lee Bul shows well how her work has long been consumed simply to embellish journalistic headlines. This signifier, which only highlights the artist's gender identity (woman) and defiant tendency (warrior), ends up masking the work. It appears related to deeply rooted preconceived notions since the beginning of the artist's activities. Lee Bul stated the following: "Previously, I had the opportunity to exhibit with *Minjung* artists at Jahamoon Gallery. First submitting a work using fish as material at this time, I tried to show political criticism that began from everyday history through the work, but there was no one who seemed to acknowledge such an earnest approach. I think it was my appearance or attitude that made the fact that the content of my work began from such a serious matter unreadable." Park Chan-kyong, "Lee Bul, paereodijeok, aireonijeok, hyeonsire daehan paereodiwa aireoni" (Lee Bul, Parody and Irony about Parodic and Ironic Reality), *Gonggan* (Space) 352 (February 1997): 81.

18   Lee Bul has spoken about her relationship with the world in an interview: "The outside, the outer world that surrounds me, the environment that is a part of me, has been an interest probably from about the time a consciousness of myself began to develop. Not as a 'me-versus-the-world,' but more 'me-and-the-world,' or 'me-in-the-world.' That has been the focal point of my questions and interests." In other words, Lee Bul is not just resisting the world through her work, but tries to remain outside ("me-and-the-world") in a state parallel to the world, or inside the world ("me-in-the-world"). Stephanie Rosenthal, "A Feeling about Freedom," 82.

19   Park Chan-kyong, "Lee Bul, paereodijeok, aireonijeok, hyeonsire daehan paereodiwa aireoni" (Lee Bul, Parody and Irony about Parodic and Ironic Reality), 84.

20   Giorgio Agamben, "What is an Apparatus," 14.

21   Choi Seung-ja, "Naui siga doego sipji aneun naui si" (My Poem That Doesn't Want To Be My Poem), *I sidaeui sarang* (Love in This Age) (Seoul: Munhakgwajiseongsa, 1981), 19. English translation of the poem by Won-Chung Kim.

22   Park Chan-kyong, "Lee Bul, paereodijeok, aireonijeok, hyeonsire daehan paereodiwa aireoni" (Lee Bul, Parody and Irony about Parodic and Ironic Reality), 82.

23   According to Hal Foster, "The ambiguity of the body that is both natural flesh and simultaneously cultural artifact probably cannot be explained clearly/simply. Art of the body only brings us to this kind of contradiction." Hal Foster et al., *Art Since 1900: Modernism, Antimodernism, Postmodernism* (Thames & Hudson, 2005), translated by Bae Soohui et al., as *1900nyeon ihuui misulsa: modeonijeum, banmodeonijeum, poseuteumodeonijeum* (Seoul: Semicolon, 2011), 569.

24   James B. Lee, "Parody, Parable, Politics," in *Bul Lee* (Seoul: Ahn Graphics [Unpublished], 1997), 84.

25   Stephanie Rosenthal, "Lee Bul: Crashing," in *Lee Bul*, exh. cat., ed. Stephanie Rosenthal (London: Hayward Gallery Publishing, 2018), 10.

<I Need You(모뉴먼트)>, 1996, 비닐 위에 사진 인화,
공기 펌프. 〈Join Me!〉, 스파이럴/와코루 아트센터,
도쿄

I Need You (Monument), 1996. Photo print on vinyl,
air pumps, 1200 × 500 cm diameter. *Join Me!*,
Spiral/Wacoal Art Center, Tokyo

모뉴먼트 연작
1996-1999

권진

1996년부터 약 4년간 이불은 <I Need You(모뉴먼트)>(1996)와 <히드라(모뉴먼트)>(1997–1999)라는 제목의 모뉴먼트 연작을 발표한다. 천으로 만들어진 이 거대한 구조물 곳곳에는 펌프가 연결되어 있고, 관람객들은 펌프를 직접 밟아 공기를 불어넣어 조각을 완성하는 참여적 조각이다. 전통적인 미술 공간에서 자연스럽게 발생하는 작품과 관객 간의 권력 구조는 이 작품 자체가 함유하는 여러 상징적인 움직임과 관객이 작품에 개입하는 방식으로 인해 지속적으로 교차하고 교란된다. 도쿄 와코루 아트센터의 스파이럴 갤러리에서 열렸던 《Join Me!》(1996)[1] 전시에서 처음으로 소개된 이 작품에는 근대 이데올로기의 상품으로 개발된 부채춤 인형, 국적이 불분명한 아시아 왕비, 여자 레슬러를 연상시키는 화려한 복장 등 복합적 여성 이미지로 분한 작가의 초상 사진이 인쇄되어 있다. 이 모습은 그동안 퍼포먼스에서 그로테스크한 형상의 조각을 입고 벌인 행위에서부터, 방독면이나 부채 같은 특정 소품의 사용, 어깨가 부푼 하얀 원피스와 하얀 소복 등 반복적으로 등장한 코스튬까지 몸과 몸의 확장을 중심으로 조각의 형태를 실험하고, 여성에 대한 관념의 세계를 흔들었던 일련의 과정에 대한 완결판과 같은 복합적이고 독창적인 이미지다. 작가는 도쿄에서 전시가 종료되는 시점에 맞춰 공기 주입 구멍의 펌프를 플라스틱 피리와 나팔 같은 장난감으로 교체하여, 공기가 빠지면서 재미있는 소리가 나도록 만들었다. 종국에는 납작해져서 축 늘어진 '기념비'를 어깨에 이고 무대에서 퇴장하는 이불의 모습은 초기 퍼포먼스의 마지막 장면이자 기록이 된다.

이듬해 《Cities on the Move》(1997–1999)에 초청된 이불은 크기가 축소되고 하단에는 촉수들이 더해진 형태의 <히드라(모뉴먼트)>를 소개한다. 이 전시는 미술 전시사에서 서구 시각에 편향된 미술계의 관심과 에너지를 아시아로 확장시킨 중요한 계기를 만들었다. 공동 기획자 한스 울리히 오브리스트와 후 한루는 동아시아의 도시와 경제가 빠른 속도로 성장하던 시기에서 감지되는 변화를 주목하며 전시를 준비했고, 1997년 동아시아 금융 위기가 발발하고 몇 개월 뒤 첫 순회전이 열린다. 3년의 시간에 걸쳐 150여명 이상의 작가들이 참여해서 전 세계 일곱 도시를 순회한 대규모 순회전에 모두 참여했던 이불은 여섯 번째 장소였던 실파곤대학교 회화, 조각, 그래픽 예술학부 미술관에서 열린 순회전에서 <히드라(모뉴먼트)>가 아닌 초상 사진만을 여성 화장실과 버스정류소 등 공공장소 벽면에 설치하여 비 고정적인 기념비로서 의미를 확장해서 시도한다. 모뉴먼트 연작이 마지막으로 소개된 전시는 '99여성미술제 《팥쥐들의 행진》으로 기록된다. 140여 명의 작가들의 작품으로 구성된 이 대규모 전시는 《여성, 그 다름과 힘》(1994)의 연속선에서 조직된 한국의 여성주의 미술 운동의 일환으로, 약 600평의 공간을 아우르는 전시와 더불어 여러 확장된 프로그램까지 아우르는 페스티벌 성격의 행사였다. 전시기획위원장이었던 김홍희는 자신이 기획한 소주제전에 이불을 초대했고, 전시에서 모뉴먼트 조각과 함께 <플렉서스>(1997–1998)를 소개한다. "불완전한 신체를 통해 경계를 둘러싼 정체성의 전쟁이라는 몸의 정치학을 표방"[2]하고 있는 이 작품들은 작가 이불이 퍼포먼스에 집중하던 시기에서 다시 조각이라는 전통적인 조형예술로 복귀하는 이행의 과정에서 태어났다.

1   이 전시는 일본인 큐레이터 하세가와 유코가 기획한 전시로 시각 예술과 퍼포먼스 예술을 소개하는 그룹전이다. 기획자는 1990년대 후반부터 일본의 미술 전시 경향은 더 많은 대중을 미술관으로 끌어들이기 위해 유희, 스펙터클, 대중 공간 등의 요소를 적극 차용한 일종의 변형 작용이 시작되었고, 그 예로 이 전시를 언급한다. Hasegawa Yuko, "The Avant-garde and the Museum: Intermixing Heterotopias," *저[á:r]* issue 02 (Kanazawa: 21st Century Museum of Contemporary Art, Kanazawa, 2003): 42–45.

2   김홍희, 「섹스와 젠더」, 『1999 여성미술제 팥쥐들의 행진』 (서울: 홍디자인출판부, 1999), 192.

Monument Series
1996–1999

Jin Kwon

For a period of four years beginning in 1996, Lee Bul produced and exhibited a series of "monuments" designed to be raised by the audience using foot pumps to fill them with air. These inflatable works, *I Need You (Monument)* (1996) and *Hydra (Monument)* (1997–1999), mark a transition in the artist's focus from the performance-based practice of her early years back to the genre of sculpture, the discipline in which she was formally trained. As participatory works, however, the *Monument* series retains aspects of performativity that characterizes much of Lee Bul's oeuvre.

I Need You (Monument), exhibited in the group show *Join Me!* at the Spiral/Wacoal Art Center, Tokyo, in 1996,[1] was emblazoned with a full-body portrait of the artist manifesting various Orientalist fantasies of the feminine, taking satirical jabs at the structures of social and cultural authority perpetuating such notions. A bejeweled and eroticized shamanic empress of indefinable Asian origins—with accoutrements including an embroidered silk cape, "traditional" Korean fan-dance dolls, a bunch of lilies in one hand and a leather whip in the other—this persona continues Lee Bul's concern with issues of form and representation as they relate to the body, its extension or expansion, evident from the moment she donned her grotesque soft sculptures for her early performances. This inventive image also functions to complicate simple dichotomies and conventional ideas of the feminine as biologically determined, an example of Lee's brand of "realism," which moves beyond direct representation to an exploration of form and material and symbolic language to pose questions about what is really true.[2]

For the closing event of the Tokyo exhibition, the artist attached small toy horns and trumpets to the air inlets of the inflatable so that a cacophony of silly sounds was produced by the escaping air. She then invited the guests in attendance to bring down the monument, leading to a festive free-for-all as she watched from the stage, laughing hysterically into a microphone while a musician colleague improvised a composition of discordant electronic sounds. The artist walking out of the gallery at the end of it all, the flattened "monument" slung over her shoulder and dragging behind her, is the last documented image of this final performance by Lee Bul.

Invited to participate in *Cities on the Move* (1997–1999) the following year, the artist produced *Hydra (Monument),* a smaller version of the inflatable work with additional tentacle-like forms sprouting from its lower part. Co-organized by Hans Ulrich Obrist and Hou Hanru at a moment when the rapid economic growth of metropolitan Asia was giving rise to a creative ferment in the region, the landmark exhibition broke with the art world's Western, Eurocentric position to focus on the dynamic urbanism of Asian cities. Over a period of three years, the exhibition travelled to such prominent institutions as CAPC Musée d'art contemporain, Bordeaux; the Secession, Vienna; Museum of Modern Art PS 1, New York; Hayward Gallery, London; and the Museum of Contemporay Art Kiasma, Helsinki. As *Cities on the Move*—a fluid and mobile microcosm of the Asian metropolis—was re-constituted at each venue, Lee Bul's inflatable sculpture, temporary and flimsy, functioned aptly as its public "monument."

1 *Join Me!* was a group exhibition of visual art and performance curated
by influential Japanese curator Yuko Hasegawa. According to Hasegawa,
in the latter half of the 1990s, Japanese museums began to undergo a sort of
metamorphosis to bring in more visitors by actively appropriating such factors
as play, spectacle, and public spaces, *Art Life 21: Join Me!* being an example of these
tendencies. Yuko Hasegawa, "The Avant-garde and the Museum: Intermixing
Heterotopias," *Я[á:r]* issue 02 (21st Century Museum of Contemporary Art,
Kanazawa, 2003): 42–45.

2 Portrait for *I Need You (Monument)* and *Hydra (Monument)* was expanded
as a duplicative image and appeared in a billboard project entitled *Traffic Jam*
(Büro Friedrich, Berlin, 1998).

<I Need You(모뉴먼트)>, 1996. 퍼포먼스. 《Join Me!》,
스파이럴/와코루 아트센터, 도쿄

I Need You (Monument), 1996. Performance
as part of the exhibition *Join Me!*, Spiral/Wacoal
Art Center, Tokyo

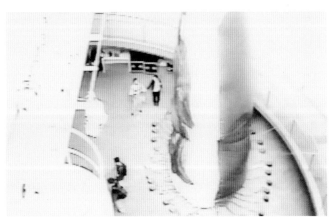 

<히드라(모뉴먼트)>, 1998. 비닐 위에 사진 인화,
공기 펌프. 《휴고보스상 1998》, 구겐하임 미술관 소호,
뉴욕

Hydra (Monument), 1998. Photo print on vinyl,
air pumps, 600 × 450 cm diameter at base.
Hugo Boss Prize 1998, Guggenheim Museum Soho,
New York

<히드라 II(모뉴먼트)>, 1999. 비닐 위에 사진 인화,
공기 펌프. 《Hot Air》, 그랜쉽 센터, 시즈오카, 일본

Hydra II (Monument), 1999. Photo print on vinyl,
air pumps, 1200 × 700 × 600 cm. *Hot Air*, Granship
Center, Shizuoka, Japan

제목 없음, 1994. 비닐, 천, 발포 폴리스티렌,
명동 비포 빌딩, 서울

Untitled, 1994. Vinyl, fabric, styrofoam,
200 × 400 × 250 cm. Before Building,
Myeongdong, Seoul

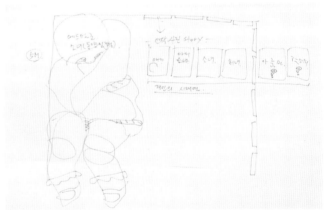

제목 없음, 1994. 퍼포먼스. 명동 비포 빌딩, 서울

Untitled, 1994. Performance. Before Building,
Myeongdong, Seoul

풍선 모뉴먼트를 위한 스터디, 1994. 종이에 펜

Study for an inflatable monument, 1994.
Pen on paper, 21 × 29.7 cm

<I Need You/히드라>, 1997. 베를린 뷰로 프리드리히
빌보드 프로젝트를 위한 초상

I Need You/Hydra, 1997. Portrait for the billboard
project for Büro Friedrich, Berlin

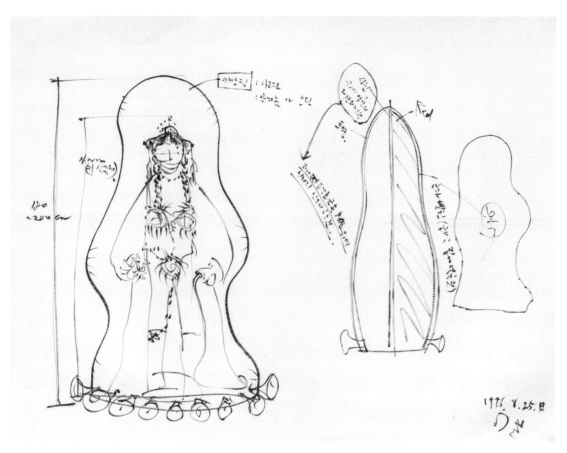

<I Need You(모뉴먼트)>를 위한 스터디, 1996.8.25.
종이에 먹

Study for *I Need You (Monument)*, August 25, 1996.
India ink on paper, 56 × 75 cm (74.2 × 93.5 × 3.5 cm
framed)

1998 휴고보스상 <히드라(모뉴먼트)>를 위한 드로잉,
1997. 종이에 펜, 연필, 콜라주

Drawing for *Hydra (Monument)* for *Hugo Boss
Prize 1998*, 1997. Pen, pencil, and cut-and-pasted
printed paper on translucent paper, 29.7 × 21 cm

《Cities on the Move》 전시 도록 디자인을 위한 스터디,
1997. 인쇄된 종이에 콜라주

Studies for *Cities on the Move* exhibition catalogue
design, 1997. Cut-and-pasted printed paper on
printed paper, 29.6 × 21 cm each

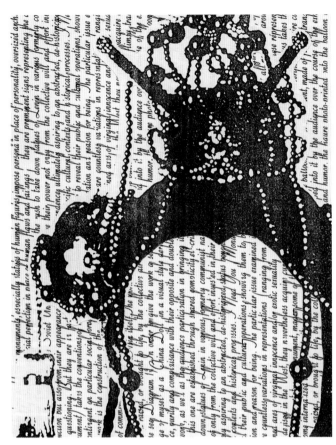

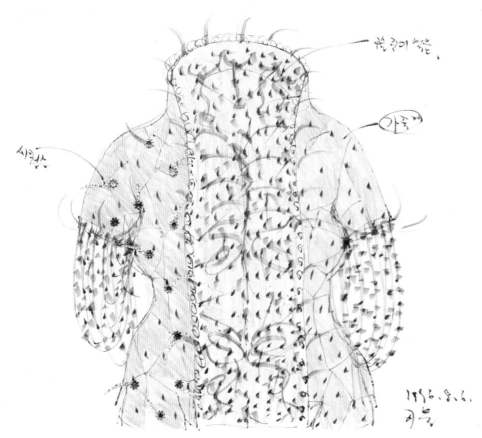

<플렉서스>를 위한 스터디, 1996.8.6. 종이에 먹, 마커, 색연필, 시퀸

Study for *Plexus*, August 6, 1996. India ink, marker, colored pencil, sequins on paper, 61 × 45.5 cm (72.7 × 57.2 cm framed)

<플렉서스>, 1997–1998. 가죽, 벨벳, 시퀸, 비즈, 와이어, 유리-철 진열장

Plexus, 1997–1998. Leather, velvet, sequins, beads, wires, glass-and-steel vitrine, 95 × 80 × 35 cm (170 × 80 × 60 cm including vitrine)

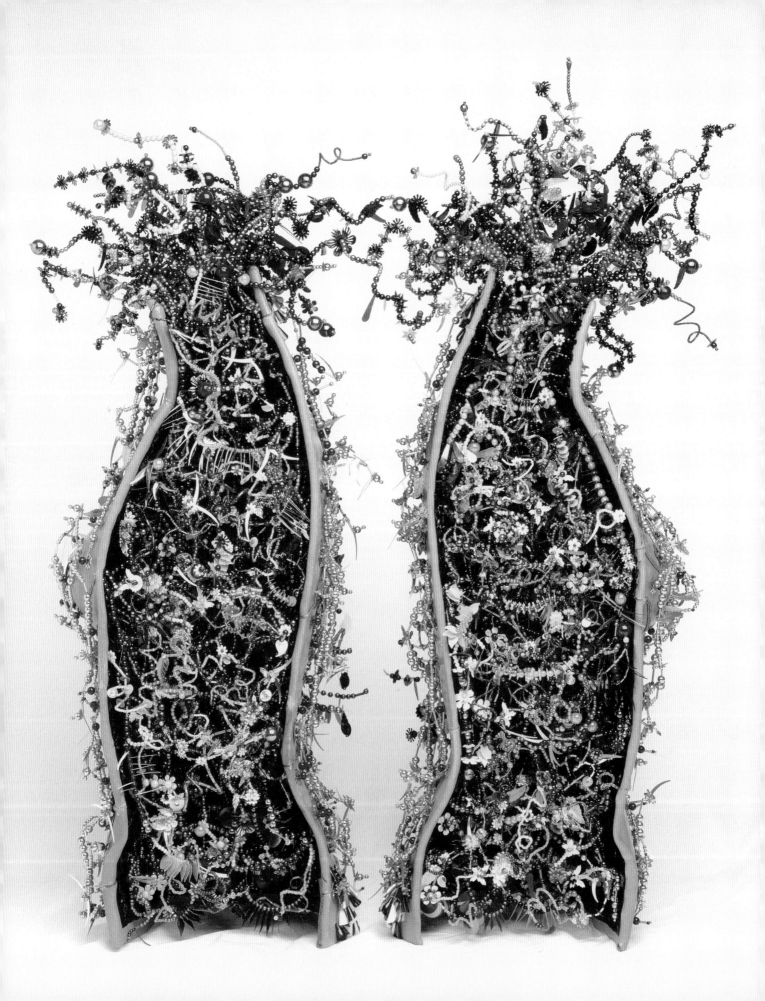

<Mask for a Warrior Princess>, 1996. 시퀸, 비즈,
와이어, 깃털, 크롬페인트, 마네킹머리

Mask for a Warrior Princess, 1996. Sequins, beads,
wires, feathers, chrome paint, mannequin head,
40 × 25 × 25 cm

공공미술
1993–1996

권진

이불은 1993년부터 상산환경조형연구소에서 디자인 실장으로
재직하며 디자인 언어, 대형 작품의 구조, 재료, 그리고 생산기술 등에
대한 자신의 생각을 새로운 방식으로 조직하고 확장하게 된다.

　　1987년 6월 민주화 항쟁이후 대통령 직선제를 통해 새로운
정권이 시작되었고 1988년 서울올림픽의 개최는 한국의 문화와 사회
전반에 커다란 변화를 가져온다. 이와 같은 도시 문화의 변화 상황에
맞춰 민중미술의 화두가 부분적으로 공공미술로 옮겨오게 된다.
1990년대에 접어들며 도시 환경 조형물에 관한 생각들이 활발하게
개진되면서 생겨난 상산환경조형연구소는 그 전신인 '벽화연구소'[1]를
기반으로 한다. 벽화연구소는 부산 중앙동 지하철역 벽화 <부산의
향기>, 을지로 입구 서울투자금융 10층 하늘공원 벽화 등 도시 미화
구성에 적극적으로 참여했고, 이와 같은 활동들은 미술 제도 바깥에서
촉발된 문화적 정체성이나 미적 언어에 관한 필요성을 구체적으로
적용시킨 사례로 볼 수 있다. 상산환경조형연구소의 또 다른
주춧돌에는 '아카익'이라는 프로젝트로, 미술비평가 성완경, 건축가
정기용, 그리고 사회과학 연구자 심광현이 미술, 건축, 문화의 공적
영역과 사적 영역의 교차점을 연구하는 모임이었다.[2] 이곳에서 탄생한
아카이브 연구팀에 '미술비평연구회'[3] 멤버들이 합류했고, 이들은
상산환경조형연구소 활동의 이론적인 논리를 제공한다. 작가 이불은

연구소 디자인팀의 초창기 멤버로 합류해 일련의 공공미술 프로젝트를
공동으로 계획하고 실행한다.

　　당시의 성과가 드러난 조형물로 여의도 한국투자증권 옥외에
설치된 공공미술(배기관)(1993)이 있다. 상산환경조형연구소에서
이불이 만든 공공조형물 디자인 드로잉과 모형에 관한 기록들을
살펴보면, 원뿔, 원기둥, 정육면체 등 도형과 같은 조형적인 요소들과 꽃,
구름, 눈과 귀와 같은 자연적 요소, 그리고 반복적인 격자나 줄 무늬가
자유롭게 조합해서 이뤄내는 독특한 조형성과 다양한 재료를 상상하게
하는 구성이 두드러진다. 이불의 배기관 설치는 이 시기에 실험했던 조형
언어의 연장에서 탄생했다. 공공미술 연구소에서의 경험은 이불에게
대규모 조형물을 계획하고 실행하는 일련의 과정을 체득하고, 조형
언어의 표현 방식을 확장하는 계기가 된다.

공공미술 프로젝트 스터디, c. 1993

Studies for public art project, c. 1993

공공미술(배기관), 1993. 영구 설치, 한국투자증권
후문, 서울

Public art (vent pipe), 1993. Permanent
installation, Korea Investment & Securities Co.
back gate, Seoul

1　한국의 민중미술 작가들에게서 빼놓을 수 없는 매체는 집단 창작의 형식으로 제작하며
정치적 메시지를 담은 걸개그림과 벽화다. 1980년대 초반 성완경은 멕시코 벽화 운동의 전례를
참조하여 향후 민중미술 운동의 방향성을 제시하는 벽화연구소를 설립한다.

2　기혜경, 심광현, 정현, 김장언, 장승연, 「1990년대 이후 공공성 담론」, 『다시, 바로, 함께,
한국미술』 vol. 3 ((재)예술경영지원센터, 2018.12.): 10–14.

3　1989년 2월 정식으로 발족한 미술비평연구회는 미술사, 미술제도와 정책, 시각 매체와
대중문화, 미학과 미술비평 연구를 통해 미술 문화와 사회역사적 현실의 긴밀한 상호관계에
대한 과학적인 연구를 지향했다. 약 4년의 시간에 걸쳐 한국 미술계의 주요 이론가 40여
명을 배출하며 민중미술계 2세대 비평가 집단으로 자리매김한다." 기혜경, 「문화변동기의
미술비평: 미술비평연구회(89~93)의 현실주의론을 중심으로」, 『한국근현대미술사학』 제25집
(한국근현대미술사학회, 2003.6.): 116.

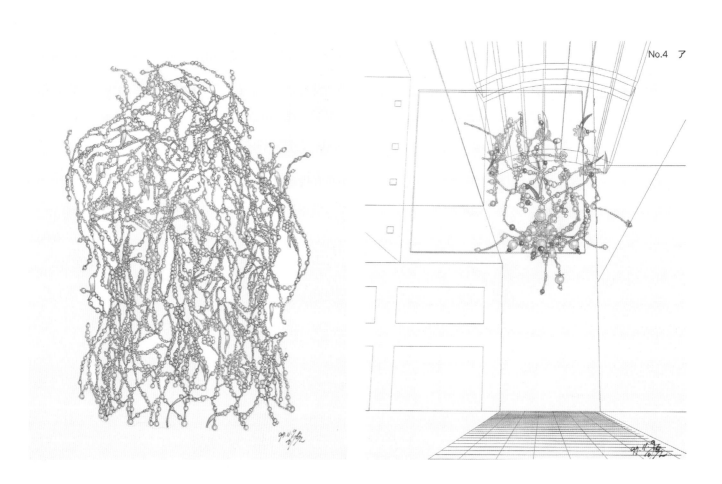

후쿠오카 하카타 강변 공공 조각 <Tendril>을 위한
스터디, 1997.11.9. 모눈종이에 펜, 파스텔, 아크릴릭

Study for *Tendril*, a public sculpture for Hakata
Riverain, Fukuoka, November 9, 1997. Pen, pastel,
and acrylic on graph paper, 42.3 × 29.6 cm
(49.5 × 37 cm framed)

후쿠오카 하카타 강변 공공 조각 <Bloom>을 위한
스터디, 1997.11.9. 종이에 펜, 아크릴릭

Study for *Bloom*, a public sculpture for Hakata
Riverain, Fukuoka, November 9, 1997. Pen and
acrylic on paper, 41.7 × 29.9 cm (49.4 × 36.8 cm
framed)

Public Art
1993–1996

Jin Kwon

In 1993, Lee Bul began working as the head designer at Sangsan Environment and Arts Research Center in Seoul. Working primarily on public art projects, her years at this design firm enabled her to develop her thoughts on the language of design and learn about the structure, material and methods involved in the production of large-scale works.

As the urban context of Korea underwent a profound transformation in the years following the democratization movement of the 1980s, there was increasing discussion about public art. Sangsan was established at the turn of the 90s, against a backdrop of vigorous debates about environmental sculpture in the city. The firm had previously existed as an office for research on murals.[1] The Mural Painting Research Center had actively participated in urban beautification projects with paintings for various public environments in Busan and Seoul. These mural projects sought to respond to issues of cultural identity and aesthetic language that had arisen outside the existing art system. A key aspect of Sangsan's undertaking was a project called ACCAIC, founded by critic Sung Wan-kyung, architect Chung Guyon, and social scientist Shim Kwang Hyun to research the intersection of the public and private sectors in art, architecture, and culture.[2] Later, the archive research team in ACCAIC was joined by members of the Research Society for Art Criticism (RSAC)[3] thereby providing the theoretical background for Sangsan's activities.

Lee Bul was among the earliest members of Sangsan's design team and planned and executed a series of public art projects in this capacity. Her design studies from this time, drawings and maquettes that freely combine geometric shapes and patterns with forms that evoke natural elements, reveal her ability to engage with a variety of materials to achieve distinctive plastic effects. These qualities offer a key to understanding Lee Bul's production in the period preceding the 2000s, when architecture emerged as a prominent theme in her art. Lee has spoken of the deracinating experience of growing up in a period of accelerated industrialization and modernization; and in particular, her sense that "home" was never a refuge because her family was under constant government surveillance for her mother's dissident past.[4] It's possible to consider, then, that this underlying longing for a protective environment, a yearning for utopia, has deeply informed the development of her formal and conceptual affinities, leading to the emergence of architectural sculptures and installations in her recent art.

1   The primary media of *Minjung* artists were *geolgae* (hanging) paintings and mural paintings produced collectively with political messages. In the early 1980s, the critic Sung Wan-kyung established the Mural Painting Research Center to propose a direction for *Minjung* art movement that inspired by the Mexican Mural Movement.

2   Ki Heykyung, Shim Kwang-hyun, Kim Jang Un, Chang Seung-Yeon, "1990nyeondae ihu gonggongseong damnon" (Discourse about public-ness after the 1990s) in *Dasi, baro, hamkke, hangungmisul* (Again, right now, together, Korean art) vol. 3 (Korea Arts Management Service, 2018.12.): 10–14.

3   "The Research Society for Art Criticism (RSAC) was officially begun in February 1989. The society, whose key members were graduates of the department of aesthetics at Seoul National University, aimed to research the relationship between art culture and socio-historical reality by studying art history, art institutions and policies, visual media, and popular culture, aesthetics and art criticism. For about four years, it produced more than forty art theorists, who later positioned themselves as the second generation of *Minjung* art critics." Ki Heykyung, "Munhwabyeondonggiui misulbipyeong: misulbipyeongyeonguhoe(89~93)ui hyeonsiljuuironeul jungsimeuro" (Art Criticism during the Culturally Turbulent Times: Focusing on the Realist Attitude of Research Society for Art Criticism [1989–1993]), *Hangukgeunhyeondaemisulsahak* Vol. 25 (Association of Korean Modern & Contemporary Art History, June 2013): 111–143.

4   Stephanie Rosenthal, "A Feeling about Freedom," in *Lee Bul*, exh. cat. (London: Hayward Gallery, 2018), 81–85.

후막
Epilogue

오랜 세월과 수많은 지형들

정도련

머리 속으로 그림을 하나 그려보자. 상상력을 최대한 동원해야 한다. 결코 평범한 그림을 그려서는 안되기 때문이다. 두 개의 패널이 중앙의 패널 양 옆에 날개처럼 달려서 열고 닫을 수 있는 세폭 제단화이다. 날개를 열면 황홀한 광경이 화면 위로 펼쳐지고, 경이로운 구조물과 기이한 피조물들로 가득한 세계를 보게 된다. 이 곳에서 땅이라 부를 수 있는 것이 있다면 사물을 반사하며 반짝이는 거울이다. 그 위에는 남근 같은 봉우리가 우뚝 솟아 있고, 그 주변으로는 현실에서는 불가능한 아찔한 고가 고속도로와 거꾸로 선 모스크, 정치선전 광고판이 봉우리 주위를 궤도를 그리며 돌고 있다. 그 옆에 서있는 다층 기념비에서는 이해하기 어려운 문구들을 번쩍이는 LED 조명 속에 내보내고 있다. 때로 이러한 풍경과 도시의 구조물들은 녹아내려 떨어지고, 이러한 반 액체 상태로의 변형은 시간에서 그러한 것처럼 공간에서도 멈춰진다. 커다란 욕조 안에는 뽀족한 작은 언덕들로 둘러싸인 빙하 혹은 검은 잉크 빛 우물과 같은 모습의 거대한 검은 덩어리들도 있다. 하늘은 땅보다 더욱 부산하다. 공중의 고속도로들은 때로 돌연변이를 일으켜 크리스털 샹들리에처럼 떠있는 거대한 도시들 주위의 허공에 매달린 뫼비우스 띠들로 변화한다. 이들의 주변을 떠다니는 것은 반짝이는 실타래와 구슬로 뒤덮인 애처롭게 불완전하지만 매혹적인 인간 형상의 휴머노이드, 형태를 갖추다 만 유령 같은 모습의 백색 안드로이드 인조인간들, 사지와 날개가 사방으로 뻗어나갈 듯한 유혹적이면서도 무시무시한 괴물들이다. 어떤 괴물들은 유령처럼 희고, 그들의 사촌이라 할 안드로이드들처럼 메탈 옷을 입고 있는 듯하다. 또 어떤 괴물들은 얼룩덜룩 화려한 피부로 덮여있으며, 쿠션이나 보드라운 살처럼 안락하다. 우리는 어디에 있는 것일까? 인류가 타락하기 전의 에덴동산? 아니면 '천국의 반대라기보다는 그 확장인' 지옥에 와있는 것일까?[1]

여기에서 필자는 사반세기 이상 전개되어온 이불의 작업으로부터 하나의 우주론을 상기시키려 한 것이다. 세계화의 문턱에 서있던

1980년대 후반 한국 현대미술계에 느닷없이 등장한 이래 이불의 작업은 멈춘 적이 없다. 늘 새로운 영역의 지도를 그리며, 지칠 줄 모르는 열정으로 흥미롭게 새로운 시각 언어를 끊임없이 만들어내고 있다. 이처럼 오랜 기간 한결같음을 유지해온 작가라면 비록 이미 잘 알려졌다 할지라도 이력상의 중요한 사건들을 개괄해볼 가치가 있다.

이불은 1987년 명문 미술대학인 홍익대학교 조소과를 졸업했다. 그 해 전업작가로서 처음으로 그룹전에 참여했고, 이듬해에는 첫 개인전을 열었는데, 돌이켜보면 이 두 해에 데뷔한 것은 매우 좋은 타이밍이었다고 할 수 있다. 장기간 지속되어온 군부독재가 마침내 종식되고, 서울 올림픽이 성공적으로 개최되며 현대 한국사가 획기적인 전환점을 맞이한 때였기 때문이다. 특히 올림픽은 한국전쟁 이후 전면적인 근대화와 도시화를 통한 '성공적' 국가 재건을 인정하는 것으로, 기대해 마지않던 공식적 승인이었다. 그로부터 불과 2년 뒤 이불은 그녀의 초기 역작으로 널리 알려진 조각 퍼포먼스 <수난유감─ 내가 이 세상에 소풍 나온 강아지 새끼인 줄 아느냐?>(1990)를 수행했다. 이 문제작은 시작일 뿐이었다. 이불은 높아진 한국 대중문화의 위상과 국제화의 물결 속을 거침없이 헤치며 기이하고 감각적인 동시에 의도적으로 천박하고 심지어 속되기까지 한 육체적인 도상학을 구축해갔다.

이불이 다음으로 유명세를 치른 순간이자 국제적으로 이름을 알리게 된 계기는 1997년 뉴욕 현대미술관의 장기 《프로젝트》 시리즈의 일환으로 열린 2인전이었다.[2] 서서히 부패하는 날 생선을 전시하는 그녀의 <장엄한 광채>(1997) 연작 작품들은 참을 수 없는 악취로 인해 한바탕 소동을 일으키며 전시에서 곧 철수되었다. 그러나 이 사건은 이불과 그녀의 작업을 널리 알리는 계기가 되었고, 이듬해 뉴욕 구겐하임미술관에서 수여되는 권위 있는 휴고보스상 후보자로 지명되며 그녀의 시도는 거의 즉각적으로 인정을 받게 되었다.[3] 곧이어

20세기 최고의 큐레이터 가운데 한 명인 하랄트 제만이 기획한 1999년도 베니스비엔날레의 본 전시에 초대되었고, 한국미술을 대표하는 한국관 작가로도 참여했다. 당시 35세였던 이불은 오늘날까지도 최연소로 한국관 작가에 선정되는 영광을 누린 작가이다.

2000년대 초반부터 이불은 일련의 개인전들을 개최하며 각각의 전시를 기회로 삼아 새로운 성격의 작업들을 시작했다. 2001년에는 샌프란시스코 아트 인스티튜트 및 필라델피아 패브릭 워크숍&뮤지엄과의 야심찬 협력을 통해 1999년 베니스비엔날레에서 최초로 선보인 노래방 프로젝트를 확장해 재연했고, 이어서 뉴욕의 뉴뮤지엄과 시드니 현대미술관에서도 순회 전시하였다. 2005년 뉴질랜드 뉴플리머스의 고벳-브루스터 미술관에서 열린 개인전에서는 모더니즘 건축 유산에 대한 관심을 처음으로 드러냈으며, 2007년 파리 카르티에 현대미술재단에서의 개인전을 통해 이러한 관심을 더욱 구체화했다. 2010년대 들어 이불은 자신의 작업 이력을 점검하는 회고전 성격의 전시들을 개최해왔다. 2012년 모리미술관, 2013년 룩셈부르크 그랑-뒥 장 현대미술관, 2014년 버밍햄 아이콘 갤러리 등에서의 전시가 그 예이다. 물론 그 이전에도 2000년부터 뉴욕과 홍콩의 리만 머핀 갤러리, 잘츠부르크와 파리의 타데우스 로팍갤러리, 서울의 PKM 갤러리 등의 전속 갤러리에서 다수의 전시를 개최해왔다.

이불에 대한 전기에서는 그녀가 쌓아온 기나긴 이력만큼이나 인상적인 이야기와 일화가 인용되곤 한다. 운동권 부모 밑에서 성장한 가족사는 이미 전설이 되었고, 초기작들의 대표적 재료인 시퀀은 모친이 가족을 부양하기 위해 일일이 손으로 만들던 싸구려 장식품에서 영감을 받은 것으로 알려져 있다. 그녀가 어린 시절 목격한 소름 끼치는 교통사고도 가끔 회자되는 이야기이다. 젊은 커플이 탄 오토바이가 빵집에 부딪힌 이 사건에서 진열장 속 케이크의 달콤한 크림과 거품이 피와 뒤범벅된 그로테스크하면서도 매혹적인 장면은 이불의 미적 감수성이 깨어나는 '최초의 장면'이 되었다고 한다. 이러한 이야기들은 왜 그리고 어떻게 이불이 불굴의 페미니스트가 되었는지를 충분히 설명하고도 남는다. 그녀는 다사다난한 나라에 태어나 격동의 20세기 한국사의 불꽃 속에서 정련된 영혼이다. 그러나 여전히 궁금함은 남는다. 이불은 어떻게 위와 같은 초기의 정체성으로부터 국경을 넘나드는 사이버펑크 무당으로 옮겨갈 수 있었을까? 1990년대 후반 이불의 작업이 미래지향적이고 공상과학적인 영역으로 이동한 것은 흔히 미국의 페미니스트 과학자 도나 해러웨이의 유명한 에세이 「사이보그 선언」(1985)의 영향으로 이해되어왔다. 아마도 이러한 특정한 영향 관계에 과도하게 의존하고 영감의 원천을 주로 작가의 개인사와 국적에서 찾으려 한 탓인지 이불의 작업을 이해하려는

혁신적인 시도는 이상하리만치 찾아보기 힘들었다. 이 글에서 필자가 의도하는 바는 단순하다. 이불이 참고한 것과 그녀에게 영감을 준 세계는 훨씬 넓고 복잡하므로 역사와 미술사의 다층적 풍경 안에 이불을 제대로 위치시키는 보다 바람직한 시도가 필요하다.

다음은 매우 명확한 사실에 대한 기술이다. 이불의 작업이 처음부터 갈구해온 것은 바로 세계미술사, 동료 및 선배 예술가들을 포함하는 보다 넓은 서클, 그리고 개념과 이미지의 광대한 지도에서 자신의 자리를 확보하는 것이었다. 그리고 그녀가 이를 얻을 자격이 있음은 지난 수년간 입증되어왔다. <수난유감―내가 이 세상에 소풍 나온 강아지 새끼인 줄 아느냐?> 또는 그보다 앞선 <낙태>(1989)와 같은 획기적인 이불의 퍼포먼스들은 과감히 옷을 벗어버리거나 또는 우스꽝스럽거나 그로테스크한 소품을 온몸에 뒤집어쓰고 일부러 사회의 판단과 굴욕의 대상이 된 불굴의 선배 여성작가들이 없었더라면 결코 탄생하지 못했을 것이다. 퍼포먼스 아트의 연표에서 1970년대는 이불의 1980년대 신체미술의 모델이 되며 강한 영향을 준 선구적 여성작가들의 작업들로 가득하다. 어떤 작가는 완전히 벗은 몸으로, 세심하게 돌돌 말아 넣은 종이를 자신의 질에서 꺼내어 그 위에 쓰인 텍스트를 읽으며 남성 중심적인 예술계에서 여성 작가로 존재하는 것에 대해 성찰했다[캐롤리 슈니먼, <내밀한 두루마리>(1975)]. 또 어떤 이는 주로 무기나 에로틱한 의미를 지니는 다양한 오브제들을 테이블 위에 놓고 (대부분 남성인) 관람자가 이들을 가지고 어떠한 행위이든 원하는 대로 그녀에게 행하도록 했다[마리나 아브라모비치, <리듬 0>(1974)]. 그보다 앞서 어떤 작가는 말쑥한 정장 차림으로 텅 빈 무대에 올라 가위를 옆에 두고 앉고는 청중에게 한 명씩 다가와 그녀의 옷을 자르고 이를 '기념품'으로 간직할 것을 조용히 지시했다[오노 요코, <자르기 작업>(1962)].

이불이 연약하면서도 강인한 자신의 신체를 사용하는 작업에서 조각 제작으로 선회한 것은 신체에 대한, 신체를 통한 사유의 연장이라고 볼 수 밖에 없다. 그녀의 초기 소프트 조각은 이 장르를 대표하는 교과서적 작가인 클래스 올덴버그의 작업을 즉각 연상시킨다. 그러나 이불이 물려받은 더욱 중요한 유산은 도로시아 태닝(1910–2012)과 루이즈 부르주아(1911–2010)와 같은 '위대한 여성' 조각가들의 작업으로, 이들의 봉제 조각 형태들은 분명 인간형이지만 종종 머리와 사지가 온전히 달려있는 신체에 비해 불안하게 모자라거나 과도해 보인다. 이 두 여성 선배 작가들을 통해 이불의 작업은 모더니티와 전쟁의 가공할 폭력 속에서 태어나 변화했으며 여전히 개인과 집단의 무의식 속에 도사리고 있는 억제할 수 없는 욕망과 공격성을

상기시키고 있는 초현실주의 미술로 연결된다. 만약 이러한 예들이 '서양미술'에 치우친 듯 보인다면 다음을 참고하면 된다.

이불은 패널로 참가한 토론에서 어떻게 서양문화에 대해 그리 잘 아느냐는 청중의 질문을 받고 혼란스러워했던 기억을 떠올린다. 그녀는 당시 다음과 같이 대답했다고 한다. "그게 당신들만의 것인지는 전혀 몰랐다." 이제 이불은 이렇게 설명한다. "나는 이 분야를 공부하며 성장했다. 따라서 이것이 결코 '서양사' 또는 '서양문화'라고 생각하지 않는다." [4]

가정성은 너무도 오랫동안 간과되어온 이불 작업의 또 다른 주요 측면이다. 여기서 가정은 흔히 여성 작가들의 작업과 결부되어 이야기되는 'home'이나 'household'와 같은 관습적 의미의 가정을 의미하지 않는다. 그녀가 퍼포먼스를 위해 입은 소프트 조각과 같은 신체의 연장물, <장엄한 광채>(1991–현재) 연작의 수많은 작품들에서처럼 오브제를 가두는 투명한 유리 진열 케이스, 노래방 프로젝트에서 이동수단이자 관으로 기능하는 캡슐 등은 (불온한 예상 밖의 연상이라고 생각될지 몰라도) 모두 '집'이라고 볼 수 있다. 부르주아는 이미 오래 전에 신체를 건물에, 보다 정확히는 여성의 신체를 집에 비유했다. <여성 집>(1947)이라는 제목의 드로잉에서 벌거벗은 여성의 몸통과 다리가 두 개의 기단 위에 놓인 커다란 4층짜리 집을 떠받치고 있고 양팔이 집으로부터 뻗어 나와있다. 이 기이한 이미지는 약 20년전 르 코르뷔지에(1887–1965)가 주창한 "집은 살기 위한 기계이다"라는 매우 남성적인 모더니즘 개념에 대한 부르주아의 응수라고 볼 수 있다. 이러한 두 입장 사이의 어딘가, 신체를 담는 용기와 용기로서의 신체가 하나로 섞이는 곳에서 우리는 이불의 작업이 지난 십여 년간 취해온 방향을 찾을 수 있을 것이다. 다시 말해 주로 유기적 또는 신체적이라 평가되던 초기 작품들과 최근의 건축적 작품들은 상호 관계 속에서 보다 정확히 이해될 수 있을 것이다. 이불의 조각은 늘 무언가가 대단한 노력과 의지를 통해 구축되고 있는 듯한 강렬한 느낌을 불러일으키고, 동시에 제어할 수 없게 돌연변이를 일으키고 변화하면서 스스로 성장한다는 인상을 준다.

이러한 괴기함에 대해 이불은 다음과 같이 말했다. "이는 범주화될 수 없는 기이한 것에 대한 우리의 공포와 매료를 다루며 미리 규정된 경계를 넘어서는 것이다." [5] 한국어로 '기이한', 영어로는 'uncanny'라 번역될 수 있는 독일어 'unheimlich'는 유명한 프로이트 정신분석학의 용어로, 직역하면 '낯선'이라는 뜻이다. 프로이트(1856–1939)는 이를 다음과 같이 설명한다.

독일어 'unheimlich'는 'heimlich'의 반대말로써, 친숙한 것의 반대이다. 우리는 잘 알지 못하는 낯선 것이라는 이유로 기이한 것을 무서운 대상으로 단정짓고 싶은 유혹을 받는다. 그러나 당연히 새롭고 낯선 것이 모두 무서운 것은 아니다. 이 관계는 도치될 수 없다. ⋯ 기이한 것이 되려면 새롭고 낯선 것에 무언가가 더해져야 한다. [6]

이불이 건축과 구조의 영역으로 이동한 것은 논리의 영역으로 돌아선 것이라 볼 수 있지만 그녀의 건축적 작품들은 유기적 유동성에서 자유롭지 못하다. 자라고, 녹아 떨어지고, 변화하며 전작들을 닮아가는 이들은 사실상 우리에게 친숙하다는 바로 그 이유로 기이하다.

이불의 작업은 20세기 한국 현대사의 재앙과 트라우마는 물론 지난 세기의 (서구)모더니즘 이상의 실패와 관련하여 논의되어왔다. 물론 이러한 논의도 중요하지만 이불의 작업은 지나치게 이러한 측면에서만 다루어진 경향이 있다. 기존의 논의들은 이불의 작업을 단순히 과거에 대한 성찰로 축소해버리고, 놀랍도록 미래지향적인 비전을 제대로 조명하지 않는 부정적 영향을 낳았다고 볼 수 있다. 새천년이 시작되고 10년여가 지난 지금, 우리는 과거의 잔인한 근대화가 어떻게 지난 20년간 이 나라를 미래지향적 공상 속으로 몰아넣었는지 생각해 보아야 할 것이다. 이 기간 동안 이불의 작업은 공상과학이 실제에 가까워진 현실에서 변화하고 성숙해왔다. 여객선이 뒤집어지고, 건물과 역이 불타며, 느닷없이 도시 한 가운데에 싱크홀이 나타나는 가운데 초고속 근대화로 인한 스트레스는 사회의 병소로 드러나고 있다. 그러나 사회의 병리를 더욱 그로테스크하게 보여주는 지표는 공장의 조립라인 마지막 단계의 안드로이드들처럼 점점 서로 똑같아지고 있는 사람들이다. 경쟁력, 아니 작가의 키워드를 빌려 말하면 '완벽성'이라는 미명하에 한국 사회에서 전격적으로 수용되며 유행처럼 번지고 있는 성형수술은 이미 세계적으로 악명 높다.

다시 한번 강조하자면, 한국의 상황을 복제될 수 없는 독특한 것으로 보지 말아야 한다. 이불이 살고 작업하는 사회와 문화의 맥락은 점차 확대되고 있는 글로벌 자본주의 모더니티의 여러 문제적 상황들 가운데 한 특정 사례일 뿐이기 때문이다. 모더니티가 기술 발전에 힘입은 개인적 자의식의 시대를 열었다면, 기술 발전은 믿을 수 없을 정도로 힘과 아우라를 강화하며 성장해 인류를 노예로 만들어버렸다. 이는 사람의 운명이 개인의 의지가 아니라 고귀한 신성에 의해 미리 결정되는 일견 중세적인 집단적 의식을 반향하거나 그러한 상황으로 되돌아가는 것이다. 우리가 언제든지 이용할 수 있고, 우리를 위해 봉사한다고 생각하는 기술은 오늘날 우리의 신일 수 있다. 기술화된 이 세상에서 우리는 로봇이 되고, 우리가 만드는 건축물들은 유기적 생명체가 된다. 이러한 기이함이 오늘날의 법칙이다.

필자는 이불이 이러한 풍경을 단지 절망의 눈으로만 바라보지 않았으며, 시각적으로 최면을 거는 듯하고 상징적으로 놀라운 상황으로 인식할 것이라 생각한다. 이불은 히에로니무스 보쉬(1450년경-1516)의 <세속적 쾌락의 동산>(c. 1490-1510)에 대해 다음과 같이 이야기했다.

이 작품에서 나는 당시의 지배적 교리와 내숭을 떨며 춤추고 있는 개인의 상상력을 본다. 죄의 발전에 대한 보쉬의 끝없이 독창적인 묘사가 너무나도 감각적이라고 느끼는 것은 나뿐일까? 보쉬가 그린 인류의 타락 이전의 에덴동산은 이보다 순수할 수 없을 듯 보인다. 그리고 그가 그린 지옥은 천국의 반대라기보다는 천국의 확장을 에둘러 표현한 듯 보인다.[7]

미술사학자들은 여러 세대에 걸쳐 보쉬의 <세속적 쾌락의 동산>을 다양하게 해석해왔다. 이 그림에서 에덴과 지옥으로 비교적 쉽게 읽을 수 있는 양 날개에 비해 중앙 패널은 이해하기 어렵다. 이 모호한 장면은 궁극적으로 신의 은총에서 지옥으로 떨어지게 되는 방탕과 죄악을 그린 것일까? 대홍수의 파괴와 재생 이전의 근심 없는 세계인가? 여성의 성이 지닌 위험한 힘에 대한 중세의 엄중한 경고인가? 비기독교 또는 반기독교적인 쾌락의 세계인가? 확실한 한 가지는 보쉬가 그린 세계가 모호하며, 바로 이러한 모호함 때문에 끊임없이 많은 사람들이 이 그림에 매료되고 있다는 점이다. 우리는 아마도 보쉬가 인간의 어리석음을 우습게 생각하면서도 쾌락, 안락, 자극을 추구하는 인간의 통제하기 어려운 성향과 인류를 정죄하지는 않았다고 확신할 수 있을 것이다. 인간성과 모호함. 이는 불가사의한 이미지로 가득한 보쉬의 세계로부터 도출할 수 있는 두 개의 키워드이며, 그로부터 500년 후 이불의 작업을 이끄는 키워드일 수 있다.

이 글은 2014년 국립현대미술관이 발간한 전시 도록에 최초로 수록되었다. 출처: 정도련, 「오랜 세월과 수많은 지형들」, 『국립현대미술관 현대차 시리즈 2014: 이불』 (서울: 국립현대미술관, 2014), 120–127.

1   Michaël Amy, "Lee Bul: Phantasmic Morphologies," *Sculpture* 30, no. 4 (May 2011): 27.

2   바바라 런던이 기획한 2인전의 또 다른 작가는 일본 미술가 처에 마쓰이였다.

3   이 해 휴고보스상의 다른 후보자들은 더글러스 고든(1966년 생), 윌리엄 켄트리지(1955년 생), 피필로티 리스트(1962년 생), 로나 심슨(1960년 생), 황용핑(1954년 생)이었다. 최연소 후보자였던 더글러스 고든이 수상의 영예를 안았고, 이불은 그 다음으로 나이가 적었다. 다른 후보들에 비해 국제무대에서의 활동 기간이 짧았고 인지도도 상대적으로 낮았다는 점을 고려할 때 이불이 휴고 보스상 후보자로 지명된 것은 매우 주목할만한 성과라고 할 수 있다.

4   Barbara Pollack, "In the Studio: Lee Bul," *Art + Auction* (June 2008): 70.

5   Kataoka Mami, "In Pursuit of Something between the Self and the Universe," in *Lee Bul: From Me, Belongs to You Only,* exh. cat. (Tokyo: Mori Art Museum, 2012), 27.

6   Sigmund Freud, "The 'Uncanny'," *The Standard Edition of the Complete Psychological Works of Sigmund Freud Volume XVII (1917–1919): An Infantile Neurosis and Other Works,* trans., ed. James Strachey (London: Hogarth Press, 1955), 217.

7   Michaël Amy, "Lee Bul: Phantasmic Morphologies," 27.

Many Centuries and Numerous Topographies

Doryun Chong

Draw a picture in your head. Use your wildest imagination, as this should be no ordinary picture. It is a triptych, whose two side panels are hinged to the central panel like wings, so that they could open or close. Open up the wings and an entrancing scene unfolds across the pictorial surface; you see a universe containing awesome structures and populated by strange creatures. There, the ground, if one can call it that, is a reflective polished mirror. On it, a phallic peak arises and around it orbit impossible, dizzying highway flyovers, an upside down mosque, and a propaganda billboard. Nearby, another multi-tiered monument stands displaying mysterious literary slogans in scintillating LEDs. Sometimes these landscapes and urban structures melt and drip, their semi-liquid transmogrification suspended as much in time as in space. There are also hulking black masses—in the shape of an iceberg or an ink-black pond ringed by jagged foothills inside a gargantuan bathtub. The sky is even busier than the ground. Aerial highways sometimes mutate into entities on their own, into series of Moebius strips suspended in air around massive crystalline, chandelier-like floating cities. They float alongside distressingly incomplete and yet alluring humanoids, all shiny skeins and beads; half-formed, ghostly white androids; and simultaneously seductive and frightening monsters whose wings and limbs seem to grow in all directions. Some of the monsters are also spectrally white and seemingly clad in metallic surfaces like their android cousins, while others don colorful, dappled skins and are plush like cushions or oozing flesh. Where are we? Is this a prelapsarian Eden or a hell "less an antithesis of [a] paradise than an extension of it"?[1]

Here, I am trying to conjure a cosmology based on Lee Bul's oeuvre, which has by now unfolded over more than a quarter century. Since she burst onto the Korean contemporary art scene in the late 1980s, just as it was on the threshold of globalization, Lee's work has not stopped, always charting new territories, and fascinatingly and indefatigably inventing a constantly new visual language. Any artist with such longevity and consistency certainly deserves an overview of milestones in her career, even though they may be already well known.

Lee Bul graduated with a degree in sculpture from the prestigious Hongik University, Seoul, in 1987. This was the year she also professionally participated in her first group exhibitions, and the following year, she had her first solo exhibition. In retrospect, this timing could not have been more auspicious, as these two years were a momentous turning point in the history of modern Korea; the longstanding military dictatorship finally came to an end, and the nation successfully hosted the Summer Olympics, the highly anticipated imprimatur of the country's "successful" reconstruction after a civil war and subsequent, wholesale modernization and urbanization. Just two years later, Lee realized what is widely considered her first magnum opus, a sculpture-cum-performance, *Sorry for suffering–You think I'm a puppy on a picnic?* (1990). This succès de scandale was just the beginning. Lee fearlessly surfed on the waves of internationalization and the ascendancy of Korean popular culture, crafting a highly idiosyncratic and sensuous, and yet deliberately gaudy, even vulgar, and corporeal iconography.

Her next moment of notoriety—and a true international breakthrough—happened in 1997, when she was invited to take part in a two-person exhibition in the longstanding *Projects* series at the Museum of Modern Art in New York.[2] Her works from the *Majestic Splendor* series, featuring fresh fish decomposing slowly, caused an uproar because of its unbearable stench, and the work was soon removed from the exhibition. But the scandal boosted the visibility of the artist and her work, and Lee was almost immediately rewarded with a nomination for the prestigious Hugo Boss Prize at the Guggenheim Museum in New York in the following year,[3] and soon followed an invitation to the Venice Biennale (1999) organized by Harald Szeemann, one of the most respected curators of the twentieth century. At the same biennale, she also represented her country in the national pavilion. To date, she remains the youngest artist (at the time thirty-five years old) to have the honor.

Since the beginning of the new century, Lee has had a series of solo exhibitions and launched a new body of work with each new opportunity. In 2001, she expanded her karaoke project, the first iteration of which had been presented in the Korean Pavilion exhibition, with an ambitious, multi-institution collaboration between San Francisco Art Institute and the Fabric Workshop and Museum in Philadelphia; the project also toured to the New Museum in New York and the Museum of Contemporary Art in Sydney. Her solo exhibition at the Govett-Brewster Art Gallery in New Plymouth, New Zealand, in 2005 marked the beginning of her interest in the legacy of modernist architecture, which was seen in fuller representation at another solo show in 2007 at the Fondation Cartier pour l'art contemporain in Paris. In the 2010s, she has had career surveys at the Mori Art Museum in Tokyo in 2012; at MUDAM – Musée d'Art Moderne Grand-Duc Jean, Luxembourg in 2013; and at the Ikon Gallery, Birmingham, in 2014, among others. Of course, in the intervening years, especially since 2000, she made many exhibitions at her roster of galleries, Lehmann Maupin in New York and Hong Kong, Thaddaeus Ropac in Salzburg and Paris, and PKM Gallery in Seoul.

Lee's biography also often cites tales and episodes as impressive as her long list of career achievements. Lee's familial origin is already the stuff of legend: her birth in a family of pro-democracy political dissidents. Furthermore, the sequin, one of her early signature materials, is said to have been inspired by the menial labor of making cheap decorative objects her mother had to take on to support the family. Another story periodically repeated about the artist's early years is her witnessing as a child the scene of a grisly traffic accident—a young couple on a motorcycle crashing into a confectionery. Lee has claimed that the grotesque and yet captivating mingling of blood and sweetened cream and foam was her "primal scene" of aesthetic awakening. These stories sufficiently support why and how Lee became a fearless feminist. She is a soul born in the troubled land and forged in the fire of the turbulent and violent history of twentieth-century Korea. What is perhaps still somewhat bewildering is this: how did she go from there to a borderless cyberpunk sibyl? Her shift to the futuristic or sci-fi territory in the late 1990s has been linked to "A Cyborg Manifesto," a celebrated and influential essay by American feminist scholar of science, Donna Haraway. Perhaps due to the excessive citations of this particular reference, in addition to the possibly overdetermined attribution of the inspiration of her work to her heritage and nationality, there have been strangely few innovative attempts to understand Lee's work. The point I wish to make here, then, is a simple one. Lee's range of references and her universe of inspirations have been far broader and more complex. Accordingly, we need to make more appropriate attempts to situate her in a duly multilayered landscape of histories and art histories.

I am certainly stating the obvious when I write the following: what Lee's art has been begging from the beginning and has proven to deserve over the years is a place in a world history of art, in a larger fraternity and sorority of fellow artists and forebears, and in an expansive atlas of ideas and images. We would not be diminishing the radicalism of her work, when we claim that her groundbreaking performances—not only *Sorry for suffering* . . . but also even earlier *Abortion* (1989)— could not have been possible without those indefatigable women artists, who took the risk of shedding their clothes or donning ridiculous or grotesque props and bodily extensions, and purposely placing themselves in the line of social judgment and humiliation. If you open the annals of performance art, the decade of the 1970s is filled with pioneering women artists' works, which Lee's 1980s' body art is modeled after and strongly resonates with. One artist, completely naked, pulled out a carefully rolled piece of paper from her vagina and read the text written on it—a reflection on being a woman artist in a male-dominated art world (Carolee Schneemann, *Interior Scroll,* 1975). Another placed on a table various objects, many of which were weapons or had erotic connotations, and instructed audiences (mostly men) to do whatever they wished to do to her using them (Marina Abramović, *Rhythm 0,* 1974). And in an even earlier example, one artist dressed in a fine suit and sat on a bare stage with a pair of scissors next to her, and calmly instructed audiences to come up one by one to snip off a piece of her clothing to keep as a "souvenir" (Ono Yoko, *Cut Piece,* 1962).

Lee's transition from using her own simultaneously vulnerable and invincible body to sculpture-making cannot but be thought of as a continuation of thinking about and through the body. Her early soft sculpture may be immediately reminiscent of the work of Claes Oldenburg, as the American Pop artist is the textbook representative of the genre. Far more importantly, however, Lee's inheritance points to the work of the "grande dame" sculptors, Dorothea Tanning and Louise Bourgeois, whose stuffed forms are clearly anthropomorphic but often disquietingly less and more than the whole body with a head and four limbs. Through these two women predecessors, Lee's work also harks back to Surrealism, an art that is born out of and mutated through years of the unimaginable violence of modernity and warfare, an art that still reminds us the irrepressible desire and aggression inherent and lurking in the human and collective unconscious. If these examples seem too "Western," we would do well by remembering the following:

> Lee recalls her confusion when she participated once in a panel discussion and an audience member asked how she knew so much about Western culture. She replied, "I never knew this was only yours." Lee now explains it this way: "I grew up studying this field, so I never think about this as 'Western' history or 'Western' culture."[24]

Domesticity is another important aspect of Lee's work that has been overlooked perhaps too long. I do not use the word in the conventional sense of "home" or "household," as often invoked in relation to women artists' work. Rather, in Lee's work, we see the extended and expanded body such as the soft sculptures she has donned for performance, the transparent vitrines boxing her objects (as in the case of a number of works in *Majestic Splendor* series), and the vehicle-cum-coffins of the karaoke projects, all of which could be seen as houses, however morbidly unexpected that association might be. Bourgeois early on gave us the metaphor of the body as building—the female body as house, to be precise—in her 1947 drawing *Femme Maison* (1947), in which the naked lower torso and legs support a large house with a double-tiered foundation and four stories, and with two arms sticking out from it. We may conjecture that this uncanny image is Bourgeois' rejoinder to the utterly masculine modern notion from two decades prior: Le Corbusier's famous ideology of "Une maison est une machine-á-habiter" [A house is a machine for living in]. Somewhere in between these two positions, where the container for the body and the body as container meld into one, we may find the direction of Lee's work has taken over the last decade or so. In other words, her recent architectonic pieces and her earlier works which are usually seen as organic or bodily would be better understood in line with one another. Lee's sculpture has always intimated an intense sense that something is built with great effort and intention, and equally importantly, it gave the impression of growing on its own, morphing and mutating uncontrollably.

This monstrousness, the artist has said, is "about exceeding the prescribed boundaries, touching upon our fear and fascination with the uncategorizable, the uncanny."[5] Uncanny, of course, is a well-known Freudian term, an English translation of the German word "Unheimlich," whose literal translation would be "unhomely." Freud writes:

> The German word *"unheimlich"* is obviously the opposite of *"heimlich"* ["homely"] . . . the opposite of what is familiar; and we are tempted to conclude that what is "uncanny" is frightening precisely because it is *not* known and familiar. Naturally not everything that is new and unfamiliar is frightening, however; the relation is not capable of

inversion. . . . Something has to be added to what is novel and unfamiliar in order to make it uncanny.[6]

Lee's work has been discussed in terms of the disasters and traumas of twentieth-century Korean modernity, as well as in terms of the failures of the (mostly western) modernist idealism of the century. Of course, these discussions matter, but she has had more than her fair share of them. The unfortunate effect, one may argue, has been that they have tended to reduce her work to a mere reflection of the past and shortchange its startlingly futuristic vision. Now solidly in the second decade after the millennial turning point, it would be more appropriate, then, for us to think about how the brutal modernization of the past has catapulted the nation into a futuristic imaginary over the last two decades, the same time in which Lee's work has morphed and matured while sci-fi has come closer to reality. While the stress of fast-paced modernization continues to manifest itself as lesions in the societal fabric, as capsized boats, combusting buildings and stations, and sinkholes suddenly opening up in the middle of the city, an even more grotesque indicator may be the changing faces of the people who begin to look identical, like androids at the end of an assembly line in a factory. Korea's plastic surgery, an epidemic wholeheartedly embraced in the name of competitiveness and, to borrow the artist's own key term, "perfectibility," is now a globally infamous phenomenon.

Again, it is important to not hold up Korea as a unique, irreproducible condition. For the social, cultural context in which Lee lives and works is one particular pressure point among many in ever-escalating capitalist global modernity. If modernity is understood as an era of individual self-consciousness, facilitated by techno-logical advancement, the latter has grown to enhance its own force and aura to an astounding degree, enslaving humanity, in an unexpected echo of or even return to a seemingly medieval state of collective consciousness, where one's fate is not defined by one's own individual will but is subjected to and predetermined by a higher, divine power. Technology, which we imagine is at our own fingertips and at service to us, may be our contem-porary God. In this technologized world, we become robots and the architectonics we build become organic life forms. The uncanny is the rule of the day.

I would like to imagine that Lee Bul does not gaze at this landscape with mere despair. I would imagine she finds it as much visually hypnotic as symbolically mind-boggling. Speaking of Hieronymus Bosch's *The Garden of Earth Delights* (circa 1490–1510), she has said:

> In [this work], I see the individual imagination engaged in a coy dance with the controlling orthodoxies of the day. Am I alone in feeling that there's too much sensuousness in Bosch's endlessly inventive depictions of the progress of sin? His prelapsarian Eden never seems as innocent as it should be, and his hell seems less an antithesis of his paradise than an oblique extension of it.[7]

Generations of art historians have read *The Garden* through various interpretative lenses. Especially con-founding is the central panel in between the two wings, which are comparably more readable as Eden and Hell. Is the ambiguous central panel, then, a scene of debauch-ery and sins, leading to the ultimate fall from grace to inferno, or the careless world before the destruction and regeneration after the deluge? Or is it a stern, medieval warning against the dangerous power of female sexual-ity? Or is it a non-Christian or anti-Christian hedonistic world? The only thing we can be quite certain of may be that Bosch's world is ambiguous, which is in large part what generates endless fascinations. We could also be reasonably sure that Bosch probably would not have condemned humanity and its intractable tendency to seek pleasure, comfort, and stimulation, while he still found human follies laughable. Humanity and ambiguity. These are the two keywords we may derive from what we know of the mysterious image-world of Bosch. And five centuries later, these are also what may very well drive the work of Lee Bul as well.

This text is excerpted and reprinted from the exhibition catalogue *MMCA Hyundai Motor Series 2014: Lee Bul* (Seoul: National Museum of Modern and Contemporary Art, 2014).

1   Michaël Amy, "Lee Bul: Phantasmic Morphologies," *Sculpture* 30, no. 4 (May 2011): 27.

2   The other artist was the Japanese artist Chie Matsui. The exhibition was curated by Barbara London.

3   The other nominees of the award in that year were: Douglas Gordon (b.1966), William Kentridge (b.1955), Pipilotti Rist (b.1962), Lorna Simpson (b.1960), and Huang Yong Ping (b.1954). The winner was Gordon, who was the youngest of the group, while Lee was the second youngest. Lee's nomination was especially remarkable given that her international exposures were much shorter and less than others.

4   Barbara Pollack, "In the Studio: Lee Bul," *Art+Auction* (June 2008): 70.

5   Kataoka Mami, "In Pursuit of Something between the Self and the Universe," in *Lee Bul: From Me, Belongs to You Only,* exh. cat. (Tokyo: Mori Art Museum, 2012), 27.

6   Sigmund Freud, "The 'Uncanny'," *The Standard Edition of the Complete Psychological Works of Sigmund Freud Volume XVII (1917-1919): An Infantile Neurosis and Other Works,* trans., ed. James Strachey (London: Hogarth Press, 1955), 217.

7   Michaël Amy, "Lee Bul: Phantasmic Morphologies," 27.

스테파니 로젠탈과의 인터뷰,
2018

스테파니 로젠탈: 먼저 최근의 작업들을 당신의 유년기, 그리고 초기작품들과 연관 지어 조망해보고자 합니다. 당신이 주목해온 전복의 언어, 주로 은폐된 것을 드러내는 방식에 관해 이야기해 볼까요?

이불: 바깥, 저를 둘러싼 외부 세계, 제 자신의 일부이기도 한 환경은 아마도 제가 자의식을 발전시키기 시작했던 때부터 제 관심사였을 겁니다. '나와 대결하는 세계'보다는, '나 그리고 세계', 혹은 '세계 속의 나'에 가깝습니다. 그것이 제 질문과 관심의 핵심이었어요. 이사를 많이 다녔던 제 가정사와 관련이 있으리라 봅니다. 저는 계속해서 낯선 환경에 적응해야 했고, 그런 상황은 제 삶이 다른 사람의 삶과 다르다는 것을 끊임없이 상기시켰어요. 저에게 주어진 조건이 다르다고요. 그 때문에 거리에 대한 감각이 생겨났습니다. 바깥으로부터 끊임없이 영향을 받았지만, 그것이 무엇인지는 진정으로 이해할 수 없었고 그러면서도 그 의미를 파악하고자 애써온 셈이지요.

스테파니 로젠탈: 어머니가 당신에게 큰 영향을 주었다고 말할 수 있을까요?

이불: 어머니는 재일교포였습니다. 청소년기에 모국을 위해 다른 학생들과 함께 한국에 밀입국했습니다. 연좌제가 적용되었고, 직장을 가질 수 없었으며, 다수가 모인 환경에서 일할 수 없어 생계를 위한 방법을 찾기가 힘들었습니다. 어머니는 집에서 할 수 있는 일을 찾아 생계를 꾸려 나갔습니다. 가방에 비즈를 달거나 뜨개질로 옷을 만들었습니다. 병약한 아이였던 저는 누운 채로 제 주변을 둘러싼 밝은 색상의 비즈와 뜨개질한 옷들을 올려다보던 기억이 납니다. 그런 작업을 하는 중년 여성을 보며 자랐습니다. 색채와 질감을 대하는 제 감각은 그 시대에 빚지고 있다고 가끔 농담합니다. 작업에 비즈를 사용하는 이유도 이런 기억 때문입니다. 사람들은 그저 손쉽게 장식품 혹은 명품과 연관 짓고는 하죠. 하지만 저에게는 고된 노동을 나타냅니다.

스테파니 로젠탈: 그런 맥락에서 보면 당신에게 물질은 항상 중요했겠네요.

이불: 저는 소재 선택에 매우 신중한 편입니다. 모든 물질에는 지시하는 바가 있고, 서사가 있는데, 그것들을 활용합니다. 재료가 가진 일반적인 의미를 빌려와 작품을 통해 새롭게 의미화 하는 것이지요. 물질은 종종 상충하거나 다층의 의미를 내포합니다. 실크, 머리카락이나 진주가 생성되는 원리도 마찬가지죠. 저는 이러한 특징을 들추어 내거나, 이들의 갈등 혹은 대립을 보여주는 것을 좋아합니다. 단순하기보다는 복합적인 재료를 선호합니다. 그리고 제 작품에서 재료는 서로 충돌하거나 대립합니다.

그동안 가죽, 실리콘, 폴리우레탄 등으로 작업해왔습니다. 이들은 살갗의 물성과 관련되어 있습니다. 다른 재료로는 벨벳, 실크, 진주 등이 있는데 이 재료들은 생명을 연상시킵니다. 벨벳은 머리카락과 모피 대신 사용하기 위해 쓰기 시작했습니다. 사실 벨벳은 실크로 만들어졌는데, 실크는 누에고치가 뽑아낸 배출물로, 몸 안으로부터 나온 것입니다. 진주는 딱딱한 껍질처럼 보이지만 실은 조개 속에 있는 조직으로, 조개가 상처를 치료하면서 만들어지죠. 저는 안팎이 도치되는 생명체와 관련한 재료에 관심이 많습니다.

도시 변두리의 생활환경은 먼지투성이였고 잿빛이었습니다. 군인 가족에, 고향도 없이 정착하지 못하고 이사를 다니는 사람들. … 폭력적이기 그지없는 데다가 근대화의 전형이었어요. 공장이 많았고요. 그런 풍경은 (어머니의) 빛나는 비즈와 강하게 대조되었습니다. 아마 그것이 제가 여러 요소를 개념적으로, 그리고 소재적으로 함께 섞는 이유일 것입니다.

스테파니 로젠탈: 초기 퍼포먼스와 더불어, <몬스터>(1998/2011)나 <무제(갈망)>(1988/2011) 등의 조각 작품 역시 여성 신체, 그와 관련한 모든 편견, 그리고 사회 속 여성의 역할과 결부되어 있습니다. 당신이 페미니즘적 쟁점을 다룬 최초의 작가들 중 한 명이라고 말한다면 비약일까요?

이불: 저를 첫 세대라고 하신다면 불편합니다. 전 그런 단어를 사용하지 않아요. 외부로부터 온 말이니까요. 다른 사람들은 몰라도 저는 그렇게 이야기할 수 없습니다.

스테파니 로젠탈: 그렇다면 어떤 흐름에 가담한다는 생각보다는 스스로 시급한 문제라고 느낀 무언가를 맞닥뜨려 작업했던 것이네요.

이불: 당시 한국 미술계는 두 부류의 큰 흐름으로 나뉘어 있었습니다. 하나는 새로운 언어를 개발하는 데 주력해온 모더니스트들로, 한국의 근대 회화와 헨리 무어를 이야기했고 미니멀한 조각을 '아방가르드'라 불렀습니다. 다른 하나는 민중미술로, 한국 미술 현장의 언더그라운드에서 일종의 프로파간다 방식으로써 리얼리즘을 추구했습니다. 대학생이던 1980년대에 저는 민중미술 작가들과도 친했습니다. 하지만 그들 중 가장 친했던 친구 중 한 명이 어느 날 저에게 했던 말이 아직도 기억납니다. "네 작업이 무엇을 말하고자 하는지 모르겠어." 그들에게 제 작업은 아주 불명확하고, 너무 많은 것들이 작동하는 것처럼 보였어요. 하지만 저는 단순한 일러스트레이션을 하고 싶지는 않았어요. 그런 건 제가 아니죠.
　　제 의식의 출발점은 여성이라기보다는 마이너리티에 더 가깝습니다. 저는 거의 모든 상황에서 마이너리티였습니다! [웃음] '내가 뭐 하나 바꿀 수 있는 게 없으니, 모든 것에 맞서자'고 생각했습니다. 무언가 다른 지점을 찾고자 했어요. 색상과 소재 선택에 있어서도 마이너한 선택을 했습니다. 비즈 혹은 유기적인 재료와 같이 친숙하지만 미술에서 단 한 번도 쓰인 적 없는 재료들을 떠올렸습니다. 미술계는 빠르게 반응했고, 제 작품은 '미술이 아니'라고 말했습니다. 충분한 정보를 접할 수 없었고, 충분히 열린 생각을 가진 선생을 찾기도 힘들었습니다. 서양 미술의 흐름을 따라가기는 쉽지 않았어요.

스테파니 로젠탈: 박정희의 독재 정권이 유지되던 1963년부터 1979년까지는 해외 여행이 금지되어 있었습니다. 당시 어느 정도의 정보가 국내로 유입되었습니까? 도서에 접근이 가능했나요?

이불: 저는 굉장히 운이 좋았어요. 당시 제 부모님이 평상시에 일본 서적을 읽었기 때문입니다. 저는 또한 일종의 중국의 (사회주의) 리얼리즘을 선동하던 판화를 보며 자랐습니다. 당시에는 그것이 무엇인지 알지 못했지만요. 재일교포이신 어머니는 한국어를 구사했지만 문헌은 일본어로만 읽을 수 있었기 때문에 의사소통에 어려움이 있으셨습니다. 이사를 다닐 때면 저희는 수 백 권의 일본 책을 함께 들고 다녔는데, 그것이 당시 서적을 검열하던 경찰로부터 살아남을 수 있는 유일한 방법이었기 때문입니다. 일본어를 읽을 줄 몰랐던 저는 그저 이미지만을 보았고요. (상상의) 이야기를 만들곤 했습니다. 당시 한국 방송국은 밤 시간대에만 방송을 편성했기 때문에 AFKN [주한 미군 방송] 채널은 낮 시간에 볼 수 있었던 유일한 TV 채널이었습니다. 동네에 한 두 집에만 TV가 있었고, 저는 이웃집에 가서 TV를 보고는 했습니다. 미국의 극이 방송되기도 했지만, 우린 그들의 말을 알아들을 수 없었고, 그래서 이야기를 새롭게 창작하기도 했습니다. 저는 항상 이야기를 만들고자 시도하니까요.

스테파니 로젠탈: 당신이 대학에 입학하던 시기 독재가 끝났습니다. 그때 책들이 다량으로 유입되지 않았었나요?

이불: 검열은 여전히 계속되었습니다. 모든 정보는 제가 대학을 졸업할 때까지도 엄격히 통제되었고요. 서울 올림픽이 열리던 1988년이 되어서야 조금씩 개방되기 시작했습니다. 그 해는 대중문화에 있어 매우 중요한 해였다고 생각합니다. 외부로부터 정보가 유입되었고 올림픽에 방문한 외국인들로부터 정보를 받기도 했습니다.

스테파니 로젠탈: 당신이 처음으로 만났던 해외 작가를 기억합니까?

이불: 제 세대의 작가들을 만난 것은 작가로서의 활동을 시작한 이후였습니다만, 1993년 국립현대미술관 과천관에 휘트니비엔날레[1]를 가져온 것이 계기가 되어 많은 작가들을 만난 기억이 납니다. 그 전시에 참여한 작가들은 강렬한 인상을 주었고, 아주 정치적이었습니다. 재닌 안토니는 염색약으로 바닥을 칠하는 퍼포먼스를 했고요.[2] 제 세대의 작가들이 많았는데, 그들은 우리에게 연락해 한국의 젊은 작가들을 만나고 싶어했어요.

스테파니 로젠탈: 그 전엔 여행을 많이 한 편이었나요?

이불: 당시 저는 일본에 간 적이 있었고, 대규모 전시인《제1회 아시아퍼시픽 현대미술 트리엔날레》에 참여하기 위해 1993년 호주를 방문했습니다. 그곳에서 <장엄한 광채>(1993)를 전시했습니다.

스테파니 로젠탈: 하지만 당신은 1990년대 말에 여행을 자주 하셨죠. 1997년 뉴욕 현대미술관에서의 전시를 위해 뉴욕으로, 그리고 하랄트 제만이 기획한 제4회 리옹비엔날레(1997)와 제48회 베니스비엔날레(1999)를 위해서요.

이불: 제만은 <장엄한 광채>(1997)를 서양의 대중에게 처음으로 소개했습니다.

———————

스테파니 로젠탈: 당신의 작업에서 매체로서의 드로잉은 중요하게 사료됩니다. 일전에 함께 드로잉을 살펴봤을 때 당신의 작업에 나타나는 형태 대부분이 드로잉에서 선행하여 나타난다는 것을 확인할 수 있었습니다. 당신도 드로잉은 작품 제작 과정과 밀접히 연관되어 있다고 하셨고요.

이불: 드로잉 없이는 생각을 진전시키기가 힘듭니다. 드로잉이 있으면 생각을 따라가기가 쉽고 동시에 그 자체가 신체적 행위이기도 합니다.

스테파니 로젠탈: 드로잉의 또 다른 경이로운 지점은 드로잉이 단선적이지 않다는 것입니다. 이 말은 당신은 종이에 여러 평행하는 요소들을 담을 수 있다 것을 의미합니다.

이불: 시작도 끝도 없습니다. 그것은 실제의 삶에 가깝죠. 저는 상상적 형태로부터 시작하는 것을 정말 좋아합니다. 만일 제가 현실에서 무언가를 만들어낼 수 없을지라도, (드로잉을 통해) 머릿속으로는 할 수 있게 됩니다.

스테파니 로젠탈: 그러면 당신은 드로잉으로 돌아가 형태들을 다시 찾는 것이군요. 마치 천천히 앞으로 나아가면서 일면 다시 순환하는 것과 같이요.

이불: 드로잉을 서랍에 넣어두면, 그것에 대해 잊고 있다가 다시 찾았을 때 놀라고는 합니다. 가끔은 정말 안 좋기도 하고요. 보통 저는 드로잉을

벽에 걸고 매일 그 앞을 지나가며 봅니다. 어느 날은 갑자기 일종의 실마리를 찾아, 빠르게 그 안으로 들어가 아이디어를 밀고 나갑니다. 가장 흥미진진한 때이죠. 머리 속에서 전체의 3차원 형태를 만들 수 없을 때나 내면 전체를 쓰고 싶지 않을 때에도 드로잉에는 여전히 저의 파편이 있습니다.

스테파니 로젠탈: 드로잉과 3차원 사이의 직접적인 관계성이 성립되네요. 드로잉 행위 자체가 자극제가 되요?

이불: 드로잉에는 두 가지 유형이 있습니다. 하나는 계속해서 무언가를 제작하는 것에 관한 것입니다. 하지만 다른 유형은 드로잉을 위한 드로잉입니다. 붓이나 펜을 이용한 기술을 즐기거나, 표면과 촉감을 가지고 즐기는 유희와도 같아요. 따라서 3차원적인 것을 가능한 최대한 배제하려고 합니다. 하지만 몇몇의 드로잉의 경우, 계속 그려 나가다 보면 그것이 전체의 과정이고, 저는 모든 것을 상상할 수 있기 때문에, 흥미로워 잠을 이룰 수 없습니다. [웃음] 하지만 드로잉이 저에게 좋은 매체인 이유는 제가 모든 것을 만들 수는 없기 때문인 것 같습니다. 드로잉이 없다면 저는 매일마다 다른 것을 만들고 싶을 것입니다.

이 인터뷰는 2018년 런던 헤이워드 갤러리가 발간한 전시 도록에 최초 수록되었으며, 본 출판물에는 인터뷰의 일부가 재수록 되었다. 출처: Stephanie Rosenthal, "A Feeling about Freedom," in Lee Bul, exh. cat. (London: Hayward Gallery Publishing, 2018), 81–95.

1　[편집자 주] 휘트니비엔날레가 미국 밖에서 열리기는 처음이었고 그 후에도 다시없었다. 당시 관장이었던 데이비드 로스는 전시를 해외에 소개해 미국이 발굴한 작가를 세계에 선보이고 싶었고, 관장과 친분이 있었던 백남준의 적극적인 권유로 서울 순회전이 성사되었다. 조상인, "'[인간 백남준을 만나다] "왜 일본? 한국 휘트니가 낫지" 이 한마디에 …韓미술, 경계를 넘었다," 서울경제, 2019년 8월 9일.

2　[편집자 주] 순회전에서 예산 문제와 당시 한국 사회의 보수성으로 인해 제외된 작품으로 재닌 안토니의 <갉아먹기>(1992)가 있다. 이 작품은 제목 그대로 모서리를 갉아먹은 흔적이 있는 약 1m 길이의 정방형 초콜릿과 비계 덩어리로 여성의 음식 앞에서 자연스러운 충동과 그에 따른 죄의식에 대한 자학적 사고를 말한다. 출품작 대신 작가는 서울 순회전 개막식에서 퍼포먼스 <사랑의 보살핌>(1993)을 발표한다. 머리에 물감을 묻혀 바닥에 그리는 형식이 백남준의 <머리를 위한 선>(1961)의 오마주와 같다.

Interview with Stephanie Rosenthal, 2018

Stephanie Rosenthal (SR): I'd like to start with the concerns you are dealing with in your work right now, and relate them to your early life and work. Let's talk first about your interest in turning things inside out—uncovering what is usually in the dark.

Lee Bul (LB): The outside, the outer world that surrounds me, the environment that is a part of me, has been an interest probably from about the time a consciousness of my self began to develop. Not as in "me-versus-the-world," but more "me-and-the-world" or "me-in-the-world." That has been the focal point of my questions and interests.

   I think it has something to do with the fact that my family moved constantly when I was little. It meant that I often found myself placed amongst strangers, and that I was constantly reminded of the fact that my life was unlike the lives of others. That my conditions were different. I developed a sense of distance because of it. I was affected by the outside world, but I could not really understand it, while at the same time wanting to make sense of it.

———————

SR: Would you say your mother has been a great influence?

LB: My mother was Korean Japanese. She smuggled herself into this country with a bunch of other students when she was a teenager to serve her mother country. It was difficult for her to find ways to sustain herself. She was seen as guilty by association, so she couldn't get a job with a company and she couldn't work with bigger groups of people. So she turned to work she could do from home to earn a living. She beaded bags and knitted clothes.

   I was a sickly child, so I remember lying down and looking at brightly colored beads and knitted clothes around me. I grew up watching middle-aged women producing such work. I half-jokingly say that I owe my sense of color and texture to those times. I use beads in my works because of such memories. People are quick to associate them with decoration or luxury goods. For me, they represent hard labor.

SR: So in a way, material has always been important for you.

LB: I choose what I work with very carefully. Everything has connotations, stories, and I utilize them. I borrow the general meanings materials have and embrace them in my work. Many times, things have clashing, conflicting connotations or layers of meanings. Like silk and hair and how mother-of-pearl is created. I like to expose that or show the conflict and the confrontation. I prefer complicated materials over simple ones. I crash or contrast them in my works.

   I've worked with leather, silicone and polyurethane. These are related to the concept of skin. My other choices of materials have been velvet, silk and mother-of-pearl because they remind me of organisms. Velvet was first developed to be used in place of hair and fur. But it is made with silk and silk is made from the discharge of silkworms, so it comes from the inside. And mother-of-pearl may look like a hard shell but it is really an organ, the inside of shellfish. It is created when shellfish try to heal a wound. Materials that are related to organisms, that come from the inside out, interest me.

   My environment at the edge of the city was so dusty and grey. It was very violent—typical of modernization . . . army families, everybody moving, with no roots or hometown. And there were so many factories. This was a big contrast to my mother's bright beadwork. That may be why I mix things together, conceptually and also materially.

———————

SR: *Your early performances and related sculptures like the* Monsters *(1998, refabricated 2011) or* Untitled (Cravings) *(1988, refabricated 2011) were also about the female body and all the prejudices that are related to the female body, but also the role of the woman in society. Is it too simple to say that you're one of the first artists who addressed feminist issues?*

LB: I'm uncomfortable saying I'm the first generation. I don't use that word—because it's from outside. Other people can talk about it, but I cannot.

SR: *So it's not that you felt part of a movement, but you were doing something you felt an urgency about.*

LB: At the time there were only two big movements [of artists] in Korea—one was the modernists, who focused on developing "a new language." They talked about Korean modern painting and Henry Moore and then they called minimal sculpture "avant-garde." The other big movement was *Minjung* art, the underground part of the Korean arts scene . . . realism as a kind of propaganda. In the 1980s, when I was a university student, I was very close to the *Minjung* artists. But I still remember one of my best friends from the group saying one day: "I really don't understand what your work is doing." For them, my work was very unclear, with too many things going on. But I didn't want to make a simple illustration—that's not me.

My main thinking was not about women but actually more about the minority. I was a minority in almost everything (laughs)! I thought, "I cannot change one thing, so I will be against everything." I tried to look for something different. For me, color and material was the underground—let's look at material that is very familiar to us and never used for art—beads or organic material. Very quickly there was a reaction from the art scene. They say, "That's not art." We didn't have enough information, and also, it was very hard to find a teacher who was open enough. It was very hard to follow the Western art scene.

SR: *During the dictatorship [of Park Chung-hee, 1963–1979] you weren't allowed to travel abroad, but how much information came into the country? Were you able to access books?*

LB: I'm very lucky because my parents normally read Japanese books. I also grew up with a kind of Chinese realism propaganda art print—though I didn't know it was that at the time. My mother is Korean Japanese, so she had problems with communication. She can speak Korean, but she can read only Japanese. When we moved, we would bring hundreds of Japanese books with us, because it was the only way to survive the police, who checked what you were reading. I couldn't read Japanese, so I just looked at the pictures . . . I would create the story. The AFKN [American Forces Korean Network] channel was the only TV it was possible to watch during the daytime, because the Korean stations only worked at nighttime. Only one or two houses in the neighborhood had a TV, so we'd go to somebody's house to watch; there would be a whole American play and we couldn't understand a word they said, so we created that story too—I always try to create a story.

SR: *When you went to college, the dictatorship was over. But even then, it wasn't that suddenly a flood of books came in?*

LB: There was still censorship. All information was very controlled until I graduated from university. I would say 1988, the Olympic year, it became more open. I think that was a very big year for public culture. We received information from outside, foreign visitors to the Olympics informed us too.

SR: *Do you remember the first international artist you met?*

LB: It was after I started life as an artist that I met my generation of international artists. They may not be the first, but I remember meeting many artists through the Whitney Biennial, because the [National] Museum of Modern and Contemporary Art in Gwacheon brought the exhibition to Korea in 1993.[1] The artists in the show were very strong, very political. Janine Antoni did a performance where she used dye to paint on the wall.[2] There were many artists of my generation. And they contacted us. They wanted to meet young artists in Korea.

SR: Did you travel a lot before?

LB: I went to Japan and I participated in a big show in Australia, the 1st Asia-Pacific Triennial [of Contemporary Art, 1993]. They exhibited *Majestic Splendor*.

SR: But then you travelled a lot in the late 1990s, to New York, for the show at MoMA in 1997 and the Biennales curated by Harald Szeemann—Lyon in 1997 and Venice in 1999.

LB: Szeemann introduced *Majestic Splendor* to Western people for the first time.

———————

SR: Drawing as a medium is important for your practice. When we looked over all the drawings the other day, It became obvious that most of the forms that appear in your work appear in your drawings first. You said that drawing for you is very much related to your process.

LB: Without drawing, it's very hard to keep a thought. But with drawing, it's easy to follow and at the same time, it's a physical action.

SR: I think another wonderful thing about drawing is that it is not linear—that you can somehow bring to paper lots of parallel aspects.

LB: There is no start and no end. That's closer to real life. I really like starting with an imaginative form. If I cannot produce something in reality, I can do it in my head.

SR: So, you can go back to your drawings and find shapes again—it is a bit like recycling, while slowly moving forwards.

LB: If I put the drawings in storage, I just forget them, and when I find them [again], it's a surprise. Sometimes it's really bad. Normally I put the drawings on the wall and then every day I pass them and look at them. Then one day I might suddenly discover a kind of key, so I can quickly go in and pursue the ideas. That's the most exciting part. Even when I cannot build a whole three-dimensional form in my head, when I don't want to use my whole mind, there is still a fragment for me.

SR: So, it's a direct relationship between the drawings and the three-dimensional. The action of drawing is the stimulus?

LB: I have two types of drawing. One is about going on to produce something. But the other type is just drawing for drawing's sake. Just to enjoy the technique with the brush or pen, just playing with the surface and with touch. As much as possible, I don't think about the three-dimensional thing, because I'm trying just to play with the surface, what is there.

But with some drawing, I can keep going, and then because it's a whole kind of process, because I can imagine it all, I'm just too excited and so I cannot sleep (laughs). But I think drawing is good for me because I cannot make everything. Without the drawings, probably every day I'd want to make a different thing.

This text is excerpted from an interview between Stephanie Rosenthal and Lee Bul first published as "A Feeling about Freedom" in the exhibition catalogue *Lee Bul* (London: Hayward Gallery Publishing, 2018).

1   Editor's Note: Under the aegis of David A. Ross, the then director of the Whitney Museum, the 1993 edition of the Whitney Biennial travelled to the National Museum of Modern and Contemporary Art, Gwacheon, where it was on view from August 1 to September 8, 1993.

2   Editor's Note: Some works were excluded from the travelling exhibition, while others were staged especially for the Korean venue, including Janine Antoni's *Loving Care* (1993), a performance in which the artist mopped the gallery floor with her hair soaked in black hair dye—recalling *Zen for Head* (1961) by Nam June Paik, who also featured prominently in the exhibition.

한스 울리히 오브리스트와의
인터뷰, 1998

한스 울리히 오브리스트: 당신의 작업은 고급문화와 하위문화의
레퍼런스를 가로지르고 있습니다.

이불: 문화적으로 고급과 하위를 막론하고, 물론 사이보그 작품의 경우 불가피하지만, 여성성의 개념이나 표현이 다양한 경로로 증식해가는 방식에 관심이 있습니다. 또한 미술사와 대중문화 속 여성 이미지에서 볼 수 있듯 그것이 형성되고 기능하는 과정, 그리고 어떻게 고급문화와 하위문화 안에서 공존하고 수렴되는지까지요.

한스 울리히 오브리스트: 당신은 퍼포먼스와 같은 초기 작품에서 마치
의수나 의족처럼 몸의 확장된 개념을 활용했는데요. 새로운 사이보그
조각(1997–현재)들은 이런 예전 작업과 관계가 있나요?

이불: 어떤 점에서 이번 작업은 초기 작품들을 진행할 때 가졌던 제 관심의 연장이라고 볼 수 있습니다. 당시 생물학적 의미에서의 신체, 오브제, 그리고 문화 간의 경계를 탐색했는데, 이때 세계는 마치 하나의 살아 있는 유기체인 양 보였습니다. 저는 그 속의 다양한 발현 방식과 변형 방식을 해독하고자 했습니다. 최근에는 신체를 연장하고 대체하는 것, 혹은 기술적 수단을 통해 재현하는 것에 흥미를 두고 있습니다. 새로운 기술의 출현, 그리고 이러한 기술로부터 도래한 새로운 발상과 이론들이 여성성의 개념을 변화시키는 듯 보일 수 있습니다. 그러나 특정 여성 재현 방식에 있어서는 여성 이미지나 여성성을 구축하는 담론을 단순히 고집하고 이어가고 있다는 것을 여전히 발견하고 있습니다.

한스 울리히 오브리스트: 당신은 그것을 전형성에 대한 비판이라고
보십니까?

이불: 글쎄요, 물론 그런 면도 있겠지요, 하지만 단편적인 전형성에 대한 일차원적 비판만은 아닐 거예요. 달리 말해 소위 말하는 '클리셰'와 전형적인 이미지가 형성되는 일련의 과정, 즉 그 기저에 깔린 사고나 이념을 보고자 노력합니다. 기술(지금까지 기술은 어떤 면에서는 중립적인 것으로 간주해왔지만 사실상 여전히 지배이념과 깊은 공모 관계에 있지요)에 관해서는, 기술을 사용할 수 있는 권력을 가진 이는 과연 누구이며, 권력과 그에 수반되는 이념이 생산하는 이미지와 상품에는 어떤 것이 있는지 질문하고자 합니다.

한스 울리히 오브리스트: 컴퓨터나 카메라와 같은 현존하는 틀을
어떻게 교란, 확장, 변화시킬 수 있을 것인가 하는 문제도 있습니다.

이불: 물론 그 또한 제 관심사의 일부입니다. 특히 권력의 개념과 새로운 기술의 통제권을 가진 주체에 관한 문제요. 고급문화, 하위문화, 미술사, 대중매체 속 여성 이미지의 레퍼런스를 참조로 하여 제가 사이보그에 취하는 비판 전략은 일련의 재현 방식에서 작동하는 여러 이념의 반복 재생산에 개입하고 또 대항하는 것입니다. 앞서 말씀 드린 것처럼 소위 말하는 과학기술, 컴퓨터 기술, 첨단 엔지니어링 등은 언제나 남성의 영역으로 간주되어 왔습니다. 이러한 태도는 여성은 컴퓨터를 사용할 줄 모른다거나 여성은 첨단의 기술을 창조할 수 없다고 하는 통속적인 사고방식에서도 발견할 수 있죠.

한스 울리히 오브리스트: 최근 일본 건축가 하세가와 이츠코 씨와
이야기를 나눈 적이 있습니다. 하세가와 씨는 수직적인 도시에
반대하는 '수평 선언'을 주장한 바 있는데요.

이불: 그렇습니다, 단순하지만 좋은 예죠. 왜냐하면 남성적인 관점이나 태도가 만들어낸 문화 속 특정 이미지와 상품에 내포된 의미는 철저하게 남성 중심적인 관점에서 계획되었음을 말해주니까요. 우리는 이런 의미를 특별히 남성적이라고 의식하지 못한 채 받아들입니다. 심지어는 발전의 징후, 첨단기술의 상징, 그리고 성취를 이뤄낸 모든 종류의 사상들로만 여깁니다. 하지만 실상 그것은 관례의 남성 특권과 시각의 산물일 뿐입니다. 저는 번쩍거리는 표면 아래에 작동하고 있는 암묵적인 추정을 끄집어낼 방법을 모색하고 있습니다.

———

한스 울리히 오브리스트: 나비와 생선의 경우는 어떻습니까? 특별히 한국적인 함의가 담겨 있다고 말씀하셨는데요.

이불: 나비 작품은 <알리바이> 연작(1994)의 일부였습니다. 푸치니의 오페라 <나비부인>(1904)에서 모티프를 얻었는데, 아시아 여성성에 관한 왜곡된 환영이나 인식을 작품화하고자 했습니다. 실리콘으로 제작한 손이 붙잡고 있는 나비의 모습이 명확한 레퍼런스를 제시합니다. 동서양 문화 모두에는 항구적 가치관을 자연에 일체화하는 오랜 전통이 있는데, 자연적인 가치가 인간 개입을 초월한다고 생각해왔기 때문입니다. 작품 속에서 살아있는 듯 한 나비는 박제인데, 이는 직관적 폭력이 행사하는 낡은 사상의 보전을 지칭합니다. 손의 재료인 실리콘은 의학에서 인체를 보완하고자 사용하는 물질이기도 하죠. 신체의 일부를 대체하는 인공 물질과 '초월적' 믿음을 대체하는 자연 개념을 동시에 사용하는 겁니다. 관습적인 의미와 기능을 침식시키고자 했어요.

한스 울리히 오브리스트: 생선과 생선 주변의 '부속물'들은 지극히 인공적으로 보이지만, 재현물은 아닙니다. 가짜인 듯 보여도 그것은 실제예요, 어느 정도 시간이 지나면 냄새가 나기 시작하니까요(롤랑 바르트는 '사진의 똥에는 냄새가 없다'고 말한 바 있지요). 이 역설적인 작품과 그것을 전시하게 된 배경을 말씀해 주시겠습니까? 더구나 냄새는 기존 미술 전시에는 상대적으로 생소한 감각이니까요. 1960년대 이후 영상과 음향 설치에 점차 익숙해져 왔던 미술관에 냄새는 비교적 덜 다뤄졌기 때문에, 뉴욕 현대미술관에서의 경험을 말씀해주시면 흥미로울 것 같습니다.

이불: 저는 재현 개념, 그리고 미학적 지배 원리에 따른 시각적 특권 사이의 관계성, 더 나아가 시각의 특권화가 이루어진 방식을 살펴보고자 합니다. 뒤돌아 생각해보면, 시각의 정통성과 우월성은 분명히 남성 특권이었음을 알 수 있습니다. 시각 외의 감각은 예술 영역에서 추방당해왔죠. 생선은 시각적 재현물로 보일 수 있지만, 냄새라는 다른 요소, 전통적인 재현 전략의 범주 그 어디에도 존재하지 않던 후각 요소를 사용함으로써 실제의 감각, 사물의 직접성, 재현보다 앞서거나 그를 넘어서는 충격을 불러일으킵니다. 예를 들어 생선 작품이 전시된 전시장에 들어갔을 때, 정상적인 후각을 가진 사람이라면 작품을 보기 전에 냄새부터 맡게 됩니다. 관객은 재현 밖에 존재하는 후각 요소를 경험한 후에 시각적 재현을 마주한다는 거죠. 어떻게 보면 전통 예술 전략을 뒤집고자 한 것입니다. 예술 장르의 전통적인 위계

속에서 이미지가 차지하는 절대 우위, 혹은 이미지나 시각적 경험이 갖는 특권 등을 교란시켜 보려 한 것이죠. 결과적으로 근대미술의 전당인 뉴욕 현대미술관의 화이트 큐브는 제 작품이 만들어낸 교란을 감당하지 못했다고 볼 수 있습니다.

이 인터뷰는 1998년 아트선재센터가 발간한 전시 도록에 최초 수록되었으며, 본 출판물에는 인터뷰의 일부가 재수록 되었다. 출처: Hans Ulrich Obrist, "Cyborgs and Silicone: Artist Lee Bul about her work," in Lee Bul, exh. cat. (Seoul: Art Sonje Center, 1998), n.p.

Interview with Hans Ulrich Obrist, 1998

Hans Ulrich Obrist (HUO): There is a crossing of high and low references in your work.

Lee Bul (LB): Aside from the crossing of high and low, which is inevitable in this case, I'm interested in how concepts and representations of femininity proliferate through various channels in the culture at large, whether it be high or low; and also, the processes of their formation and function, which seem to coexist and converge in high and low cultures, as you see in art history and also in popular media images of women.

HUO: In your early work, like in your performances, you use extensions of the body, like artificial limbs. Are the new cyborg sculptures (1998) related to these older works?

LB: In a way, it is an extension of my concerns from my earlier works, which explored the boundaries between the body, objects, and culture in a biological sense, so that the mentality of the world was seen as a sort of living organism; and I was trying to decipher its various manifestations and transformations. My concern with the body now deals with its extensions and substitutions, or its representations through technological means. And while notions of femininity may appear to be changing with the advent of new technologies and new ideas and theories arising from those technologies, I still find that certain representations simply reinforce and continue traditional discourses about what constitutes femininity and images of femininity.

HUO: Do you see it as a critique of stereotypes?

LB: Well, that's certainly a part of it, but it's not a one-dimensional critique of flat stereotypes. I'm trying to look at the processes, ideas, and ideologies involved in the formation of those so-called clichés and stereotypical images. In regard to technology (which heretofore has been considered, in some ways, neutral, but in fact operates within a context that is still very much complicit with the prevailing ideologies), I'm trying to question who has the power to use it and what sorts of images and products are created through that power and its attendant ideologies.

HUO: There is also the question of how to disturb or to extend or to change the existing framework of the computer or the camera.

LB: Certainly, what you mention is a part of my concern, specifically the notion of power and who controls these new technologies. My critical strategy in creating the cyborgs, with reference to images of women in high culture, low culture, art history, and popular media, is an intervention against a recursion of the kinds of ideologies that are operative in such representations. One thing that I talked about before was that much of the so-called scientific technology, computer technology, advanced engineering, and so on, has always been seen as the domain of male privilege, and, in fact, this attitude is found in the popular notion that women don't know how to use computers or women don't build things that are highly technical.

HUO: I recently had a discussion with Itsuko Hasegawa, an architect in Japan who made statements for horizontality as opposed to the vertical city.

LB: Yes, the example you bring up is simple but it's good, because it's indicative of how certain images or products in culture that do come from a specifically masculine point of view, masculine attitude, have meanings preprogrammed into them. We accept these meanings, but they're not seen as specifically masculine; we accept as a sign of advancement, a symbol of high technology, all sorts of ideas that exalt that achievement, but in fact, it's very much implicated in time-honored traditions of masculine privilege and vision. So, I'm trying to explore ways to bring out those assumptions that operate beneath the shiny surfaces.

––––––––––––

HUO: *What about the butterflies and the fish? You mentioned a specific Korean connotation.*

LB: The butterfly pieces are part of a whole series of work entitled *Alibi* (1994). The imagery and the reference are to *Madame Butterfly,* the Puccini opera, and its misguided fantasies and ideals about what constitutes Asian femininity. The obvious reference appears in the butterfly, which is caught in a handmade of silicone. In both Eastern and Western cultures there is this long tradition of embodying enduring values through nature because it seems to be beyond human manipulation, intervention, and so on.

But the butterfly in the work is a dried butterfly that appears alive but is in fact preserved, so it refers to a certain amount of preservation of old ideas that continue to exercise the force of immediacy. The material of the hand is silicone, which of course is often used in medical technology for enhancements of the body. Using both artificial material that is sometimes substituted for the body, and the idea of nature substituted for enduring, "transcendent" beliefs, I was trying to undermine their conventional functions and meanings.

HUO: *The fish, and your "supplements" to the fish look extremely artificial, but it's not a representation. Even if it appears very artificial, it's real, because it starts to smell after a certain time (and Roland Barthes once said that a photograph's shit doesn't stink). Could you talk about this paradox and also its exhibition history, because I think that smell is a relatively unexplored sense in art exhibitions. Museums are more and more used to video and to audio installations since the 1960s, but smell still is seldomly used, so it might be interesting to talk about your MoMA experience.*

LB: What I'm trying to examine is the idea of representation and its relationship to the privileging of vision as the dominant esthetic principle, and how this privileging of

vision came about. If you trace the idea far back enough, the mastery that you acquire through vision was a distinctly masculine privilege, so all of the other senses were relegated to realms outside of high art. While the fish can be seen as a representation, it also evokes—because of this other element of smell, which doesn't fit in to the traditional categories of representational strategies—a sense of the real, of object immediacy, of something that is prior to, or beyond, representation. For instance, if you go to an exhibition where this fish work is shown, and if you have normal smelling capacities, what you will encounter first is the smell, the element that is outside representation, and through that context you then come upon a visual representation.

In a sense I'm trying to reverse the traditional strategies of art, to disturb the supreme position of the image, or the privileging of image and visual experience in the traditional hierarchies of art apparatus. As for MoMA, I guess you could say that the white cube structure of the supreme modernist institution couldn't contain, in more ways than one, the disturbances set off by my work.

This text is excerpted from an interview between Hans Ulrich Obrist and Lee Bul first published as "Cyborg and Silicone: Artist Lee Bul about her work" in the exhibition catalogue *Lee Bul* (Seoul: Art Sonje Center, 1998).

니콜라우스 샤프하우젠과의 인터뷰, 2012

니콜라우스 샤프하우젠: 예술에서 주요한 주제들 중 하나로 '인간'을 다루는 이유는 무엇이라고 보십니까? 예술 매체를 통해 이 주제를 다루는 것이 왜 적절한지, 당신의 작업은 이 주제에 어떤 방식으로 접근하는지 듣고 싶습니다.

이불: 삶이란 언제나 '인간 조건'이라 일컬어지는 본질적인 모순과 온전히 파악 불가능한 세계 속에서 우리를 이성적 존재로 상정하는 고정적 전통문화가 만드는 추정 사이의 불안한 틈 어딘가에 위치하는 듯합니다. 이렇게 삶을 이해하는 방식은 (가능한 범위 안에서) 시공간적 틀, 더 정확하게는 시각예술의 테두리 안에 존재합니다. 예술이 유효한 매체인지 여부를 제가 답할 수는 없습니다. 하지만 저는 거의 무의식적으로, 그리고 필연적으로 예술이 나의 일이라고 받아들입니다. 베케트의 오래된 구절처럼, 아마 계속할 수 없지만, 계속할 것입니다.

니콜라우스 샤프하우젠: 네, 우리는 계속하겠죠. 예술과 인간성이라는 것은 서로에게 어떤 의미(더 적절한 단어를 찾기가 어렵네요)일까요?

이불: 그 문제를 고민하자면 우울하기는 합니다만, 어쩌면 '예술'은 총체적으로 불안함, 불만, 그리고 인간성 그 자체에 대한 증거나 흔적 이상도 이하도 아닌 것 같습니다.

니콜라우스 샤프하우젠: 대체로 답하기 어려운 질문이기도 하고, 어쩌면 정답이 없는 질문일 수 있겠습니다만, 당신의 작업이 국제적인 맥락에서 읽힐 수 있다고 생각하십니까?

이불: 정답이 없는 질문임에 동의합니다. 역으로 제 작품을 '지역적으로' 읽을 수 있는지를 묻고 싶네요. 우리는 예술 작품을 이해하게 된다는 것이 어떤 의미인지 근본적으로 고민해보아야 합니다. 조금은 먼 발치에서, '읽기'가 작품을 마주한 개개인이 각자 경험하게 되는 복합적인(감각적, 정신적, 감정적) 반응에 선행할 수 있는 개념인지를 질문해야 합니다. 그리고 주로 학문적이고 비평적인 장치로 정의된 범주 안에서 작품 '읽기'라는 의무가 국제적이고 지역적이라는 이분법적 구조를 초월하는, 어쩌면 더 풍부한 미적 경험의 기회를 방해하는 것은 아닌지 생각해보아야 합니다.

니콜라우스 샤프하우젠: 주류 역사 서술 방식에 의문을 제기함으로써 결과적으로 보편적 인류에 관련한 쟁점을 다룰 수 있게 되리라 보십니까? 당신이 개인과 집단, 인류와 역사성 간 관계를 이해하는 방식도 궁금합니다. 이것이 스스로를 이해하는 방식이라 볼 수 있을까요?

이불: 만약 우리가 진정으로 인류 역사 붕괴 이후를 살아가고 있다면, 혹은 적어도 이성적이고 선형적이며 총체적인 인간 공동의 경험 구조가 무너진 사회에 살고 있다면, 인류라는 개념에 회의적인 태도를 취할 수밖에 없습니다. 예를 들어, 현재 아랍 세계에서 일어나고 있는 집단 폭동이나 미국을 휩쓸고 있는 월가 점령 시위를 어떻게 해석할 수 있을까요? 이것은 인간성의 현현일까요? 사회적 변화로 야기된 개개인의 목소리가 만드는 다성음악일까요? 아니면 백색소음일까요? 누가 알겠습니까? 확신할 수 있는 유일한 것은, 미국 작가 돈 드릴로가 20년 전 즉각적인 커뮤니케이션과 편재하는 전자 미디어 시대의 출현을 바라보며 선언했듯, 미래는 군중의 것이라는 거죠.

니콜라우스 샤프하우젠: 당신의 민족 정체성은 작업을 이해하는 데 적절한 요소입니까?

이불: '민족 정체성'이 무엇이라고 확언하기 어렵습니다. 급박한 역사 속 상황들을 떠올려볼 때 과거의 어느 시점에는 가능했을 수 있겠지요. 하지만 오늘날 이 용어는 대게 편의상 사용하는 듯 합니다. 그러니까 우리는 과거에 규정되었다가 갈수록 현실에 부합하지 않는 개념을 사용하고 있는 스스로를 발견하는 거죠.

니콜라우스 샤프하우젠: 저는 유럽인으로서 인간성의 개념을 특정한 방식으로 이해하게 됩니다. 아시아인의 관점에서 이 개념은 어떤 뉘앙스를 가지게 되나요?

이불: 인간성과 관련한 서로 다른 관점의 이해를 논하자면 '유럽인'과 '아시아인'의 구분 자체가 이 논의에 유용한지를 먼저 질문해보는 것이 좋을 듯 합니다. 인간성 전체의 맥락을 고려하면, 저는 개별적인 층위에서 훨씬 더 큰 구분과 분리가 있다고 생각해요. 말하자면 나와 내 이웃 사이에 믿음, 가치, 지적이고 문화적인 척도 등 '인간성'을 이해하는데 중심이 되는 것들의 차이가 유럽인과 아시아인처럼 고정된 구분에서 차이보다 훨씬 더 크게 벌어져 있다는 거죠.

니콜라우스 샤프하우젠: 당신은 방대한 개념과 알레고리의 틀 속에서 작업합니다. '알레고리'와 '개념'은 어떻게 상호 보완됩니까?

이불: 역사, 인문, 개인적 경험, 멀리 흩뿌려진 시공간 속 시각적이고 문화적인 레퍼런스의 이질적인 파편과 폐허를 한데 모으는 노력 속에서, 그것이 우발적이고 일시적이라도 의미를 생성하는 무언가로 만들어내고자 합니다. 전 알레고리적 접근이 리얼리즘의 막다른 길을 우회하는 데 효율적인 방식이라고 봅니다. 누군가는 해석과 재현의 방식으로써의 알레고리가 구식이고 인위적이라 말합니다. 하지만 저는 모든 방식이 그렇게 치부될 수 있다고 생각해요. 특히 진리에 더 가깝다고 주장하는 경우들을 보면요. 그리고 알레고리가 개념적인 것의 안티 테제라고 생각하지 않습니다. 중요한 것은 예술에서 개념적인 것과 아카데미와 갤러리에서 공인한 '개념미술'을 혼동해서는 안 된다는 것입니다.

니콜라우스 샤프하우젠: 당신의 작업 전반에 나타나는 '멜랑콜리'한 톤에 대해 조금 더 말씀해주실 수 있습니까? 또 당신의 작품에 '유토피아'적인 분위기가 녹아있다고 보십니까?

이불: '멜랑콜리'와 '유토피아' 개념은 서로 밀접히 연결된 듯 보입니다. 하지만 그것이 제 작업에 고유하다고는 생각하지 않습니다. 에덴동산으로부터 출발하는 비유적 원형 모두는 멜랑콜리한데, 종국에 이 원형은 태고의 몰수에 관한 기억에서 비롯되기 때문입니다. 아마도 그것이 역사적으로 모든 유토피아의 개념이 스스로를 분해하는 모순적 씨앗을 품고 있는 이유겠지요. 자체적으로 불가능을 내포하는

셈이에요. 모순의 본질 안에서 제게 유토피아는 노스텔지어, 더 나아가 비가의 개념입니다.

니콜라우스 샤프하우젠: 대답에서 회의적인 함의가 전달됩니다. 조금 더 구체적으로 말씀을 들어볼 수 있을까요? 또 당신이 이해하는 유토피아의 개념을 조금 더 긍정적인 뉘앙스로 제안해주실 수 있겠습니까?

이불: 유토피아에 관한 제 입장이 부정적이지만은 않다고 생각합니다. 제가 하고자 하는 것은 유토피아라는 개념이 만들어지게 된 전제 이면의 그림자를 들여다보는 것입니다. 당신이 회의적인 분위기를 감지한 이유는, 아마 제가 유토피아와 그것이 드리우는 그림자를 불가분한 존재로 보고, 그 관계가 역사 속에서 더 깊어진다고 생각하기 때문일 겁니다. 우리는 보편적이고 총체적인 개념으로서의 유토피아가 아닌, 오늘보다 조금 더 나아진 내일을 위한 소소한 실현, 인간이 가진 오늘의 문제가 하나 적어진 내일과 같은 유토피아를 갈망할 수 있겠지요.

니콜라우스 샤프하우젠: 그렇다면 이런 질문을 해봅니다. 파편은 이야기, 역사를 풀어나갈 수 있는 유일한 방법입니까? 파편화와 모호함 사이에서 어떤 차별 점을 만드십니까? 가끔은 무언가를 펼치지 않은 채 그대로 두는 것이 좋을 때도 있다는 말씀이십니까? 달리 말하면, 모호함과 파편화를 역사와 인간 보편의 경험이라 보십니까?

이불: 확실히 미흡한 지점이 있습니다만, 파편화라는 개념은 역사 혹은 인간의 '경험 일반'이라 합의된 무언가에 도달할 수 있는 유일한 길을 제시한다고 봅니다. 마땅한 용어를 찾지 못했지만, 일종의 보편적인 연관성을 획득하기 위해 그것은 상당히 모호할 수밖에 없으면서도 충분히 투과 가능한 어떤 것이어야만 합니다. 하지만 다른 한편으로 개인과 공동의 경험을 포괄하는 삶이나 존재가 이미 하나의, 혹은 여럿의 이야기들이 스스로 끝없이 말하는 과정에 있다고 느끼기도 합니다. 얼마나 혼란스럽든 무감각적이든지 간에요. 따라서 우리가 가끔은 무언가를 펼치지 않고 내버려두어야 하는지 여부는 질문할 필요가 없는 듯 합니다. 제가 생각하는 더 적절한 질문은 우리가 말할 수 있는지, 말해야 하는지 보다는, 들을 수 있는지 예요. 이런 맥락에서 '침묵'은 오직 파편만을 들을 수 있는 인류의 운명에 더 이어져 있는 듯합니다.

니콜라우스 샤프하우젠: 작품에서 분명 '고딕'에 대한 열정이 드러납니다. 일련의 작품을 고딕 문학 운동이 그랬듯이 '인간 조건'을 이해하는 또 다른 의미로 읽을 수 있을까요, 아니면 고딕 건축이 공간 맥락 안에서 개별성을 위치시키는 방식으로 볼 수 있을까요?

이불: 제 작품을 그런 방식으로 감각해 주시니 흥미롭네요. 의식적으로 '고딕' 도상에 레퍼런스를 두었다고 생각하지는 않습니다. 하지만 동시에 제가 고려하는 부패, 분해, 폐허, 그리고 파편처럼 문화와 구조적 세계의 합리적이고 정연한 표면을 흐트러뜨릴 개념들이 우리가 주로 '고딕'과 연관시켜 사유하는 감각들과 중첩될 수는 있으리라 봅니다. 제가 '고딕' 개념 안에서 흥미를 느끼는 지점은 오늘날 우리가 고딕에 관해 말할 때 주로 19세기 유럽에서 고딕의 부활, 즉 중세 과거에 죽은 스타일과 개념을 끌고 와서 되살리는 방식으로 레퍼런스를 삼는다는 것입니다. 미학 운동으로서 그것은 자의식적 모방이고, 과도한 패러디에 빠진 이중적 기만이었습니다. 하지만 그렇기 때문에 세기말에 모순적으로 혼합되어 있었던 두려움, 경외, 그리고 열정의 감정을 잘 미러링 했겠지요.

니콜라우스 샤프하우젠: 인간 조건과 고딕 문학에 잠재적 레퍼런스를 둔다고 할 수 있다면, 당신에게 젠더 이슈는 어떤 의미를 가집니까? 이것은 이야기의 파편 하나만을 말함으로써 인간의 보편성에 관한 일반적인 이해나 합의 도출이 어려움을 강조하는 또 다른 방식이 아닐까요?

이불: 고딕 미학에서 '젠더' 문제로 넘어가자면, 이미 많은 사람이 주목해 온 것처럼, 서구 문명의 주요 창조 신화를 뒤집고 유사-SF 소설과 괴물 탄생의 우화를 만드는 데 여성이 필요했던 지점을 주목할 필요가 있다고 생각합니다. 가끔은 어떤 이야기의 파편 하나는, 그것이 '젠더적'이라 할지라도 보편에 접근하는 무언가라고 말할 수 있습니다. 프랑켄슈타인(1818)이 우리의 신체적 제약에서 비롯한 모든 동시대적 환상과 두려움의 원전이라는 것을 누가 부인할 수 있을까요? 이는 인간성과 관련한 쟁점이겠지요.

니콜라우스 샤프하우젠: 아시아적인 관점에서 서구전통의 신화를 끌고 오는 것이 왜 의미가 있다고 생각하십니까?

이불: 이미 아시겠지만 이 질문은 후기식민주의 시대 사상가들이 파헤친 모든 추정들로 점철되어 있어요. 크레이그 오웬스(1950-1990)는 소위 원시미술이라 불리는 것과 관계한 서구 근대의 형성을 분석했고, 에드워드 사이드(1935-2003)의 연구는 말할 것도 없이 너무나 다양한 영역을 다뤘어요. 떠오르는 몇 명만 예로 들자면요. 이 질문에 제대로 답하자면 완전히 다른 인터뷰가 필요할지 몰라요. 하지만 좀 더 간결하게 답해보자면, 우리는 작가로서 스스로를 표현할 때 우리를 지식적으로 이롭게 했던 생각들을 포함한 모든 경험 위에서 그려냅니다. 우리는 각자가 살아 온 경험적이고 지적인 삶의 여행 경로를 따라 말하고, 여기에 우리가 어디에서 살고 일하는가에 따라 결정지어지는 소유의 경계가 없기를 저는 바랍니다.

———

니콜라우스 샤프하우젠: 당신의 작업은 역설을 다룹니다. 보이는 것과 보이지 않는 것, 멜랑콜리와 유토피아, 개별성과 인간성, 모더니즘/진보와 실패, 괴기성과 아름다움 등 말입니다. 그렇다면 전 우주에서 우리의 위치는 림보가 되는 것이고 우리가 사는 세계는 블랙홀로 수렴됩니까? 이렇게 의미를 추구해 나가다 보면 결국 빈 상태에 도달하게 되나요? 우리는 어느 지점까지를 비스듬한 이 세계에 대한 우리의 이해를 기념한다고 볼 수 있습니까?

이불: 꽤 포괄적인 질문이네요. 제 대답만으론 충분하지 않을 것 같습니다. 우리가 우주 속에서 우리의 위치를 어느 정도 자각하고, 결국 해결되지 않은 림보에 있는 스스로를 발견한다 해도, 그래서 그 공허와 맞닥뜨리더라도, 우리는 거침없는 시간과 삶의 연속성에 맞서야 합니다. 이것은 정말 잔인하고, 벗어날 수 없는 인간의 고충이에요, 그렇죠? 그리고 생존을 위한 본능이 전통문화의 기반에서 만들어진 암묵적인 추정, 즉 '인간 조건'에 관한 필수적인 신념과 가치로부터 멀어지게 할 수도 있습니다. 그럼에도 불구하고 우리에게 더 시급한 것은 유머감각, 부조리를 마주했을 때 웃을 수 있는 능력이라고 느낍니다.

이 인터뷰는 2012년 도쿄 모리미술관이 발간한 전시 도록에 최초 수록되었으며, 본 출판물에는 인터뷰의 일부가 재수록 되었다. 출처: Nicolaus Schafhausen, "Interview with Lee Bul," in *Lee Bul: From Me, Belongs to You Only*, exh. cat. (Tokyo: Mori Art Museum, 2012), 191-195.

Interview with Nicolaus Schafhausen, 2012

Nicolaus Schafhausen (NS): In your opinion, why is "humanity" one of the subject matters to be explored in artistic practice? Why is it relevant to do it through this medium? How is it a concern and a focus in your work?

Lee Bul (LB): It seems our life is always situated somewhere in the uneasy gap between the essential absurdity of what we call the "human condition" and the assumptions of a still-traditional culture that says we are rational beings in a world that nevertheless can only be grasped incompletely.

One approach to this comprehension of life—to the extent that it's possible—is within the spatial-temporal framework or, more accurately, the constraints of visual art. Whether art is a relevant medium for that task is something I can't answer. But it is what I do, almost out of unconscious necessity. It's the old Beckettian refrain, I suppose: *I can't go on, I'll go on.*

NS: And we will go on. What meaning (for lack of a better word) can art give to humanity in general and vice versa?

LB: Though it's disheartening to contemplate, it may be that "art" in the aggregate amounts to nothing more than an evidence or trace of that unease, that discontent, of humanity itself.

NS: I know this is a difficult question in general and that there is probably no real answer to it, but do you think it's possible to read your work globally?

LB: I agree there's probably no real answer. And I might ask, conversely, if it's possible to read my work "regionally." I think we have to consider fundamentally what it means to arrive at an understanding of a work of art. We may need to back up a bit further and ask whether a "reading" should take precedence over the individualized complex of responses—sensory, psychological,

emotional—that each person experiences in an encounter with a work of art. And whether our obligation to "read" a work within the parameters usually codified by the academic/critical apparatus sometimes gets in the way of this potentially fuller aesthetic experience that transcends the global/regional binary.

———————

NS: Would you say that by tackling the issues of narrating history with a capital H, one is consequently able to deal with issues relevant to Humanity in general? How do you perceive the relationship between individual and the collective, between Humanity and History? Is this a mechanism for understanding oneself?

LB: If we are indeed living in the aftermath of the collapse of history with a capital H—or at least the collapse of belief in a rational, linear, and totalizing but also structured account of collective human experience—then it's only natural to be skeptical toward the notion of Humanity with a capital H.

For instance, what are we to make of the popular uprisings taking place now in the Arab world or the Occupy movement sweeping the United States? Is this a manifestation of Humanity, a polyphony of individual voices converging in the cause of social transformation? Or is it all just white noise? Who knows?

Maybe the only thing we can be sure of is that the future belongs to crowds, as the American writer Don DeLillo pronounced twenty years ago, at the dawn of our present age of instantaneous communication and omnipresent electronic media.

NS: Is your national identity relevant in understanding your work?

LB: I'm not sure I can say what a "national identity" is. As a construct having to do with certain exigencies of history, it might have been possible at some point in the past. But when we use this term today it seems mostly a matter of convenience. So we find ourselves using a concept defined in the past and which corresponds less and less to the realities of now.

NS: *For me as a European, I have a particular understanding of the concept of humanity. What nuances can be made with the concept of humanity, from an Asian perspective?*

LB: If we're going to discuss an understanding of humanity from different perspectives, it might be helpful to begin by questioning whether the distinction between "European" and "Asian" is a useful one in terms of perspectives.

Taking the context of humanity as a whole, I think there could be a far bigger distinction or divide on an individual level between, say, me and my neighbor, in terms of things like beliefs, values, intellectual and cultural touchstones—things central to an understanding of "humanity"—than between Europeans and Asians considered as fixed categories.

NS: *You work within a broad conceptual and allegorical framework. How are "allegories" and "concepts" complementary to you?*

LB: In trying to bring together disparate fragments and ruins—of history, humanity, individual experience, as well as visual and cultural references from far-flung periods and fields—into something that manages to generate meaning, however contingent and provisional, I find the allegorical approach useful as a way to circumvent the dead ends of realism.

Some might argue that the allegorical, as a mode of interpretation and representation, is antiquated and artificial. But then so is every mode, I think, especially ones that make greater claims to truer knowledge. And I don't think the allegorical is necessarily antithetical to the conceptual. It's important not to confuse the conceptual in art with the convention of what we've come to recognize as "conceptual art" in the academy and the gallery.

NS: *Could you say more about the general "melancholic" tone of your work? And would you consider there to be a "utopic" tone to your body of work?*

LB: The "melancholic" and the "utopic" seem to go hand in hand. But I don't think this is peculiar to my work. All the archetypical tropes of utopia, beginning with the Garden of Eden, are essentially melancholic because they are, in the final analysis, memorials to the primal dispossession. Maybe this is why every conception of utopia, historically, harbors the contradictory seeds of its own disintegration. It speaks of its own impossibility. For me, utopia in its paradoxical essence is a nostalgic, even elegiac, idea.

NS: *There is a skeptical undertone in your answer. Maybe you could elaborate a bit more and propose a nuance to your understanding of utopia in a more optimistic way?*

LB: I don't feel that my take on utopia is necessarily a pessimistic one. What I'm trying to do is to look at the shadows in the premises on which the idea of utopia has been built. The skeptical tone you sense might have to do with the fact that I see utopia as inseparable from the shadow it has cast, growing ever longer in history.

I suppose we could aspire to a utopia that isn't a universal, totalizing concept but a realization of a modest hope for a tomorrow that is a small improvement on today, a tomorrow with one fewer problem for humanity than today . . .

NS: *This leads me to ask if fragmentation is the only way to narrate a story, a history? What differentiation do you make between fragmentation and ambiguity? Could you say that sometimes it is best to leave things untold—unnoticed, in other words, ambiguous and fragmented as is our general experience of history and humanity?*

LB: Though obviously inadequate, fragmentation seems to offer the only possible way for me to arrive at something we might agree upon as a "general experience" of history or humanity—which necessarily would have to be ambiguous enough, and also permeable enough, to have a sort of, for lack of a better term, universal relevance.

But I also feel that life or existence itself—individual as well as collective experiences—is already a story, or multiple stories, endlessly in the process of telling itself, however confusingly or senselessly. So the question of whether we could sometimes leave things untold seems moot. For me, the more relevant question is not whether we can or should speak, but rather, whether we can or should hear, since the "silence" in this context seems more connected to our destiny as human beings to be able to hear only fragments.

NS: *There is an obvious fascination with the "Gothic" in your work—can this be read as another means to understand "the human condition" as the Gothic literature movement did, or as Gothic architecture did in situating the individual in a spatial context?*

LB: It's interesting you should sense that in my work. While I don't think I've been consciously referencing the "Gothic" as iconography, my concern with things like decay, disintegration, ruins, and fragments—concepts that worry at the seams of the rational, ordered surface of our culture and constructed world—could overlap with a sensibility that we usually associate with the "Gothic."

What's interesting for me in this idea of the "Gothic" is that when we talk about it today, we're usually referencing the Gothic Revival in 19th-century Europe—the reanimation of dead styles and ideas dredged up from the medieval past. So, as an aesthetic movement, it was a self-conscious pastiche, a false double, given to parodic excess. But that's why it seems to mirror so well the contradictory mix of doom, awe, and fascination during a fin-de-siècle period.

NS: *When it comes to the human condition and potential references to Gothic literature, how and why is the focus on issues of gender meaningful to you? Isn't this another way to tell only one fragment of a story, emphasizing the difficulty of reaching a general understanding or consensus on the universality of humanity?*

LB: Turning to the issue of "gender" in the Gothic aesthetic, I think it's enough to note, as many others have done, that it took a woman to invert the primary foundational myth of Western civilization and produce a proto-science fiction and allegory of monstrous birth. Sometimes it turns out that one fragment of a story, even one that is "gendered," can say something that approaches the universal. After all, who could deny that *Frankenstein* is basically the urtext for all our contemporary fantasies and fears of exceeding our corporeal limitations—an issue relevant to all of humanity?

NS: *In an Asian context, why do you think it makes sense to refer to myths of Western traditions?*

LB: As you probably know already, this is a question fraught with all kinds of assumptions that have been investigated by a number of thinkers in our post-colonial age—Craig Owens in his examination of the formation of a Western modernity in relation to so-called primitive art, and of course Edward Said's work on so many fronts, just to name two figures that come to mind.

To do this question justice, we would need a whole another interview. But to give a more concise response, I would say that, as artists, when we express ourselves, we draw upon the whole of our experiences, including all the ideas we've availed ourselves of intellectually. We speak through the routes of our own lived experiences and intellectual journeys, and there are no proprietary boundaries, I would hope, determined primarily by where we happen to live and work.

———

NS: *Your work deals with a number of paradoxes: the visible and the invisible, melancholy and utopia, individuality and humanity, modernism/progress and failure, the monstrous and the beautiful. Does this compile into a perception of our place in the universe as being in limbo and our world as a black hole? That in this pursuit for meaning, we reach nothingness in the end? To what extent can this be seen as a celebration of our understanding of the world through the oblique?*

LB: That's pretty comprehensive . . . So I'm sure my answer is bound to be inadequate. Even if we do arrive at a certain awareness of our place in the universe and find ourselves finally in an unresolved limbo, we still must contend with the inexorable continuation of time, or life, even in the face of nothingness.

This really is the cruel, inescapable predicament of humanity, isn't it? And though our survival instincts may still impel us to take refuge in the assumptions—the essential beliefs and values regarding the "human condition"—at the basis of traditional culture, I feel what we need more urgently is a sense of humor, the ability to laugh in the face of the absurd.

This text is excerpted from an interview between Nicolaus Schafhausen and Lee Bul first published in the exhibition catalogue *Lee Bul: From Me, Belongs to You Only* (Tokyo: Mori Art Museum, 2012).

어쩌면 황금기

성기완

"사라지기, 즉 시각의 상실"[1]

벌써 돌아볼 시간이 된 거다. 1990년대를. 뒤돌아보면 그 시간은 소금기둥이 된다. 소금기둥이 되어 시선 저 끝 너머로 사라져 가는 1990년대의 맛을 볼 시간이 된 거다. 그런데 그렇게 하는 게 이중으로 어색하다. 이게 과거를 돌아보는 건지 지나간 미래를 바라보는 건지 헷갈린다. 왜냐하면, 그 때가 지금보다 더 미래 같거나, 또는 지금이 그 때보다 더 과거 같아서. 나로서는 1990년대를 돌아보는 순간 물리적 시간 개념이 흔들리는 걸 느낀다.

　　　또 하나, 1990년대는 사실 아비 없는 시대다. 족보를 불태우고 아비를 죽이고 과거는 묻지도 따지지도 돌아보지도 않고 가려던 시대였다. 그렇게 돌아보지 않고 가기 위해 음악은 음악의, 시는 시의, 미술은 미술의, 춤은 춤의, 연극은 연극의, 예술은 예술의 바깥으로 나왔다. 회고하기, 즉 돌아보고 뜻을 되새기는 일은 그런 1990년대적인 방식에 잘 안 어울린다. 돌아본다는 것 자체가 논리적으로 1990년대를 배반한다. 돌아보지 않겠다고 마음먹고 그렇게 다들 바깥으로 나왔을 때 1990년대는 시작됐으니까. 아마도 홍대 앞. 이불도 거기 있었다. 다들 거기 있었고. 담배 연기 자욱한 클럽에서 함께 밤을 보냈다. 다들.

클럽과 판, 빙글빙글

1990년대(그냥 '90년대'라고 줄여 말하겠다)는 클럽의 시대, 판이 깔리는 시대였다. 당시 '판'은 깔리기도 하고 돌아가기도 했다. 판 틀어 놓고 그 판에서 놀았다. 회전하는 판이 들려주는 리듬을 타고 시간은 스스로를 반복하며 사라져 갔다. 매일 매일이 덧없이 그렇게 지나갔다. '발전소'에서 놀았다. '황금투구'에서도. 그저 놀았다. 이런 곳들 보다 더 전에, '올로 올로'는 신촌 기차역 부근에 판을 깔았다. 거기에서 아마도

이불의 뭔가를 처음 보았던 것 같다. 나중에 미술관에서 본 이불의 기시감을 곰곰이 추적해본 결과 올로 올로가 저 밑바닥에 있었다. 개인적인 기억이니 틀렸을 수도 있다. 꼭 거기가 아니어도 상관없었다. '오존'도 있었다. 백현진이 알바하고 이동기의 스파이더맨인가, 뭔가가 벽에 쫙 그려져 있던, 황신혜 밴드 하던 김형태가 낸 '곰팡이'라는 곳도 있었다. 아직 홍대 앞 라이브 클럽의 붐이 일기 전에 '각'이라는 라이브 클럽이 있었다. 신촌 물이 덜 빠진 곳이었다. 군대 가기 전 해였으니까 1991년 겨울쯤, 개인적으로는 여기서 한 공연이 홍대 앞에서 한 첫 공연이라 기억에 남는다. 리허설 하다 말고 '우짜집'으로 불리던 우동 짜장 집에서 특유의 옛날식 짜장면을 먹기도 했지. 우짜집 사장님은 나중에 조윤석 형이 지방선거에 마포구 구의원인가로 출마했을 때 함께 자전거 유세를 하기도 했었지. '스카'도 있었고. 신촌 록 카페가 홍대 클럽으로 넘어오는 과도기에 '레게 바' 시절이 있었지. 왜 그런지 레게가 갑자기 한 때 붐이었다. 단순한 반복이 가진 망각의 역할에 주목해 보는 게 어떨까 싶다. 상수도 같은 테크노 클럽의 반복되는 리듬 속에서도 놀았다. 그냥 그 속에서 뭔가에 젖어 있었다. 지금의 신촌 현대백화점, 왕년의 신촌 시장 큰 길 건너편, 신촌 성결교회 부근에 '푸른굴 양식장'이 있었다. 여사장님 두 분이 운영하던 클럽이었다. 인디 레이블 '강아지 문화예술' 시절에 많이 갔었고, 공연도 여러 번 했다. 지금까지도 DJ 왕파리로 전국을 유랑하는 하성채가 운영하던 '언더그라운드'도 있었다. '드럭' 같은 펑크 클럽에서는 펑크 식으로 슬램하면서 부딪히기도 했다. 드럭 아이들은 한 세대 위인 나와 부딪히다가 "근데 형은 누구세요?"하고 묻기도 했다. 그렇게 물은 아이와 나중에 밴드를 했다. 3호선 버터플라이의 김남윤이 그 때는 갈매기라는 밴드를 하고 있었다. 서로 충돌하고 파도 같이 출렁이며 놀았다. 바깥으로 마실 나온 많은 사람들이 그렇게 빈둥빈둥 바깥의 판에서 만났고, 놀았다. 빙글빙글 춤추며.

90년대의 시간은 똑바로 흐르지 않고 빙글빙글 선회, 또는 배회한다. 스피닝, 내 마음 속에서 그 시간은 어린 시절의 팽이처럼 지금도 돌고 있다. 왜 그렇게 배회했을까? 특별한 지향점이 없었기 때문이다. 이 판에서는 그게 참 중요했다. 똘똘해 보이기 보다는 바보 같아 보이려고 했고, 말쑥해 보이는 걸 질색하는 대신 더 지저분해 보이려고 했다. 왜 그런지 일부러 더 그랬다. 이른바 '그런지' [grunge] 하다는 것. 90년대의 한 십여 년을 평정한 말, 그런지. 완성하려 하지 않고 더 망치려고 했다. 그래. 뭔가 망쳐야 했다. 이불이 만든 부드러운 조각들. 또는 미확인 생명체의 형상을 지닌 망가진 존재들, 돌연변이 비슷한 그것들. 서로 다른 '지향'의 관절들이 이상 발육한 듯한 몸에 붙어 있는 그 사이보그 같은 덩어리들. 당시는 몰랐고 나중에 알았지만 최정화가 만든 노출된 건축자재로 이루어진 인테리어들. 완성된 실내였으면 모두 가려졌을 것들, 건축물의 내장들. 그런 것들이 겉으로 드러나 있는 '미완성 지향'의 공간에 우리들은 있었다. 그렇다고 그 잘난 완성품들을 싸그리 다 깨버리거나 그 판을 확 뒤집고 말겠다는 의지도 크지는 않았다. 독한 마음이 없지는 않았지만, 그저 독하게 놀아날 뿐이었다.

90년대인 '룩'의 두드러진 특징이 '소리'로 들렸다. 아니, 어쩌면 소리로 먼저 들렸고 그 보이지 않는 곳을 향해 다들 다가섰는지도 모른다. 지금도 그 소리가 귀에 쟁쟁하다. 90년대의 모습은 소리로 들렸고 소리는 모습으로 또는 형태로 되살아났다. 그 모두에서 시청각적인 또렷함이 '지향되지 않는다'는 것이 기억할 만한 특징이라 여겨진다. 옐로우 키친이라는 밴드가 있었다. 크라잉 넛과 더불어 드럭을 대표하는 밴드였다. 일부러 잘 못 알아듣게 영어로 가사를 써서 노래했다. 모두의 사운드는 너무 지글거리거나 지나치게 울렸고 메시지는 불분명했다. 한국 문화사에서 처음으로 그런 것들이 역으로 '지향'되었다.

이전의 10년

90년대는 지향의 무게를 덜기 위해 존재했다. 이전의 10년이 너무 드라마틱했다. 나이 50이 넘은 지금도, 떠올리는 것만으로도, 심장이 파르르 떨리고 마는 김세진, 이재호 열사라는 두 이름. 대학교에 갓 들어간 스무 살의 나에게, 그 첫 5월에 던져진 영정의 주인들이었다. 꽃처럼 아름답게 생긴 두 남자의 20대 초반 얼굴, 그 사진들이 영정에 박혀 있었다. 교정의 임시 빈소에서 나를 향해 순수한 시선을 던지고 있는 그 얼굴들을 물끄러미 바라보는 나, 또는 반대로, 그 앞에서 뭔가 의미를 헤아리지 못하고 머뭇거리는 나를 차분히 바라보던 그 시선들. 그런 내가 떠오르는 1986년, 재수하면서 학원 옥상에서 담배 좀 폈다고 애가 어른이 되는 건 아니었다. 마음이 힘들었다. 그 해 봄, 학교 광장을

뒤덮었던 검은 만장과 '어두운 죽음의 시대'라는 가사로 시작하는 <친구 2>라는 노래를 기억한다. 내 기억에 강하게 각인된 이 시각-청각적 인상이 80년대를 규정한다. 완전히. 80년대의 시간은, 뭐랄까, 아직도 내게는 너무 무겁다. 당시의 용어로는 내가 너무 '쁘띠적'이었나 보다. 맞다. 나는 쁘띠 출신이다.

넋두리는 집어 치우고, 어쨌든지 간에 80년대의 시간은 강렬했고, 직선적이었다. '지향점 중심'이었다. 하나의 지향과 정반대의 지향이 정면 충돌했다. 이른바 '근대화'의 논리로 무장한 친일, 친미, 매판, 독재 세력의 폭압에 맞서 '민주화'의 염원을 가슴에 품은 민족 해방 노동 해방 진영이 목숨을 던져 투쟁하던 시기였다. 숭고한 목숨들을 바치며 벌인 그 싸움은 말할 것도 없이 지금의 대한민국을 만든 가장 중요한 정치적 사회적 정신적 틀거리를 제공한다. 그렇게 1987년 6월이 왔고 우리는 일정하게 승리했다. 단지 '일정하게'. 1987년 겨울, 나 역시 여러 다른 청년들처럼 공정선거감시위원을 하면서 투표함을 지켰으나 기껏 노태우라는 사람이 대통령이 되는 걸 보고 말았다. 얼마나 절망감에 빠졌었던가. 동네 수퍼에 가서 몇 병씩 소주를 사가지고 당시 반 지하였던 내 방에서 속이 쓰리도록 들이 붓던 기억이 있다. 그리고 나서 1988 서울 올림픽이 치러졌다. 학교에는 휴교령이 내려졌다. 하늘이 너무도 깊푸르던 1988년의 가을을 빈둥거리고 나니 뭔가 좀 이상했다. 어른들이 모이면 안주를 쩝쩝거리며 주가가 1000을 넘을 거라는 둥 신나게 떠들어댔다. 다들 게걸스러워지기 시작했다. 표정들이 달라졌다. 남쪽 한강변의 88 도로(올림픽대로)가 옛날 노들길을 대체했다. 잘 닦인 그 길이 차들로 꽉 막히기 시작했다. 높은 아파트들을 쳐다보느라 턱을 들어야 했다. 산들이 가려졌다. 압구정에는 로데오 거리가 생겼다. 그 때부터 놀만한 데가 생기면 '로데오'라는 이름이 붙었다. 오렌지족과 야타족이 등장했다. 뭔가 이 흐름에서 내리고 싶어지기 시작했다. 나만의 공간이 필요했을 때, 마침 PC 통신이라는 게 시작됐다. 시공을 넘어서는 취향의 공유가 온라인 모임에서 가능해졌다. 지금은 김반장이 된 류철상이 시삽[2]이었던 하이텔 흑인음악 모임 블랙스, 모소모라고 부르던 모던 록 소모임 같은 곳들을 드나들기 시작했다. 그 과정에서 확인된 건 이런 느낌이 나만의 것이 아니라는 점이었다. 공유된 무력감 비슷한 것에서부터 뭔가 새로운 목소리가 싹트는 것을 느꼈다. 10년 후의 IMF가 마음 속에서는 그 때 시작됐다.

90년대적 시간의 됨됨이

더 이상 직진하기 싫었다. 80년대의 시간대가 직선적이라면 90년대의 그것은 우회적이었다. 시간이 굽어 말려들어갔다. '밀레니엄 버그'라는

말이 실제의 위협으로 느껴졌다. 시간이 흐르면 안될 것 같았다. 그 때 아이들은 직진 보다는 나선형의 흐름을 택했다. 빙글빙글. 단지 조금씩 상승하거나 하강할 뿐이었다. 세기말이었다. 많이들 하강을 상상했다. 해체의 철학들이 그 감각을 부추겼다. '지향'의 짐을 적극적으로 내려놓기 위해 조금은 미친 듯했다. 바깥에서의 배회, 탈중심의 선회가 90년대적 시간의 됨됨이다. LP판이나 CD가 밤새 빙글빙글 돌지 않는 90년대의 클럽은 없었다. 음악 틀어놓고 술도 마시고 춤도 추면서 노는 바도 있었고 라이브 클럽도 있었고 대안적인 공간도 있었다. 그러나 딱히 넓거나 좁은 의미에서 장르들이 구분되지는 않았다. 그 구분 없음. 모호함이 지배적인 판. 그 판의 자력선이 88년 이후 슬슬 느껴지기 시작했다. 그러다가 90년대가 되자 나도 모르게 거기 이끌렸다. 지리적으로는 이태원과 신촌 어딘가, 그리고 홍대 앞 어느 구역이 텔레파시를 주고받으며 이런 판들을 깔았다.

　　　　80년대에 운동하던 사람들이 진짜 비밀스럽게 꾸려가던 '언더'든, 들국화나 신촌 블루스 같은 뮤지션들이 어울리던 '언더그라운드'든, 80년대가 언더의 시대였다면 90년대는 바깥의 시대라 할 수 있다. 언뜻 비슷한 것 같지만 그 대목에서 80년대의 언더와 90년대의 '인디'가 변별된다. 둘 모두 비주류 지향적, 거시적인 시야로 봤을 때 반체제적이라는 점에서는 통하지만 언더는 폐쇄적이었던 반면 인디는 개방적이었다. 90년대는 한 마디로 문을 여는 시대였다. 바깥으로의 분출. 시원하게 따 제낀 콜라병에서 탄산이 쏴 소리를 내며 분출하듯, 모두 저마다의 감옥으로부터 출소했다. 흥미로운 건, 그렇게 바깥으로 나와보니 오히려 거기 애들이 많았다는 점이다. 안에 있을 때는 따로 놀았는데 바깥으로 나오니 서로 만나게 됐다. 그래서 90년대는 만남의 시대이기도 하다. 각각의 바깥이 공유되면서 '중심'은 없어지고 '거점'이 형성됐다. 바깥으로 나온 사람들이 만나는 곳. 만남의 시간.

만남의 시대

　　　"왜 미술관을 택하지 않았어?"
　　　"여기가 미술관이야."
　　　"왜 공연장으로 안 가?"
　　　"여기가 공연장이야."
　　　"왜 무대에서 내려와서 여기서 춤 춰?"
　　　"여기가 무대야."

다들 그렇게 말한다. 그렇게 '판'이 깔린다. 바깥의 시대는 만남의 시대, 공유의 시대였다. 그런 식의 판이 제대로 깔린 게 90년대다. 물론 노는

물에도 파도는 있다. 그 판에서 마주친 몇 개의 파벌들을 개인적인 기억을 토대로 간단하게 정리해 본다.

아방가르드와 미술파. 미술학교 출신들. 초기 클럽문화를 선도했던 장본인들. 어떻게 노는 게 쿨하게 노는 건지 잘 안다. 놀아도 그냥 놀지 않고 전략적으로 논다. 아지트: 오존, 올로 올로, 발전소, 곰팡이.

뮤지션들과 오방파. 기존의 록 뮤지션들 중 80년대의 헤비메탈에 넌더리가 나서 새로운 음악을 모색하던 사람들이 클럽에 모여들기 시작함. 싸이키델릭한 체험을 즐기고 펑크적인 미니멀리즘을 이해하는 전문 뮤지션들. 클럽의 왕들. 아지트: 쿨한 음악이 있는 모든 곳. 블루 데블 등.

펑크와 또래파. 1994년 홍대 앞에 문을 연 펑크 클럽 드럭에 모이던 친구들. 뮤지션 따로, 관객 따로가 아니었다. 연주하던 아이들이 내려오면 관객이 되었고 또 관객석에서 슬램하던 아이들이 올라가면 뮤지션이 되었다. 아지트: 드럭, 스팽글, 재머스 등.

인디 얼터너티브 먹물파. 대개 80년대 운동권 출신들. 먹물파의 속성은 '기웃거린다'는 것. 머릿속에는 이론들의 칸막이가 쳐져 있고 시선은 마치 서양 민속학자가 아프리카 피그미족의 움막을 관찰하는 듯. 먹물파는 대개 '사후적'이다. 일이 벌어지고 나면 정리하는 이론적 청소부들. 아지트: 따로 없음. 산발적.

클러버들과 쎄련파. 힙하고 쿨한 옷차림. 개인주의 마인드. 니가 누구냐고 묻는 것 싫어함. 펑크 애들처럼 그런지하게 노는 거 별로 좋아하지 않음. 쎄련파들이 원래 홍대 쪽에서 놀던 파티파와 섞여 전자음악의 미니멀한 비트에 몸을 실었다. 말없음표, 도돌이표가 지배하는 테크노. 아지트: 상수도, 명월관, 발전소, MI 등.

그러나 이 모든 파벌이 하나가 되어 놀았다. 한 마디로 노는 데 미침.

먼지들의 동요

90년대의 클럽에 관한 나의 가장 인상깊은 기억의 하나는 '먼지들의 동요'였다. 상징적으로도 읽힐 수 있는 이 말은 그러나 실제 상황의 표현이다. 어느 날 나는 클럽에서 보았다. 먼지들의 광란을. 먼지는 공기의 거울이다. 클럽의 먼지는 그 곳의 사람들보다 먼저 반응한다.

먼지는 먼저 음악을 듣고 먼저 춤을 추고 먼저 빛 속에서 옷을 벗는다. 메인 스피커에서 터져 나오는 굉장한 음량의 소리와 클럽을 메운 사람들의 몸부림, 그리고 적나라한 빛의 번쩍임 속에서 먼지는 짧은 파장의 몸놀림으로 동요한다. 그 동요는 클럽의 공기를 들뜨게 한다. 공기는 그렇게 우리들의 들숨, 날숨으로 몸 안팎의 상태를 뒤집어 놓으며 동요하고 있는 우리의 마음이 된다. 먼지들의 동요는 마음의 동요.

먼지들의 동요는 각 분야에서 현실화되었다. 클럽은 그 동요의 주파수가 맞춰지는 공유의 장이었다. 클럽은, 뭐랄까, 밤의 시간에 어김없이 나타나는 유령들이 만나는 곳이었다. 앞서 말한 올로 올로의 실내를 떠올려 보자. 한 쪽 벽에서 다른 쪽 벽으로 길게 뻗은 환등기의 불빛이 빛의 통로가 되었고, 동요한 먼지들은 그 통로에서 춤을 추며 스스로를 과시했다. 천장에는 뭔가가 걸려 있었고(그게 이불 작업이었나? 기억이 희미하다), 화장실의 노출된 파이프들이 뻔한 구조의 속을 숨김없이 드러내고 있었다. 아직은 조금은 뻣뻣한 비트의 일렉트로 하우스 음악은 신선했고 공간을 구성하는 오브제들은 극단적으로 날 것이었다. 시각적인 날 것들이 날 선 소리들과 함께 새로운 시청각적 분위기를 만들었다. 아이들은 욕망의 샘을 가로막고 있던 돌덩어리를 치우고 무덤으로 들어 갔다.

아비의 제사상

무덤 속의 클럽. 90년대의 클럽은 제사상 차려놓은 상갓집이었다. 클럽에서의 제사. 이 점 역시 매우 중요하게 여겨진다. 제사는 하나의 엄격한 프로세스다. 그 시간 속에서 모든 요소들은 단지 '제사를 위해' 존재한다. 모든 것들이 다 '장식적'이다. 그 장식들은 제사를 제대로 지내기 위해 엄격한 상징의 숲에서 제 시간에 튀어나와야 한다. 아무도 자신의 시청각적 창조물들을 '전시'하거나 '공연'할 수 없다. 어딜, 부정 타게. 제사는 그 창조물들이 무상의 제물로 바쳐지도록 요구한다. 제물들은 제사를 위해 쓰이고, 죽는다. 멋진 작품들도 제사가 끝나는 순간 의미를 놓는다. 아무 것도 아닌 것이 된다.

90년대의 서울에 존재했던 클럽들의 바로 이러한 '제의적 장식성'이 그 구성품들을 순수하고 위대한 무엇이 되게 한다. 제사상 앞에서는 귀신도 나오고 사람도 나오고 다들 바깥으로, 원래의 자기 바깥으로 나온다. 시각적인 것은 시각성의 바깥으로 나오고 청각적인 것은 소리의 바깥으로 나온다. 움직임은 움직임의 바깥으로, 메시지는 메시지의 바깥으로 나와 자기를 내어 준다. 다들 '혼을 빼놓는다'. 그래서 '혼이 빠진다'. 90년대에, 나는 여러 번 혼 빼놓고 놀곤 했다. 제사상 앞에서는 평소보다 좀 더 적극적으로 자기를

'지운다'. 그렇게 스스로의 장르적 내부에서 자기를 지우고 나오면서 90년대는 거리낌없이 '덧없는 시대'가 된다. 아무도 거기서 미래의 국립현대미술관이나 국립국악원, 또는 예술의전당을 꿈꾸지 않았다. 그런 생각을 하면 '부정 탄다'. 제주가 지방을 떼어내서 촛불에 태워 재가 되면 모든 것은 끝난다. 제사는 헛되다. 제사는 늘 단 한 번뿐이다. 이 일회성이 제사를 노래가 되도록 한다. 먼지들의 동요 속에서 클러버들이 체험한 것은 할머니의 방문, 노래의 신의 강림이었다. 이 글의 서두에서 말한 것, '스스로를 반복하면서 사라지는' 시간이 클럽의 제사를 통해 알현된다. 이 반복적인 후렴의 제사에서 디오니소스는 도취하고 아폴론은 살해된다. 아폴론은 누구인가? 태양이자 이성, 아버지다. 어느 제사에나 희생양이 있다. 화려하고 그로테스크한 오브제들과 리드미컬한 소리들과 들뜬 몸부림들을 동원하여 클럽의 제사는 누군가의 죽음을 추모하면서, 동시에 선언한다. 제사를 통해 틀림없이 죽은 자가 되는 존재가 있다. 누군가가 이 난장판을 통해 죽는다. 피를 쏟고 죽어 희생양이 된 그 주검을 쳐다본다. 가만히 들여다보니 우리의 아버지들이다. 죽은 사람은 불러내 지면서 동시에 없어진다. 제사상에 죽은 자는 지방으로만 존재한다. 가만히 보니 클럽에는 아비들이 보이지 않는다. 90년대적인 '바깥'에는 각 장르의 아비들이 없었다. 이른바 '꼰대'들은 바깥이 아니라 집안에서 행세한다. 미술의 아비, 문학의 아비, 춤의 어미들이 잡고 있는 그 울타리를 벗어난 사람들이 아비를 삭제하고 거리낌없이 놀던 판, 그것이 90년대에 깔렸다.

90년대라는 디아스포라

90년대는 80년대에 본격화된 '탈-아비'의 새로운 국면을 제시했다. 지금 돌아보면 80년대가 역설적으로 증명한 것은, 아비는 집안에서는 결코 죽지 않는다는 점이다. 죽은 아비를 대체한 다음 세대의 아들이 다시 아비가 되기 때문이다. 요컨대 '집안'에서 아들이 아비의 권력을 빼앗는다고 해서 '가부장제'가 사라지는 것은 아니다. 80년대를 통해 아버지가 살해되지 않은 이유는 그것이다. 민주화 세력이 권력을 쟁취했다고 해서 기존의 권력이, 다시 말해 살해하고자 한 '아비'가 해체될까? 더구나 그 무렵 권력은 상태를 바꿔 '고체 상태'가 아닌 '액체 상태'로 작동하기 시작한다. 권력이 더 '유연해진다'. 이 액체 상태의 유연함이 서구 후기 산업 사회, 또는 '레저 사회', 나아가 세계화 시대의 권력 구조를 규정하는 본질이다. 권력을 빼앗는 순간, 그렇게 하여 승리의 술잔을 마셔버리는 순간, 권력은 아들의 몸속에 스며들어 버린다. 권력은 피의 상태로 존재하는 좀비다. 집안에서 아비의 죽음을 선언하는 제사는 결국 아비의 인육을 나눠 먹는 일이다(그리스도의 몸).

이제부터 권력이 모두의 것이라고 선언하는 순간 권력은 액상으로 흘러 다니거나 비말로 날아다닐 수도 있고 호흡하는 순간 공유되며 보이지 않게 너와 나 모두 그 액체를 공유하고 그 관계에 참여하고 있는 것일 수도 있으며 아무도 그로부터 자유롭지 못하다. 이제부터는 각자를 통한 각자의 사소한 억압과 지배가 디테일하게 이루어진다. 한 마디로 억압과 지배 역시 분배된다.

90년대에는 어렴풋한 그런 자각들을 품고 그 상태에서 서로를 조롱할 수도 있었다. 또한 다소간 그 존재에 대해 망각한 상태에서 마음대로 놀 수 있었다. 망각은 약간은 의도적인 것이었다. 그것은 일종의 '와해' [瓦解]였다. 이 상태라면 젊은이들은 그저 '약간 더' 자유로울 수 있었다. '카운터', 즉 반대편이 무너져 내린 게 아니라 '스며드는' 것이라면, 내가 그 좀비 무리의 일부라면, 나는 순수하게 '카운터'일 수 없다. 그렇게 '반문화'의 시대는 막을 내린다. 그 대립 구도 바깥을 무시하거나 망각함으로써 일시적으로 빠져 나와 괄호치고 나도 그 일부라는 점에 대해서는 판단을 중지한 상태에서 니체적으로 끝없이 반복하며 그 죽음을 환기시키는 수 밖에는 없다. 그것은 일종의 도망이거나 탈출이다. 아니면, 잠깐의 휴가 또는 감옥으로부터의 외출이거나. 계속 바깥으로 나오려면 계속 외출증을 끊는 수밖에 없다. 작업은 어쩌면 그 외출증에 지나지 않았다. 그렇게 90년대는 도망 나온 시기, 망각의 시기, 탈주의 시기였다. 그래서 약간은 무책임한 '니힐리즘'의 시기이기도 했다. 한국에서 '얼터너티브'라는 개념이 설득력을 얻기 시작한 것이 그 때였다. 끝없는 교체와 이탈의 반복성이 90년대적 흐름을 주도했다. 예술가들은, 기존의 장에서 이탈하여 대립구도의 칼날을 피할 수 있는 '바깥'을 원했다. 90년대는 '피난처'였다. 그렇게, 90년대를 통해 일종의 문화적 '디아스포라'가 시작되었고, 그 탈주는 지금까지도 반복되고 있다.

진동의 우위

물론 90년대라고 해서 80년대식 전망의 혁명이 사라진 것은 아니었다. 그 메아리들이 금욕적으로 우리의 마음을 달래며 여전히 명백하고 위대한 전망을 제시하고 있었다. 그러나 금욕이라는 자기기만을 더 이상 구호로 정리할 수는 없었다. 먼지의 동요와 공명하는 마음의 동요는 몸에서 감지되는 것이었다. 몸은 더 열리고 있었다. 당대의 몸은 떨림을 원했다. 그 떨림은 잘 설명되지 않았고 권장되지도 않았으나 몸에 잘 붙었다. 몸은 왠지 더 열렸다. 나는 클럽에 더 머무르고 싶었다. 여기 저기, 클럽들을 '배회했다'. 밤의 산책자처럼. 말은 최소한의 상태가 되고 들리지도 보이지도 진동이 우위에 있었다. 차라리 그 진동은 '만져졌다'.

90년대는 그 '진동'을 공유하던 시기였다. 단지 그 진동을. 그것은 맨 먼저 몸의 떨림으로 오고 그 다음에 들리며 그리고 나서 보인다. 빛이 가장 빠르지만 살덩어리인 우리에게는 몸의 떨림이 먼저다. 떨릴 때 우리는 차라리 눈을 감는다. 눈을 감으니 밤이었다. 그렇게 90년대는 밤의 시대였다. 밤의 시대여서, 90년대는 신 빨 좋던 시대였다. 빙글빙글. 무당이 돌듯 시간도 돌던 시대. 90년대가 탈중심의 선회라면 지금은 왠지 빈약한 선형적 스트리밍만이 존재하는 시대같이 느껴진다. 지금은 시간이 돌지 않고 '스트리밍'된다.

내게는 언제부터인가 시간이 겹으로 간다. 아직도 그 시간대의, 그러니까 90년대적인 시간대의 도돌이표를 마음 속에 유효하게 새기며 살아간다. 그 박자를 놓치기 싫다. 그 속에만 있는 건 아니지만, 그 시간의 텍스처가 갖는 각별함을 현재적 시간의 스트리밍에 지속적으로 투사하려 한다. 그 투사의 현재형이 내 행동의, 또는 작업의 디테일에서 빛을 발한다. 황혼 녘의 황금빛을. 해질 녘이 된 거다. 그러나 돌아보지 않고 계속 그런 식으로 계속 갈 것 같다. 2020년 여름, 이불의 작업실을 방문했을 때 이불이 했던 말이 기억난다.

"날 잡으러 내가 있는 곳으로 와 봐.
그럼 나는 또 다른 데 가 있을 거야."

90년대에 활동하던 사람들의 대부분이 그런 식일 거 같다. 주류 문화에서 규정한 '거장성'을 부여 받은 사람도 있고 그렇지 않은 사람도 있지만 다 마찬가지일 것이다. 나 역시 그렇다. 지금도 주류에서 인정받는 달달한 걸 하기 보다는 체질적으로 나만의 비주류적인 가치가 들어 있는 무언가를 머릿속에 그리고 계획하고 실행에 옮기려고 한다. 체제가, 유연해진 액체 상태의 권력이, 또 그 기관들이 그 피의 잔을 즐겨 마신다는 건 또 다른 문제다. 그것과는 별개로, 또는 그 흐름을 타며, 바깥의 시대에 활동을 시작한 사람들은 끝없이 나의 바깥으로 나를 내보낸다. 어쩌면 그 바깥에 아무런 권력도 없던 그 때가 황금기였을 거 같다.

아지트에 대한 몇 개의 진술들

일렉트로닉 카페: "번역하면 전자 찻집이라고도 할 수 있을 것이다. 1988년 봄, 3월경에 오픈한 것 같다. 극동방송국과 주차장 사이. 3년가량. 1991년까지 운영했다. 네트워크가 활성화되기 시작하면서 네트워크를 예술과 연결 지어 실험적 공간을 만들고자 하는 생각을 안상수 교수와 하게 되었다." (금누리, 미술작가)

오존³: "후에 유행하게 되는 록 바 또는 클럽의 원조인 최초의 클럽은 1989년 최정화가 만든 종로의 오존이었다." (홍성민, 미술작가)

"주장이 좀 들어가 있는 술집을 하고 싶다는 생각이 있었다. 당시엔 강남에 오렌지족이 많을 때여서, 그런 문화와는 다른 래디컬하고도 자기주장이 강한 공간을 강북에 만들고 싶었다. … 내 기억으로는 작가들보다는 평범한 사람들이 제일 많이 왔다고 생각한다. … 처음부터 그런 목적(이벤트나 프로젝트 바)을 갖고 시작한 것은 아니었다. '오존'은 우선은 장사하는 곳이었고, 장사가 되고 공간이 존재해야 공연이나 이벤트도 가능하다고 생각했는데, 공연이 방해가 되는 경우가 많아서 적지 않은 마찰이 있었다. 퍼포먼스를 할 때는 손님이 너무 많이 와서 장사를 할 수가 없었고, 사람들이 특별한 공연이 있는 날만 찾는 곳으로 생각하는 경우가 많아서 공연이 없는 날은 사람이 거의 없었기 때문이다." (최미경, 미술작가)

올로 올로: "'올로 올로'는 1989년, 1990년쯤 만들어져서 6, 7년 동안 했던 것 같다. 정태연이라는 친구가 홍대 앞에 슈바빙이라는 카페를 하다가 이대 앞에 옮겨 갔는데, 내가 카페의 컨셉을 제안했다. 술만 마시기보다는 즐겁게 놀 수 있는 분위기를 만들 수 없을까 하는 생각을 했고, 그래서 만들어진 것이 '올로 올로'다. 인테리어는 당시 A4라는 인테리어 회사에서 일하는 최정화에게 맡겼다. 창고 같은 분위기였다. 차분한 카페라기보다는 거칠지만 이국적인 분위기의 클럽이었다. 이형주 씨 목탄 그림이 벽에 그려져 있었고, 최정화 씨 작품도 있었다. 내 그림도 있었는데 … 당시에 올로는 이국적인 분위기를 많이 지니고 있었던 것 같고, 그래서 그런 느낌을 공유할 수 있었던 사람들, 특히 예술, 문화 관계자들이나 외국인들이 많이 찾아오게 되었던 것 같다. 당시 보통 비싼 돈을 지불하는 나이트클럽에서 춤을 추어야 했던 반면에 적은 돈으로 술을 마시면서 원하는 대로 자유롭게 춤을 출 수 있다는 점이 올로 안에서 가장 성공적이었고 손님들에게 가장 어필했던 부분이었다. 이벤트는 몇 개 있었지만 자세히 기억나지는 않는다. 자연스럽게 사람들이 모이는 과정에서 공연이 생겨나기도 했지만, 사실 처음부터 공연을 중심으로 기획된 클럽은 아니었다. 아지트 같은 분위기가 중심이었다. 예술, 무용, 영화 등등의 문화예술계 사람들이 모이는 곳이었고, … 올로 이후 발전소가 생겨났고 또 상업적인 록 카페가 유행하게 되었다. 올로가 이러한 이후까지의 클럽 트렌드를 개발하는 역할을 했던 것이 아닌가 생각한다." (고낙범, 미술작가)

발전소, 곰팡이: "처음에는 퍼포먼스 바를 하려고 했었다. 의도적인 기획공연이 있는 곳이 아니라 자연스러운 놀이문화와 더불어 예술이 있는 바를 의도했었다. 발전소가 1993년 초에 만들어졌지만, 처음부터 이런 이벤트들을 한 것은 아니었다. 발전소가 사람들에게 잘 인식이 안 되는 것 같아서 시작한 지 6, 7개월쯤 후에 강태환, 이영란, 원일, 김형태로 이루어진 '발전 9311'이라는 기획 공연을 했다. '발전 9311'이라는 대표적인 이벤트 이후에 발전소가 록 카페 분위기로 바뀌어서 나는 1994년도에 그만두게 되었다. … 사실 나는 소위 문화 복덕방을 원하면서 '발전소'나 '곰팡이'를 만든 것이다. 일반인들은 문화 예술을 굉장히 가깝게 느끼고, 예술가들은 서로 만나서 정보를 나누고 무엇인가를 만들어 내는 … 즉 대안 공간은 무엇을 가져오는 곳이 아니라 거기서 새로운 것이 나오는 곳이다. … 곰팡이에서는 서로 모르는 아티스트들이 만나서 파급효과가 꽤 커졌다. '어어부 프로젝트'도 곰팡이에서 서로 멤버들이 만나게 되었고 …" (김형태, 뮤지션)

드럭: 펑크의 메카. 크라잉 넛, 옐로우 키친, 노 브레인, 갈매기, 위퍼 … 뛰는 아이들 위에 노는 아이들. 자발성, 아마추어리즘, 스리 코드, 유스 컬처. 이석문 아저씨. 한 덩어리, 인디 레이블, 말달리자, 노이즈, 커뮤니티, 한 세대. 펑크 학교.

스팽글: 원래는 태권 브이였나? 성숙이. 오후의 습한 지하실. 슈게이징, 영국스러움, 버나드 버틀러가 깜짝 내한했을 때, 스팽글에서의 통기타 공연, 인산인해, 긴 줄. 멋짐과 쿨함과 가난. 재팬 팬클럽, 코코어, 허클베리 핀, 3호선 버터플라이, 그 더 저 쪽 신촌 가는 길 푸른 굴 양식장, 나중에 마스터플랜, 주차장 거리 가까이 피드백, 금화터널 및 빵, 재머스, 델리 스파이스.

블루 데블: 현숙이 누나. 윤철이가 영국 가면서 잠시 맡긴 귀여운 검둥 강아지. 수많은 공연들. 유 앤 미 블루. 삐삐롱스타킹, 모던 록 스타일. 신촌 언더그라운드가 자라 홍대에 이식된 느낌. 요즘 어떻게 지내시는지, 현숙이 누나. 건강하세요.

1 폴 비릴리오, 『시각 저 끝 너머의 예술』, 이정하 옮김 (파주: 열화당, 2008)

2 [편집자주] 시삽은 전자 게시판이나 온라인 서비스 가상 공동체 등 다중 사용자 컴퓨터 시스템의 관리자이다. 기타 인터넷 기반 네트워크 서비스들의 관리자를 의미하기도 한다. 시스템 운영자의 줄임말이며, 시숍, 시샵이라고도 한다. 위키백과, https://ko.wikipedia.org/wiki/%EC%8B%9C%EC%82%BD (2021년 3월 10일 검색)

3 [편집자 주] '오존'은 1989년 최정화와 최미경이 함께 설립한 인테리어 회사 'A4 파트너스'에 의해 디자인되었으며, 기존의 실내 마감을 그대로 노출시킨 공간으로 주목을 받았다. 콘크리트 슬라브를 그대로 노출시킨 천정은 물론, 벽과 바닥 또한 특별한 마감을 하지 않았고 테이블도 콘크리트 패널로 제작되었다. 벽에는 고속도로 펜스용 철망이 부착되어 있고, 의자는 받침대를 단 오토바이 안장을, 조명은 공장이나 현장용 작업을, 문고리는 수도꼭지를 사용했다. 이불은 1991년 12월 오존에서 열린 《바이오 인스톨레이션》전에 김형태, 김사하, 오재원, 심철종 등과 함께 참여하였으며 12월 19일 퍼포먼스를 선보였다. 이외에도 《마치 예술처럼》(1992), 《쑈쑈쑈》(1992), 나카무라 마사토, 무라카미 다카시 2인전인 《나까무라와 무라. 까미》(1992) 등 중요 현대미술 전시들이 오존에서 선보여졌다. 신정훈, 「'거리'에서 배우기—최정화의 디자인과 소비주의 도시경관」, 권행가 외 12인, 『시대의 눈』(서울: 학고재, 2011), 310–344.

이충걸, 「이 사람이 궁금하다: 칼이 칼을 갈아 언젠가 무기가 될 것이다–
행위 예술가 이불」, 『행복이 가득한 집』, 1992년 10월, 176–179.

이충걸은 서른 살이 된 청년 작가 이불의 인터뷰를 기록한다. 당대
분위기가 묻어나는 인터뷰에는 작가 개인의 성장 배경부터 대학 생활,
활동 초기의 작품과 전시에 이르기까지의 이야기가 담겨 있다. 이불이
당시 퍼포먼스 매체에 대해 견지하는 태도가 드러나며, 여성 정체성,
젠더, 리얼리티의 문제 등 그가 현재까지도 지속적으로 고민해오고 있는
주제의식을 관통한다.

"내 작업의 일관된 핵심은 여성의 정체성에 관한 것이다. '이것이 너의
정체다'라고 주장하는 것은 아니다. 우리가 알고 있는 정체성은 진정한
것이 아니라 부당한 것이다. 익숙해서 못 느끼거나, 뻔한 속셈에 의해
세뇌되고 포섭당하고 설득 당한 것들이 정체성을 밀어내고 대신 들어와
있다. 그러나 여자는 신체적으로, 통념적으로 여성일 뿐이다. 사회적인
여성이 아니다. 거기서 정당성이 부딪힌다. 어떤 관계에서 고통을
느끼는 주체는 한 사람이지만 더 넓게 그 문제의 동질성이 있다. 그러나
여자들은 속고 있다. 하나에서 끝까지 의심해야 한다. 그것을 극복하고
온전한 여성의 정체성을 찾아야 한다. … 세상에는 수많은 여성관이
있다. 그러나 어떠한 것에서도 나는 정당한 여성관을 발견하지 못했다.
여자 스스로도 정체성을 잊고 있다. 보편적이라는 말로는 위장될 수
없는 이 부당함은 머리끝에서 발끝까지 내가 죽는 날까지 따라다닐
것이다." 인터뷰 중

이 사람이 궁금하다

칼이 칼을 갈아 언젠가 무기가 될 것이다
행위예술가 이불

행위예술가 이불은 예술과 인간을 소통하기 위한 퍼포먼스를
하는 작가를 중 가장 주목받는 젊은 작가다. 지난 8월의
퍼포먼스 '다이어트–도튜를 그려라'를 통해 퍼포먼스 의해
왜곡된 여자의 이미지가 얼마나 반근한가를 보여주는 그는
끊임없이 여자의 정체성을 묻고 있다.

글／이충걸 기자

이 불은 자신의 초상에 속에서 강열하게 사람을 사유입한다.(김영방 사진)

176 행복이 가득한 집

지난 8월 이대 군자미 소극장 '난장'에서 열렸던 퍼포먼스 '다이어트–도튜를 그려라.'

176 행복이 가득한 집

일본 도쿄의 번화가, 신사(神社), 황궁을 거치며 행해졌던 '산보일기'.

'온가쿠의 거기에~실키지폰-잠들을 벗기며, 물'.

조한혜정, 「미술에 있어서 페미니즘 운동:《여성, 그 다름과 힘》전을
보고」, 『미술광장』, 1994년 5월, 41–48.

이 글은 1994년 한국갤러리에서 열린 《여성, 그 다름과 힘》 전시 리뷰
기사다. 필자는 전시가 기성 여성 미술전시와 달리 '여성(중심)주의'
키워드를 적극 부각시켰고, 전시에 참여한 젊은 세대 여성 작가들이
여성 억압의 현실을 소재로 삼기보다 그것을 어떠한 형식으로 전달할지
고민했다는 점에서 페미니즘을 향한 사회 문화적 패러다임의 변화를
드러냈다고 평한다. 필자는 20대 젊은 작가로는 유일하게 이불의 설치와
퍼포먼스를 다룬다. '너무 페미니스트이다 못해 반페미니스트적인',
'희망의 여지 없이 비관적인' 이불의 작품은 여성이 끊임없이 근원적이고
급진적인 질문을 던지는, 깨어 있는 주체여야 한다는 사실을 명시한다.
다중 주체가 모두 존중받는 시대에 여성 작가가 새롭게 구축해나갈
정체성을 기대하며 기사는 끝을 맺는다.

이영재, 「이불의 '미술품경매' 퍼포먼스」, 『미술광장』, 1994년 7월, 130.

이 기사는 《이런 미술–설거지》(금호미술관, 서울, 1994)의 오프닝
퍼포먼스 <옥션>(1994) 리뷰 기사로, 이불이 전시 개막 당일 불시에
진행한 이 퍼포먼스가 어떻게 기존 미술계 관행에 역행해 시대의
미술을 반영했는가를 밝힌다. 미술평론가 이영재는 작품의 가격을
투명하게 공개한 이불의 행위가 미술 작품을 세속적인 가치로 환산하는
대한민국 사회의 금기를 깼으며 기존 작가와 컬렉터 사이의 굴종 관계나
폐쇄적인 미술 작품 거래 시스템을 비판했다고 평한다. 또한, 미술품
경매를 둘러싼 소수 특정 세력의 대척 지점에서 미술계 변화와 새로운
질서를 갈구하는 젊은 미술가들의 모습을 대변해 세대 변화의 흐름을
드러냈다고 평가했다.

REVIEW

이불의 「미술품경매」 퍼포먼스

박정희, 「오늘날의 문화 논리, 냉정하게 파악합시다」, 『미술공예』, 1994년 10월, 35.

인터뷰는 《제1회 아시아퍼시픽 현대미술 트리엔날레》(퀸즐랜드 주립미술관, 브리즈번, 1993)에서 <장엄한 광채>(1993) 작품과 퍼포먼스를 출품한 이불의 인상을 담고 있다. 이불은 젊은 작가로서 이례적으로 해외 전시에 참여한 것에 의미를 두기보다는 서구식 문화 교류의 일방적인 구조를 간파하고 비판적 의견을 피력한다. 동양 작가가 꼭 '오리엔탈'한 작업을 선보여야 할 이유가 없다며 현지 평론가의 의견에 반박하고, 아시아 작가가 현지의 문화를 접할 수 있도록 초대하는 행위 자체도 일종의 경제-문화 침투라고 판단한다. 하지만 다른 한편으로 경제와 함께 움직이는 문화 논리의 현실을 직시하고, 국제 문화 교류에 있어 국가 지원과 작가 스스로 준비된 태도가 꼭 필요하다는 주장으로 인터뷰를 갈무리한다.

[신문 기사 이미지] 「오늘날의 문화논리, 냉정하게 파악합시다 / Today's Logic of Culture : Let's Understand It in a Cool-Headed Way」, 인터뷰/설치·행위예술가 이 불 (Interview/Installation-Performance Artist Lee Bul)

이공순, 「퍼포먼스, 그 반란의 예술-기계문화 물신성에 도전하는
반전통장르」, 『한겨레21』 47호, 1995년 2월 23일, 74–76.

기사는 미술평론가 윤진섭의 『행위예술감상법』(1995)을 언급하며
퍼포먼스의 정의와 특징, 그리고 한국미술사 속 퍼포먼스 장르의
흐름을 시대별로 간략히 서술한다. 전통 예술장르의 파괴와 해체를
목적으로 출발해 1960년대 대중성을 확보한 서구 퍼포먼스는 실험적
경향의 실연예술이었으며, 이식과 모방의 한계를 감안하고 볼 때
한국에서는 1967년 <비닐 우산과 촛불이 있는 해프닝>(중앙공보관
전시실)이 본격적인 퍼포먼스의 시작이었다고 소개한다. 더
나아가 필자는 즉흥성, 우연성, 시위성, 도발성 등을 특징으로 한
1960년대 해프닝부터 조용하고 논리적 성격을 띤 1970년대, 장르
혼합을 통한 총체적이고 표현적인 1980년대, 다양한 장르에서
퍼포먼스를 중요한 예술 표현 매체로 인식한 1980년대 말까지의
시대별 퍼포먼스 경향을 차례로 정리한다. 그는 이불이 참여한 《'89
청년작가전》(국립현대미술관, 과천, 1989)을 퍼포먼스의 '공식 제도권
진입 사건'으로 평가한다. 기사에 수록한 <수난유감-내가 이 세상에
소풍 나온 강아지 새끼인 줄 아느냐?>(1990) 퍼포먼스 사진과 함께
작가의 '상상 속 야수를 연상시키는 의상'이 가부장제와 부권에의
메시지를 담고 있다고 덧붙이고 있다.

퍼포먼스, 그 반란의 예술
기계문화 · 물신성에 도전하는 반전통장르

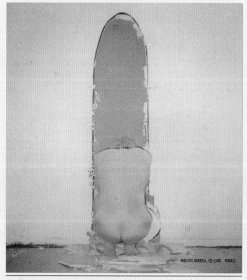

제임스 리, 「퍼포먼스, 세상에 맞서다」, 『아시아 아트 뉴스』 vol. 4 no. 6, 1994년 11/12월, 76–83.

기사는 한국 행위예술의 출현 배경과 발전 양상을 간략히 서술하고 대표 작가로 이불과 문정규를 소개한다. 행위예술은 1960년대 말의 정치 억압과 기성권력의 이데올로기에 응하는 '공적' 미술에 반발해 시작되었는데, 문화 테러리즘을 피해 언더그라운드로 파고들었던 젊은 작가들은 1988년 서울 올림픽 개최 이후부터 점차 미술 표현의 자유를 보장받을 수 있었다. 당시 이들은 근대화, 산업화, 자본화 등 급박한 사회 변화 속 시대의 불안과 존재론적 고민, 인간성 상실과 같은 문제의식을 공유했다. 필자는 이불의 퍼포먼스에 나타나는 급진성과 행동주의적 입장에 주목하여 그가 한국의 남성 정치권력을 패러디하고, 전복하고, 탈신화화함으로써 어떻게 '젠더와 섹슈얼리티'의 문제에 접근하는지를 보여준다.

Performance Art Takes A Stand

Moon Jeong-Kyoo and Yi Bul are among Korea's leading performance artists. They mix parable, parody, and politics in forceful and disturbingly memorable works.

By James Lee

Since 1967, performance art has evolved into a vital and significant component of the contemporary Korean art scene. It was in 1967 that perhaps the earliest instance of performance art in Korea, a simple political allegory entitled *A Happening with Vinyl Umbrella and Candles*, was presented by a young dadaist group calling itself Mujongin. As in the West, performance art first emerged in Korea as an oppositional response to the "official" cultural values and assumptions underlying rigid, often repressive, social and political institutions. Throughout the 1970s, and much of the 1980s, during the military regimes of Park Chung-Hee and Chun Doo-Hwan, Korean performance artists practiced what one critic has termed "cultural terrorism." Presenting their works at such alternative sites as underground theaters, cafes and bars, city streets and parks, country markets, and mountains, they sought to close the gap separating artists from the public, and to undermine the role of museums and galleries as the sanctuary of an establishment high culture that legitimized the authority of dictatorial political institutions.

As the 1980s drew to a close, political reforms enacted in preparation for the Seoul Olympic Games began to produce a noticeable shift in the cultural climate. Hundreds of political prisoners were freed, many civil liberties restored, and the freedom of artistic expression expanded in significant measure. In July 1989, in a signal event for Korean performance art, 18 artists, ranging in age from the early 20s to the late 40s, gathered at Now Gallery, in Seoul, to present an exhibition entitled *Art and Performance & Hu*-

Yi Bul, *Abortion*, 1989. Dong Soong Art Center, Seoul.

an aesthetics sensibility grounded in the critique of patriarchal dominance. Recalling one such incident, which took place at a group exhibition featuring the works of graduating students alongside those of professors and alumni, she says, "There was a fairly prominent sculptor in attendance, an alumni of the college, and he seemed very interested in my work. That is, until he discovered it was done by a woman. He didn't even acknowledge my presence; I was a non-person. That's still how the Korean art circles operate. If you are a young male artist with some talent, then you're allowed into a kind of fraternal guild and groomed by older, established artists. But if you're a woman, you quickly come up against a wall."

Frustrated by such institutional barriers and generally disenchanted with the mainstream contemporary Korean art scene, which she describes as being "dominated by uniformly boring, outdated, secondhand versions of Western modernism," she found herself operating in the "underground" with a few friends from college who shared her disdain for establishment art. They formed an informal group and named it "Museum" in ironic contrast to the eclectically kitschy, low-art propensities of its members (the Korean homonym for "museum" means fear). Although active for only a few years, the group's first exhibition, in 1987, is now widely regarded as an event that marked the emergence in Korea of what might be called postmodern art.

It was her involvement with Museum which eventually led Yi Bul to explore the possibilities of an unconventional, hybrid medium she calls "soft-sculpture." Her aim was to introduce elements of motion and flexibility to the conventional sculpture. The first of these "soft-sculptures," shown in her 1988 solo exhibition, *Step by Step, Tb-ibat's*, were quasi-body suits con-

Yi Bul, *Cravings*, 1989. National Museum of Contemporary Art, Seoul.

structed of sewn fabric padded with foam rubber to exaggerate and distort the anatomy of the wearer. Intricately adorned with cheap sequins and beads, each piece featured a number of appendages resembling arms, legs, tentacles, and tails, the effects of which were at once beautiful, comical, and grotesque. Yi Bul explains that when she put on one of her soft-sculptures and improvised a short dance-like piece for the exhibition opening, "Some people, critics, for instance, who couldn't place it in any of the defined art categories, decided to call it 'performance.'"

This event served as the impetus behind her 1989 performance at the National Museum of Contemporary Art. Entitled *Cravings*, the show features three other performers who appear in her soft-sculptures. Engaging in slow, elaborate movements that call to mind a *Butob* dance and are meant to depict various cravings, or "obsessions," as the artist puts it, the performers heighten the effect by means of tiny hidden microphones which isolate and amplify every sound, especially their la-

bured breathing.

Contradictory and ambivalent, the work calls into question the stability of categorical concepts like "the real," "the natural," and "the artificial" in an age when such distinctions have been blurred by the omnipresence of technology in our private lives and in our culture. The performance purports to be an expression of cravings, unmediated by the conventional language of art, in the form of spontaneous physical movements and bodily, or 'natural,' sounds. Yet the movements are distorted and constrained by the bulkiness of the second, artificial body, the soft-sculptures, and the sounds are rendered alienating via an electronic device which both magnifies their presence yet diminishes their "human" qualities.

In *Aristotler II* (1990) the artist traces a link between the cultural ideology of dominant representational systems in which, according to critic Craig Owens, "women have been rendered an absence," and the political ideology of authoritarian regimes in recent Korean history which have suppressed dissents by, among other, more brutal means involving the communist bogeyman to the north. Both derive and maintain their authority by what Roland Barthes has termed 'mystification': a process by which a cultural or historical phenomenon conceals the particular context of its construction and claims to be natural, universal, and thus needing no justification. Yi Bul's trenchant, deconstructive strategy in *Aristotel II* is aimed at exposing and subverting, or 'de-mystifying,' all such counterfeit claims.

The performance begins with a mock-salacious dance by four female performers, including the artist herself, in flesh-tone bodysuits altered and stuffed to exaggerate the stomach and buttocks, a grotesque parody of the nude female forms of Delacroix's and Ingres' odalisques. To underscore their

Yi Bul, *Diet, Diagramming III*, 1992, Sagak Gallery, Seoul.

de-personalized status, they are wearing gas masks, effectively rendering them face-less. The gas masks are also a pointed reference to the state of war-wary vigilance - continuously abetted, and even promoted, by the government - that is a constant undercurrent in Korean life.

When the gas mask appears again later in the show, it is worn by a performer who parodies the "fan dance." The dance, as Yi Bul explains, is not a traditional Korean dance with roots in court performance, as is widely assumed (and disingenuously suggested by such official bodies as the Korean Bureau of Tourism), but is in fact a form of mass entertainment which first emerged in the 1930s to satisfy popular taste for florid, showy, costumed spectacles - in short, a rough equivalent of a Las Vegas revue. The jarring juxtaposition of the fan dance with the gas mask suggests that the same process of mystification is involved in the invention of cultural myths (such as that which surrounds the fan dance) and the promulgation of political propaganda passing itself off as the irrefutable truth (such as the long-held notion that unquestioning loyalty to the government, and especially to the president, is necessary to defend against the North Korean threat).

Consistent with its purpose of demystification, the performance constantly calls attention to its own contingency, self-consciously announcing its status as an intertextual construction of references, allusions, and appropria-tions, and thus disavowing any claim to absolute, self-contained aesthetic knowledge. In a knowing gesture of self-deflation, the show contains a brief segment in which a performer sits facing the audience, eating Chinese noodles called *chachangmyun*- a word also used in an idiomatic Korean expression meaning "What's all this nonsense?" To one side of the stage, throughout the entire performance, a spotlight rests on a toilet: Duchamp would have given his amused approval.

A similar kind of deconstructive interrogation is at work in *The Song of The Fish* (1990), which examines archetypal, 'mythic' images of women that recur in fables and legends and continue to inhabit the public imagination. The performance presents unsettling variations on three such archetypal female images: a little girl in a Mary Jane dress counting off endlessly as she skips rope; an empress shrieking and stabbing the air with a knife while swinging to and fro on a throne hanging from the ceiling; and in front of the stage, the artist herself as a grief-stricken young woman, perhaps a widow, kneeling by a pool of water filled with dead fish.

These images are recognizable because their cultural function is to serve as symbols, with meanings that are public, codified, and constant through time - myths, in short. But myths, as Roland Barthes has observed, lose "the memory of their fabrication." By aspiring to the universal, the eternal, the unquestionable, myths obscure the particular set of cultural values and historical circumstances of their production. Yi Bul suggests that mythic females images, like the ones in *The Song of the Fish*, are largely male-constituted, and that the symbolic meaning often precludes what she calls "the real stories, the private stories of women." By interjecting elements of the personal and the private into these archetypal images, she seeks to displace and destabilize some of their public, consensual meaning. "The figure of the grieving woman was meant to be especially unsettling because it was partly an expression of my own private anguish at the time. I think that made the image somewhat unfamiliar, and the meaning was no longer just symbolic. There was now some other, undefined meaning that the audience could sense, though never fully come to know."

To locate the source of the disquieting effect of these images is to come upon another level of subtext. There is an obsessively repetitive quality to their actions which suggests a kind of borderline madness: the little girl skipping rope, the murderous empress brandishing her knife, the grieving woman who caresses and then methodically disembowels by hand one fish after another. These images emphasize, in order to expose, the dubious role traditionally reserved for women in myths, as embodiments of unreason, passion, madness; in short, forces which must be contained and subjugated. It's no accident that, as the Freudian scholar Philip Rieff notes, "psychoanalysis began as a therapy for women, and the classical problem of psychoanalysis is hysteria, at first thought to be exclusively a women's disorder." Or that Freud himself formulated many of his theories within the borrowed framework of Greek myths. As Yi Bul says in agreement, "No one really questions why myths mean what they mean. The meaning is simply a given, and it's accepted. I'm saying that the meaning isn't so 'universal,' that it's always in the service of some kind of cultural or political agenda."

In *Diet, Diagramming III* (1992), the artist turned her critical attention to

82 ASIAN ART NEWS

NOVEMBER/DECEMBER 1994

---

the phallocentric signification, both apparent and covert, in the Korean language. Topless, with only a bolt of cloth serving at various points during the performance as headdress, cape, bridal gown, and stripper's boa, among other things, she stood next to a large screen onto which was projected slang and vernacular expressions used to designate women and sex acts done to and by women. As the words were flashed, Yi Bul struck a series of poses that served as biting, disconcerting, and often hilarious commentary on the meaning of the words. Head bandaged in the cloth, she did a burlesque of a body-builder, a "muscle-head," in an exaggerated display of masculinity, as words like *nembi* ("a cooking pot," "someone who cooks") and *younggae* ("young hen," considered an aphrodisiac) appeared on the screen. Specific to the Korean cultural context, such words nevertheless share the purpose of objectification with similar words in any language: women are consumables, utensils, objects.

During pauses in the performance, the artist applied red paint resembling blood to the piece of cloth. "It represents the damage inflicted on women by these verbal assaults,"

Yi Bul, *The Song of the Fish*, 1989, Dong Soong Art Center, Seoul.

she explains. "Korean society - and that includes many women - has become so used to these expressions that no one really stops to consider their demeaning, often savage implications." The next set of words appears *sabbachi* ("fellatio"), *pattabi* ("gang rape"). In keeping with her subversive purpose, even the typography of the words are "de-constructed," the letters separated and rendered unfamiliar in appearance so that the audience has to linger and often re-read them *gullae* ("rag," "slut," "a used-up woman"), *choggae* ("clam," "vagina"), *pichoggae* ("bloody clam," "vagina"). The piece of 'bloody' cloth serving as her only costume, Yi Bul depicted such familiar sexualized female images as Venus, the stripper, and the virginal bride. But the effect is made contradictory, and the conventional meaning of the images undermined, by the authority of the artist's live presence, and especially by the ambiguous sexual connotations of her closely cropped hair.

The performance came to a close with the final phrase *Mugungwha kochi piott sommnida* ("The rose of Sharon has bloomed"), commonly used by Korean children as a refrain in schoolyard games, but endowed in adult usage with obvious sexual meaning which the artist demonstrates by bending over, and arms through her spread legs, opening up her palms. The phrase has its origins in Park Chung-Hee's brutal *Yushin* regime, which devised it as a patriotic slogan (the rose of Sharon is Korea's national flower) to be taught in elementary schools as part of a campaign of political indoctrination. In *Diet, Diagramming III*, Yi Bul reminds us that words are never neutral, that the public conventions of usage mask the hidden, sometimes sinister, agenda advancing the interests of certain cultural and political forces operating in conjunction to maintain their authority.

Yi Bul's more recent performances, such as those presented at the 1993 Asia-Pacific Triennial of Contemporary Art, in Brisbane, and at a 1994 group exhibition of Korean women artists called *Woman: The Difference and the Power*, indicate that she may be entering a transitional phase. Generally spare in concept and execution, they show the artist experimenting with new approaches, testing new possibilities in her use of the medium of performance.

For instance, at the Asia-Pacific Triennial, her performance involved having audience members exchange clothing repeatedly with one another, by the end of the performance, the artist herself was left with none of her own clothes. It was an experiment in establishing the co-presence of the audience in the work, in exploring the possibilities of performance as a situation of undecidable potentialities. For the exhibition *Woman: The Difference and the Power*, the artist created untitled installation pieces - three versions of a Korean blanket silk-screened with a nude photo of herself, and embroidered with various words for designating women - and used one of them as an object in her performance. This synthesis of installation and performance seems to represent in some ways a full-circle for the artist, who first found her way to performance through the use of her soft-sculpture pieces originally intended for installation.

Whatever new modes of performance Yi Bul may pursue in her future work, one can expect that she will not abandon the activist stance that has been a distinctive aspect of her art; and that she will continue to remain implacable in her aim of challenging cultural values and assumptions that perpetuate gender inequalities in the world of art as well as in the world at large. △

James Lee, a visiting professor at Han Nam University, Taejon, is a 1993 recipient of a Fulbright Research Fellowship to Korea.

NOVEMBER/DECEMBER 1994

ASIAN ART NEWS 83

이민숙, 「이불의 퍼포먼스로 밝혀지는 것들」, 『C 매거진』 45, 1995년, 18–21.

1970년대 한국 사회의 미니스커트 단속을 소재로 한 에피소드로 서두를 연 이 기사는 이불이 당시 여성 작가로서 남성 중심 미술계에서 소외되었음에도 불구하고 사회가 여성에게 투영하는 피상성을 직시하고 이에 대항한 '한국 미술계 최전방'의 작가로 평가한다. 기사는 《용서받지 못한》(A 스페이스, 토론토, 1994) 전시 현장과 퍼포먼스 과정을 자세히 다루면서, 작가가 한국 문화 속 여성의 전형을 해체하고 재구축하는 일련의 과정이 때로는 우스꽝스러운 분위기에서 진행되지만 기저에는 문화 권력에 대한 저항 의지가 담겨 있음을 지적한다.

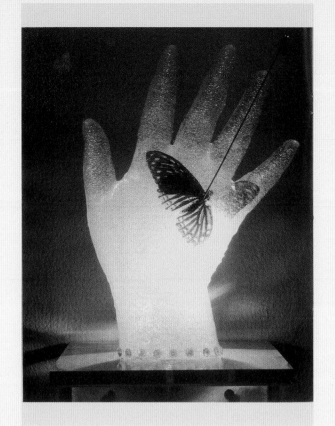

In the 1960s a well-known South Korean pop singer scandalized the nation by arriving at the Kimpo airport in Seoul wearing a skirt whose hemline rose too high above the knee. This one woman's lascivious display of the patella region incited authorities to make laws that would deter any member of the female **disclosure** in the performance of Lee Bul by min sook lee population who might be tempted to enact a copy-cat crime. Police were issued standardized rulers with which to measure the acceptable distance between hemline and knee. Women caught with illicit hemlines were taken to the local police box and family members were called to escort the malcontents home. The

jagged juxtaposition of absurdity and oppression in this story seems an appropriate backdrop for looking at the work of South Korean artist Lee Bul.

Her installations and performances play with similarly incongruous realities – drawing on and disrupting the authority of a cultural history, while playfully and rebelliously asserting her own subjectivity.

On graduating from Seoul's prestigious Hongik University in 1984, Lee Bul discovered that the mainstream Korean art world was as closed to and intolerant of women as society at large. After working for a number of years with more traditional sculptural forms and finding that, due to her gender, her work was consistently ignored or dismissed, her practice gradually expanded to include performance and installation as well as a variety of soft sculpture works, such as the many wearable pieces that are integral to her performances.

By 1989, with her performance *Abortion*, in which she was harnessed upside down, naked before a squirming audience, she was considered to be in the forefront of avant-garde art in the metropolises of Tokyo and Seoul. Bul's work consistently breaches psychological, social and political taboos while providing provocative homages to fear, pathos, beauty and humour. As one of the only contemporary Korean artists whose work directly confronts, questions and dismisses the society's abysmally one-dimensional constructs of feminine beauty and identity, Lee Bul's voice is considered a highly radical one at home.

On a recent visit to Canada, Bul exhibited and performed at A Space, Toronto's oldest artist-run space. In her four-part, twenty-minute piece titled *Laughing*, the artist moved through the gallery, performing in front of or in relation to three installations that served as backdrops. Throughout her performance Bul threads a continuum between the fixed objects, her own motion and our perception. She enters the territory of the witness and proves it to be borderless. The performance began in front of a wall-piece titled *Technicolor Life*. The piece is made from two photographs: one of Lee Bul wearing a gas mask is split in two by the central image of a cluster of traditionally robed Korean dolls (of the type Korea began to manufacture for sale after the Korean war). In front of this work Bul serves up an anomalous version of the traditional Korean fan-dance. Wearing the elaborate and colourful *hanbo* of the dancer and a large, black rubber gas mask, she plies the fans coyly, wilfully destroying and

reconstructing this archetypal Korean and feminine form of cultural expression. Then, moving to the wall installation titled *Alibi* (consisting of seven backlit silicone hands on acrylic shelves, the hands pierced by decorative pins and holding butterfly-wing fragments), Bul offers a response to Cho Cho San, the open character whose tragic/redemptive qualities include loyalty, subservience and self-abnegation. With her head encased in white gauze she provides a revisionist enactment of the death throes of the renowned operatic heroine. This death is a dance of jerky kowtows, uncoordinated movements and flailing limbs. Finally, her head hangs limp, hairpins piercing the gauze that stretches across her open mouth. Hairpins being instruments common to rituals of both beauty and self-mutilation, the symbolism provides a dramatic reminder of women whose suffering finds expression through the wounds they inflict on themselves.

The performance then shifts. No longer at a remove, reinterpreting historical traditions or cultural icons, Bul now addresses the audience directly. She stands facing us, pulls out a pink balloon and begins to blow and blow and blow. We anticipate the explosion; childhood fears and excitement at the prospect of the bursting balloon are drawn from the reservoirs of our memory. Watching, we involuntarily take in as much air as Lee Bul heaves out and, sooner than expected, the balloon bursts with a pathetic boom. In the emptiness that follows the explosion, Bul silently removes her clothes and stands naked before us. Her physical presence is a stark contrast to the third untitled installation. Its large wood frame is a mock closet in which hang soft-sculpture versions of a female torso and truncated limbs (Bul's own) as well as an assortment of fantastic dresses, contemporary accessories and gaudy trinkets. Standing before us with no adornment, no secrets and no room for exotica, Lee Bul begins to laugh. The sound reaches a crescendo, filling the room, and in the throes of this laughter, tears stream down her face. Her flesh shudders and shakes. There can be no mistake – this sound is erupting from this naked body and watching, listening, a flood of images, questions, associations arise. Lee Bul reveals herself – at once an object and a subject, infinite and incomprehensible, simple and direct, everything and nothing ... a happy subversive.

Lee Bul – Page 18: *Alibi* (detail, 1994), seven silicone hands on acrylic shelves with butterflies, pins & crystal beads, backlit by halogen light, photo by Gilberto Prioste / Opposite: various views of *Laughing*, performed at A Space (1994), photos by Eun-Joo Chun / Opposite, upper right: view of installation at A Space (1994) showing *Alibi* and *Technicolour Life*, photo by Gilberto Prioste

제임스 리, 「세계화에의 외침: 경제 성장이 불러온 작가, 갤러리,
미술관의 급증. 서구의 주목은 언제?」, 『아트뉴스』, 1995년 4월,
126–129.

이 글은 1990년대 세계화 물결 속 한국 미술계가 마주한 굵직한
변화들을 조명하고 국제 무대에서 활동하는 작가 이불과 이상현을
단신으로 소개한다. 당시 경제 사회 성장과 열을 맞추어 미술 문화계
역시 유례없이 그 규모를 확장하고 있었는데, 정부 지원을 중심으로
1995년 '미술의 해' 지정, 베니스비엔날레 한국관 건축, 광주비엔날레
창립 등 작가들의 미술 활동과 해외 진출의 기반이 마련되었고, 기업
미술관 설립과 상업 갤러리의 공격적인 시장 네트워크 또한 이를
뒷받침했다. 한국 작가가 국제 미술계에 노출 빈도를 높여가면서 서구
중심의 미술 흐름을 아시아로 옮길 수 있으리라는 기대감이 글을 통해
드러난다. 이러한 맥락에서 필자는 이불의 작업과 해외 활동상을
조명하고, 그가 아시아 여성에 투영하는 서구 사회의 페티쉬를
다룸으로써 작업에 내재된 '젠더 정치학'의 주제를 국제적 프레임에
맞게 확장하였다고 평가한다.

Lee Bul:
Stealth and Sensibility

In 1987, during her final year as a sculpture student at Hong Ik University in Seoul, Lee Bul had her first brush with the highly conservative Korean art world. At the annual exhibition of work by graduating students, she recalls, "a famous sculptor, who is also an alumnus, seemed very taken by my work. That is, until he discovered it was done by a woman. Then he walked off without a word. He didn't even acknowledge my presence. I was a nonperson."

Since then Lee, now 31, has emerged as one of the most recognized Korean artists of her generation. In a recent survey of art critics conducted by the Korean monthly *Art Plaza*, she was chosen as one of 12 artists to keep an eye on in the 1990s.

Lee first gained notice, and quite a bit of notoriety, with her 1989 performance pieces.

In *Abortion* she was strapped into a rock-climbing harness and suspended upside-down, nude, from a theater ceiling. *Cravings* showed the artist's sinuous movements from the *Butoh*, a Japanese dance, while donning one of her full-body "soft sculpture" pieces made of stuffed fabric. In both, Lee made sure that no one could appreciate the art while ignoring the artist.

Born to parents who led fugitive lives as political dissidents, Lee has made a career of exposing and undermining ideologies rooted in the Korean brand of Confucianism, which upholds the dominance of male authority. But she's also smart enough to know that even now, in the supposedly progressive 1990s, a woman artist in this country can be damned by critical silence if her art speaks out too bluntly or too obviously. Lately she's gone about the business of investigating the politics of gender in a sly way, leaving just enough unsaid to make the viewer sense, but not exactly locate, the disquieting impli-

The 31-year-old Lee Bul's works, such as *Technicolor Life*, 1994 (above), usually investigate the politics of gender in a sly and disquieting manner.

cations of her art.

Would it be clear to everyone, for instance, that an installation of clear plastic bags containing real fish, sequined, spangled, and slowly decaying under the hot glare of gallery lighting, is a critique of the ideal of feminine sexual purity? But that's at least one of the multiple readings invited by *Majestic Splendor*, exhibited in the 1993 Asia-Pacific Triennial at Queensland Art Gallery in Brisbane.

"The fish I used is called 'domi,' which also happens to be the name of a tragic heroine in a Korean legend," explains the artist. "It's about this very virtuous woman who commits suicide to guard her virginity from a king who is scheming to seduce her. Most people find it a beautiful story, but when you think about what it's really saying, it's not only ridiculous but disturbing."

In other works, such as *Alibi* (1994), exhibited at the Seoul Arts Center, and *Technicolor Life* (1994), shown at A Space in Toronto, the artist has satirized the Western fetishization of the "Oriental" female and examined the cultural expectations of toys designed specifically for girls.

This year Lee's work will be shown at foreign venues throughout Europe and Asia, including Kirin Plaza in Osaka and the Japan Foundation Forum in Tokyo for the "Tokyo Communication Art Festival," the Fruitmarket Gallery in Edinburgh, and the international sculpture exhibition Triennial Fellbach, which opens in Stuttgart in October and then travels to the Vienna Museum of Modern Art, the Fine Arts Museum in Taipei, and the Hong Kong Art Museum.

Lee says she is undecided about what sort of work she will present at these exhibitions, knowing only that "it will tell the real stories, the private stories of women."

J.B.L.

김한수, 「여성 행위미술가 이불씨 뉴욕 현대미술관 초대전」, 『조선일보』,
1996년 7월 18일.

기사는 이불의 '국내 작가 최초' 뉴욕 현대미술관 초대 전시 소식을
전한다. 《성형의 봄》(덕원갤러리, 서울, 1993) 전시에서 작품 <장엄한
광채>(1993)를 접한 뉴욕 현대미술관의 큐레이터 바바라 런던은
이불을 전시에 초대한다. 기자는 생선의 피부를 뚫는 금속, 비닐, 유리의
장식성과 그 이면의 폭력성, 생선의 비린내와 그를 감추기 위한 향수냄새
등 일련의 상황을 연출한 작가의 세부 전시 계획을 담았다. 그는 이불이
《여성, 그 다름과 힘》(한국미술관, 서울; 한국갤러리, 용인, 1994)에서의
퍼포먼스 등을 통해 일찍이 여성 문제를 드러냈다고 설명하며,
뉴욕에서의 전시를 통해 그가 여성에 대한 남성의 편견과 폭력성을
고발하고, 더 나아가 서양이 동양에 투영한 환상과 우월적 사상이
만들어낸 선입견을 들추어낸다는 의견을 제시한다.

보   西紀 1996年 7月 18日   木曜E

여성 행위미술가 이불씨
뉴욕 현대미술관 초대전

국내작가로는 처음…내년초 6주간

◇이불(위)씨의
설치작품 「장엄한
광채」. 이씨는 『내
년 뉴욕 현대미술관
초대전에서도 이처
럼 생선을 이용한
작품을 발표할 계
획』이라고 말했다.

장식하고 향수를 뿌림으로써 생
선의 피부를 뚫는 폭력과 금-은
의 장식성, 생선 비린내와 이를
가리기 위한 향수 냄새 등이 뒤
섞인, 약간은 혼란스런 상황을
연출할 계획.

이씨는 『이번 초대전을 통해
동양에 대해 한편으로는 환상을
가지고 있으면서 다른 한편으로
는 「지배하고 계도해야 할 곳」으
로 여기는 서구인들의 잘못된 선
입견과, 여성에 대한 남성의 편
견과 폭력성을 드러내 보이겠다』
고 말했다.

김문희, 「설치미술가 이불이 창조한 도전적인 女戰士 이영애」,
『Imazine』7, 1997년 1월, 44–47.

이 글은 설치 작품 <Mask for a Warrior Princess>(1996)를 매개로
한 작가 이불과 배우 이영애의 협업 현장을 다룬 기사다. 기사는 이불의
작품을 소화할 수 있는 배우를 찾던 중 잡지 표지 사진의 전형에서
벗어나고자 했던 이영애의 적극적인 호응으로 이루어졌다. 구상에
한 달, 시퀸, 비즈 등으로 사흘을 수작업 해 제작한 마스크의 형태
이면에, 보기에는 예쁘지만 사람이 착용했을 때 드러나는 폭력적이고
전투적인 인상을 기록했다. 배우의 신체에 '설치'된 작품이 표정에
따라 완성되거나 변화하는 유동적인 특성을 강조한다. 이불은 거창한
설명보다 관객이 보는 대로 느끼면서 각자의 상상력으로 완성하는
작품이 되길 원했다. 이는 미술에 관한 작가의 기본 태도이기도 하다.

이충걸, 「반역자 이불」, 『VOGUE』, 1997년 5월, 150.

인터뷰는 1997년 뉴욕 현대미술관에서 소개한 작품 <장엄한
광채>(1997)를 둘러싼 이불과 기관 사이의 해프닝을 담고 있다. 1월부터
3월까지 일어난 사건의 전말이 공개된다. 전시 개막 첫날, 미술관 측이
부패하는 생선을 소재로 한 <장엄한 광채>가 악취를 풍긴다는 이유로
철거하자 작가는 항의했고, 뉴욕의 문화 집단 '게릴라 걸스'가 작가에
동조하는 등 사건이 하나의 '스캔들'로 번져 결국 미술관이 작가에게
공식 사과했다. 인터뷰에는 국제화가 진행 중이던 세기말의 현장성과
당시 해외 활동을 시작하던 젊은 작가 이불의 의욕과 도전의식이
드러나 있다. 특히 작가의 작품 세계를 관통하는 '권력'의 문제와 그를
마주하는 비판적 문제의식을 엿볼 수 있다.

오애리, 「설치예술가 이불: 고정된 여성성과 오리엔탈리티의 뒤집기를
시도한다」, 『페미니스트저널 if』 1, 1997년 여름, 84–97.

『페미니스트저널 if』는 윤석남이 발행하고 박미라가 편집한 한국
최초의 계간 여성미술잡지다. 1990년대는 정치사회 민주화 맥락에서
추종되던 이전 세대의 여성운동을 넘어 여성 군 복무 등 구체적인 '젠더'
이슈가 본격화되고 대중화되는 등 한국 여성주의 문화운동에 있어
중요한 시기였다. 페미니스트 예술 기획 단체 '여성문화예술기획'이
여성중심 사회적 의제를 만들어 나가고자 출판 분과 모임을 조직하며
창간한 잡지 『if』도 당대 한국 여성미술사 발전 양상을 시사한다.
예술 문화 텍스트 비평의 일환으로 수록된 이 글은 이불 작업 전반에
내재된 급진성과 페미니즘적 착상에 주목한다. 특히 1997년 뉴욕
현대미술관에서의 초대전을 앞두고 작품이 철거되자 "한국, 더 나아가
아시아권 작가들을 만만하게 보는 태도"에 반발하여 미술관을 계약
위반으로 고소하고 사과를 받아낸 사건을 비중 있게 다루면서도,
작가의 작업이 고정된 여성 이미지를 도치시켜 미에 관한 기성 가치와
믿음을 뒤흔들고 '여성과 오리엔탈리티'를 질문한다고 평한다.

설치예술가 이불
고정된 여성성과 오리엔탈리티의 뒤집기를 시도한다

도발적이며 충격적인 설치미술가, 퍼포먼스 작가 이불(33)씨. 그는 국내 화단에서 가장 과격한 존재다. 88년 데뷔 이래 그는 신체를 발견할 때나 그로테스크한 소품세계를 공격을 던져왔다.

▲ 〈장엄한 광채〉

〈신여미: 서울〉

"제 작품은 공통적으로 에로틱이서도 징그럽습니다. 한국의 여성작가로서 여성성과 오리엔탈리티란 과연 무엇일까란 질문에 해답을 찾으려는 시도이고나 할까요. 그 두가지는 굉장히 유사한 점이 많다고 생각합니다. 서양인에 의해 동양에 대한 이미지가 에로틱고 신비한 그 무엇으로 고정화된것이 여성에 대한 남성의 이미지도 비슷하다고 보거든요."

이불씨는 아름다움과 추함이 한꺼번에 혼합된 독특한 작업으로 관람객의 뇌에서 충격을 던지는 작가로 악명(??)이 높다. 경희 여대 대학원 조소과를 졸업한 그는 88년 열린 첫 개인전 때 손을 집어 넣어 팽창한 몸체에 손, 발, 꼬리가 여기저기에서 떨쳐나온 작품을 직접 입고 대중 앞에 섰다. 내면에 잠재해 있는 욕망을 표현한 것, 이듬해 동숭아트센터에서는 탈가면을 쓴 채 거구로 매달리는 퍼포먼스 '낙태', 90년 웨딩드레스를 입고 방독면을 쓴 채 더러운 신문지로 몸을 닦는 '아토일렛(Artoilet)', 94년 외사습로 자신의 몸을 해단 '여성, 그 다름과 힘' 등을 잇달아 발표했다.

당시 이불의 작품을 미술평론가 박신의씨는 "날것'을 집을 때마다 같은 생경함과 이질감'으로 표현한 적이 있다. "(이불의 작품은) 본연 기존의 고급한 예

▲ 작업실에서 포즈를 취하는 이불씨

술적 감성과는 다른 것이었고 아니 어떤 때는 그 고급한 것에 대한 지독한 '욕지거리' 처럼 들리기도 했으며, 그래서 맛있게 먹는 음식 '도체내기' 잔치를 벌이듯 이전의 미적 가치와 믿음을 표현들이 놓은 '구토'의 어깨지도 같은 일종의 반문화적인 성격을 지니고 있다"고 평가한 것이다.

그가 국내외 미술계의 주목을 본격적으로 끌기 시작한 것은 91년 서울 자하문 미술관에서 열린 그룹전〈혼돈의 술에서〉에 생선을 소재로 한〈화엄〉을 내놓으면서부터다.

당시 이씨는 전시장 한쪽 벽면을 작은 생선이 헨마리씩 들어 있는 수십개의 비닐 봉지들로 빽빽히 채워 놓았다. 생선들은 빨강, 파랑, 노랑 등 원색의 번쩍이는 구슬이 태닥여있는 화려한 머리핀들로 장식돼 있었다. 생선의 연한 몸을 뚫고 박혀있는 뽀족한 마늘들, 시간이 지나가면서 투명한 비닐봉지 안에서 썩어들어가는 생선, 그리고 무엇보다도 진동하는 비린내자 막 썩는 냄새…. 도대체 이것이 과연 미술작품인가. 현대미술의 표현의 한계는 과연 어디까지인가. 이불씨의 작품은 이런 물음을 던지며 관람객을 괴롭혔다. 전시장에 들어서보다 입구에서 발길을 되돌리는 사람도 적지 않았다.

"냄새도 작품의 중요한 요소가 될 수 있다고 생각합니다. 오감을 모두 활용한다면 작품의 의도를 더욱 명확하게 전달할 수 있지요."

여기에는 페미니즘적인 환상도 깔려 있다. 남성이 가장 우위로 삼는 감각이 시각이라면 여성은 오히려 촉각이나 후각에 더 큰 비중을 둔다는 이야기다. 이불의 '화엄'은 외국 유럽미학들의 준상을 끌어 일본, 호주, 영국, 독일 등에서도 선부의 센세이셔널한 반응을 얻었다.

지난 9월 이불씨는 일본 와코로아트센터가 주최해 도쿄 스파이럴 가든에서 열린 그룹전에서 구슬로 주렁주렁 장식한 작가 자신의 사진이 터친 대형 풍선작품을 선보여 파격적인 작품세계를 다시한번 과시하기도 했다. 이 작품은 바닥에 12m짜리 대형 풍선을 깔고 관람객들이 퍼포르처럼 형상을 만들어가도록 고안한 것, 풍선이 조금씩 부풀어지자 요런스럽게 칭찬한 다소 '그로테스크'한 작가의 모습이 서서히 드러난다. 숨겨의 팽창해 놓은 때 구멍에 트럼펫을 물고 공기를 빼내면서 재미있는 소리가 나도록 연출한 점도 이색다운 발상이다. "하루에 적게는 100여명, 많게는 300여명이나 참여해 출품한 중 관객을 가장 많이 동원한 작품이다"고 작가는 자랑했다.

이불씨는 서울 시내가 훤하게 내려다 보이는 부촌인 성북동의 2층 '저택'에 작업실을 차려놓고 작품구상에 몰두하고 있다. 한 후원자가 마련해주었다는 이 집은 규모만큼은 딱 그대로 저택의 수준이다. 겉보기엔 낡았지만 안으로 들어가면 온통 흰색으로 칠해져 있고, 작업하기 편

▲〈화엄〉

"신체의 외미와 시간의 한계성 등에 관심이 많았기 때문에 살아나는 물체를 작품에 이용하고 싶었어요. 편저음에는 사람을 생각했어요. 그러다가 무연히 생선가게 앞으로 지나갔는데 생선의 모양이나 번쩍거리는 비늘봉지 참 예쁘게 느껴지더군요."

하도록 널찍널찍하게 개조돼 있었다. 식구는 예술의 길을 함께 걷고 있는 남편과 뿜을 큰 개 몇마리. 후배들이 수시로 드나들면서 작업을 도와주기도 한다.

그로테스크한 작품만 염두에 둔 사람이라면 발랄하고 쾌활한 작가의 모습에서 신선한 충격을 느낄런지도 모른다. 그의 집 구석구석에 흩어져 있는 옛작품들과 한창 제작중인 작품의 제조꾸러미들이 왕성한 창작열을 단적으로 드러낸다. 작업실 한쪽 벽면 전체에는 올해 발과 내년중에 발표될 작품들의 아이디어 밑그세치와 스케을 표로 도배돼 있다.

"관람객들에게 시각적인 충격과 복잡미묘한 반응을 둘이 일으키고 싶다"는 이 젊은 예술가가 우리에게 던지로 뜨다는 '충격'은 무엇일까. 그글을 조금은 아슬아슬한 기분으로 기다린다.

오애리

61년 서울생. 91년 문화일보에 입사, 문화부에서 체육문화, 방송, 영화 담당을 거쳐 현재 미술 분야의 기사를 쓰고 있다.

부록
Appendices

작가 소개

작가 이불은 1964년 태어나 서울에서 성장했다. 유신 체제 시절 반체제 활동을 한 부모를 둔 작가는 한국 사회의 정치 변혁, 급속한 산업화 그리고 후기 식민주의 근대화를 목도하며 자랐다. 1987년 홍익대학교 조소과를 졸업한 뒤로 동료 작가들과 소그룹 '뮤지엄'을 결성해 작품 활동을 벌이는 한편, 전위 계열의 행위예술가들과 더불어 전시장, 극장, 거리 등지에서 주도적으로 구성하고 소개한 일련의 퍼포먼스는 그를 기존 미술 범주에 속하지 않는 작가로 각인시킨다.

1988년 서울 일갤러리에서 열린 첫 개인전에서 새로운 형식과 태도를 가진 조각과 퍼포먼스 <갈망>을 발표하며 본격적인 활동을 시작하였다. 이후 예술에서 장르나 기존 사고의 경계를 넘나드는 다수의 활동을 통해 자신만의 미술 언어를 만들어나가기 시작한다. 이불의 초기 활동을 설명할 때, 빼놓을 수 없는 주요 작품인 <낙태>(1989, 1990)와 <수난유감—내가 이 세상에 소풍 나온 강아지 새끼인 줄 아느냐?>(1990) 등도 이 시기에 발표되었다. 솜, 천, 그리고 시퀸 등 일상적이고 부드러운 재료로 만들어진 조각들은 인체의 부분이나 유기적인 덩어리들이 이어져서 새로운 형태를 구축한다. 동시에 사람이 조각을 직접 입고 만드는 즉흥적인 움직임과 소리는 '소프트 조각'의 개념을 구체화시킨다. 이와 같은 이후 잘 알려진 <사이보그>(1997–현재)를 비롯한 여러 조각에서 다양하게 변주한다. 한편, <물고기의 노래>(1990), <아토일렛 II>(1990), <도표를 그리다 III>(1992), <웃음>(1994) 등 초기 활동의 주요 작품들은 여성을 재현하고 인지하는 전형성을 다루면서 동시에 기존의 의미를 희석하고 새로운 여성상의 창조로 나아가는 일련의 실험적 퍼포먼스다. 이와 같은 초기 활동에서 작가는 자신의 몸을 포함한 포괄적인 의미의 신체를 작품의 주재료이자 동시에 미학적이고 정치적인 장으로 다루었다.

뉴욕 현대미술관 《프로젝트》 전시에 초대된 1997년은 작가에게 중요한 한 해였다. 1991년 시작된 이후 여러 전시에서 다양한 설치 형식을 통해 진화를 거듭한 <장엄한 광채>(1997)는 전시장을 가득 매운 악취로 인해 개막도 하기 전에 주최 측에 의해 철거되었다. 미술관 인근 호텔로 옮겨져 보관 중이던 작품을 직접 본 큐레이터 하랄트 제만은 이 작품을 제4회 리옹비엔날레에 초청해 작품의 원래 의도를 고스란히 전달하는, 전시 기간 동안 생선이 서서히 부패해가는 과정을 보여주는 설치를 감행한다. 작품은 남성중심의 예술 제도를 둘러싼 안과 밖, 시각 언어가 가진 미학적 권위, 반짝이는 표면에 둘러 쌓인 삶의 유한성, 그리고 죽음에 대한 제의 등의 개념을 관통한다.

같은 시기 이불이 약 4년의 시간에 걸쳐 발표한 모뉴먼트 연작은 <I Need You(모뉴먼트)>(1996)와 <히드라(모뉴먼트)>(1997–1999)라는 제목으로 다수의 전시에서 소개된다. 관객들의 적극적인 참여를 통해서만 완성되는 이 작품의 형태적 특성은 이불의 초기 퍼포먼스가 지닌 성격의 연속선에서 이루어진다. 거대한 구조물에 인쇄된 작가의 초상은 초기 활동의 완성형과도 같은 여성 이미지이며, 미술관이라는 공공의 장소에서 함께 구축하는 기념비는 부드럽고 무너지기 쉬운 반기념비적 성질을 가진 또 다른 '소프트 조각'이다. 이 작품은 《Cities on the Move》(1997–1999)를 통해 3년간 7개 도시를 순회하며 전세계의 다양한 관객들과 조우한다. 이듬해 뉴욕 솔로몬 R. 구겐하임 미술관의 휴고보스상 후보에 올라 《휴고보스상 1998》 전시에 참여한다. 또한 1999년에는 제48회 베니스비엔날레 본 전시와 더불어 한국관 대표로 소개되었고 <속도보다 거대한 중력>(1999), <아마추어>(1999)로 특별상을 수상했다. 새로운 세기의 시작과 더불어 이불은 자신만의 미술 언어인 소프트 조각 개념을 성장시킨 초기 퍼포먼스 활동을 마무리하고 미술의 조형언어를 통해 유토피아와 근대성을 질문하는 다음 시기로 이행해나간다.

1998년 아트선재센터는 국내 기관으로는 최초로 이불 개인전을 개최해, 성형수술에 사용하는 의학용 실리콘을 캐스팅하여 백색 페인트를 입힌 작품 <사이보그 W1–W4>(1998)를 선보였다. 인체 돌연변이로부터 개념을 확장해 나간 <몬스터> 연작(1998/2011)과 <아나그램> 연작(1999–현재) 등은 식물이나 곤충의 유기적 구조를 가져와 미래 종의 진화를 그린다. 2001년에는 샌프란시스코 아트 인스티튜트, 필라델피아 패브릭 워크숍&뮤지엄과의 협업으로 노래방 프로젝트를 발전시켰고, <Live Forever>(2001)는 뉴욕 뉴뮤지엄(2002), 호주 현대미술관(2004–2005)을 순회한다. 뉴플리머스 고벳브루스터 미술관 개인전에서 처음 시작한 <나의 거대 서사> 연작(2005–현재)은 현대적 건축 유산을 향한 이불의 열정을 드러낸다. 이 시기부터 시작한 새로운 작품들은 미처 실현하지 못한 유토피아적 도시 환경의 완벽성을 꿈꾸듯 건축적 환경을 점유하며 확장된 작가의 시각 언어를 보여준다. 2007년 파리 까르띠에 현대미술재단의

어둡고도 매혹적인 공간에서 선보인 대규모 설치 작업은 물리적이면서
개념적으로 작품을 둘러싼 환경과의 경계를 지우는 시도였다.
이 시기 소개한 <새벽의 노래(오바드)>(2007), <브루노 타우트
이후>(2007–현재), <스탄바우>(2006–현재), <천지>(2007),
<벙커(M.바흐친)>(2007/2012) 등은 유토피아적 상상력과 한국의
근대사를 직조하며, 추후 이어진 다수의 전시에 모티프를 제공한다.

2012년 아시아 여성 작가이자 한국 작가로는 유일하게 도쿄
모리미술관에서 회고전을 개최한다. 20여 년간의 작품 활동을
돌아보는 전시에서 최초로 시도된 "스튜디오 섹션"은 이불의 창의적인
작품 세계를 관통하는 드로잉, 스터디와 각종 모형을 보여주었다.
유사한 맥락에서 같은 해 열린 아트선재센터에서의 두 번째
개인전에서는 조각적으로 구현된 거친 환경 설치 위에 2000년대
이후부터의 작업 전반을 뒷받침하는 유토피안 혹은 미래파 모더니즘을
제시하는 작품들을 함께 소개한다.

2014년 현대자동차와 국립현대미술관의 커미션 프로젝트에
초대된 이불은 <나의 거대 서사>의 연장선상에 있는 신작 <태양의
도시 II>(2014)와 <새벽의 노래 III>(2014)를 선보였다. 33미터 길이의
전시 공간을 거울로 덮은 작품은 가장자리, 경계, 소실점이 모두 부재한
공간의 무한한 확장을 보여주었다. 이러한 규모의 감각은 제20회
시드니비엔날레에서 처음 소개된, 1937년 힌덴부르크 참사와 기술
실패를 다룬 작품 <Willing To Be Vulnerable>(2015–2016)에서
또 다른 층위로 발전된다. 은박지로 제작해 거대한 초현실적 기념비의
형상을 한 이 비행선은 스테파니 로젠탈이 기획한 작가의 30년을
회고하는 영국 런던 헤이워드 갤러리 대규모 회고전(2018)과 베를린
그로피우스 바우에서의 개인전(2018–2019)에서도 소개되었다.
이불은 이 전시에서 2014년 세월호 사건을 조명한 신작 <Scale of
Tongue>(2017–2018)도 함께 발표했다.

2019년 작가는 국가와 인류 문화예술 발전에 기여한
한국인에게 시상하는 '호암상(예술상)'을 받았고, 2014년에는 제10회
광주비엔날레의 전시 주제에 부합하는 실험적 작품을 창작한 작가에게
수여하는 '눈 예술상'을 수상한 바 있다.

2020년 상트페테르부르크 마네지 중앙전시관에서 개최된
전시에서 작가는 러시아 구성주의, 아방가르드 미술과 건축 개념을
가져온 2005년 이후의 환경 설치, 건축 조각, 스터디, 드로잉 작품들을
러시아 아방가르드 작품들과 함께 소개한다. 이와 비슷한 시기에
개최한 2021년 서울시립미술관의 개인전 《이불―시작》은 조각가로서
사회적이고 미학적인 표명을 드러낸 작가의 초기 10여 년 동안의 예술
실천을 되짚어본다.

그의 작품은 현재 서울시립미술관, 대구미술관, 국립현대미술관,
리움 삼성미술관, 아트선재센터, 아모레퍼시픽미술관, 일본 가나자와
21세기 현대미술관, 도쿄 모리미술관, 홍콩 M+미술관, 호주
멜버른 빅토리아 국립미술관, 룩셈부르크 무담 현대미술관, 캐나다
국립미술관, 미국 뉴욕 솔로몬 R. 구겐하임미술관, 로스앤젤레스
현대미술관, 미니애폴리스 워커아트센터, 영국 런던 테이트모던,
대영박물관 등 세계 유수 미술관에 소장되어 있다.

Biography

Born in 1964 to parents who were persecuted as dissidents under a military dictatorship, Lee Bul came of age in Seoul during a period of political upheaval and rapid economic transformation. After graduating in 1987 from Hongik University, Seoul, with a bachelor's degree in sculpture, she became active in the underground art circuit as a key member of a loose collective of artists, performers and musicians ironically named MUSEUM. Active for a few years until the early 90s, the group's idiosyncratic sensibilities left an outsize imprint on contemporary Korean art. Freely crossing beyond the conventional art scene, Lee put on improvisational performances at various public sites including the streets, earning a reputation as a distinctly radical artist.

At her first solo exhibition in 1988 at IL Gallery, Seoul, Lee debuted her soft sculptures and a related performance titled *Cravings,* the impact of which led to participation in numerous exhibitions and programs across diverse artistic genres. This period also saw the presentation of *Abortion* (1989, 1990) and *Sorry for suffering–You think I'm a puppy on a picnic?* (1990), key performance works in her early oeuvre. Lee's wearable soft sculptures, visually extravagant yet constructed of soft, ordinary materials, constituted a densely layered and fragmented morphology—permutations of which are evident in later works such as the *Cyborgs* and *Anagrams* series.

The year 1997 was a pivotal one for the artist: the Museum of Modern Art (MoMA), New York, invited Lee Bul to create her signature installation of decomposing fish adorned with sequins for the museum's Projects gallery. *Majestic Splendor* (first shown in a 1991 group exhibition at Jahamoon Gallery, Seoul) featured intricately decorated fish in clear Mylar bags arrayed in a minimalist grid, accompanied, in the MoMA iteration, by a refrigerated vitrine housing a biomorphic sculpture of artificial hair, sequined fish and lilies, all encased in golden mesh. The show was brought to a premature close, however, amid uproar over the work's odor; and the vitrine was shunted to a makeshift storage in a defunct hotel nearby. It was there that the legendary European curator Harald Szeemann viewed the work and decided to restage it in his Lyon Biennale that year, where it was presented—as the artist intended, with the odor of decay and all—to critical acclaim.

Around this time, Lee began working on a new series of giant inflatable sculptures that invited audience participation as a means to critically enact the collective process and ideology of monument-building. *I Need You (Monument)* (1996) and *Hydra (Monument)* (1997–1999) bore images of the artist as a composite of various female personas portrayed in her performances. A centerpiece of the groundbreaking exhibition *Cities on the Move* (1997–1999), curated by Hans Ulrich Obrist and Hou Hanru, *Hydra (Monument)* (1997) travelled to seven different cities around the globe, bringing the artist heightened international visibility.

Lee Bul's global stature was further cemented with her selection as a finalist for the 1998 Hugo Boss Prize by the Guggenheim Museum, New York, where she unveiled the first examples of her white *Cyborgs*, ghostly hybrids of machine and organic forms cast in silicone. The following year, they were included in *dAPERTutto,* the international exhibition curated by Harald Szeemann at the 1999 Venice Biennale; Lee also represented her nation in the Korean Pavilion, which she turned into a hugely popular karaoke installation—equal parts funhouse and death chamber—for which she was recognized with a *Menzione d'Onore.*

In 1998, the Art Sonje Center, Seoul, hosted Lee's first solo institutional exhibition in Korea, juxtaposing the spectral *Cyborgs W1–W4* (1998) with *Monster: Black* and *Monster: Pink* (both 1998, reconstructed 2011), two works which recalled her earlier soft sculptures while looking forward to her subsequent *Anagrams* series (1999–present), where the trope of the cyborg takes on elaborate, aberrant manifestations—of flora, insect, and machine—with a nod to surrealist antecedents as well as the dystopian worlds of speculative fiction and film.

In 2001, a multi-institution production between the San Francisco Art Institute and the Fabric Workshop and Museum, Philadelphia, offered Lee the opportunity to expand on her karaoke installation, resulting in *Live Forever* (2001), comprising three sleek, pod-like vessels, each a hermetic enclosure designed to accommodate a single supine singer—at once a futurist space capsule and a high-tech sarcophagus. From 2001 to 2003, a solo exhibition developed around this work travelled to eight North American institutions, including the New Museum of Contemporary Art, New York, and The Power Plant, Toronto. *Live Forever* was also prominently featured in a more comprehensive solo show in 2004 at the Museum of Contemporary Art (now the Museum of Contemporary Art Australia) in Sydney.

An artistic residency and exhibition in 2005 at the Govett-Brewster Art Gallery, New Plymouth, New Zealand, marked the beginning of Lee's aesthetic inquiry into the ruins of recent history, in particular the fractured tropes and narratives of utopian modernity. She embarked on an ambitious series of sculptures and related works on canvas and paper under the rubric *Mon grand récit*—a self-conscious tweaking of the term made famous by Jean-François Lyotard. In 2007, Fondation Cartier pour l'art contemporain, Paris, mounted a large-scale presentation of the major sculptural works—including *Heaven and Earth* (2007), *Aubade* (2007), *Bunker (M. Bakhtin)* (2007/2012), and early examples of *Sternbau* (2006–present). In her recent practice, Lee has continued to expand upon this imaginative topography of utopian aspirations and failures, or what she sees as "melancholic traces of the collapse and disintegration of progressivist projects to reinvent the world."

In 2012, the Mori Art Museum, Tokyo, organized a comprehensive mid-career survey of the artist. Lee Bul became the first female Asian artist, and the first Korean artist, to be given such treatment by the museum. A retrospective covering over two decades, the exhibition devoted a section to the recreation of one of Lee's studio spaces, complete with various studies, maquettes, and other preparatory material offering a glimpse into the mental process behind the finished works. Later the same year, the studio recreation was restaged by the artist as a fully realized installation for her second solo show at the Art Sonje Center, Seoul—her return to the museum fourteen years after her first major institutional show there.

In 2014, Lee was selected for the inaugural MMCA Hyundai Motor Series, jointly initiated by the Hyundai Motor Company and the National Museum of Modern and Contemporary Art, Korea. For this commissioned project, she filled a vast 33-meter-long gallery with an installation of fragmented mirrored floor and lighting titled *Civitas Solis II*. The impression was of an expanding space without borders or vanishing point. This sense of scale which unsettles the sensory capacity was also deployed in *Willing to Be Vulnerable* (2015–2016), first presented at the Biennale of Sydney in 2016. The surreal, monumental Zeppelin-esque inflatable of silvery Mylar, alluding to the Hindenburg disaster and the inexorable fallibility of technology, also hovered over the exhibition spaces at the Hayward Gallery, London, and the Gropius Bau, Berlin, both in 2018, as part of Lee's thirty-year retrospective curated by Stephanie Rosenthal.

For an exhibition in 2020 organized by the Manege Central Exhibition Hall in St. Petersburg, Russia, Lee Bul brought together works produced after 2005—immersive installations, architectural sculptures, studies and drawings—that continued her engagement with the historical avant-garde in art and architecture, and exhibited them alongside iconic archival works by the Russian avant-garde and Constructivists.

The present exhibition, *Lee Bul: Beginning,* at the Seoul Museum of Art in 2021 is the first institutional survey of the artist's earliest work. By revisiting the formative first decade of her practice, it seeks to shed light on the social and aesthetic dimensions of Lee's art at their critical moment of emergence.

Notable among the many honors Lee Bul has received are: the Ho-Am Prize in the Arts (2019), established by Kun-Hee Lee, the late Chairman of Samsung, to recognize individuals who have "furthered the welfare of humanity through distinguished accomplishments in their respective professional fields"; Officier, Ordre des Arts et des Lettres (2016), presented by the Ministry of Culture, France; and the Noon Award (2014), presented by the Gwangju Biennale Foundation to an established artist from that year's edition of the Biennale "whose work particularly embodies its spirit and theme."

Lee Bul's work is held in prominent public collections throughout the world, including: Solomon R. Guggenheim Museum, New York; Los Angeles County Museum of Art; Walker Art Center, Minneapolis; Tate Modern, London; British Museum, London; Musee d'Art Moderne Grand-Duc Jean, Luxembourg; National Gallery of Canada, Ottawa; National Gallery of Victoria, Melbourne; M+, Hong Kong; Mori Art Museum, Tokyo; 21st Century Museum of Contemporary Art, Kanazawa; National Museum of Modern and Contemporary Art, Seoul; Leeum, Samsung Museum of Art, Seoul; Amorepacific Museum of Art, Seoul; Daegu Art Museum; and Seoul Museum of Art.

전시 목록
Exhibitions 1986–1999

개인전 / Solo Exhibitions

1988

《점점 더-그, 그것은》, 일갤러리, 서울, 1988.9.10.–9.18.
Step by Step, Th-that's, IL Gallery, Seoul, September 10 – 18

1998

《이불》, 아트선재센터, 서울, 1998.10.16.–11.15.
Lee Bul, Art Sonje Center, Seoul, October 16 – November 15

1999

《이불》, 쿤스트할레 베른, 1999.2.6.–3.28.
Lee Bul, Kunsthalle Bern, February 6 – March 28

이인전 / Two-Person Exhibitions

1994

《용서받지 못한》, A 스페이스, 토론토, 1994.11.5.–12.17.
Unforgiven, A Space, Toronto, November 5 – December 17

1997

《프로젝트 57: 이불/치에 마쓰이》, 뉴욕 현대미술관, 1997.1.23.–3.25.
Projects 57: Bul Lee/Chie Matsui, Museum of Modern Art, New York, January 23 – March 25

1999

《이불, 노상균》, 제48회 베니스비엔날레 한국관, 1999.6.12.–11.7.
Lee Bul, Noh Sang-kyoon, The Korean Pavilion, 48th Venice Biennale, June 12 – November 7

단체전 / Group Exhibitions

1986

《홍익대학교 조소과 야외조각전》, 홍익대학교, 서울
Hongik Oudoor Sculpture Exhibition, Hongik University, Seoul

1987

《뮤지엄》(뮤지엄 창립전), 관훈미술관, 서울, 1987.2.11.–2.17.
MUSEUM (the inaugural MUSEUM exhibition), Kwanhoon Gallery, Seoul, February 11 – 17

《제18회 홍익조각회전》, 한국문화예술진흥원 미술회관, 서울, 1987.4.3.–4.8.
18th Hongik Sculpture Association Exhibition, Korean Culture and Arts Foundation, Seoul, April 3 – 8

《시점과 시점》, 바탕골미술관, 서울, 1987.4.24.–4.30.
Time Point and Visual Point, Batang Gol Museum, Seoul, April 24 – 30

《Print Concept》(두 번째 뮤지엄 전시), P&P 갤러리, 서울, 1987.6.3.–6.9.
Print Concept (the second MUSEUM exhibition), P&P Gallery, Seoul, June 3 – 9

《MUSEUM III》(세 번째 뮤지엄 전시), 수화랑, 서울, 1987.8.18.–8.24.
MUSEUM III (the third MUSEUM exhibition), Soo Gallery, Seoul, August 18 – 24

1988

《제19회 홍익조각회전》, 한국문화예술진흥원 미술회관, 서울, 1988.3.18.–3.23.
19th Hongik Sculpture Association Exhibition, Korean Culture and Arts Foundation, Seoul, March 18 – 23

《시점과 시점전 II》, 바탕골미술관, 서울, 1988.3.18.–3.24.
Time Point and Visual Point II, Batang Gol Museum, Seoul, March 18 – 24

《U. A. O. (Unidentified Art Object)》, 금강 르느와르 아트홀, 서울, 1988.5.2.–5.21.
U. A. O. (Unidentified Art Object), Renoir Art Hall, Seoul, May 2 – 21

《Anti-Idea》, 토탈미술관, 서울, 1988.11.4.–11.10.
Anti-Idea, Total Museum of Contemporary Art, Seoul, November 4 – 10

1989

《'89 청년작가전》, 국립현대미술관, 과천, 1989.3.26.–4.23.
The Korean Young Artists Biennial, National Museum of Modern and Contemporary Art, Gwacheon, Korea, March 26 – April 23

《제20회 홍익조각회전》, 서울시립미술관, 1989.4.19.–4.25.
20th Hongik Sculpture Association Exhibition, Seoul Museum of Art, April 19 – 25

《예술과 행위 그리고 인간 그리고 삶 그리고 사고 그리고 소통》, 나우갤러리, 서울, 1989.7.7.–7.17.
Art-Action-Human-Life-Thinking-Mutual-Understanding, Now Gallery, Seoul, July 7 – 17

《미술과 음악, 시 그리고 춤의 만남》, 제4회 창무 큰 춤판, 조선일보 미술관, 서울, 1989.8.23.–9.8.
Encounters of Arts, Music, Poetry and Dance, 4th ChangMu Dance Festival, Chosun Ilbo Gallery, Seoul, August 23 – September 8

《제1회 한·일 행위예술제》, 동숭아트센터 로비 소극장, 서울, 1989.10.26.–10.30.
1st Korea-Japan Performance Festival, Lobby Theater, Dongsoong Art Center, Seoul, October 26 – 30

《현대미술세미나》, 송광사, 대전
Modern Painting Seminar, Songgwangsa Temple, Daejeon, Korea

1990

《동숭아트센터 개관 1주년 기념축제》, 동숭아트센터 소극장, 서울, 1990.3.8.–3.31.
1st Anniversary Festival, Dongsoong Art Center Theater, Seoul, March 8 – 31

《Tokyo–Seoul Traffic》, K 갤러리, 도쿄, 1990.4.2.–4.7.
Tokyo–Seoul Traffic, K Gallery, Tokyo, April 2 – 7

《4.19》, Pub Hof Rush, 서울, 1990.4.19.
4.19, Pub Hof Rush, Seoul, April 19

《한국 설치미술제》, 토탈미술관, 장흥, 경기도, 1990.5.–6.
Korean Installation Art Festival, Total Museum of Contemporary Art and Sculpture Park, Jangheung, Gyeonggi Province, Korea, May – June

《'90 행위예술제》, 공간 소극장, 서울, 1990.5.
1990 Performance Festival, Space Theater, Seoul, May

《일렉트로닉 카페 프로젝트: 웃음》, 로스앤젤레스; 서울, 1990.9.17.
Electronic Café Project: Laugh, Los Angeles; Seoul, September 17

《선데이 서울》, 소나무갤러리, 서울, 1990.10.
Sunday Seoul, Sonamu Gallery, Seoul, October

《제2회 일·한 행위예술제》, 도키와자 극장, 도쿄,
1990.11.5.-11.11.
2nd Japan and Korea Performance Festival,
Tokiwaza Theater, Tokyo, November 5 – 11

1991

《제2회 교감예술제》, 장안공원, 수원화성, 1991.5.5.
2nd COM-ART Show, Jangan Park, Suwon
Hwaseong Fortress, Korea, May 5

《비무장지대 예술문화운동작업》, 예술의전당, 서울,
1991.6.19.-6.29.
DMZ: Art and Cultural Movement, Seoul Arts
Center, June 19 – 29

《국제자연미술전》, 금강, 자연미술의 집, 공주,
1991.7.14.-11.20.
Geumgang International Nature Art Exhibition,
Geumgang River, Nature Art House, Gongju, Korea,
July 14 – November 20

《설거지》, 소나무갤러리, 서울, 1991.9.17.-10.30.
Dish Washing, Sonamu Gallery, Seoul,
September 17 – October 30

《혼돈의 숲에서》, 자하문미술관, 서울,
1991.9.17.-10.30.
At the Forest of Chaos, Jahamoon Gallery, Seoul,
September 17 – October 30

《바이오 인스톨레이션》, 오존, 서울,
1991.12.19.-12.23.
Bio Installation, Space Ozone, Seoul,
December 19 – 23

1992

《귀의 해》, 라이브하우스 난장, 서울, 1992.8.28.-8.29.
Year of Ears, Live House Nanjang, Seoul,
August 28 – 29

《다이어트》, 갤러리사각, 서울, 1992.9.4.-9.17.
Diet, Gallery Sagak, Seoul, September 4 – 17

1993

《서울플럭서스 페스티벌》, 예술의전당, 서울,
1993.3.3.-3.6.
The SeOUL OF FLUXUS, Seoul Arts Center,
March 3 – 6

《성형의 봄》, 덕원갤러리, 서울, 1993.3.16.-3.23.
Plastic Spring, Duk Won Gallery, Seoul,
March 16 – 23

《Conversation》, 프로토극장, 도쿄
Conversation, Proto Theater, Tokyo

《Impromptu Amusement》, 구니타치 아트홀, 도쿄
Impromptu Amusement, Kunitachi Art Hall, Tokyo

《우리의 이야기 II》, 바탕골미술관, 서울,
1993.8.20.-8.26.
Herstory II, Batang Gol Museum, Seoul,
August 20 – 26

《제1회 아시아퍼시픽 현대미술 트리엔날레》,
퀸즐랜드 주립미술관, 브리즈번, 1993.9.17.-12.5.
1st Asia-Pacific Triennial of Contemporary
Art, Queensland Art Gallery, Brisbane,
September 17 – December 5

1994

《여성, 그 다름과 힘》, 한국미술관, 서울; 한국갤러리,
용인, 1994.3.26.-4.25.
Woman, The Difference and the Power, Hankuk
Art Museum, Seoul; Hankuk Gallery, Yongin,
Korea, March 26 – April 25

《이런 미술-설거지》, 금호미술관, 서울,
1994.5.24.-6.1.
This Kind of Art-Dish Washing, Kumho Museum
of Art, Seoul, May 24 – June 1

《제2회 내일에의 제안-차세대의 시각》, 예술의전당,
서울, 1994.7.5.-7.16.
2nd Vision of the Next Generation, Seoul Arts
Center, July 5 – 16

《기술과 정보 그리고 환경의 미술》, 대전엑스포
재생조형관, 1994.8.7.-1995.8.6.
Art of Technology, Environment & Information,
Recycling Art Pavilion, Expo Science Park,
Daejeon, Korea, August 7, 1994 – August 6, 1995

《제3회 대전 국제트리엔날레》, 현대화랑, 대전,
1994.8.24.-9.7.
3rd Daejeon International Triennial, Hyundai
Gallery, Daejeon, Korea, August 24 – September 7

명동 비포 빌딩, 서울
Before Building, Myeongdong, Seoul

1995

《신체와 인식》, 한국문화예술진흥원 미술회관, 서울,
1995.5.19.-6.7.
Body and Recognition, Korean Culture and Arts
Foundation, Seoul, May 19 – June 7

《싹》, 아트선재센터 건립부지, 서울, 1995.5.19.-8.20.
Ssack, Art Sonje Center (pre-construction site),
Seoul, May 19 – August 20

《새로운 아시아 미술전-1995: 중국, 한국,
일본》, 기린플라자, 오사카, 1995.7.20.-8.3.;
일본국제교류포럼, 도쿄, 1995.8.23.-9.5.
New Asian Art Show-1995: China Korea
Japan, Kilin Plaza, Osaka, July 20 – August 3;
The Japan Foundation Forum, Tokyo,
August 23 – September 5

《한국현대미술의 오늘》, 제1회 광주비엔날레,
1995.9.20.-11.20.
Korean Contemporary Art, 1st Gwangju Biennale,
September 20 – November 20

《제6회 트리엔날레 클라인플라스틱》,
수드베스트 란데스방크 포럼, 슈투트가르트,
1995.10.14.-1996.1.14.
6. Triennale Kleinplastik 1995: Europa-Ostasien,
Südwest LandesBank Forum, Stuttgart,
October 14, 1995 – January 14, 1996

《정보와 현실》, 프루트마켓 미술관, 에딘버러,
1995.10.28.-12.2.
Information and Reality, Fruitmarket Gallery,
Edinburgh, October 28 – December 2

《'95 한국여성미술제》, 서울시립미술관,
1995.12.13.-12.31.
Korean Women Artists' Festival 1995, Seoul
Museum of Art, December 13 – 31

《Mium Wanbo》, 청남아트갤러리, 서울
Mium Wanbo, Cheong Nam Art Gallery, Seoul

1996

《Join Me!》, 스파이럴/와코루 아트센터, 도쿄,
1996.9.10.-9.23.
Join Me!, Spiral/Wacoal Art Center, Tokyo,
September 10 – 23

《Arcos da Lapa》, 리우 데 자네이루, 브라질;
그르노블, 프랑스, 1996.11.
Arcos da Lapa, Rio de Janeiro; Grenoble,
France, November

1997

《타자》, 제4회 리옹비엔날레, 1997.7.9.-9.24.
L'autre, 4th Biennale de Lyon, July 9 –
September 24

《619 KBB 75》, 파리, 안시, 프랑스; 제네바; 베를린,
1997.9.15.-1998.10.10.
619 KBB 75, Paris, Annecy, France; Geneva;
Berlin, September 15, 1997 – October 10, 1998

《Fast Forward: 대한민국 미술 현장의 활기》,
파워플랜트 현대미술관, 토론토, 1997.9.26.-12.21.
Fast Forward: The Vibrant Art Scene of the
Republic of Korea, The Power Plant Contemporary
Art Gallery, Toronto, September 26 – December 21

《Cities on the Move》, 제체시온, 비엔나,
1997.11.26.-1998.1.18.
Cities on the Move, Secession, Vienna,
November 26, 1997 – January 18, 1998

1998

《Traffic Jam》, 뷰로 프리드리히, 베를린,
1998.1.–1999.5.
Traffic Jam, Büro Friedrich, Berlin, January
1998 – May 1999

《Cities on the Move 2》, 보르도 현대미술관(CAPC),
1998.6.4.–8.30.
Cities on the Move 2, CAPC Musée d'art
contemporain de Bordeaux, June 4 – August 30

《휴고보스상 1998》, 구겐하임 미술관 소호, 뉴욕,
1998.6.24.–9.20.
Hugo Boss Prize 1998, Guggenheim Museum
Soho, New York, June 24 – September 20

《The Natural World》, 밴쿠버 아트갤러리,
1998.10.10.–1999.1.24.
The Natural World, Vancouver Art Gallery,
October 10, 1998 – January 24, 1999

《Cities on the Move 3》, P.S.1 현대미술센터
(현 MoMA PS1), 뉴욕, 1998.10.18.–1999.1.10.
Cities on the Move 3, P.S.1 Contemporary
Art Center (curently MoMA PS1), New York,
October 18, 1998 – January 10, 1999

《사라예보 2000》, 루드비히 재단 현대미술관,
비엔나, 1998.10.27.–1999.1.10.
Sarajevo 2000, Museum Moderner Kunst
Stiftung Ludwig Wien, October 27, 1998 –
January 10, 1999

《느림》, 빅토리아 국립미술관, 멜버른, 1998.11.13.–
1999.2.22.; 뉴사우스웨일즈 주립미술관, 시드니,
1999.5.15.–7.4.
Slowness of Speed, National Gallery of Victoria,
Melbourne, November 13, 1998 – February 22,
1999; Art Gallery of New South Wales,
Sydney, May 15 – July 4, 1999

1999

《Cities on the Move 4》, 루이지아나 현대미술관,
훔레백, 덴마크, 1999.1.29.–4.21.
Cities on the Move 4, Louisiana Museum
of Modern Art, Humlebaek, Denmark,
January 29 – April 21

The Balloon Art Festival 《Hot Air》, 그랜쉽 센터,
시즈오카, 일본, 1999.4.16.–4.25.
Hot Air, The Balloon Art Festival, Granship
Center, Shizuoka, Japan, April 16 – 25

《Cities on the Move 5》, 헤이워드 갤러리, 런던,
1999.5.13.–6.27.
Cities on the Move 5, Hayward Gallery, London,
May 13 – June 27

《dAPERTutto》, 제48회 베니스비엔날레,
1999.6.13.–11.17.
dAPERTutto, 48th Venice Biennale,
June 13 – November 17

《La casa, il corpo, il cuore》, 루드비히 재단
현대미술관, 비엔나, 1999.6.24.–10.10.
La casa, il corpo, il cuore, Museum
Moderner Kunst Stiftung Ludwig Wien,
June 24 – October 10

99 여성미술제 《팥쥐들의 행진》, 예술의전당,
서울, 1999.9.4.–9.27.
Patjis on Parade, Women's Art Festival 99,
Seoul Arts Center, September 4 – 27

《Cities on the Move 6》, 실파곤대학교 회화, 조각,
그래픽 예술학부 미술관, 방콕, 1999.10.9.–10.30.
Cities on the Move 6, Art Gallery, Faculty of
Painting Sculpture and Graphic Arts, Silpakorn
University, Bangkok, October 9 – 30

《Der anagrammatische Körper》, 뮈리츠 미술관,
뮈리츠슐라크, 오스트리아, 1999.10.9.–2000.2.27.
Der anagrammatische Körper, Kunsthaus
Muerz, Mürzzuschlag, Austria, October 9,
1999 – February 27, 2000

《Cities on the Move 7》, 키아스마 현대미술관,
헬싱키, 1999.11.5.–2000.1.9.
Cities on the Move 7, Museum of Contemporary
Art Kiasma, Helsinki, November 5, 1999 –
January 9, 2000

《Zeitwenden》, 독일연방공화국 현대미술관,
1999.12.4.–2000.4.30.; 본 미술관,
1999.12.4.–2000.6.4.
Zeitwenden, Kunst- und Ausstellungshalle
der Bundesrepublik Deutschland, December 4,
1999 – April 30, 2000; Kunstmuseum Bonn,
December 4, 1999 – June 4, 2000

퍼포먼스 목록
Performances

<갈망>, 1988.9., 《점점 더-그, 그것은》, 일갤러리, 서울 (두 번의 퍼포먼스)
Cravings, September 1988, *Step by Step, Th-that's*, IL Gallery, Seoul (Performed twice)

<갈망>, 1988, 장흥, 경기도
Cravings, 1988, Jangheung, Gyeonggi Province, Korea

<갈망>, 1989.3.25., 《'89 청년작가전》, 국립현대미술관, 과천. 퍼포머: 강승규, 이경, 이방
Cravings, March 25, 1989, The Korean Young Artists Biennial, National Museum of Modern and Contemporary Art, Gwacheon, Korea. Performers: Kang Seung-kyu, Lee Kyung, Lee Bang

제목 없음, 1989.7.16., 《예술과 행위 그리고 인간 그리고 삶 그리고 사고 그리고 소통》, 나우갤러리, 서울. 퍼포머: 이경, 윤영원
Untitled, July 16, 1989, *Art-Action-Human-Life-Thinking-Mutual-Understanding*, Now Gallery, Seoul. Performers: Lee Kyung, Yoon Yeong-won

<낙태>, 1989.10.28., 《제1회 한·일 행위예술제》, 동숭아트센터 로비 소극장, 서울. 퍼포머: 이경, 윤영원, 슈이치 치노
Abortion, October 28, 1989, 1st Korea-Japan Performance Festival, Lobby Theater, Dongsoong Art Center, Seoul. Performers: Lee Kyung, Yoon Yeong-won, Shuichi Chino

제목 없음, 1989, 《현대미술세미나》, 송광사, 대전
Untitled, 1989, *Modern Painting Seminar*, Songgwangsa Temple, Daejeon, Korea

<늦은 겨울산 발가벗고 달리기>, 1990.2.25., 한나절의 퍼포먼스, 오대산. 퍼포먼스 기획: 무세중
Running Naked in the Late Winter Mountain, February 25, 1990, half-day, Odae Mountain, Gangwon Province, Korea. Organized by Sejoong Moo

<물고기의 노래>, 1990.3., 《동숭아트센터 개관 1주년 기념축제》, 동숭아트센터 소극장, 서울. 퍼포머: 이경, 윤영원
The Song of the Fish, March 1990, 1st Anniversary Festival, Dongsoong Art Center Theater, Seoul. Performer: Lee Kyung, Yoon Yeong-won

<그녀는 나의 구원의 원천이다>, 1990.4.4., 《Tokyo–Seoul Traffic》, K 갤러리, 도쿄. 퍼포머: 노부키 야마모토. 음악: 슈이치 치노
She Is the Source of My Liberation, April 4, 1990, *Tokyo–Seoul Traffic*, K Gallery, Tokyo. Performer: Nobuki Yamamoto. Music: Shuichi Chino

제목 없음, 1990.4.19., 《4.19》, Pub Hof Rush, 서울
Untitled, April 19, 1990, *4.19*, Pub Hof Rush, Seoul

<아토일렛 II>, 1990.5., 55분, 공간 소극장, 서울
Artoilet II, May 1990, 55 minutes, Space Theater, Seoul

<재전염>, 1990.9.17., 《일렉트로닉 카페 프로젝트: 웃음》, 로스앤젤레스; 서울. 참여 퍼포머: 박혜숙 (로스앤젤레스)
Reinfection, September 17, 1990, *Electronic Café Project: Laugh*, Los Angeles; Seoul. Performance with Park Hyesook (Los Angeles)

<수난유감–내가 이 세상에 소풍 나온 강아지 새끼인 줄 아느냐?>, 1990.11.1.–11.12., 《제2회 일·한 행위예술제》, 김포공항; 나리타공항, 메이지 신궁, 하라주쿠, 오테마치역, 코간 절, 아사쿠사, 시부야, 도쿄대학교, 도키와자 극장, 도쿄
Sorry for suffering-You think I'm a puppy on a picnic?, November 1 - 12, 1990, 2nd Japan and Korea Performance Festival, Gimpo Airport, Korea; Narita Airport, Meiji Shrine, Harajuku, Otemachi Station, Koganji Temple, Asakusa, Shibuya, University of Tokyo and Tokiwaza Theater, Tokyo

<낙태>, 1990.11.10., 《제2회 일·한 행위예술제》, 도키와자 극장, 도쿄. 참여 퍼포머: 키라라 유가오, 노부키 야마모토, 슈이치 치노, 미도리 카타오카, 토시마사 후루카와, 루이 세키도
Abortion, November 10, 1990, 2nd Japan and Korea Performance Festival, Tokiwaza Theater, Tokyo. Performance at Tokiwaza Theater with Kirara Yugao, Nobuki Yamamoto, Shuichi Chino, Midori Kataoka, Toshimasa Furukawa, Rui Sekido

<24시간 × 5일>, 1991.5.5., 각 10분간, 5일동안 지속적인 행위, 《제2회 교감예술제》, 장안공원, 수원화성. 퍼포머: 슈이치 치노, 김정은, 조문경 외 2인
24 hours × 5 days, May 5, 1991, 10 minutes for 5 days, 2nd COM-ART Show, Jangan Park, Suwon Hwaseong Fortress, Korea. Performers: Shuichi Chino, Kim Jung-eun, Cho Moon-kyung, etc.

제목 없음, 1991, 《국제자연미술전》, 금강, 자연미술의 집, 공주
Untitled, 1991, *Geumgang International Nature Art Exhibition*, Geumgang River, Nature Art House, Gongju, Korea

제목 없음, 1991, 《혼돈의 숲에서》, 자하문미술관, 서울
Untitled, 1991, *At the Forest of Chaos*, Jahamoon Gallery, Seoul

제목 없음, 1991.12.19., 《바이오 인스톨레이션》, 오존, 서울
Untitled, December 19, 1991, *Bio Installation*, Space Ozone, Seoul

<도표를 그리다>, 1992.8., 《귀의 해》, 라이브하우스 난장, 서울
Diagraming, August 1992, *Year of Ears*, Live House Nanjang, Seoul

<도표를 그리다 II>, 1992.8., 《귀의 해》, 라이브하우스 난장, 서울
Diagraming II, August 1992, *Year of Ears*, Live House Nanjang, Seoul

<도표를 그리다 III>, 1992.9., 40분, 《다이어트》, 갤러리사각, 서울
Diagraming III, September 1992, 40 minutes, *Diet*, Gallery Sagak, Seoul

<Lick Piece>, 1993.3., 예술의전당 전관개관 기념공연 《서울플럭서스 페스티벌》, 예술의전당, 서울. 벤 패터슨의 1964년 스코어를 퍼포밍. 참여자: 켄 프리드만, 제프리 핸드릭스, 에릭 앤더슨, 루시 문, 천민정
Lick Piece, March 1993, *The SeOUL OF FLUXUS*, Seoul Arts Center. Performed Ben Patterson's score in 1964. Participants: Ken Friedman, Geoffrey Hendricks, Eric Andersen, Lucy Moon, Mina Cheon

<Conversation>, 1993, 프로토 극장, 도쿄
Conversation, 1993, Proto Theater, Tokyo

제목 없음, 1993, 《Impromptu Amusement》, 구니타치 아트홀, 도쿄
Untitled, 1993, *Impromptu Amusement*, Kunitachi Art Hall, Tokyo

제목 없음, 1993.9.17., 《제1회 아시아퍼시픽 현대미술 트리엔날레》, 퀸즐랜드 주립미술관, 브리즈번
Untitled, September 17, 1993, 1st Asia-Pacific Triennial of Contemporary Art, Queensland Art Gallery, Brisbane

제목 없음, 1994.3.26., 《여성, 그 다름과 힘》, 한국갤러리, 용인
Untitled, March 26, 1994, *Woman, The Difference and the Power*, Hankuk Gallery, Yongin, Korea

<옥선>, 1994.5.24., 《이런 미술–설거지》, 금호미술관, 서울
Auction, May 24, 1994, *This Kind of Art-Dish Washing*, Kumho Museum of Art, Seoul

제목 없음, 1994.7.5., 《제2회 내일에의 제안–차세대의 시각》, 예술의전당, 서울
Untitled, July 5, 1994, *2nd Vision of the Next Generation*, Seoul Arts Center

제목 없음, 1994.8., 《기술과 정보 그리고 환경의 미술》, 대전엑스포 재생조형관
Untitled, August 1994, *Art of Technology, Environment & Information*, Recycling Art Pavilion, Expo Science Park, Daejeon, Korea

제목 없음, 1994, 《제3회 대전 국제트리엔날레》,
현대화랑, 대전
Untitled, 1994, 3rd Daejeon International
Triennial, Hyundai Gallery, Daejeon, Korea

<웃음>, 1994.11.11., 20분, 《용서받지 못한》,
A 스페이스, 토론토
Laughing, November 11, 1994, 20 minutes,
Unforgiven, A Space, Toronto

제목 없음, 1994, 명동 비포 빌딩, 서울. 퍼포머:
강라영, 진달래
Untitled, 1994, Before Building, Myeongdong,
Seoul. Performers: Kang Ra-young, Jin Dal-rae

<I Need You(모뉴먼트)>, 1996.9., 《Join Me!》,
스파이럴/와코루 아트센터, 도쿄
I Need You (Monument), September 1996, *Join Me!*,
Spiral/Wacoal Art Center, Tokyo

작품 목록
List of Illustrations

〈히드라〉, 1996/2021. 천 위에 사진 인화, 공기 펌프,
1000 × 700 cm
Hydra, 1996/2021. Photo print on fabric,
air pumps, 1000 × 700 cm diameter
pp. 4–9

퍼포먼스 사진, 1989
Performance photography, 1989
pp. 36, 44, 134

1막 / Act 1

〈갈망〉, 1988. 퍼포먼스. 《점점 더-그, 그것은》,
일갤러리, 서울
Cravings, 1988. Performance. *Step by Step,
Th-that's,* Il Gallery, Seoul
pp. 54, 56, 60–63

〈무제(갈망 레드)〉, 1988. 천, 솜, 유화 물감, 시퀸
Original version of *Untitled (Cravings Red)*,
1988. Fabric, fiberfill, oil paint, sequins
pp. 58, 60 (bottom left)

〈무제(갈망 화이트)〉, 1988. 천, 솜, 유화 물감, 시퀸
Original version of *Untitled (Cravings White)*,
1988. Fabric, fiberfill, oil paint, sequins
pp. 59, 60 (bottom right)

〈갈망〉, 1988. 야외 퍼포먼스. 장흥, 경기도
Cravings, 1988. Outdoor performance. Jangheung,
Gyeonggi Province, Korea
pp. 64–67

〈갈망〉, 1989. 퍼포먼스. 《'89 청년작가전》,
국립현대미술관, 과천
Cravings, 1989. Performance. The Korean Young
Artists Biennial, National Museum of Modern and
Contemporary Art, Gwacheon, Korea
pp. 68–75

〈무제(갈망 블랙)〉을 위한 드로잉, 2011. 종이에 먹,
아크릴릭, 120 × 80 cm (138 × 98 × 3.5 cm). 작가 소장
Untitled drawing for *Untitled (Cravings Black)*,
2011. India ink, acrylic on paper, 120 × 80 cm
(138 × 98 × 3.5 cm framed). Collection of the artist
p. 76

〈무제(갈망 블랙)〉, 1988(2011년 재제작). 천, 솜, 목재
프레임, 스테인리스스틸 카라비너, 스테인리스스틸
체인, 아크릴릭, 174 × 154 × 85 cm. 작가 소장
Untitled (Cravings Black), 2011 (reconstruction
of 1988 work). Fabric, fiberfill, wooden frame,
stainless-steel carabiner, stainless-steel chain,
acrylic paint, 174 × 154 × 85 cm. Collection
of the artist
p. 77

〈무제(갈망 레드)〉를 위한 드로잉, 2011. 종이에 먹,
아크릴릭, 120 × 80 cm (138 × 98 × 3.5 cm). 작가 소장
Untitled drawing for *Untitled (Cravings Red)*,
2011. India ink, acrylic on paper, 120 × 80 cm
(138 × 98 × 3.5 cm framed). Collection of the artist
p. 78 (left)

〈무제(갈망 레드)〉를 위한 드로잉, 2011. 종이에
먹, 아크릴릭, 120 × 80 cm (138 × 98 × 3.5 cm).
아모레퍼시픽미술관 소장
Untitled drawing for *Untitled (Cravings Red)*,
2011. India ink, acrylic on paper, 120 × 80 cm
(138 × 98 × 3.5 cm framed). Collection:
Amorepacific Museum of Art, Seoul
p. 78 (right)

〈무제(갈망 레드)〉, 1988(2011년 재제작). 천, 솜, 목재
프레임, 스테인리스스틸 카라비너, 스테인리스스틸
체인, 아크릴릭, 180 × 158 × 130 cm. 리움 삼성미술관
소장
Untitled (Cravings Red), 2011 (reconstruction
of 1988 work). Fabric, fiberfill, wooden frame,
stainless-steel carabiner, stainless-steel chain,
acrylic paint, 180 × 158 × 130 cm. Collection:
Leeum, Samsung Museum of Art, Seoul
p. 79

〈무제(갈망 화이트)〉를 위한 드로잉, 2011. 종이에
먹, 아크릴릭, 120 × 80 cm (138 × 98 × 3.5 cm).
아모레퍼시픽미술관 소장
Untitled drawing for *Untitled (Cravings White)*,
2011. India ink, acrylic on paper, 120 × 80 cm
(138 × 98 × 3.5 cm framed). Collection:
Amorepacific Museum of Art, Seoul
p. 80

〈무제(갈망 화이트)〉, 1988(2011년 재제작).
천, 솜, 목재 프레임, 스테인리스스틸 카라비너,
스테인리스스틸 체인, 아크릴릭, 244 × 156 × 95 cm.
영국 테이트 컬렉션
Untitled (Cravings White), 2011 (reconstruction
of 1988 work). Fabric, fiberfill, wooden frame,
stainless-steel carabiner, stainless-steel chain,
acrylic paint, 244 × 156 × 95 cm. Tate: Purchased
with funds provided by the Asia Pacific
Acquisitions Committee, 2014
p. 81

〈몬스터: 핑크〉를 위한 드로잉, 2011. 종이에 먹,
아크릴릭, 120 × 80 cm (138 × 98 × 3.5 cm).
개인 소장 (Deikona Limited)
Untitled drawing for *Monster: Pink*, 2011.
India ink, acrylic on paper, 120 × 80 cm
(138 × 98 × 3.5 cm framed). Private collection:
Deikona Limited
p. 82 (left)

〈몬스터: 블랙〉을 위한 드로잉, 2011. 종이에 먹,
아크릴릭, 120 × 80 cm (138 × 98 × 3.5 cm).
리움 삼성미술관 소장
Untitled drawing for *Monster: Black,* 2011.
India ink, acrylic on paper, 120 × 80 cm
(138 × 98 × 3.5 cm framed). Collection: Leeum,
Samsung Museum of Art, Seoul
p. 82 (right)

〈몬스터: 핑크〉, 1998(2011년 재제작). 천, 솜,
스테인리스스틸 프레임, 아크릴릭,
210 × 210 × 180 cm. 대구미술관 소장
Monster: Pink, 2011 (reconstruction of 1998 work).
Fabric, fiberfill, stainless-steel frame, acrylic paint,
210 × 210 × 180 cm. Collection: Daegu Art Museum
pp. 83, 85

〈몬스터: 블랙〉, 1998(2011년 재제작). 천, 솜,
스테인리스스틸 프레임, 시퀸, 아크릴릭, 말린 꽃,
유리비즈, 알루미늄, 크리스털, 금속체인,
217 × 187 × 171 cm. 리움 삼성미술관 소장
Monster: Black, 2011 (reconstruction of 1998 work).
Fabric, fiberfill, stainless-steel frame, sequins,
acrylic paint, dried flower, glass beads, aluminum,
crystal, metal chain, 217 × 187 × 171 cm.
Collection: Leeum, Samsung Museum of Art, Seoul
p. 84

〈사르가소〉, 1998. 천, 솜, 비즈, 핀,
각 50 × 80 × 20 cm. 홍콩 M+ 소장
Sargasso, 1998. Fabric, fiberfill, beads, pins,
approx. 50 × 80 × 20 cm each. M+, Hong Kong
p. 86

〈낙태〉, 1989. 퍼포먼스. 《제1회 한·일 행위예술제》,
동숭아트센터 로비 소극장, 서울
Abortion, 1989. Performance. 1st Korea-Japan
Performance Festival, Lobby Theater, Dongsoong
Art Center, Seoul
pp. 88, 90, 92–99, 126

〈수난유감─내가 이 세상에 소풍 나온 강아지 새끼인
줄 아느냐?〉 리플릿, 1990. 종이에 사진 인쇄,
21 × 29.6 cm
*Sorry for suffering–You think I'm a puppy on a
picnic?* Leaflet, 1990. Print on paper, 21 × 29.6 cm
p. 100

〈수난유감─내가 이 세상에 소풍 나온 강아지 새끼인
줄 아느냐?〉, 1990. 12일간의 퍼포먼스. 《제2회 일·한
행위예술제》, 김포공항; 나리타공항, 메이지 신궁,
하라주쿠, 오테마치역, 코간 절, 아사쿠사, 시부야,
도쿄대학교, 도키와자 극장, 도쿄
*Sorry for suffering–You think I'm a puppy on a
picnic?*, 1990. Performance, 12 days. 2nd Japan and
Korea Performance Festival, Gimpo Airport, Korea;
Narita Airport, Meiji Shrine, Harajuku, Otemachi
Station, Koganji Temple, Asakusa, Shibuya,
University of Tokyo and Tokiwaza Theater, Tokyo
pp. 104, 108–121

<낙태>, 1990. 퍼포먼스.《제2회 일·한 행위예술제》, 도키와자 극장, 도쿄
Abortion, 1990. Performance. 2nd Japan and Korea Performance Festival, Tokiwaza Theater, Tokyo
pp. 122–124

제목 없음, 1988. 천, 솜, 비즈
Untitled, 1988. Fabric, fiberfill, beads
pp. 58, 148

막간 / Interlude

제목 없음, 1994. 퍼포먼스.《여성, 그 다름과 힘》, 한국미술관, 서울; 한국갤러리, 용인
Untitled, 1994. Performance as part of the exhibition *Woman, The Difference and the Power*, Hankuk Art Museum, Seoul; Hankuk Gallery, Yongin, Korea
pp. 168, 172, 176–177

《여성, 그 다름과 힘》 전시를 위한 아이디어 스케치, 1994.1.30. 노트 종이에 펜, 24.3 × 17 cm
Idea sketch for *Woman, The Difference and the Power*, January 30, 1994. Pen on notebook paper, 24.3 × 17 cm
p. 178 (top left)

《여성, 그 다름과 힘》 전시를 위한 드로잉, 1994.3.17. 노트 종이에 펜, 24.3 × 17 cm
Drawing for *Woman, The Difference and the Power*, March 17, 1994. Ballpoint pen on notebook paper, 24.3 × 17 cm
p. 178 (top right)

《여성, 그 다름과 힘》 전시 설치를 위한 드로잉, 1994.2.5. 습자지에 연필, 색연필, 22.1 × 38.6 cm; 23.7 × 38.2 cm (39 × 55 × 3.5 cm; 40 × 55 × 3.5 cm). 개인 소장
Drawings for installation of *Woman, The Difference and the Power*, February 5, 1994. Pencil, colored pencil on tracing paper, 22.1 × 38.6 cm; 23.7 × 38.2 cm (39 × 55 × 3.5 cm; 40 × 55 × 3.5 cm framed). Private collection
p. 178 (bottom)

제목 없음, 1994. 자수천에 실크스크린 인쇄 (3개 에디션), 200 × 100 cm. 개인 소장
Untitled, 1994. Silk-screened photo on embroidered cloth, 200 × 100 cm. Edition of 3. Private collection
p. 179

2막 / Act 2

제목 없음, 1989. 퍼포먼스.《예술과 행위 그리고 인간 그리고 삶 그리고 사고 그리고 소통》, 나우갤러리, 서울
Untitled, 1989. Performance. *Art-Action-Human-Life-Thinking-Mutual-Understanding*, Now Gallery, Seoul
pp. 182–187

<물고기의 노래>, 1990. 퍼포먼스.《동숭아트센터 개관 1주년 기념축제》, 동숭아트센터 소극장, 서울
The Song of the Fish, 1990. Performance. 1st Anniversary Festival, Dongsoong Art Center Theater, Seoul
pp. 188, 190, 192–195

<아토일렛 II>, 1990. 퍼포먼스, 55분. 공간 소극장, 서울
Artoilet II, 1990. Performance, 55 minutes. Space Theater, Seoul
pp. 196, 198, 200–201

<아토일렛>, 1990. 공중화장실 건물에 사진 설치.《한국 설치미술제》, 토탈미술관, 장흥, 경기도
Artoilet, 1990. Photography installation on public bathroom building. Korean Installation Art Festival, Total Museum of Contemporary Art and Sculpture Park, Jangheung, Gyeonggi Province, Korea
pp. 202–205

<그녀는 나의 구원의 원천이다>, 1990. 빵, 채소, 생닭, 가변크기
She Is the Source of My Liberation, 1990. Bread, vegetables, live chickens, dimensions variable
pp. 206–209

<그녀는 나의 구원의 원천이다>, 1990. 퍼포먼스.《Tokyo–Seoul Traffic》, K 갤러리, 도쿄
She Is the Source of My Liberation, 1990. Performance as part of the exhibition *Tokyo–Seoul Traffic*, K Gallery, Tokyo
pp. 206–209

<재전입>, 1990. 텔레 퍼포먼스.《일렉트로닉 카페 프로젝트: 웃음》, 로스앤젤레스; 서울
Reinfection, 1990. Tele-performance. *Electronic Café Project: Laugh*, Los Angeles; Seoul
pp. 210–212

제목 없음, 1990. 퍼포먼스.《4.19》, Pub Hof Rush, 서울
Untitled, 1990. Performance. *4.19*, Pub Hof Rush, Seoul
p. 213 (top)

<늦은 겨울산 발가벗고 달리기>, 1990. 한나절의 퍼포먼스. 오대산. 퍼포먼스 기획: 무세중
Running Naked in the Late Winter Mountain, 1990. Performance, half-day. Odae Mountain, Gangwon Province, Korea. Organized by Sejoong Moo
p. 213

<24시간 × 5일>, 1991. 퍼포먼스, 각 10분간, 5일동안 지속적인 행위.《제2회 교감예술제》, 장안공원, 수원화성
24 hours × 5 days, 1991. Performance, 10 minutes for 5 days. 2nd COM-ART Show, Jangan Park, Suwon Hwaseong Fortress, Korea
p. 213 (bottom)

<껍질을 벗겨라, 쌍!>, 1991. 라미네이트 사진 위에 젤리, 감자가루, 과자, 식용 색소, 플라스틱 접시, 술, 물비누통, 가변크기
Fingers There! Peel That Shit Off!, 1991. Jello on laminated photo, potato flour, snacks, food coloring, plastic plates, liquor, dispensers, dimensions variable
pp. 214–215

<도표를 그리다 III>, 1992. 퍼포먼스, 슬라이드 프로젝션, 40분.《다이어트》, 갤러리사각, 서울
Diagraming III, 1992. Performance with slide projections, 40 minutes. *Diet*, Gallery Sagak, Seoul
pp. 216, 218, 220–221

<Lick Piece>, 1993. 벤 패터슨의 1964년 스코어를 퍼포밍.《서울플럭서스 페스티벌》, 예술의전당, 서울
Lick Piece, 1993. Performed Ben Patterson's score in 1964. *The SeOUL OF FLUXUS*, Seoul Arts Center
pp. 222–223

제목 없음, 1993. 퍼포먼스.《Impromptu Amusement》, 구니타치 아트홀, 도쿄
Untitled, 1993. Performance. *Impromptu Amusement*, Kunitachi Art Hall, Tokyo
pp. 224–225

제목 없음, 1993. 퍼포먼스.《제1회 아시아퍼시픽 현대미술 트리엔날레》, 퀸즐랜드 주립미술관, 브리즈번
Untitled, 1993. Performance as part of the 1st Asia-Pacific Triennial of Contemporary Art, Queensland Art Gallery, Brisbane
pp. 226–227

<옥션>, 1994. 퍼포먼스.《이런 미술–설거지》, 금호미술관, 서울
Auction, 1994. Performance as part of the exhibition *This Kind of Art–Dish Washing*, Kumho Museum of Art, Seoul
p. 228

<The Visible Pumping Heart I>, 1994. 천, 시퀸, 비즈, 솜, 아크릴상자, 60 × 40 × 40 cm. 아트선재센터 소장
The Visible Pumping Heart I, 1994. Fabric, sequins, beads, fiberfill, acrylic vitrine, 60 × 40 × 40 cm. Collection: Art Sonje Center, Seoul
p. 230

<The Visible Pumping Heart II>, 1994. 천, 솜, 시퀸, 깃털, 바늘, 아크릴상자, 60 × 40 × 40 cm. 개인 소장
The Visible Pumping Heart II, 1994. Fabric, fiberfill, sequins, feathers, needles, acrylic vitrine, 60 × 40 × 40 cm. Private collection
p. 232 (left)

<The Visible Pumping Heart III>, 1994. 천, 솜, 시퀸, 인조모발, 70 × 25 × 18 cm
The Visible Pumping Heart III, 1994. Fabric, fiberfill, sequins, synthetic hair, 70 × 25 × 18 cm
p. 232 (right)

<The Visible Pumping Heart IV>, 1994. 깃털, 인조모발, 천, 시퀸, 150 × 20 × 20 cm. 개인 소장
The Visible Pumping Heart IV, 1994. Feathers, synthetic hair, fabric, sequins, 150 × 20 × 20 cm. Private collection
p. 233

<웃음>, 1994. 퍼포먼스, 20분.《용서받지 못한》, A 스페이스, 토론토
Laughing, 1994. Performance as part of the exhibition *Unforgiven*, A Space, Toronto
pp. 234, 238

<장엄한 광채>, 1995. 생선, 시퀸, 과자, 소금, 우레탄 시트, 금속 플랫폼, 선풍기, 종이, 가변크기. 《정보와 현실》, 프루트마켓 미술관, 에딘버러
Majestic Splendor, 1995. Fish, sequins, ancestral snacks, salt, urethane sheets, metal framed platform, fan, printed papers, dimensions variable. *Information and Reality*, Fruitmarket Gallery, Edinburgh
p. 283

<장엄한 광채>, 1997. 냉장 진열장, 금사, 인조모발, 생선, 시퀸, 백합, 210 × 130 × 130 cm. 《프로젝트 57: 이불/치에 마쓰이》, 뉴욕 현대미술관
Majestic Splendor, 1997. Refrigerated vitrine, gold thread, synthetic hair, fish, sequins, lilies, 210 × 130 × 130 cm. *Projects 57: Bul Lee/Chie Matsui*, Museum of Modern Art, New York
pp. 285–287

<장엄한 광채>, 1997. 냉장 진열장, 금사, 인조모발, 생선, 시퀸, 백합, 210 × 130 × 130 cm. 《타자》, 제4회 리옹비엔날레
Majestic Splendor, 1997. Refrigerated vitrine, gold thread, synthetic hair, fish, sequins, lilies, 210 × 130 × 130 cm. *L'autre*, 4th Biennale de Lyon
p. 288

뉴욕 현대미술관 《프로젝트》전의 냉장 진열장을 위한 스터디, 1996.10.17. 종이에 먹, 아크릴릭, 색연필, 시퀸, 61 × 45.5 cm (72.7 × 57.2 cm). 작가 소장
Study for a refrigerated vitrine, MoMA *Projects* installation, October 17, 1996. India ink, acrylic paint, colored pencil, sequins on paper, 61 × 45.5 cm (72.7 × 57.2 cm framed). Collection of the artist
p. 289

<장엄한 광채>를 위한 스터디, 1996. 노트 종이에 펜, 연필, 21.5 × 27.8 cm
Study for *Majestic Splendor*, 1996. Ballpoint pen and pencil on notebook paper, 21.5 × 27.8 cm
p. 290

<장엄한 광채>를 위한 스터디, 1996.4.4. 노트 종이에 펜, 연필, 27.8 × 21.5 cm
Study for *Majestic Splendor*, April 4, 1996. Ballpoint pen and pencil on notebook paper, 27.8 × 21.5 cm
p. 290

<장엄한 광채>를 위한 스터디, 1996.4.7. 노트 종이에 펜, 21.5 × 27.8 cm
Study for *Majestic Splendor*, April 7, 1996. Ballpoint pen on notebook paper, 21.5 × 27.8 cm
p. 290

<장엄한 광채>를 위한 스터디, 1996.4.10. 노트 종이에 펜, 연필, 27.8 × 21.5 cm
Study for *Majestic Splendor*, April 10, 1996. Ballpoint pen and pencil on notebook paper, 27.8 × 21.5 cm
p. 290

<장엄한 광채>를 위한 스터디, 1996. 노트 종이에 펜, 연필, 27.8 × 21.5 cm
Study for *Majestic Splendor*, 1996. Ballpoint pen and pencil on notebook paper, 27.8 × 21.5 cm
p. 290

<장엄한 광채>를 위한 스터디, 1996. 노트 종이에 펜, 연필, 27.8 × 21.5 cm
Study for *Majestic Splendor*, 1996. Ballpoint pen and pencil on notebook paper, 27.8 × 21.5 cm
p. 290

<장엄한 광채>를 위한 스터디, 1996. 노트 종이에 펜, 연필, 21.5 × 27.8 cm
Study for *Majestic Splendor*, 1996. Ballpoint pen and pencil on notebook paper, 21.5 × 27.8 cm
p. 290

<장엄한 광채>를 위한 스터디, 1996. 노트 종이에 펜, 연필, 21.5 × 27.8 cm
Study for *Majestic Splendor*, 1996. Ballpoint pen and pencil on notebook paper, 21.5 × 27.8 cm
p. 290

뉴욕 현대미술관 《프로젝트》전 설치를 위한 드로잉 (첫 번째 제안–다이어그램 1), 1996. 종이에 펜, 연필, 21.5 × 27.8 cm
Drawing for the MoMA *Projects* installation (1st proposal – diagram 1), 1996. Ballpoint pen, pen and pencil on paper, 21.5 × 27.8 cm
p. 291

뉴욕 현대미술관 《프로젝트》전 설치를 위한 드로잉 (첫 번째 제안–다이어그램 2), 1996. 종이에 먹, 펜, 연필, 21.5 × 27.8 cm
Drawing for the MoMA *Projects* installation (1st proposal – diagram 2), 1996. India ink, ballpoint pen and pencil on paper, 21.5 × 27.8 cm
p. 291

뉴욕 현대미술관 《프로젝트》전 설치를 위한 드로잉 (첫 번째 제안–다이어그램 3), 1996. 종이에 먹, 펜, 연필, 21.5 × 27.8 cm
Drawing for the MoMA *Projects* installation (1st proposal – diagram 3), 1996. India ink, ballpoint pen, pen and pencil on paper, 21.5 × 27.8 cm
p. 291

뉴욕 현대미술관 《프로젝트》전 설치를 위한 드로잉 (첫 번째 제안–다이어그램 5), 1996.7.22. 종이에 먹, 펜, 연필, 27.8 × 21.5 cm
Drawing for the MoMA *Projects* installation (1st proposal – diagram 5), July 22, 1996. India ink, ballpoint pen, pen and pencil on paper, 27.8 × 21.5 cm
p. 291

뉴욕 현대미술관 《프로젝트》전 설치를 위한 드로잉 (두 번째 제안), 1996. 종이에 펜, 연필, 21.5 × 27.8 cm
Drawing for the MoMA *Projects* installation (2nd proposal), 1996. Pen and pencil on paper, 21.5 × 27.8 cm
p. 291

뉴욕 현대미술관 《프로젝트》전 설치를 위한 드로잉 (두 번째 제안), 1996. 종이에 먹, 펜, 21 × 29.6 cm
Drawing for the MoMA *Projects* installation (2nd proposal), 1996. India ink, ballpoint pen and pen on paper, 21 × 29.6 cm
p. 291

뉴욕 현대미술관 《프로젝트》전 설치를 위한 드로잉 (두 번째 제안), 1996. 종이에 먹, 펜, 21 × 29.6 cm
Drawing for the MoMA *Projects* installation (2nd proposal), 1996. India ink, ballpoint pen and pen on paper, 21 × 29.6 cm
p. 291

<송가>, 2000. DVD 영상, 6분
Anthem, 2000. Digital video on DVD, 6 minutes
pp. 292, 302

<I Need You(모뉴민트)>, 1996. 비닐 위에 사진 인화, 공기 펌프, 1200 × 500 cm
I Need You (Monument), 1996. Photo print on vinyl, air pumps, 1200 × 500 cm diameter
pp. 312, 314

<I Need You(모뉴민트)>, 1996. 퍼포먼스, 《Join Me!》, 스파이럴/와코루 아트센터, 도쿄
I Need You (Monument), 1996. Performance as part of the exhibition *Join Me!*, Spiral/Wacoal Art Center, Tokyo
p. 317

<히드라(모뉴민트)>, 1998. 비닐 위에 사진 인화, 공기 펌프, 600 × 450 cm
Hydra (Monument), 1998. Photo print on vinyl, air pumps, 600 × 450 cm diameter at base
p. 318

<히드라 II(모뉴민트)>, 1999. 비닐 위에 사진 인화, 공기 펌프, 1200 × 700 × 600 cm
Hydra II (Monument), 1999. Photo print on vinyl, air pumps, 1200 × 700 × 600 cm
p. 319

제목 없음, 1994. 비닐, 천, 발포 폴리스티렌, 200 × 400 × 250 cm
Untitled, 1994. Vinyl, fabric, styrofoam, 200 × 400 × 250 cm
p. 320

제목 없음, 1994. 퍼포먼스, 명동 비포 빌딩, 서울
Untitled, 1994. Performance. Before Building, Myeongdong, Seoul
p. 321 (top)

풍선 모뉴민트를 위한 스터디, 1994. 종이에 펜, 21 × 29.7 cm
Study for an inflatable monument, 1994. Pen on paper, 21 × 29.7 cm
p. 321 (bottom)

<I Need You/히드라>, 1997. 베를린 뷰로 프리드리히 빌보드 프로젝트를 위한 초상
I Need You/Hydra, 1997. Portrait for the billboard project for Büro Friedrich, Berlin
pp. 322–323

<I Need You(모뉴민트)>를 위한 스터디, 1996.8.25. 종이에 먹, 56 × 75 cm (74.2 × 93.5 × 3.5 cm)
Study for *I Need You (Monument)*, August 25, 1996. India ink on paper, 56 × 75 cm (74.2 × 93.5 × 3.5 cm framed)
p. 324 (top)

1998 휴고보스상 <히드라(모뉴먼트)>를 위한 드로잉,
1997. 종이에 펜, 연필, 콜라주, 29.7 × 21 cm
Drawing for *Hydra (Monument)* for *Hugo Boss
Prize 1998*, 1997. Pen, pencil, and cut-and-pasted
printed paper on translucent paper, 29.7 × 21 cm
p. 324 (bottom)

《Cities on the Move》전 도록 디자인을 위한 스터디,
1997. 인쇄된 종이에 콜라주, 29.6 × 21 cm
Study for *Cities on the Move* exhibition catalogue
design, 1997. Cut-and-pasted printed paper on
printed paper, 29.6 × 21 cm
p. 325 (top left)

《Cities on the Move》전 도록 디자인을 위한 스터디,
1997. 인쇄된 종이에 콜라주, 29.6 × 21 cm
Study for *Cities on the Move* exhibition catalogue
design, 1997. Cut-and-pasted printed paper on
printed paper, 29.6 × 21 cm
p. 325 (top right)

《Cities on the Move》전 도록 디자인을 위한 스터디,
1997. 종이에 콜라주, 29.6 × 21 cm
Study for *Cities on the Move* exhibition catalogue
design, 1997. Cut-and-pasted printed paper on
paper, 29.6 × 21 cm
p. 325 (bottom left)

《Cities on the Move》전 도록 디자인을 위한 스터디,
1997. 종이에 콜라주, 29.6 × 21 cm
Study for *Cities on the Move* exhibition catalogue
design, 1997. Cut-and-pasted printed paper on
paper, 29.6 × 21 cm
p. 325 (bottom right)

<플렉서스>를 위한 스터디, 1996.8.6. 종이에 먹,
마커, 색연필, 시퀸, 61 × 45.5 cm (72.7 × 57.2 cm).
아라리오미술관 소장
Study for *Plexus*, August 6, 1996. India ink, marker,
colored pencil, sequins on paper, 61 × 45.5 cm
(72.7 × 57.2 cm framed). Arario collection
p. 326 (top)

<플렉서스>, 1997–1998. 가죽, 벨벳, 시퀸,
비즈, 와이어, 유리-철 진열장, 95 × 80 × 35 cm
(170 × 80 × 60 cm). 개인 소장
Plexus, 1997–1998. Leather, velvet, sequins, beads,
wires, glass-and-steel vitrine, 95 × 80 × 35 cm
(170 × 80 × 60 cm including vitrine).
Private collection
pp. 326 (bottom), 327

<Mask for a Warrior Princess>, 1996. 시퀸,
비즈, 와이어, 깃털, 크롬페인트, 마네킹머리,
40 × 25 × 25 cm. 아모레퍼시픽미술관 소장
Mask for a Warrior Princess, 1996. Sequins,
beads, wires, feathers, chrome paint, mannequin
head, 40 × 25 × 25 cm. Collection: Amorepacific
Museum of Art, Seoul
p. 328

공공미술 프로젝트 스터디, c. 1993
Studies for public art project, c. 1993
p. 330

공공미술(배기관), 1993. 영구 설치, 한국투자증권
후문, 서울
Public art (vent pipe), 1993. Permanent
installation, Korea Investment & Securities Co.
back gate, Seoul
p. 330

후쿠오카 하카타 강변 공공 조각 <Tendril>을 위한
스터디, 1997.11.9. 모눈종이에 펜, 파스텔, 아크릴릭,
42.3 × 29.6 (49.5 × 37 cm). 아라리오미술관 소장
Study for *Tendril*, a public sculpture for Hakata
Riverain, Fukuoka, November 9, 1997. Pen, pastel
and acrylic on graph paper, 42.3 × 29.6 cm
(49.5 × 37 cm framed). Arario collection
p. 332 (left)

후쿠오카 하카타 강변 공공 조각 <Bloom>을 위한
스터디, 1997.11.9. 종이에 펜, 아크릴릭, 41.7 × 29.9 cm
(49.4 × 36.8 cm). 아라리오미술관 소장
Study for *Bloom*, a public sculpture for Hakata
Riverain, Fukuoka, November 9, 1997. Pen and
acrylic on paper, 41.7 × 29.9 cm (49.4 × 36.8 cm
framed). Arario collection
p. 332 (right)

사진 저작권
Photo Credits

사진: 전병철. 작가 제공
Photo: Jeon Byung-cheol. Courtesy of the artist
pp. 4–27, 76–83, 86, 100, 178–179, 230, 232 (right),
233, 259, 261 (bottom), 289–291, 321 (bottom),
324–325

사진: 마사토 나카무라. 작가 제공
Photo: Masato Nakamura. Courtesy of the artist
pp. 36, 44, 134

작가 제공
Courtesy of the artist
pp. 54, 56, 58–75, 88, 90, 92–99, 104, 108–124,
126, 148, 176–177, 182–188, 190, 192–195, 200–205,
213, 224–225, 232 (left), 234, 238, 241, 246, 250,
254–258, 260, 261 (top), 278 (bottom), 283, 292,
302, 317, 320, 321 (top), 322–323, 326–327, 330,
332

사진: 마티아스 뵐즈케. 제공: 그로피우스 바우, 베를린
Photo: Mathias Völzke. Courtesy: Gropius Bau,
Berlin
pp. 84–85

사진: 신희정. 작가 제공
Photo: Shin Hee-jung. Courtesy of the artist
pp. 168, 172, 228

사진: 박혜경. 작가 제공
Photo: Park Hey-kyong. Courtesy of the artist
pp. 196, 198, 262–263

사진: 최정화. 작가 제공
Photo: Choi Jeong-hwa. Courtesy of the artist
pp. 206–209

사진: 이주현. 작가 제공
Photo: Lee Ju-Hun. Courtesy of the artist
pp. 210–212

사진: 김형태. 작가 제공
Photo: Kim Hyong-tae. Courtesy of the artist
pp. 214–215, 264–265

사진: 이상윤. 작가 제공
Photo: Lee Sang-yoon. Courtesy of the artist
pp. 216, 218, 220–221

사진: 천호선. 제공: 천호선
Photo: CHEON Ho-seon. Courtesy: CHEON
Ho-seon
pp. 222–223

제공: 퀸즐랜드 주립미술관, 브리즈번
Courtesy: Queensland Art Gallery | Gallery of
Modern Art, Brisbane
pp. 226–227, 280 (top)

사진: 질베르토 프리오스테. 작가 제공
Photo: Gilberto Prioste. Courtesy of the artist
pp. 242–243

제공: 이형주
Courtesy: Lee Hyung Joo
p. 258 (bottom)

사진: 김순신. 작가 제공
Photo: Kim Soon-shin. Courtesy of the artist
pp. 268, 279

사진: 로버트 푸글리시. 작가 제공
Photo: Robert Puglisi. Courtesy of the artist
pp. 272, 284, 286–287

사진: 주명덕. 작가 제공
Photo: Joo Myung-duk. Courtesy of the artist
pp. 276–277, 278 (top)

사진: 김우일. 작가 제공
Photo: Kim Woo-il. Courtesy of the artist
pp. 280 (bottom), 281

사진: 최강일. 작가 제공
Photo: Choi Kang-il. Courtesy of the artist
p. 282

사진: 에릭 랜스버그. 제공: 뉴욕 현대미술관
Photo: Erik Landsberg. Courtesy: Museum of
Modern Art, New York
p. 285

사진: B. 아딜론. 제공: 리옹비엔날레
Photo: B. Adilon. Courtesy: Biennale de Lyon
p. 288

사진: 다카코 카이즈카. 제공: 스파이럴/와코루
아트센터, 도쿄
Photo: Takako Kaizuka. Courtesy: Spiral/Wacoal
Art Center, Tokyo
pp. 312, 314

사진: 엘렌 라벤스키. © 솔로몬 R. 구겐하임 미술관,
뉴욕
Photo: Ellen Labenski. © Solomon R. Guggenheim
Museum, New York
p. 318

사진: 야스노리 타니오카. 제공: 난조 앤 어소시에이츠,
도쿄
Photo: Yasunori Tanioka. Courtesy: Nanjo &
Associates, Tokyo
p. 319

사진: 김지양. 작가 제공
Photo: Kim Ji-yang. Courtesy of the artist
p. 328

저자 소개

권진 (1981년 생, 서울 기반)은 공공성을 둘러싼 미술의 발언과 접근방식에 대한 논의, 그리고 언어로서의 미술에 관심을 두고 관련한 일들을 해왔다. 2016년부터 서울시립미술관에 재직하며 한국의 1세대 타이포그래퍼 안상수 개인전《날개.파티》(2017), 남미현대미술전《미래과거를 위한 일》(2017), 중동현대미술전《고향》(2019), 그리고《이불—시작》(2021)을 기획했다. 한국문화예술위원회 아르코미술관, 제4회 안양공공예술프로젝트《퍼블릭 스토리》(2012–2014)를 거쳐 현재는 서울시립미술관 비엔날레 프로젝트 디렉터로 근무중이다.

김아영 (1986년 생, 서울 기반)은 변화하는 한국의 공공미술 기관에서 기관의 역사와 미술사 그리고 소장품이 갖는 고유한 의미와 가치를 연결하고 복원하는 일에 관심을 갖고 연구와 출판 활동을 해왔다. 서울시립미술관의 주요 소장품에 대한 기본 자료를 정리하고 소개하는 『SeMA 소장품 가나아트 컬렉션』(2018–2019), 기관 연구 프로그램인 SeMA Agenda '수집' <소유에서 공유로, 유물에서 비트로>(2020)를 기획했다. 현재 서울시립미술관 수집연구과 학예연구사로 재직하고 있다.

니콜라우스 샤프하우젠 (1965년 생, 비엔나 기반)은 독일의 큐레이터로 다수의 현대미술 텍스트를 집필했다. 슈투트가르트 현대미술관, 프랑크푸르트 예술협회, 쾰른 유러피안 쿤스트할레, 핀란드 헬싱키 노르딕 현대미술협회에서 활동했고, 네덜란드 로테르담 비테 데 비트 현대미술센터에서 디렉터이자 큐레이터, 제52회·53회 베니스비엔날레 독일관 큐레이터, 2010년 서울미디어시티비엔날레를 포함한 다수의 비엔날레 큐레이터를 거쳐 2012년부터 쿤스트할레 비엔나 예술감독이자 캐나다 쇼패스트재단 포고 아일랜드 아트에서 디렉터로 겸직 중이다.

박소현 (1973년 생, 서울 기반)은 예술제도와 실천 사이에서 발생하는 문화정치, 미술사학, 박물관학, 그리고 문화예술정책의 경계를 넘나들며 활동하는 연구자다. 최근 저서로『공공미술』(2016, 공역), 『이타미 준, 바람의 조형』(2014, 공저),『한국현대미술 읽기』(2013, 공저) 가 있으며「박물관의 윤리적 미래 – 박물관 행동주의의 계보를 중심으로」(2017),「문화정책의 인구정치학적 전환과 예술가의 정책적

위상」(2017),「리빙 뮤지엄과 해석의 문제: '살아있는' 박물관을 위하여」(2016) 등이 있다. 현재 서울과학기술대학교 IT정책전문대학원 디지털문화정책전공 교수로 재직하고 있다.

성기완 (1967년 생, 서울 기반)은 1994년『세계의 문학』 가을호로 등단했고, 시집『당신의 텍스트』(2008)와 산문집『장밋빛 도살장 풍경』(2002) 등을 펴낸 시인이자 뮤지션이다. 1999년부터 밴드 3호선 버터플라이를 17년 동안 이끌었고, 현재 밴드 '트레봉봉'으로 활동 중이며, 계원예술대학교 융합예술과 교수로 재직 중이다.

스테파니 로젠탈 (1964년 생, 베를린 기반)은 광범위한 미술 주제를 아우르는 관심을 토대로 국제적인 명성과 네트워크를 구축해온 큐레이터다. 이불, 피필로티 리스트, 아나 멘디에타, 다야니타 싱 등 국제적으로 중요한 작가들의 대규모 개인전을 조직하며 이들과 함께 긴밀하게 작업했고, 그가 감독한 제20회 시드니비엔날레는 '도시와 생동하는 예술 축제'라는 긍정적 평가를 받은 바 있다. 독일 뮌헨의 현대미술관 하우스 데어 쿤스트 큐레이터, 영국 런던 헤이워드 갤러리 수석 큐레이터를 거쳐, 2018년부터는 베를린 그로피우스 바우의 디렉터로 활동하고 있다.

장지한 (1985년 생, 서울 기반)은「다르게 존재하기 혹은 다르게 보기: 김범에 대한 노트」로 2019년 제3회 'SeMA-하나 평론상'을 수상했다. 텍스트 비평을 통해 미술 작품이라는 기묘한 대상이 그 공간을 가로지르고 비껴가는 방식에 관심이 있다. 한국예술종합학교 미술이론과를 졸업한 후 뉴욕 주립대학교 빙엄턴 미술사학과 박사과정을 수료했고, 현재 민주화 이후 한국 미술에 관한 박사논문을 준비 중이다. 계간『인문예술잡지 F』,『오큘로』와 같은 잡지에 글을 썼고, 2014년 동료들과 함께《새벽질주》전시를 기획하는 등 한국 근현대미술을 둘러싼 담론의 공간을 연구한다.

정도련 (1973년 생, 홍콩 기반)은 샌프란시스코 아시아미술관과 버클리미술관/태평양 영상 아카이브를 거쳐 2001년 베니스비엔날레 한국관 큐레이터로 활약했고, 미네아폴리스 워커아트센터에서 황용핑과 쿠도 테츠미 회고전을 기획했다. 이후 뉴욕 현대미술관

회화조각부서 부수석 큐레이터로 자리를 옮겨 《도쿄 1955–1970: 새로운 아방가르드》(2012)와 같은 중요 전시를 조직하고 관련한 자료와 문헌을 엮은 『전후부터 포스트모던까지: 일본미술 1945–1989』(2012)를 펴냈다. 2013년부터 홍콩 M⁺의 수석 큐레이터를 거쳐 부관장으로 일하며 미술관 개관을 준비하고 있다.

제임스 리 (1967년 생, 서울 기반)는 아트컨설팅 회사 바틀비 비클 앤 뫼르소(BB&M)의 대표로 배영환, 박찬경, 임민욱 등 한국현대미술의 주요 작가 전시를 다수 기획했다. 서울 아트선재센터 전시기획실장과 광주비엔날레 전시부장을 역임한 바 있고, 『아트뉴스』, 『아트아시아퍼시픽』, 『플래시 아트』 등 세계적인 미술 전문잡지의 필자로 활동했다.

최승자 (1952년 생)는 기존의 문학적 형식과 관념을 위반하고 온몸으로 시대의 상처와 고통을 호소하며 독보적인 시 언어를 확립한 한국의 중요한 시인이다. 여성 시인 최초로 1979년 계간 『문학과 지성』에 「이 時代의 사랑」 외 4편을 발표하면서 등단했고, 1980년대 여성운동과 문학을 주제로 창간된 잡지 『또 하나의 문화』 멤버였다. 시집 『기억의 집』(1989), 『내 무덤 푸르고』(1991) 등과 시선집 『주변인의 초상』(1991) 등 저작을 꾸준히 발표하다가, 2001년 이후 투병으로 한동안 활동을 중단했다. 2010년 등단 30주년이 되는 해에 11년의 공백을 깨고 신작 『쓸쓸해서 머나먼』(2010)을 발표했다. 2010년 '대산문학상'과 '지리산문학상'을 수상했다.

한스 울리히 오브리스트 (1968년 생, 런던 기반)는 현대미술계의 영향력 있는 큐레이터로 1991년부터 200여 개가 넘는 전시를 기획했다. 전시를 매뉴얼화 해 새로운 시간과 장소에서 재맥락화하는 형식의 프로젝트 《do it》(1994–현재) 등 실험적인 활동을 선도해왔다. 2007년 리옹비엔날레를 비롯한 주요 국제비엔날레에 참여했고, 현재 런던 서펜타인 갤러리 공동 디렉터를 역임하고 있다. 대표 저서로는 선구적인 큐레이터들과의 인터뷰를 담아 전시 역사의 교과서로 회자되는 『큐레이팅의 역사』(2008)가 있다.

About the Contributors

Seung-ja Choi (b. 1952) is a crucial figure in Korean poetry, who established a unique language that defied conventional literary forms and ideas and expressed bodily wounds and agonies of tragic histories. She debuted in 1979 with "Love in This Age" and four other poems in the quarterly *Literature and Intelligence,* becoming the first woman to be published there. She was a member of *Alternative Culture* founded to promote feminist movement and literature in the 1980s. She published *House of Memory* (1989) and *My Tomb, Green* (1991) among others and *Portrait of a Suburbanite: Poems of Choi Seung-ja,* an anthology of her poetry. In 2001, she went on hiatus due to illness. In 2010, the year of her 30th anniversary, Choi broke her silence and published *Lonely and Faraway.* She won the Jirisan Literature Prize and Daesan Literary Award in the same year.

Doryun Chong (b. 1973, based in Hong Kong) is Deputy Director and Chief Curator at M+, Hong Kong, slated to open in 2021. Previously Chong was Associate Curator of Painting and Sculpture at MoMA, where he organized major exhibitions such as *Tokyo 1955–1970: A New Avant-Garde* (2012) and acquired a diverse range of works, many of them non-western, for the museum's collection. From 2003 to 2009, Chong held various curatorial positions in the visual arts department at the Walker Art Center, Minneapolis, where he co-organized exhibitions of Haegue Yang (2009), Tetsumi Kudo (2008), and Huang Yong Ping (2005). He has also curated or coordinated exhibitions at venues including REDCAT, Los Angeles, the 2006 Busan Biennale, and the Korean Pavilion at the 2001 Venice Biennale.

Jihan Jang (b. 1985, based in Seoul) won the SeMA-Hana Art Criticism Award 2019 with "Existing Differently or Seeing Differently: Notes on the Works of Kim Beom." Jang is interested in how the extraordinary object of artwork can traverse and slip within the space of text criticism. He earned a B.A. in art theory from the Korea National University of Arts, Seoul, and is a Ph.D. candidate in art history with a focus on Korean art after democratization at Binghamton University, New York. His essays were published in *Humanities and Arts Magazine F* and *Okulo*. In 2014 he co-curated *Riding at Dawn*, continuing his research on discursive space in Korean modern and contemporary art.

Ayoung Kim (b. 1986, based in Seoul) is a curator in the Collection and Research Division at the Seoul Museum of Art. She has engaged in research and publishing projects with a focus on the changing roles of public museums, their institutional history, and Korean art history. She has organized the SeMA GanaArt Collection (2018–2019), where she organized and introduced the foundational material of SeMA's main collection, and curated the institutional research program SeMA Agenda 2020 "Collecting": From Collecting to Commoning, From Object to Bit in 2020.

Jin Kwon (b. 1981, based in Seoul) is a curator, writer, and researcher interested in discourses of art as a language and how it can approach and utter the notions of the public. She worked at Arko Art Center–Arts Council Korea and was the curatorial director of the 4th Anyang Public Art Project *Public Story*. Kwon is currently working at the Seoul Museum of Art, where she curated *Gohyang: Home* (2019), *Working for the Future Past* (2017) and *Ahn Sang-soo: nalgae.pati* (2017).

James B. Lee (b. 1967, based in Seoul) is Principal of Bartleby Bickle & Meursault (BB&M), an art consultancy that has organized solo exhibitions of such leading contemporary Korean artists as Bae Young-Whan, Park Chan-kyong, and Minouk Lim. He has served as the Director of Exhibition at the Gwangju Biennale Foundation and at the Art Sonje Center, Seoul. His writing has appeared in various international art magazines, including *ARTnews,* New York; *ArtAsiaPacific*, Hong Kong; and *Flash Art International*, Milan.

Hans Ulrich Obrist (b. 1968, Zürich, Switzerland) is Artistic Director of the Serpentine Galleries in London. Prior to this, he was the Curator of the Musée d'Art Moderne de la Ville de Paris. Since his first show *World Soup (The Kitchen Show)* in 1991, he has curated more than 350 exhibitions. His recent shows include *IT'S URGENT* at LUMA Arles (2019–2021), and *Enzo Mari* at Triennale Milano (2020). In 2011 Obrist received the CCS Bard Award for Curatorial Excellence, and in 2015 he was awarded the International Folkwang Prize, and most recently he was honored by the Appraisers Association of America with the 2018 Award for Excellence in the Arts. Obrist's recent publications include *Ways of Curating* (2015), *The Age of Earthquakes* (2015), *Lives of the Artists, Lives of Architects* (2015), *Mondialité* (2017), *Somewhere Totally Else* (2018) *The Athens Dialogues* (2018), *Maria Lassnig: Letters* (2020), *Entrevistas Brasileiras: Volume 2* (2020), and the forthcoming *Remember Nature* (2021).

Sohyun Park (b. 1973, based in Seoul) is a researcher in interdisciplinary fields of cultural politics, art history, museology, and policies for culture that gets generated from art as institution and practice. Her recent publications include *Public Art* (2016, co-translated), *Itami Jun: Architecture of the Wind* (2013, co-edited), and *Reading Korean Contemporary Art* (2013, co-written). Her theses "Reconsidering Museum's Ethical Future through the Genealogical Approach to Museum Activism" (2017) and "Living Museum and the Problem of Interpretation" (2016) are published in academic journals. She is a professor of Digital and Cultural Policy at the Graduate School of Public Policy and Information Technology, Seoul National University of Science and Technology.

Dr. Stephanie Rosenthal (b. 1971, based in Berlin) has been director of the Gropius Bau in Berlin since 2018. She began her program that year with the exhibition *Lee Bul: Crash*, which was organized in collaboration with the Hayward Gallery, London. Her subsequent exhibitions have included *Garden of Earthly Delights* (2019); *Wu Tsang: There is no nonviolent way to look at somebody* (2019); *Lee Mingwei: 禮 Li, Gifts and Rituals* (2020); *Otobong Nkanga: There Is No Such Thing as Solid Ground* (2020); and most recently, *Yayoi Kusama: A Retrospective–A Bouquet of Love I Saw in the Universe* (2021); *Hella Jongerius: Woven Cosmos*

(2021); and *Zheng Bo: Wanwu Council 萬物社* (2021). In 2016 she was the artistic director of the 20th Biennale of Sydney. Previously she was the senior curator of the Hayward Gallery and a curator at Haus der Kunst, Munich.

Nicolaus Schafhausen (b. 1965, based in Vienna) is a curator, director, author, and editor of numerous publications on contemporary art. He has led institutions such as the Frankfurter Kunstverein; Künstlerhaus Stuttgart; Nordic Institute for Contemporary Art, Helsinki; European Kunsthalle, Cologne; and the Kunstinstituut Melly, formerly known as Witte de With Center for Contemporary Art, Rotterdam; and Kunsthalle Wien. He was the curator of the German Pavilion for the 52nd (2007) and 53rd Venice Biennale (2009), and curator of the Kosovo Pavilion for the 56th Venice Biennale (2015). Schafhausen also co-curated the 6th Moscow Biennale in 2015.

Kiwan Sung (b. 1964, based in Seoul) is a musician and poet, first published in the autumn issue of *World Literature*. His publications include *Your Text* (2008) and *A Rosy View of Slaughterhouse* (2002), a collection of essays. Since 1999, he has led the band 3rd Line Butterfly and is also currently active as a member of the band Tresbonbon. He is a professor in the Intermedia Art Department at Kaywon University of Art and Design in Uiwang, Gyeonggi Province.

참고문헌
Selected Bibliography

이 목록은 이불의 초기 작업을 연구하는 과정에서 미술관이 참고한 서적, 아티클, 인터뷰, 기사 등을 연도에 따라 선별적으로 정리한 것입니다.

This bibliography represents a selection of publications and articles in chronological order that the Museum consulted while researching Lee Bul's early work.

한글
Korean

개인전 도록 / Solo Exhibition Catalogues

오브리스트, 한스 울리히. 「사이보그 & 실리콘 – 이불과 그녀의 작품세계」. 『Lee Bul』. 서울: 아트선재센터, 1998.

안소연, 로댕갤러리. 『이불』. 서울: 로댕갤러리, 2002.

김형미. 「말할 수 없는, 마주할 뿐」. 『국립현대미술관 현대차 시리즈 2014: 이불』. 서울: 국립현대미술관, 2014.

정도련. 「오랜 세월과 수많은 지형들」. 『국립현대미술관 현대차 시리즈 2014: 이불』. 서울: 국립현대미술관, 2014.

단체전 도록 / Group Exhibition Catalogues

뮤지엄. 『뮤지엄』. 서울: 뮤지엄, 1987.

윤진섭. 「당돌한 표현력의 결집: 또 다른 여행을 위하여」. 『뮤지엄』. 서울: 뮤지엄, 1987.

P&P갤러리. 『Print Concept』. 서울: P&P갤러리, 1987.

홍익조각회. 『제18회 홍익조각회』. 서울: 홍익조각회, 1987.

뮤지엄. 『U. A. O.』. 서울: 뮤지엄, 1988.

홍익조각회. 『제19회 홍익조각회』. 서울: 홍익조각회, 1988.

이불. <무제>, 1988, 《U. A. O. (Unidentified Art Object)》 전시 출품작. 『보고서\보고서-1』, 금누리, 안상수 엮음. 서울: 안그라픽스, 1988년 7월 1일.

국립현대미술관. 《'89 청년작가전》 사진필름첩. 과천: 국립현대미술관, 1989.

국립현대미술관. 《'89 청년작가전》 슬라이드첩. 과천: 국립현대미술관, 1989.

국립현대미술관. 『청년작가전 1989』. 과천: 국립현대미술관, 1989.

나우갤러리. 『행위미술제: 예술과 행위 그리고 인간 그리고 삶 그리고 사고 그리고 소통』. 서울: 나우갤러리, 1989.

홍익조각회. 『제20회 홍익조각회』. 서울: 홍익조각회, 1989.

이불 외. 「작품을 하는 이유」. 『보고서\보고서-2』, 금누리, 안상수 엮음. 서울: 안그라픽스, 1989년 3월 15일.

이불. 퍼포먼스 사진. 『보고서보고서-3』, 금누리, 안상수 엮음. 서울: 안그라픽스, 1989년 11월 1일.

이불. 《점점 더-그, 그것은》 관련 텍스트와 사진. 『보고서\보고서-4』, 금누리, 안상수 엮음. 서울: 안그라픽스, 1990년 3월 3일.

이불. 고낙범 얼굴과 섞은 이불의 초상사진. 『보고서\보고서-5: 선데이서울』, 금누리, 안상수 엮음. 서울: 안그라픽스, 1990년 8월 1일.

이불. 「안상수, 최정화와의 대화」. 『보고서\보고서-6』, 금누리, 안상수 엮음. 서울: 안그라픽스, 1991년 7월 1일.

덕원갤러리. 『성형의 봄』. 서울: 덕원갤러리, 1993.

바탕골미술관. 『우리의 이야기 II』. 서울: 바탕골미술관, 1993.

가슴시각개발연구소. 『이런 미술-설거지』. 서울: 금호미술관, 열음사, 1994.

예술의전당. 『제2회 내일에의 제안: 차세대의 시각』. 서울: 예술의전당, 1994.

95 미술의 해 조직위원회. 『공간의 반란: 한국의 입체, 설치, 퍼포먼스 1967–1995』. 서울: '95 미술의 해 조직위원회, 1995.

김선정, 김수기, 선재미술관 (현 우양미술관). 『싹』. 경주: 선재미술관 (현 우양미술관), 1995.

김홍희. 「한국 여성미술의 오늘」. 『'95 한국여성미술제』. 서울: 명립미술, 1995.

송인종, 임영방, 이용우, 오광수, 캐티 할브라이쉬, 성완경, 장 드 르와지, 안다 로텐버그, 클라이브 아담스, 유홍준, 장석원, 서성록, 윤진섭, 광주비엔날레. 『광주비엔날레: 문인화와 동양정신, 한국현대미술의 오늘』. 서울: 삶과 꿈, 1995.

이불. "머리카락 춤" 퍼포먼스 사진 수록. 『보고서\보고서-10』, 금누리, 안상수 엮음. 서울: 안그라픽스, 1997년 2월 1일.

김홍희. 「섹스와 젠더」. 『1999 여성미술제 팥쥐들의 행진』. 서울: 홍디자인출판부, 1999.

송미숙. 『1999 베니스비엔날레 한국: 이불, 노상균』. 서울: 한국문화예술진흥원, 1999.

아트선재센터. 『느림』. 서울, 경주: 아트선재센터, 선재미술관 (현 우양미술관), 2000.

윤진섭. 「1980년대 한국 행위미술의 태동과 전개」. 『한국의 행위미술 1967-2007』. 과천: 국립현대미술관, 2007.

김종길. 「끝없는 현실과 최초의 행동」. 『1990년대 이후의 새로운 정치미술: 악동들 지금/여기』. 안산: 경기도미술관, 2009.

김홍희. 「1990년대 이후의 새로운 정치미술: 악동들 지금/여기」. 『1990년대 이후의 새로운 정치미술: 악동들 지금/여기』. 안산: 경기도미술관, 2009.

김홍희. 「한국 현대미술사의 신기원, 1990년대」. 『X: 1990년대 한국미술』. 서울: 서울시립미술관, 현실문화, 2016.

우정아. 「그로테스크/스펙터클: 1990년대 한국의 도시 재앙과 현대적 미술」. 『X: 1990년대 한국미술』. 서울: 서울시립미술관, 현실문화, 2016.

신문 기사, 연속 간행물 / Periodicals

김정숙. 「신세대 그룹 MUSEUM 다양한 이벤트와 프로젝트 개발」. 『미술세계』 88호, 1992년 2월.

이충걸. 「이 사람이 궁금하다: 칼이 칼을 갈아 언젠가 무기가 될 것이다 – 행위 예술가 이불」. 『행복이 가득한 집』, 1992년 10월.

박삼철. 「난해한 예술 표현 방식 논란」. 『스포츠조선』, 1993년 3월 18일.

문화일보. 「설치미술 표현의 자유 논란」. 『문화일보』, 1993년 3월 19일.

「난해한 썩은 생선전」. 『크리스천 한국』, 1993년 3월 31일.

김홍희, 이종숭. 「미술대담: 페미니즘, 그리고 미술에서의 페미니즘 – 「여성 - 그 다름과 힘」展에 즈음해서」. 『공간』 318호, 1994년 4월.

조한혜정. 「미술에 있어서 페미니즘 운동 - 여성, 그 다름과 힘전(展)」. 『미술광장』, 1994년 5월.

김현도. 「냉면이 나올 때를 기다리면서」. 『문학정신』, 1994년 7월.

이영재. 「이불의 「미술품경매」 퍼포먼스」. 『미술광장』, 1994년 7월.

윤진섭. 「신세대미술, 그 반항의 상상력」. 『월간미술』, 1994년 8월.

김기권. 「진취적 예술문화창조 '94 대전트리엔날레」. 『미술세계』, 1994년 10월.

박정희. 「오늘날의 문화논리, 냉정하게 파악합시다」. 『미술공예』, 1994년 10월.

이공순. 「퍼포먼스, 그 반란의 예술: 기계문화·물신성에 도전하는 반전통장르」. 『한겨레21』, 1995년 2월 23일.

미술세계. 「전시초점: 정신이 신체를 규정하는 입장에 대한 반란, 한국 현대미술 신세대 흐름展/신체와 인식」. 『미술세계』, 1995년 6월.

이주헌. 「화장실에서 미술감상? 실험정신 왕성한 주택... 문화현실 '문화적' 조롱」. 『한겨레21』, 1995년 6월 1일.

김진엽. 「신세대 미술 과연 존재하는가?」. 『미술세계』, 1995년 9월.

양귀문. 「유럽과 동아시아를 연결한 새로운 문화적 대화: 제6회 소형조형물 트리엔날레」. 『월간미술』, 1996년 2월.

안혜리. 「모마展示 초대는 뉴욕 본격 진출 의미」. 『중앙일보』, 1996년 7월 16일.

이근. 「30代 화가 이불·강익중. 美 화단서 떠오른다」. 『경향신문』, 1996년 7월 17일.

최진환. 「설치작가 이불 국내처음 뉴욕 현대미술관 초대전」. 『한국일보』, 1996년 7월 17일.

김한수. 「여성 행위미술가 이불씨 뉴욕 현대미술관 초대전」. 『조선일보』, 1996년 7월 18일.

금동근. 「나의 문화주장 (8) 설치미술가 이불씨 "작품에 五感 활용해야 작가의도 명확히 전달"」. 『동아일보』, 1996년 7월 26일.

박신의. 「작가연구: 이불, 그로테스크와 코믹의 미학」. 『월간미술』, 1996년 10월.

최금수. 「보기 좋은 떡이 먹기도 좋다?」. 『news+』, 1996년 11월 28일.

이화순. 「부패하는 생선에 담긴 여성의 슬픔...」. 『스포츠 조선』, 1996년 12월 3일.

안혜리. 「수백명 풍선에 펌프질 인터넷으로 全세계 중계: '96 잊지못할 한해. 日서 설치작업展 행위예술가 이불씨」. 『중앙일보』, 1996년 12월 28일.

오애리. 「모마 초청 작가 이불 인터뷰」. 『문화일보』, 1996년 12월 30일.

김문희. 「설치미술과 이불이 창조한 도전적인 어진사(女戰士) 이엉에」. 『이메진』, 1997년 1월.

김홍희. 「이불의 그로테스크 바디」. 『공간』 352호, 1997년 2월.

박찬경. 「이불, 패러디적, 아이러니적 현실에 대한 패러디와 아이러니」. 『공간』 352호, 1997년 2월.

이충걸. 「반역자 이불」. 『보그 코리아』, 1997년 5월.

오애리. 「설치예술가 이불:고정된 여성성과 오리엔탈리티의 뒤집기를 시도한다」. 『페미니스트 저널 if』 1, 1997년 여름.

박신의. 「제4회 리옹 비엔날레: 유럽 이상주의의 막다른 골목」. 『월간미술』, 1997년 9월.

안혜리. 「여성해방 상징 '身體' 집중조명」. 『중앙일보』, 1998년 10월 12일.

백지숙. 「혼성과 분절의 유기적 체계로: 이불展」. 『월간미술』, 1998년 11월.

백지숙. 「'99 여성미술제 '팥쥐들의 행진'을 복습하다」. 『여성과 사회』 11집, 1999년 12월.

김형중. 「이불 '미래적인 바로크'전」. 『스포츠조선』, 2000년 5월 16일.

김정희. 「대중문화와 엘리트 담론 사이의 혼혈아」. 『월간미술』, 2002년 2월.

유진상. 「명상하는 기관의 신체」. 『월간미술』, 2002년 2월.

강태희. 「How Do You Wear Your Body 이불의 몸 짓기」. 『미술사학』 16 (2002.8.): 165–189.

정은주. 「[거리 미술관 속으로] 여의도 한국투자증권 '백야홍'」. 『서울신문』, 2007년 4월 11일.

기혜경. 「문화변동기의 미술비평-미술비평연구회(89~93)의 현실주의론을 중심으로」. 『한국근현대미술사학』 제25집 (2013.6.): 111–143.

우정아. 「'뮤지엄'의 폐허 위에서 1990년대 한국 미술의 동시대성과 신세대 미술의 담론적 형성」. 『미술사와 시각문화』 20 (2017): 130–157.

기혜경, 심광현, 정헌, 김장언, 장승연. 「1990년대 이후 공공성 담론」. 『다시, 바로, 함께, 한국미술』 vol. 3 (2018.12.): 10–14.

김홍희. 「여성작가·액티비스트·페미니스트: 한국 페미니즘 미술의 흐름과 국면들」. 『다시, 바로, 함께, 한국미술: 한국 페미니즘 미술의 확장성과 역할』 (2019.6): 7–8.

윤난지. 「이불의 몸, 그 불투명한 껍질」. 『월간미술』, 2020년 1월.

단행본 / Books

최승자. 『나의 時가 되고 싶지 않은 나의 詩』. 『이 時代의 사랑』. 서울: 문학과지성사, 1981.

김홍희. 「1980년대 한국미술: 70년대 모더니즘과 90년대 포스트모더니즘 사이의 전환기 미술」. 한국현대미술사연구회 엮음. 『한국현대미술 198090』. 서울: 학연문화사, 2009.

안소연. 「파괴와 재구축의 전략 - 이불의 역사 쓰기」. 『동시대 한국 미술의 지형』. 서울: 학고재, 2009.

우정아. 「실패한 유토피아에 대한 추억 - 이불의 아름다움과 트라우마」. 『시대의 눈』. 서울: 학고재, 2011.

문혜진. 「신세대 미술과 감수성의 변화」. 『90년대 한국 미술과 포스트모더니즘: 동시대 미술의 기원을 찾아서』. 서울: 현실문화, 2015.

윤난지. 『한국 현대미술의 정체』. 파주: 한길사, 2018.

영어
English

개인전 도록 / Solo Exhibition Catalogues

Obrist, Hans Ulrich. "Lee Bul and Her Art World – Cyborg & Silicone." In *Lee Bul*. Seoul: Art Sonje Center, 1998.

Kim, Clara. "Interview with Lee Bul." In *Lee Bul: Live Forever Act One*. San Francisco: San Francisco Art Institute, 2001.

Ahn, Soyeon, Rodin Gallery. *Lee Bul*. Seoul: Rodin Gallery, 2002.

Bethany Napier, Ellen, and Marion Boulton Stroud, San Francisco Art Institute and the Fabric Workshop and Museum. *Lee Bul: Live Forever Act Two*. Philadelphia: The Fabric Workshop and Museum, 2002.

Kang, Tae-hi, and Kim Seung-duk, The Japan Foundation Asia Center, Ohara Museum of Art. *Lee Bul: Theatrum Orbis Terrarum*, ed. Furuichi Yasuko. Tokyo: The Japan Foundation Asia Center, 2003.

Poitevin, Jean-Louis, and Elisabeth Wetterwald, Le Consortium, Galeries contemporaines des musées de Marseille, Centre for Contemporary Arts Glasgow. *Lee Bul: Monsters*. Dijon: Les presses du réel, 2003.

Kent, Rachel, Museum of Contemporary Art. *Lee Bul*. Sydney: Museum of Contemporary Art, 2004.

Green, Charles, Gregory Burke, and Charlotte Huddleston, Govett-Brewster Art Gallery. *Lee Bul*. New Plymouth: Govett-Brewster Art Gallery, 2007.

Quaroni, Grazia, Fondation Cartier pour l'art contemporain. *Lee Bul: On Every New Shadow*. Paris: Fondation Cartier pour l'art contemporain, 2007.

Kataoka, Mami. "In Pursuit of Something between the Self and the Universe." In *Lee Bul: From Me, Belongs to You Only*. Tokyo: Mori Art Museum, 2012.

Schafhausen, Nicolaus. "Interview with Lee Bul." In *Lee Bul: From Me, Belongs to You Only*. Tokyo: Mori Art Museum, 2012.

Woo, Jung-Ah. "Lee Bul: Memory of a Collapsed Utopia." In *Lee Bul: From Me, Belongs to You Only*. Tokyo: Mori Art Museum, 2012.

Chong, Doryun. "Many Centuries and Numerous Topographies." In *MMCA Hyundai Motor Series 2014: LEE BUL*. Seoul: National Museum of Modern and Contemporary Art, 2014.

Kim, Hyoungmi. "Cannot Be Described, Only Encountered." In *MMCA Hyundai Motor Series 2014: LEE BUL*. Seoul: National Museum of Modern and Contemporary Art, 2014.

Chung, Yeon Shim. "Sorry for Suffering: Lee Bul's Dissident Bodies." In *Lee Bul*. London: Hayward Gallery Publishing, 2018.

Rosenthal, Stephanie. "A Feeling about Freedom." In *Lee Bul*. London: Hayward Gallery Publishing, 2018.

단체전 도록 / Group Exhibition Catalogues

Kim, Sunjung, and Kim Soo Ki, Sonje Museum of Contemporary Art (now Wooyang Museum). *Ssack*. Gyeongju: Sonje Museum of Contemporary Art (now Wooyang Museum), 1995.

Lee, Yongwoo, Fruitmarket Gallery. *Information & Reality: Korean Contemporary Art*. Edinburgh: Fruitmarket Gallery, 1995.

Schaschl, Sabine, Südwest LandesBank Forum Stuttgart. *6th Triennale Kleinplastik 1995: Europa–Ostasien*. Ostfildern-Ruit: Cantz Verlag, 1995.

Yoon, Jinsup. "The Modality of Pluralism in the Age of Post-Ideology." In *New Asian Art Show–1995: China Korea Japan*. Tokyo: Committe of International Contemporary Art, 1995.

Cities on the Move, ed. Hou Hanru, and Hans Ulrich Obrist, Capc Musée d'art contemporain de Bordeaux, Wiener Secession. Ostfildern-Ruit: Verlag Gerd Hatje, 1997.

London, Barbara, Museum of Modern Art. *Projects 57: Bul Lee/Chie Matsui*. Exhibition brochure. New York: Museum of Modern Art, 1997.

Szeemann, Harald. "Bul Lee." In *4e biennale de Lyon d'art contemporain: l'autre*. Paris: Réunion Des Musées Nationaux, 1997.

Spector, Nancy. "Award Giving in the Visual Arts: The Hugo Boss Prize 1998." In *The Hugo Boss Prize 1998*, ed. Carol Fitzgerald. New York: Guggenheim Museum Publications, 1998.

Young, Joan. "Lee Bul." In *The Hugo Boss Prize 1998*, ed. Carol Fitzgerald. New York: Guggenheim Museum Publications, 1998.

Kim, Hong-hee. "Women's Art Festival 99: Patjis on Parade." In *1999 Women's Art Festival Patjis on Parade*. Seoul: Hong Press, 1999.

Song, Misook. *Republic of Korea: Venice Biennale 1999: Lee Bul, Noh Sang-kyoon*. Seoul: The Korean Culture and Arts Foundation, 1999.

Lee, James B. *Lee Bul, Mon grand recit: Weep into stones..., 2005*. Brochure accompanying the artist's participation in "Art Unlimited," Art 36 Basel, Switzerland. Seoul: Kukje Gallery, 2005.

Kim, Hong-hee. "The 1990s, A New Epoch in the History of Korean Contemporary Art." In *Korean Art in the Nineties*. Seoul: Seoul Museum of Art, Hyunsil Book, 2016.

Woo, Jung-Ah. "Grotesque/Spectacle: Korean Urban Catastrophe in the 1990s and Contemporary Art." In *Korean Art in the Nineties*. Seoul: Seoul Museum of Art, Hyunsil Book, 2016.

신문 기사, 연속 간행물 / Periodicals

Geh, Linda. "The last of the Asian shamans." *Star*, October 10, 1993.

Lee, James B. "Performance Art Takes A Stand." *Asian Art News* vol. 4, no. 6, November/December 1994.

Lee, James B. "The Call to Globalization: A booming economy has meant a proliferation of artists, galleries, and museums. But when will the West catch on?" *ARTnews*, April 1995.

Lee, James B. "Desire Under Siege." *World Art* Vol. 3, 1995.

Lee, James B. "Lee Bul: The Aesthetics of Cultural Complicity and Subversion." *ArtAsiaPacific* Vol. 2, No. 2, 1995.

Lee, Min Sook. "Disclosure in the performance of Lee Bul." *C Magazine* No. 45, Spring 1995.

Shin, Ann. "I Want More Kitschy Fish." *Fuse Magazine* vol. 18, no. 5, 1995.

Kim, Sunjung. "Baubles, Bangles and Beads Interviews with Four Korean Women Artists." *ArtAsiaPacific* Vol. 3, No. 3, 1996.

Lee, James B. "You are not here: An exhibition of Korean Art in Edinburgh." *ArtAsiaPacific* Vol. 3, No. 3, 1996.

Park, Chan-kyong. "Lee Bul, Parody and Irony about Parody-like and Ironical Reality." *SPACE magazine* No. 352, February 1997.

Kee, Joan. "New York Reviews: Chie Matsui and Bul Lee at MoMA." *artnet Magazine*, March 4, 1997.

MacAdam, Barbara. "Art Talk: In the Swim." *ARTnews*, May 1997.

Obrist, Hans Ulrich. "Stinkende Vis." *Metropolis M* Nov. 5, October/November 1997.

McFadden, Sarah. "The 'Other' Biennial." *Art in America*, November 1997.

Fogle, Douglas. "Cities on the Move." *Flash Art International*, March/April 1998.

Choe, Young-min. "Lee Bul Penetrates Aspects of Human Sensuality." *The Korea Times*, October 29, 1998.

Kim, Mi-hui. "The Coming Great Correction." *Korea Herald*, May 29, 2000.

Lee, Bul. "Beauty and Trauma." *Art Journal* Vol. 59, No. 3, Fall 2000.

Gautherot, Franck. "Lee Bul. Supernova in Karaoke Land." *Flash Art International* no. 217, March/April 2001.

Kim, Seung-duk. "Lee Bul, Les deux corps de l'artiste." *art press* no. 279, May 2002.

Hasegawa, Yuko. "The Avant-garde and the Museum: Intermixing Heteropotpias." *Я[á:r]* issue 02, 2003.

Devenport, Rhana. "Review (New Plymouth): Lee Bul at Govett-Brewster Art Gallery." *ArtAsiaPacific* No. 47, Winter 2006.

Masters, H.G. "Lee Bul: Wayward Tangents." *ArtAsiaPacific* No. 56, November/December 2007.

Pollack, Barbara. "In The Studio: Lee Bul." *Art+Auction*, June 2008.

Sherwin, Skye. "of the week 97: Lee Bul." *The Guardian*, July 21, 2010.

Amy, Michäel. "Lee Bul: Phantasmic Morphologies." *Sculpture* Vol. 30, No. 4, May 2011.

Kataoka, Mami. "Interview with Lee Bul: Is there any art or society not initiated from individual?" *Bijutsu Techo* No. 965, April 2012. (In Japanese)

Masters, H.G. "Where I Work: Lee Bul." *ArtAsiaPacific* No. 82, March/April 2013.

Hoberman, Mara. "Lee Bul." *Artforum*, October 2013.

Searle, Adrian. "Techno-terror: Lee Bul's Strange World of Batman Caves and Vomiting Dogs." *The Guardian*, September 11, 2014.

Lee, Woo-young. "Artist Lee Bul returns with colossal works." *The Korea Herald*, October 1, 2014.

Teo, Wenny. "The Korean artist looks to the failed utopias of the past to present a disturbing vision of the future." *ArtReview Asia*, Autumn/Winter 2014.

Wahid, Hafizah Abdul. "Pushing the Boundaries of Korean Art: Lee Bul," *Brilliant Ideas* episode 16, YouTube video, 24:10 (New York: Bloomberg Quicktake, 2015), https://www.youtube.com/watch?v=WhyeyI3fKY8

Sherwin, Skye. "Floating Cyborgs and a Mutant Octopus ... The Grotesque. Gorgeous Art of Lee Bul." *The Guardian*, May 28, 2018.

Durrant, Nancy. "Visual art review: Lee Bul, Hayward Gallery, SE1." *The Times*, May 30, 2018.

Cumming, Laura. "Lee Bul: Crashing Review – Beauty with Menace." *The Guardian*, June 3, 2018.

Ure-Smith, Jane. "Sculpture and non-sculpture: London galleries showcase Korean art." *Financial Times*, June 4, 2018.

Kwon, Mee-yoo. "Lee Bul's dystopian utopia on view in London." *The Korea Times*, July 9, 2018.

Windsor, Bea. "The Korean artist using manga and rotting fish as social commentary." *DAZED*, July 11, 2018.

Flood, Alison. "Susan Sontag was true author of ex-husband's book, biography claims." *The Guardian*, May 13, 2019.

단행본 / Books

Lee, James B. "Parody, Parable, Politics." In *Bul Lee*. Seoul: Ahn Graphics (Unpublished), 1997.

Choi, Seung-ja. *Phone Bells Keep Ringing for Me*. Notre Dame: Action Books, 2020.

전시

주최: 서울시립미술관

학예총괄: 김희진 학예연구부장
전시총괄: 고원석 전시과장
전시행정: 정지혜, 성민관 주무관
전시: 권진 학예연구사, 서지원, 최서영 코디네이터

교육홍보총괄: 송은숙 교육홍보과장
홍보: 박창현, 이성민, 이은주, 이연미 주무관, 권지은 실무관,
이희옥 코디네이터
교육: 김정아, 구혜림 학예연구사, 유지혜 코디네이터

수집연구총괄: 전소록 수집연구과장
연구: 김아영 학예연구사, 김서현 코디네이터

행정 및 기술지원 총괄: 김기용 총무과장
건축: 신현성 시설팀장
전기: 이진섭, 김종민, 최연식 주무관
설비: 이호완 주무관
소방: 천성욱 주무관
통신: 한선호 주무관
방호: 노영규, 정인철, 조현기, 유영범 주무관, 권은지, 장지혜
공공안전관

법률: 김지은 주무관

후원업무지원: 서울시립미술관후원회 세마인
세마인 실장: 현선영

스튜디오 이불
MARICI LAB SPACE: 이미림, 최지현, 황지희
MARICI: 이경, 남지, 이수진, 여혜연
송연, 서승원, 서기원, 김의진, 윤두현, 신승엽, 서종원
BHAUM: 이방

퍼포먼스 영상: 사운드앤비전 (최원석)

공간디자인 및 시공: 힐긋
그래픽디자인: MHTL (맛깔손, 박럭키)
작품 운송, 설치: 앨엔비파인아트
영상장비: 만리아트메이커스 (김경호)
전시 트레일러: 이주연
영문 번역, 자막: 김실비, 투미너스
홍보지원: 오운
메이킹 필름: 57 스튜디오
인쇄, 홍보물 제작: 인타임, 남이
전시 사진기록: 홍철기

작품과 자료 대여 및 제공: 작가 및 개인소장가 서울
한국, 금누리, 대구미술관 한국, 블룸버그 L.P., 리움
삼성미술관 서울 한국, 스파이럴/와코루 아트센터 도쿄
일본, 아모레퍼시픽미술관 서울 한국, 아트선재센터 서울
한국, 유진상, 천호선, 퀸즐랜드 주립미술관 브리즈번 호주,
한국미술관 용인

후원: 에르메스 코리아

출판

발행인: 백지숙 서울시립미술관장

편집: 권진, 김아영 (서울시립미술관), 이미림, 황지희, 최지현
(MARICI LAB SPACE)

집필: 권진, 김아영, 니콜라우스 샤프하우젠, 박소현, 백지숙,
성기완, 스테파니 로젠탈, 장지한, 정도련, 제임스 리, 최승자,
한스 울리히 오브리스트

자료조사: 권진, 김아영, 김서현, 서지원, 최서영, 정재임,
이주연, 김보아 (서울시립미술관), 이미림, 황지희, 최지현
(MARICI LAB SPACE)

영한번역: 권진, 서지원, 정은선
한영번역: 김 앨리스 수진, 이수진, 투미너스, 김정혜,
곽재은, 김실비, 황선혜
시 번역: 김원중
영문감수: 박명숙, 필립 마허, 수잔나 권, 투미너스

디자인: Studio Manuel Raeder (루시 듀크레이, 마뉴엘
라이더), 스튜디오 힉
이미지 후보정: Studio Manuel Raeder
조판: Studio Manuel Raeder (루시 듀크레이, 마뉴엘
라이더), 스튜디오 힉
서체: 아리따부리 (한글), Dante MT (영문), Noh Optique
종이: 한솔 인스퍼 M 러프 엑스트라 화이트 90g, 130g, 240g

인쇄: 세걸음

법률: 김지은 주무관

후원업무지원: 서울시립미술관후원회 세마인
세마인 실장: 현선영

도움을 주신 분들: (주)굳피플 서울 한국, 국립현대미술관 과천
경기도, 김진주, 김혜순, 두산매거진 서울 한국, 디자인 하우스
서울 한국, 모리미술관 도쿄 일본, 문학과지성사 서울 한국,
박영숙, 삼성출판사 서울 한국, 아시아 아트 뉴스 홍콩, 아시아
아트 아카이브 홍콩, 아트뉴스 뉴욕 미국, 아트선재센터 서울
한국, 오애리, 이민숙, 이영애, 이영재 , 이충걸, 이프북스 서울
한국, 조선일보 서울 한국, 조한혜정, 천호선, 캐롤 잉후아 루,
한겨레 서울 한국, 한국언론진흥재단 서울, 헤이워드 갤러리
런던 영국, C The Visual Arts Foundation 토론토 캐나다

후원: Bartleby Bickle & Meursault (BB&M) 서울 한국,
리만머핀 뉴욕 홍콩 서울 런던, PKM 갤러리 서울 한국,
타데우스 로팍 갤러리 런던 파리 잘츠부르크

BARTLEBY BICKLE & MEURSAULT

LEHMANN MAUPIN

PKM GALLERY

Thaddaeus Ropac
London Paris Salzburg

발행: 서울시립미술관, BB&M, 미디어버스, BOM DIA BOA
TARDE BOA NOITE

서울시립미술관
서울시 중구 덕수궁길 61 (04515)
https://sema.seoul.go.kr

BARTLEBY BICKLE & MEURSAULT

BB&M
서울시 성북구 성북로23길 10 (02879)
bbmeursault.com

미디어버스
서울시 종로구 자하문로 10길 22 2층 (110-040)
https://mediabus.org

BOM
DIA
BOA
TARDE
BOA
NOITE

BOM DIA BOA TARDE BOA NOITE
Rosa-Luxemburg-Strasse 17
10178 Berlin, Germany
https://bomdiabooks.de

이 책은 서울시립미술관 서소문본관에서 2021년 3월
2일부터 5월 16일까지 개최된《이불—시작》전시의 일환으로
만들어졌습니다.

발간등록번호: 51-6110514-000020-01

ISBN: 979-11-90434-17-1 93600
ISBN: 978-3-96436-044-1

금액 35 EURO/39 USD/45,000 KRW

Exhibition

Organized by Seoul Museum of Art

Overall Supervisor: Heejin Kim
(Director of Curatorial Bureau)
Curatorial Supervisor: Wonseok Koh
(Head of Exhibition Division)
Exhibition Administration: Jeong Jihye,
Seong Min-Gwan
Curator: Jin Kwon
Exhibition Coordinator: Jiwon Seo,
Choi Seoyoung

Education and PR Supervisor: Song Eun Suk
(Head of Education and PR Division)
PR: Park Changhyun, Lee Sungmin,
Lee Eunju, Lee Yeonmi
PR Coordinator: Hee-Ok Lee, Jieun Kwon
Education: Koo Hyerim, Jeongah Kim
Education Coordinator: Yu Jihye

Research Supervisor: Solok Jeon
(Head of Collection & Research Division)
Research: Ayoung Kim
Research Coordinator: Seo Hyun Kim

Administration Supervisor: Kim Giyong
(Head of Administration Division)
Facilities: Shin Hyoen Sung
(Museum Maintenance Manager), Lee Jin Sup,
Kim Jong Min, Choi Yeon-sik (Electricity),
Lee Ho Wan (Machinery), Cheon Seong Wook
(Fire Prevention), Han Sun Ho (Communication),
Noh Young Kyu, Jeong In Cheol, Jo Hyun Ki,
Yu Young Beom, Kwon Eun Ji, Jang Ji Hye (Security)

Legal Advisor: Kim Jieun

Corporate Sponsors Support: SeMA 人[IN]
Manager, SeMA 人[IN]: Hyun Sun Young

Studio Lee Bul
MARICI LAB SPACE: Mirim Lee, Jihyun Choi,
Jenny Jihee Hwang
MARICI: Lee Kyung, Nam Zie, SooJin Lee,
Hyeyeon Yeo
Song Yeon, Seungwon Seo, Kiwon Seo, Kim Eui-jin,
Doohyun Yoon, Seungyeop Shin, Seo Jongwon
BHAUM: Lee Bang

Performance Videos: Sound & Vision
(Wonseok Choi)

Exhibition Design & Construction: Hilgeut
Graphic Design: MHTL (Mat-kkal, LUCKY)
Art Transport and Installation: LNB FINE
ART CO.,LTD.
AV Technician: Manri Art Makers
Exhibition Trailer: Jooyeon Lee
English Translation and Subtitles: Sylbee Kim,
2MEANUS
PR: o-un
Making Film: 57 Studio
Printing: INTIME
Graphics & Signage Production: Namiad co., Ltd.
Exhibition Photography: Hong Cheolki

Artworks and Archival Materials:
Courtesy of the Artist; Amorepacific Museum of
Art, Seoul, Korea; Art Sonje Center, Seoul, Korea;
Bloomberg L.P.; CHEON Ho-seun; Daegu Art
Museum, Korea; Gum Nuri; Hankuk Art Museum,
Yongin, Korea; Jinsang YOO; Leeum, Samsung
Museum of Art, Seoul, Korea; Private Collection,
Seoul, Korea; Queensland Art Gallery & Gallery of
Modern Art, Brisbane, Australia; Spiral / Wacoal Art
Center, Tokyo, Japan

Supported by Hermès Korea

Publication

Publisher: Beck Jee-sook (General Director
of Seoul Museum of Art)

Editors: Jin Kwon, Ayoung Kim (Seoul Museum
of Art); Mirim Lee, Jenny Jihee Hwang, Jihyun Choi
(MARICI LAB SPACE)

Contributors: Beck Jee-sook, Seung-ja Choi,
Doryun Chong, Jihan Jang, Ayoung Kim, Jin Kwon,
James B. Lee, Hans Ulrich Obrist, Sohyun Park,
Dr. Stephanie Rosenthal, Nicolaus Schafhausen,
Kiwan Sung

Research: Jin Kwon, Ayoung Kim, Seo Hyun Kim,
Jiwon Seo, Choi Seoyoung, Jaeim Joung, Jooyeon
Lee, BoA Kim (Seoul Museum of Art); Mirim Lee,
Jenny Jihee Hwang, Jihyun Choi (MARICI LAB
SPACE)

Korean Translations: Jin Kwon, Jiwon Seo,
Eunsun Chung
English Translations: Alice S. Kim, SooJin Lee,
2MEANUS, Jeong Hye Kim, Kwak Jaeeun, Sylbee
Kim, HWANG Sunhye, Won-Chung Kim (Poem)
Copyediting: Myoungsook Park, Phillip Maher,
Susana Kwon, 2MEANUS (English)

Graphic Design: Studio Manuel Raeder
(Lucie Ducrey, Manuel Raeder) and Studio Hik
Lithography: Studio Manuel Raeder
Typesetting: Studio Manuel Raeder and Studio Hik
Typefaces: Arita Buri (Korean), Dante MT (English),
Noh Optique
Paper: Hansol Insper M Rough Extra White
90g, 130g, 240g

Printed in Republic of Korea by Seguleum

Legal Advisor: Kim Jieun

Corporate Sponsors Support: SeMA 人[IN]
SeMA 人[IN] Manager: Hyun Sun Young

Special Thanks to:
Art Sonje Center, Seoul, Korea; ARTnews, New
York, United States; Asia Art Archive, Hong Kong;
Asian Art Press, Hong Kong; C The Visual Arts
Foundation, Toronto, Canada; Carol Yinghua Lu;
CHEON Ho-seon; Cho Haejoang; Designhouse,
Seoul, Korea; Doosan Magazine, Seoul, Korea;
Good People Co., LTD, Seoul, Korea; if Books,
Seoul, Korea; Jinjoo Kim; Kim Hyesoon; Korea
Press Foundation, Seoul, Korea; Lee Choong Keol;
Lee Min Sook; Lee Young Ae; Lee Young-Jay;
Moonji Publishing co., Ltd., Seoul, Korea; Mori
Art Museum, Tokyo, Japan; National Museum of
Modern and Contemporary Art, Gwacheon, Korea;
Oh Aeri; Park Youngsook; Samsung Publishing,
Seoul, Korea; The Chosun Ilbo, Seoul, Korea;
The Hankyoreh, Seoul, Korea; Hayward Gallery,
London, United Kingdom

Supported by Bartleby Bickle & Meursault (BB&M),
Seoul, Korea; Lehmann Maupin, New York, Hong
Kong, Seoul, and London; PKM Gallery, Seoul, Korea;
Galerie Thaddaeus Ropac, London, Paris and Salzburg

BARTLEBY BICKLE & MEURSAULT

LEHMANN MAUPIN

PKMGALLERY

Thaddaeus Ropac
London Paris Salzburg

Published by Seoul Museum of Art, BB&M,
Mediabus, BOM DIA BOA TARDE BOA NOITE

서울시립미술관
SEOUL MUSEUM OF ART

Seoul Museum of Art
61 Deoksugung-gil, Jung-gu
04515 Seoul, Korea
sema.seoul.go.kr

BARTLEBY BICKLE & MEURSAULT

BB&M
10, Seongbuk-ro 23-gil, Seongbuk-gu
02879 Seoul, Korea
bbmeursault.com

Mediabus
22, Jahamunro 10-gil, Jongno-gu
110-040 Seoul, Korea
mediabus.org

BOM
DIA
BOA
TARDE
BOA
NOITE

BOM DIA BOA TARDE BOA NOITE
Rosa-Luxemburg-Strasse 17
10178 Berlin, Germany
bomdiabooks.de

The Deutsche Nationalbibliothek lists this
publication in the Deutsche Nationalbibliografie;
detailed bibliographic data are available on the
Internet at http://dnb.dnb.de.

This book is published on the occasion of
the exhibition *Lee Bul: Beginning* organized
and presented by Seoul Museum of Art,
March 2–May 16, 2021.

Government Publications Registration Number:
51-6110514-000020-01

ISBN: 979-11-90434-17-1 93600
ISBN: 978-3-96436-044-1

First Printing
Edition of 1,500

35 EURO/39 USD/45,000 KRW